Mulheres de Contendas

ELLEN BROMFIELD GELD

MULHERES DE CONTENDAS

ROMANCE

Tradução:
LUDMILA ELIAS
EDUARDO FRANCISCO ALVES

GERAÇÃO EDITORIAL

MULHERES DE CONTENDAS

Título Original: The Women of Contendas
Copyright © by Ellen Bromfield Geld

1ª edição – Maio de 2001
1ª reimpressão – Julho de 2001

Editor
Luiz Fernando Emediato

Capa
Victor Burton

Diagramação e editoração eletrônica
Bico de Pena – Criação e Texto

Revisão
Paulo Cesar de Oliveira

Dados internacionais de Catalogação na Publicação (CIP)
(Câmara Brasileira do Livro)

Geld, Ellen Bromfield, 1932
Mulheres de Contendas / Ellen Bromfield Geld :
tradução de Ludmila Elias e Eduardo Francisco Alves.
-- São Paulo : Geração Editorial, 2001

Título original: The Women of Contendas.

IBSN- 85-7509-012-7

1. Romance norte-americano I. Título

01-1721   CDD-813.5

Índices para catálogo sistemático:

1. Romance : Século 20 : Literatura norte-americana
813.5
2. Século 20 : Romance : Literatura norte-americana
813.5

Todos os direitos reservados
GERAÇÃO DE COMUNICAÇÃO INTEGRADA COMERCIAL LTDA.
Rua Cardoso de Almeida, 2188 – 01251-000 – São Paulo – SP – Brasil
Tel. (011) 3872-0984 – Fax: (011) 3862-9031

GERAÇÃO NA INTERNET
www.geracaobooks.com.br
e-mail: geracao@geracaobooks.com.br

2001
Printed in Brazil
Impresso no Brasil

PARTE I

Para Belkiss Rondon,
que me ensinou
a cavalgar nas águas

Capítulo 1

Da varanda da Sede da Fazenda das Contendas, a matriarca Veridiana Tavares contemplava a distância além da salina, que se estendia diante dela como um enorme espelho circular, emoldurado pelas vastas campinas. A despeito de seus setenta e poucos anos, sua postura era ereta e tinha um ar aristocrático de quem, sem nunca o dizer, comandava tudo a seu redor. De fato, havia algo de autoritário até em seus cabelos cinza-chumbo, cuidadosamente penteados para cima, sob os quais projetavam-se uma ampla fronte de sobrancelhas altas, um nariz de curvas arrogantes e um queixo reforçado por uma determinação incansável. Contudo, para quem a conhecia, nada era mais marcante que o relance de seus olhos espaçados, cor de mel, que, como os de uma coruja, era penetrante, mas raramente deixava transparecer os pensamentos alojados por detrás.

Era um olhar ensaiado, conseqüência da vida que levava; uma defesa que a ajudava a encerrar dentro de si uma infinidade de sentimentos conflitantes, até mesmo quando planejava o que fazer em seguida. E hoje, durante todo o dia, aquele olhar escondera um prazer quase indecente. Encontrava-se mais uma vez em terras da família no Pantanal – a grande planície aluvial do rio Paraguai.

O fato de querer retornar inúmeras vezes ao cenário de tantas tragédias estava além da compreensão de muitos.

– Não sei como a senhora suporta Contendas – criticou seu filho anos atrás. – Por Deus, mamãe – implorou então –, por que a senhora não vende este lugar e acaba com isso? Com o dinheiro a senhora poderia morar no Rio, viajar, nunca mais se preocupar.

– Contendas é a herança dos Tavares – respondeu simplesmente. – Você sabe tão bem quanto eu, Manoel, que sem nossas terras não seríamos ninguém.

A verdadeira resposta teria sido:

– Sem Contendas meu sofrimento seria insuportável. – Mas sendo quem era, guardara há muito essa verdade dentro de si, durante todos esses anos em que lutara para manter a herança intacta.

Assim, cá estava ela novamente no Pantanal, neste momento em que é chegado o período das secas, quando o gado deve ser retirado dos campos altos e levado às terras baixas para pastar. Literalmente caçando o gado xucro, os peões reuniam em rebanhos cada vez maiores as reses que, por instinto próprio, já haviam iniciado a trajetória descendente, refestelando-se na vegetação que brotava do rico aluvião deixado pelas cheias da última estação. Ali, nos brejos às margens dos rios, o gado permaneceria até que um Paraguai inflado pelas chuvas submergisse mais uma vez toda a planície.

Era uma época de intensa atividade, em que todos se envolviam de alguma forma, desde a própria matriarca até o mais jovem membro da família, sua neta Jacyra, de doze anos. A mudança da família – da cidade de Sta. Inácia, 150 quilômetros ao sul – para a fazenda havia começado esta tarde, quando o avião aterrissara com ela, Manoel, sua esposa Isabel e sua eternamente presente tia Tatinha.

Mal haviam desembarcado em meio a uma revoada de poeira, Manoel refugiara-se no "escritório" da fazenda. As duas senhoras abrigaram-se no átrio interno, para elas o local mais seguro nesses arredores ermos, reassumindo sua eterna ocupação de esperar o tempo passar até chegar a hora de partir novamente. Ali se sentariam, constantes lembretes de seus sacrifícios: o de Isabel por ter vindo ao Pantanal por amor a Manoel, o de Tatinha por tê-la seguido para fazer-lhe companhia.

Satisfeita por tê-las distantes por enquanto, Dona Veridiana pôs-se a verificar se o peixe dourado estava devidamente temperado para o jantar e se a cozinha e a despensa da fazenda estavam prontas para receber os suprimentos que chegariam da cidade àquela noite no caminhão com seu genro Juca Cabrera e seus netos Rafael e Jacyra.

Além da selaria, num rancho cercado por alambrados contra lobos, onças e urubus, observou o esquartejamento de um novilho, a separação das partes a serem distribuídas às famílias dos vaqueiros dentre as que seriam secas ao sol para utilização durante a condução da boiada nos dias vindouros. Eram tarefas que sua filha, Olga, morando aqui na fazenda com Juca, havia desempenhado até que seu coração, enfraquecido pela febre, não mais resistira.

– Tarefas complicadas, minuciosas, que exigiam a atenção de uma verdadeira dona-de-casa. Não qualquer uma – disse Dona Veridiana consigo mesma, com uma súbita reverência antes de acrescentar, contraditoriamente:

– Mas não é por isso que sinto falta dela.

Assim pensava enquanto circulava reassumindo o que a filha havia interrompido – uma estranha mistura que derivava de uma natureza num instante direta como uma flecha, no próximo tão evasiva a ponto de iludir até a si mesma. Mas sempre tão carregada de uma gana própria de viver, que ela não podia imaginar Olga, ou qualquer daqueles com quem se importava, como tendo partido de vez.

Agora, em pé na varanda, embora tivesse tido uma tarde desgastante e acreditasse que precisava descansar, ela não se sentia nem um pouco cansada. Sentia-se apenas agitada e ansiosa pela chegada dos outros. Mas sabia que, com o caminhão literalmente desbravando um terreno que só mesmo Deus para inventar para desafiar a determinação humana, eles ainda demorariam uma hora, no mínimo. E não tendo inclinação para esperar, apanhou sua sombrinha e desceu os degraus para caminhar à beira da salina, que reluzia sob o sol à sua frente.

Capítulo 2

Ela reservava, a todo custo, aquele momento do dia para seu puro prazer. Era quando, como uma recompensa pelas batalhas travadas com o dia, gostava de caminhar, taciturna e sem pressa, absorvendo o esplendor de seu mundo como seguramente, dizia para si,

Deus gostaria que fizesse. Quanto a ela, as margens da salina constituíam o local favorito para suas caminhadas, por sua amplidão entre as campinas circunvizinhas.

Ao contrário das margens da baía de água doce atrás da casa, com sua fauna e vegetação fecunda, estas – isoladas das correntezas por altos, amplos capões – eram arenosas e estéreis. Apenas umas poucas gralhas e maçaricos patinhavam à espreita de aranhas e besouros-d'água que deslizavam à superfície das águas rasas. Conta a lenda que há milhões de anos o Pantanal fora coberto por um imenso mar. Exploradores portugueses alegaram ser tais lagos cristalinos os últimos vestígios desse mar batizado, em honra de uma antiga tribo indígena, como Mar dos Xaraés. Verdade ou não, era uma história que Dona Veridiana amava e repassava a seus filhos e netos. E agora vinha-lhe a sensação vívida ao recordar, também, a última vez em que havia caminhado aqui com sua neta Jacyra.

Era uma tarde como esta, quando o vento sul, com sua promessa de mais seca, agitava as águas causando pequenas ondulações que se desmembravam em infinitos reflexos dos raios de sol desvanecentes. Com os pés na água, fazendo suas próprias ondulações na beira da lagoa, Jacyra parara repentinamente para dizer:

– A senhora acha que as salinas abrigam os espíritos do mar, vovó Veridiana?

– Que idéia! – riu-se, diminuindo os pensamentos mórbidos da menina. – Você acredita que o mar tem alma? Que espíritos?

– A senhora sabe – insistiu a criança, os olhos espaçados no rostinho triangular, sem dar trégua à matriarca –, aqueles que a gente vê voando quando o sol incendeia a lagoa.

De repente, querendo muito não responder, Dona Veridiana mudou de assunto. E não falou mais disso com a criança, que às vezes parecia imaginativa demais para o seu próprio bem. Mas agora as imagens estranhas, tristes, evocadas pela criança recusavam-se a permanecer banidas quando ela enfim parou para descansar.

A essa altura, o sol poente havia concentrado toda sua luz num raio único, formando uma senda sobre as águas da salina. Tendo chegado ao extremo oposto, ela procurou seu poleiro favorito: um jatobá caído, derrubado por algum vento iracundo, mas que ainda se mantinha vivo por suas raízes obstinadamente agarradas ao solo. Ali, acomodando-se na forquilha onde o tronco abria caminho para os galhos, ficou admirando o caminho traçado pelo sol. E presa ainda à memória de seu último diálogo, quase pôde ouvir Jacyra perguntando:

— Aonde leva esse caminho? — e como se a criança estivesse ao seu lado para escutá-la, ouviu-se respondendo:

— Oras, é claro, de volta à Sede e à única vida com a qual me preocupo em lembrar.

Capítulo 3

Dona Veridiana nunca falava sobre a vida que tivera antes de vir para Contendas e, para seu próprio bem, procurava pensar nela o mínimo possível. No entanto, em momentos como este, tais pensamentos impunham sua presença sobre ela e quando isso acontecia eles pareciam menos recordações e mais sonhos de infância.

Em cada sonho havia uma casa – a primeira, dominada por um cômodo lúrido por suas cortinas de veludo vermelho, mobília dourada e quadros que poderiam ser tudo, menos católicos. Ali, sua mãe Inácia apareceria em roupas de seda em tons e modelos que realçavam suas formas voluptuosas, sua pele da cor de um pôr-de-sol dourado, olhos cheios de prazer ao conceder-lhe o beijo de boa-noite.

A pequena Veridiana então voltaria a estar só com sua ama Milagre, brincando na cozinha até a hora de ir deitar-se num quarto em meio a outros proibidos para ela, de onde emanavam sussurros, risadas, rangeres de camas – tudo ao som distante de harpas, flautas e violões.

Havia sempre, no fundo desse sonho, a presença de José Valente, que embora aparecesse e desaparecesse, parecia ser a única constante na vida de sua mãe. Com seus músculos uniformes e seus passos leves, ele surgia do nada com aquele olhar incisivo em seus olhos verdes que nunca falhava em colocar na pequena Veridiana uma ponta de temor. Inicialmente, ele aparece na sala espalhafatosa com sua mobília dourada, contemplando uma Inácia se desfazendo em gentilezas diante de seu olhar.

Em seguida, ele aparece na proa de uma grande barcaça, apressando seus remadores por dias e noites sobre um rio ora aterrorizante por sua imensidão e poder de correnteza; ora um paraíso de aves reproduzindo-se por entre a vegetação que recobria suas margens; ora um inferno sufocante, assolado por insetos. Era uma viagem de apenas uma semana, mas Veridiana se daria conta mais tarde de que ela havia transposto a distância entre uma vida e outra. Na nova vida, sua mãe havia emergido – como uma borboleta negra saindo de um casulo – como a lendária viúva Inácia Muniz, num luto impecável, botões cerrados até o pescoço, pronta para viver uma vida de silenciosa reclusão na cidadezinha rio abaixo.

Um dia, em sua homenagem, aquela cidade seria chamada de Santa Inácia. Mas no momento, pouco se sabia sobre A Viúva, a não ser que havia movido uma ação judicial para assegurar suas terras, as quais seriam administradas por seu agente, o senhor José Valente.

Havia um papel, hoje envelhecido e amarelado pelo tempo, para descrever essas terras. Firmado e registrado em cartório, ele conferia à Viúva Inácia e a sua filha Veridiana 100.000 hectares de terras concedidas ao finado Barão Euclides de Muniz por serviços prestados à Coroa Portuguesa.

Veridiana se lembrava da mãe não como alguém palpável, mas como um conjunto de imagens criadas para se adequar à ocasião: charmosa e persuasiva, altiva e majestosa, distante, inacessível, santa. A imagem de Inácia no dia em que desenterrou do cofre tal papel para mostrar à filha era a de uma madeira rija, polida, quando disse:

– Esta é a única prova legal de nossa existência e de tudo o que possuímos. Guarde-a em segurança, filha, e creia nela como você crê na Bíblia. – E completou com a desconcertante advertência: – No que diz respeito aos outros, deixe-os acreditarem no que quiserem, contanto que não ousem comentar com você.

Naquele momento, o adágio da mãe não fez qualquer sentido na cabecinha inocente da criança. Ela só começou a entendê-lo quando Cândido Tavares, seu marido, levou-a para morar nas terras de sua propriedade até então nunca vistas. Daquele dia em diante, na defesa de tudo o que lhe era mais precioso, ela passou a usar aquela frase como regra de ouro.

Capítulo 4

Até Cândido Tavares trazê-la aqui para Contendas, a segunda casa na cidadezinha rio abaixo fora-lhe uma prisão inescapável. Tempos depois, com ela deitada em seus braços como uma fugitiva resgatada, amada, ele dizia:

— Você podia imaginar, Vedi meu amor?

— Eu tentei –respondia ela – mas como poderia?

Não. Ela não poderia ter imaginado como seria amar Cândido Tavares quando caminhava para o mercado com Milagre. Ela se sentia acariciada a distância pelos olhares de seus jovens pretendentes de rosto pipocado de espinhas. Mas jamais poderia ter cogitado aquela figura alta, esguia, de feições pronunciadas, aquilinas, num rosto emoldurado por cachos desgrenhados. Ela não poderia ter imaginado como aqueles olhos castanhos, ao mesmo tempo brincalhões e ardentemente atentos, poderiam fazê-la deitar-se no escuro velado, trancafiado, sonhando com o gosto e o toque daquela boca doce, faminta.

Mesmo em seus sonhos, porém, ele barganhava. Com charme e sagacidade iguais aos de Inácia, ele também havia conquistado a Viúva com suas conversas de fortunas de família e cafezais com centenas de milhares de mudas em algum lugar nas montanhas distantes do sul. Sentada numa rígida marquesa que jamais servira bem à sua voluptuosidade, Inácia oscilava entre altivez e astúcia, enquanto Veridiana, entregue às sombras, mas nunca esquecida, ouvia tudo, sua respiração entrecortada.

— Alguns milhares de pés de café *lá* devem valer o mesmo que cem mil hectares *aqui*, Coronel Cândido — conjeturou Inácia.

— Agora. Mas estamos em 1918 — ele sabiamente recordou a Viúva —, há uma guerra na Europa e a necessidade de carne para alimentar os exércitos. A estrada de ferro está chegando e quando chegar, tudo será diferente.

— Conte-me sobre essa estrada de ferro, — pediu Inácia, nem um pouco interessada na Europa e sua guerra.

— Ela provocará uma revolução — seu olhar tornara-se distante e visionário. — A senhora não viverá mais à mercê do rio, mas poderá enviar o gado de trem até os grandes mercados do sul.

Então, dando a Inácia um sorriso ambíguo, prosseguiu:

— Há diversos lugares que estou avaliando, mas acho que a senhora vai entender que não há nenhum outro lugar onde eu gostaria de estabelecer-me mais do que aqui.

E assim foi feito. Na sala da casa da cidade, a foto de casamento, mesmo com suas cores desbotadas e poses inexpressivas, ainda fazia justiça à perversidade dos olhos de Cândido Tavares. E trazia nos olhos de Veridiana a empolgação de estar fugindo de uma vida monótona de aprisionamento para embarcar numa aventura romântica.

Capítulo 5

Foi só quando eles vieram morar aqui em Contendas que ela descobriu que havia servido de joguete numa negociação razoavelmente ruim para ambos. Porque o que Cândido Tavares não havia dito era que a herança de sua família, diligentemente desperdiçada por seus mimados e indisciplinados irmãos mais velhos, encontrava-se num avançado estágio de declínio. E ainda que ele tivesse um pouco mais a oferecer às terras de Inácia além de uma forte ambição e uma mente aguçada, essas terras também não eram exatamente o que se poderia chamar de uma fonte de riquezas.

Se havia uma coisa que o "agente" José Valente fizera foi manter intactos os limites da fazenda. Para tanto, trouxera seus próprios homens, que logo provaram ser muito mais que vaqueiros. E num mundo onde era fácil desaparecer sem deixar pistas, uma série de desaparecimentos contribuíram para o estabelecimento do território da Viúva Inácia e de sua filha Veridiana.

Foi em virtude das disputas a seu respeito que tais terras ficaram conhecidas como Fazenda das Contendas. E ainda detentor daquela ferocidade calada que atemorizava Veridiana quando criança, José Valente passou a ser comparado a um jaguar, astuto e perigoso, e melhor deixado só contanto que se mantivesse em seu território. E isso ele fazia tão bem que chegara a quase pensar que Contendas era sua. O que, obviamente, foi a razão de, quando Veridiana completou quinze anos, a Viúva Inácia ter arranjado para si um genro para cuidar do que era dela.

Transcorridos todos esses anos, Dona Veridiana só podia sorrir diante do pouco que tudo isso significara para si à época. Pois sabia que Cândido Tavares estava menos interessado na fazenda do que nela. E o que poderia ser mais importante do que ser a amante de um olhar que a cada noite conduzia-os a um vórtice tão forte a ponto de muitas vezes esquecerem a comida sobre a mesa entre eles?

Naquela época, no lugar da enorme e imponente Sede, havia apenas dois cômodos com uma cozinha no alpendre. O chão era de terra batida e o teto, de palha; para o banho, a corixa atrás da casa, correndo fria e límpida. Com exceção dos barcos que seguiam em jornadas desconectas rio acima, tudo era transportado por carro de boi ou na garupa de cavalos e mulas. Uma vez chegado a seu destino, ali se permanecia. No calor do dia, para ser sufocado por uma quietude ameaçadora. À noite, para ser despertado pelos brados arrepiantes de predadores e suas presas.

Tamanho isolamento fazia com que uma mãe tomasse como filhos não apenas as próprias crianças, mas toda a fazenda; todos esperando que a mãe tivesse soluções para todos os problemas, quando na verdade era *eles* quem as tinham. Ouvindo-os, mesmo quando fingia já saber, ela aprendia com quem convivera com tais conhecimentos toda uma vida. Chá de quebra-pedra era bom para os rins, raiz de cambará-guaçu para o fígado, broto de goiaba para os intestinos. Se a febre subia o rio, a solução era recorrer a quinino e rezar para ser malária e não algo pior.

Ela sempre imaginava se, caso tivesse sido deixada completamente só, também ela não teria sucumbido, como tantas outras, ao que se chamava "mal-do-moral", uma enfermidade cuja única cura era retornar à cidade e à vida de onde se viera.

Mas ele assegurara:

— Eu não a trouxe aqui para deixá-la só. — E encontrara-lhe uma égua robusta e perseverante, chamada Paciência, sobre a qual ela montava escarranchada a seu lado. Às vezes cavalgavam juntos nas águas cristalinas das vazantes em retrocesso, tornadas vivas pelos peixes em desova. Às vezes na poeira e fumaça de uma seca tão forte que, diante de seus olhos lacrimejantes, o sol se dependurava no horizonte como uma bola liqüefeita à porta do inferno.

Era um mundo cruel onde, num momento, o gado podia morrer sugando a terra em busca de um pingo de umidade e, num outro, podia ser engolido pela correnteza, barriga para cima, em direção a Mar Del Plata. Mesmo nesse mundo onde a natureza raramente deixava de acertar suas contas, uma vez que as cheias tivessem cumprido sua missão, o solo deixado por seu curso sustentava uma riqueza que empanturrava o gado remanescente e deixava as vacas férteis. Assim, aprendendo de alguma forma a viver sob as regras impostas pela natureza, eles conseguiram multiplicar seus rebanhos.

Enquanto prosperavam, retirando madeira da floresta e barro dos pântanos, eles construíram a Sede, num terreno alto o suficiente para estar a salvo das enchentes anuais, não importa quão alto os numerosos rios subissem. Artesãos treinados na fazenda fizeram dela a estrutura irregular de dois andares que é hoje: as paredes externas rodeadas de varandas para capturar a discreta brisa de verão, um átrio interno para oferecer abrigo contra os impiedosos ventos de inverno. A cozinha e a despensa amplas o suficiente para sobreviverem a um cerco, a mobília, charmosa por sua simplicidade, toda esculpida em madeira nobre.

À medida que a casa crescia, crescia também a família de cinco filhos, um após o outro num período de dez anos. Em meio a tudo isso, a paixão que lhes servira como primeiro vínculo, frágil, havia-se modificado e fortalecido pela própria vida que compartilhavam.

Não eram muitos, Dona Veridiana sempre pensava, que tinham a sorte de viver assim, fazendo aquilo de que mais gostavam. Por essa razão que, com todo o calor e poeira, lama, insetos e desventuras, os únicos anos que realmente lhe importava recordar eram aqueles em que vivera como a mulher de Cândido Tavares, aqui no fim do mundo.

Uma felicidade tão profunda, podia-se pensar, poderia tomar qualquer adversidade pelas rédeas. Mas se havia algo que podia estragá-la era a presença de José Valente, que os dilacerava como uma chaga inflamada. Mesmo não sendo mais necessário, Inácia conservava-o. Como que seguindo o adágio da Viúva, se alguém sabia, ninguém jamais disse por quê. E embora não pudesse mais roubar, seu interesse não era menos ávido. Ninguém sabia quando ele iria aparecer, com o ar arrogante e desconfiado de um coletor de impostos e aquela familiaridade levemente dissimulada que faziam Veridiana detestá-lo.

– Você sabe quem realmente sou – aqueles olhos de gato pareciam dizer, fazendo Veridiana responder com um olhar que dizia "quem se importa com quem você é?", embora no fundo se importasse, e tal pensamento às vezes a deixasse incerta quanto ao chão debaixo de seus pés.

Toda vez que ele aparecia, também o ódio velado existente entre ele e Cândido era tal que parecia sempre um milagre não acontecer o pior. Talvez fosse porque o Jaguar, tendo o discernimento de identificar até onde iam os limites de cada um, jamais dizia algo de forma direta. Só se comunicava através de insinuações, até a última vez em que Veridiana o viu.

Foi numa dessas tardes úmidas, opressivas pelo calor e pela inquietude que precede uma terrível tempestade. Os cavalos relinchavam agitados nos piquetes e as vacas leiteiras se amontoavam junto às cercas como que tentando os relâmpagos distantes. José Valente ainda parecia relutante em partir, como se houvesse algo que devesse dizer. Finalmente, como se o céu cinzento tivesse-lhe trazido as palavras certas à mente, ele murmurou:

– Você tem que admitir, todos esses anos você e Cândido tiveram muita sorte.

– Mais trabalho duro do que sorte, seu José – ela nem tentou disfarçar seu rancor.

– Mesmo assim, num lugar como este... – Interrompida pela violência do vento, sua voz se dissipou no ar. Mas não foi preciso completar a frase porque, naquele momento e desde então, ela poderia tê-la completado para ele.

A frase terminaria com um pensamento que ela podia controlar durante o dia, mas que muitas vezes, no silêncio que precede o alvorecer, fazia-a levantar e correr de cama em cama, examinando de olhos arregalados as formas adormecidas de suas crianças através dos mosquiteiros. Por essa razão, ela sabia que poderia responder:

– Sim, seu José, eu sei o que o senhor quis dizer. Num lugar como este, onde a natureza raramente deixa de acertar suas contas, Cândido e eu fomos felizes demais, não era isso?

Agora sentada, contemplando o horizonte além da salina, as palavras exatas vieram-lhe à memória inundando-a de recordações que, como uma torrente de lágrimas reprimidas, turvaram-lhe a visão e a ensurdeceram. O dia quase findo desviara a senda de luz de maneira que, fechando os olhos, em meio à luz deslumbrante captada através de suas pálpebras, ela enxergava bandos inteiros – de quê? Pássaros, anjos, espíritos? – ruflando suas asas a caminho do céu sobre a salina em chamas.

Mas a visão só durou um instante, até o som distante do caminhão, triturando a trilha de poeira rio abaixo, trazê-la de volta ao presente. E com um feliz alívio que ela jamais admitiria a outrem, ela sabia que seus netos haviam chegado em segurança.

Capítulo 6

A pequena Jacyra, no breu de seu quarto sombreado pela varanda, ouviu o som abafado dos morcegos voltando a seus ninhos sob o telhado – seu retorno, um prelúdio ao crepúsculo da manhã. Ela podia ouvir Fátima, a cozinheira, trabalhando distante no fogão a lenha da cozinha enquanto suas filhas discutiam sobre como pôr a mesa do jeito que Dona Veridiana dissera que tinha que ser. O único jeito. Todos esses sons diziam-lhe que logo ela deveria estar de pé e pronta para partir. Mas agora, excitada demais para dormir, ela só conseguia ficar deitada e pensar nos eventos que desencadearam sua autorização para mais uma vez acompanhar a condução do gado.

Embora tal decisão nunca pudesse ser esperada, até agora, nesse ponto, sua avó Veridiana cumprira sua parte no pacto com tio Juca dizendo:

– Contanto que ela não dê trabalho e que o Juca fique de olho...

E de fato, num estado de ansiedade crônica, ela se esforçara ao máximo para assegurar que não daria trabalho. Mantendo-se próxima, mas fora do caminho, ela aprendera a cavalgar num passo constante atrás do gado ou, segurando-se com os joelhos e coxas, a gingar com seu cavalo quando este guinava para lá e para cá por entre as árvores. Aparentemente concordando, tio Juca prometera que, assim que ela estivesse forte o suficiente, ele a ensinaria a laçar. Só de pensar, seu coração palpitava, pois nesses assuntos tio Juca não brincava.

Ainda ontem, seu irmão Rafael balançara a cabeça em reprovação, chamando-a pelo apelido de que ele mais gostava: Praga, para uma irmã que parecia sempre estar onde não era desejada.

– Praga – provocara –, você está virando uma mulher e você sabe o que isso significa.

Pouco depois, ela estava diante do espelho estudando as protuberâncias em forma de botão de flor que, quando tocadas, preenchiam-na com um misto de prazer e temor. E o temor fez suas entranhas se contraírem ao pensar no resto do que Rafa dissera.

– Mulheres não podem ir junto. Elas arrumam muita confusão.

– A vovó Veridiana sempre foi. Ela me contou.

– Mas você sabe que ela era diferente.

– Então eu serei diferente também.

– Que piada. Como você vai conseguir? Quem vai ser seu Coronel Cândido?

Quem e como ela não sabia. Mas ela jurara naquela hora, ali mesmo, que, se necessário fosse, ela faria como a grande heroína Diadorim, do romance *Grande sertão: veredas*, que se enfaixava inteira como uma múmia para ninguém saber que ela era mulher, até o dia em que a mataram.

Entretanto, não foi necessário nenhuma medida tão drástica, e, aqui na escuridão, Jacyra não conseguia evitar rir de si mesma. Ao recordar os eventos do dia anterior, ocorreu-lhe que era provavelmente Rafa a quem ela deveria agradecer.

Como tio Juca tinha o costume de dizer, "saber a diferença entre o Pantanal e o resto do mundo é saber que o trajeto de 150 quilômetros entre a cidade e a Fazenda das Contendas leva dez horas de caminhonete, mesmo quando tudo dá certo". E ontem não foi exceção.

Havia muita água assentando, mas felizmente, enquanto a velha criada Mercedes ia sentada ao lado de Juca como um saco de batatas, seu Caco Badra, o faz-tudo, ia de pé na caçamba, navegando enquanto tio Juca dirigia. Pescoço espichado como o de uma tartaruga, perscrutando por entre a bruma matinal e batucando no teto da cabine para dar instruções, o pequeno e corcunda carpinteiro guiara tio Juca da maneira certeira, evitando correntezas mais intensas e atoleiros traiçoeiros, para chegarem em tempo recorde. Pelos padrões pantaneiros, teria sido uma viagem bem normal, não fora pelo comportamento frenético de seu irmão.

Ah, ela sabia que Rafa – amante das corridas de cavalos, rodeios e outras atividades de tirar o fôlego – não tinha a menor inclinação para simplesmente apreciar a paisagem durante o trajeto. Tudo que podia pensar nessas viagens era em chegar a seu destino. Mas ontem essa ansiedade parecia tê-lo levado à beira da loucura. Por exemplo: toda vez que seu Caco descia cautelosamente para abrir uma porteira ou para guiar tio Juca em torno de uma chafurda de jacarés, Jacyra pensava que Rafa ia perder as estribeiras ali mesmo.

– Olha aquele velho gagá – sussurrava inclinando-se na direção dela. – Parece que ele está ensinando a essa relíquia embalsamada como dar a volta no Oceano Atlântico. Que merda, nessa velocidade nós não vamos chegar lá antes da meia-noite!

— E o que é que tem?

— E o que é que tem! Está tudo bem para você. Você e seu Caco, com esse jogo de pássaros idiota. Curicaca, surucuá, saracura, tuiuiú! Tomara que todos eles descambem lá de cima e morram afogados no pântano. Eles e esse museu desse seu amigo!

Mas então, de repente, Rafa se tornou um anjo benevolente, oferecendo-se para abrir ele mesmo as últimas oitenta das 140 porteiras do percurso.

— Não, verdade, seu Caco. O senhor está ficando velho demais para esse tipo de tarefa. O senhor vai quebrar de tanto cansaço!

— Você é quem sabe — seu Caco dava de ombros, arqueado, com uma expressão intrigada pelo que acabara de ouvir. O mais surpreendente foi que, enquanto ela e seu Caco sacolejavam ao longo do caminho, nomes indígenas rolando em suas línguas em melodiosos arpejos enquanto as aves decolavam, volteavam e se assentavam, Rafa insistiu. Continuou naquilo que se transformara numa verdadeira maratona de levantar colchetes, erguer estacas, torcer fios e arrastar portões, que durou até chegarem à balsa que cruzava o rio Pataguás, nos limites de Contendas.

Capítulo 7

A maratona de Rafa fora apenas um aperitivo para a cena que se sucederia ao chegarem à Sede. Com suas mãos incrivelmente macias após dois meses na cidade, sua luta com pesadas e grosseiras estacas de carandá, arames farpados retorcidos e ombreiras de mais de oitenta porteiras resultou em bolhas que ele mal havia notado em sua pressa desesperada. Foi somente quando chegou a casa que a visão daquelas mãos, unida ao cabelo colado na testa, roupas embebidas em suor e botas encharcadas, imediatamente despertou entre as mulheres da casa uma enorme onda de instinto maternal.

Enquanto sua mãe Isabel encarava-o com o olhar perdido, como sempre, e aquele ar de indefesa, sua tia-avó Tatinha, trajando seu luto perpétuo e mais parecida do que nunca com um urubu, anunciou que o gelo tinha acabado e partiu cheia de propósito para a cozinha, só para ser informada de que, graças à energia oscilante do gerador, não havia mais gelo.

– Que gelo que nada! – Desdenhando um luxo sem o qual vivera a maior parte de sua vida, vovó Veridiana anunciou:

– O que ele precisa é de um bom cataplasma de cura-tudo. Vou mandar Mercedes preparar uma efusão.

Entre todas essas idas e vindas, naquela sua voz que atualmente não conseguia manter um tom estável, Rafa, olhos hipnoticamente fixados na porta da cozinha, soltou um grunhido digno de um bugio no auge do cio:

– Jesus! As bolhas não estão doendo! Eu só quero comer e ir para a cama!

Como isso era o que todos queriam, pedir que o jantar fosse imediatamente servido passou a ser uma solução mágica. Na confusão de todos se sentarem à mesa, Jacyra imaginou que o assunto das bolhas seria esquecido. Mas ela deveria saber que sua mãe, desconfiada de tudo nesses charcos tenebrosos, ainda não estaria satisfeita.

– Mas o que é que meu coitadinho andou fazendo, hein? – começou ela tudo de novo, dirigindo-se ao enorme e robusto Rafa como se ele tivesse dois anos de idade. – Não são só suas mãos. Suas botas, até suas roupas estão ensopadas! – Mas o seu "coitadinho", olhando fixamente para algo atrás de sua orelha esquerda, parecia não ouvir, obrigando Isabel a voltar seus enormes, radiantes olhos para tio Juca:

– Eu só queria saber por que ele chegou aqui parecendo que tinha se afogado no caminho.

– Calma, calma Isabel querida – tio Juca, mestre em minimizar contratempos ocorridos no campo de suas responsabilidades, deu a sua incrédula cunhada um de seus sorrisos mais tranqüilizadores.

– Foram só alguns charcos, você sabe como é. O Rafa teve que andar um pouco na água. Quanto a suas mãos, por algum motivo ele insistiu em abrir todas as porteiras. E você sabe como ele é quando decide alguma coisa. Apesar de eu ainda não ter a menor idéia do que possa tê-lo levado a essa decisão. Você tem, Caco?

Voltando seu rosto quadrado, franco, para seu amigo, Juca parecia absolutamente perplexo. Mas ao invés de dar suas costumeiras respostas diretas, seu Caco respondeu misteriosamente balançando a cabeça e encarando o prato de feijão que deixava a mesa, como se ali residisse a chave do mistério.

O mais espantoso de tudo para Jacyra era que Rafa, normalmente todo ouvidos quando era ele o assunto, parecia mal notar que estavam falando dele. Só ficava ali, sentado, com o olhar vidrado, enquanto os pratos iam e vinham da cozinha para a mesa.

– Acho que ele só está exausto – decidiu. E também morta de sono, para evitar cair dormindo sobre o prato, voltou-se para estudar o pai, que, como "chefe da família", estava sentado à cabeceira da mesa, parecendo o Imperador do Brasil.

Era marcante, as pessoas sempre comentavam, principalmente quando vestido para sessões do tribunal, como o Juiz Manoel Tavares lembrava a famosa pintura de Dom Pedro II destronado e exilado. Jacyra mesmo só vira uma reprodução da pintura num livro escolar no colégio de freiras, tão diminuta e desbotada que ela tinha que fazer força para imaginar como o Imperador realmente era. Mas sempre impecável e todo engomado, mesmo aqui na fazenda, Manoel parecia à filha mais uma pintura que uma pessoa – seus olhos escuros, tristes, observando tudo sem dizer nada.

Ela achava que, como juiz, ele havia criado o hábito de ouvir as duas partes antes de pronunciar seu veredicto. Mas às vezes ela preferia que ele agisse mais como humano, participasse – gritasse que caminhar no charco, abrir porteiras e ganhar umas bolhas de vez em quando era exatamente o que Rafa precisava. Porque às vezes, quando o veredicto vinha, este era bem insensível e injusto.

Por exemplo: a qualquer momento seu pai poderia declarar que era impróprio uma mocinha cavalgar dias seguidos cercada por um monte de vaqueiros. E uma vez que isso acontecesse, a palavra final do chefe da família tendo sido proferida, nem vovó Veridiana viria em seu socorro, até ele próprio encontrar um jeito de mudar de idéia.

Foram esses pensamentos que, por fim, fizeram-na esquecer o resto e se concentrar em suas forças sobrenaturais de fazer Manoel ecoar a frase – o que era bem possível – "contanto que Juca fique de olho...". Mas até o momento ele não havia proferido uma só palavra. Ao contrário, foi Isabel quem, ainda preocupada após o decorrer de toda uma refeição, tomou coragem e disse:

– É claro que com as mãos assim Rafael não pode cavalgar amanhã. – Nesse momento a expressão indiferente de Manoel subitamente se tornou severa e irredutível:

– Ah, pode sim. E digo mais: ele vai.

Finalmente! Fim das bolhas, fim do jantar. Na confusão das cadeiras se arrastando, da pressa de escapar do silêncio inquebrantável que se seguiu, a pergunta quase inaudível de Jacyra, "então eu também posso ir?, recebeu pouco mais que um distraído meneio afirmativo. Era como deslizar sem ser vista por uma cerca para achar-se segura do outro lado.

Capítulo 8

Se Jacyra fosse um pouquinho mais velha ou se não estivesse tão ocupada em concentrar suas forças sobrenaturais em Manoel, talvez tivesse percebido a encenação que solucionou o mistério de Rafa e as porteiras. Ela teria visto, como viram Manoel e seu Caco, que não era para os pratos que Rafa estava olhando com um olhar hipnotizado e hipnotizante, mas para a menina Cácia, que parecia ter armado alguma para conseguir servir à mesa.

Até a noite passada, para Manoel, parecia que, em razão de um quociente de inteligência consideravelmente baixo, Cácia estava limitada a escovar assoalhos e polir botas. Como ela se lançara a essa posição superior, ele não conseguia imaginar. Mas à medida que ela saracoteava ruidosa entre pratos e panelas, colocando Caco num estado hipnótico enquanto ela só faltava arrancar a peruca de Tatinha com a concha de feijão, seus motivos tornaram-se óbvios.

— É bonita – pensou Manoel –, com o corpo ágil e forte de uma índia virgem, o sorriso doce e o inocente abandono de um animal. – E enquanto seu filho perseguia-a com os olhos famintos de um caçador, Manoel, um homem manso que padecia de um irritante senso de justiça, primeiro achou divertido, depois se sentiu tomado por uma ira repentina. Por isso seu ultimato. Embora como de costume, sem ter avaliado devidamente a intensidade do entusiasmo de seu filho, ele não imaginou que o efeito imediato de suas palavras seria exatamente o que o garoto estava esperando: cama.

Uma vez nela, seus sinais tendo facilmente atingido seu objetivo, Rafa só teve que pôr suas botas opacas do lado de fora da porta e esperar. Não por muito tempo.

Provavelmente somente Jacyra, deslumbrada com seu veredicto milagroso, caiu no sono imediatamente e assim permaneceu até o zunido dos morcegos acordarem-na ao amanhecer. Quanto aos outros, poucos conseguiram cerrar os olhos antes que a cantilena dos sapos na baía atrás da Sede se tornasse a música de fundo para suspiros, risos reprimidos e gemidos que, escapulindo furtivos por entre as rachaduras das paredes e assoalhos de madeira, eram impossíveis de não serem entendidos até por Tatinha.

Certamente, no amplo quarto central do andar de cima, os ruídos interrompiam uma conversa pela qual, talvez com a mesma ansiedade que seu neto Rafa, Dona Veridiana esperara o dia inteiro para ter.

— Está ouvindo o que estou ouvindo? — seu amado Coronel Cândido exultou na luz pálida das estrelas enquanto, gradualmente, um vago contorno obscuro cedia lugar a sua imagem na poltrona diante dela. Como ele estava lindo! Ela acabara de pensar como era bom que o espírito dele envelhecera como ela, ao invés de permanecer jovem enquanto ela envelhecia. Ele tinha um pouco de barriga, mas isso era sinal de prosperidade. E, com certeza, a idade havia realçado suas feições, exatamente como ela imaginara há alguns anos, quando ele ainda estava vivo. Suas sobrancelhas projetaram-se mais sobre os olhos flamejantes, os ossos malares ficaram ainda mais agudos, o queixo mais assentado em sua truculência. Eram sinais da mesma personalidade que não aceitava, nem agora nem naquela época, uma convocação à casa na cidade. Somente aqui em Contendas ele aparecia para ela, e como era devido, somente nas primeiras horas da noite. Mas agora, que incômodo ter este momento precioso interrompido por *aquele* barulho.

– Como eu não poderia? – respondeu com uma súbita irritação.

– Ora, vamos, Vedi, sorria para mim. Quem poderia entender melhor que nós, isso é natural. E um menino como Rafael – uma ponta de orgulho entrou em sua voz –, você deveria estar feliz por ele estar funcionando. Se um tourinho não reagisse na idade dele, nós o mandaríamos para o gancho, não mandaríamos? E você não está feliz que é com uma boa moça, uma pura menina do campo?

– Pura menina, não. Pobre menina! Pense um pouco *nela*, Cândido.

– Como posso não pensar? – ele recostou-se, seus amplos ombros chacoalhando com suas risadas. – Pelo que posso ouvir, eu diria que neste momento ela está no céu! Vedi – sua voz derreteu-a com sua ternura, e ela teve que dar aquele sorriso pelo qual ele implorara –, não estrague nossa noite sendo reprovadora. Faz tanto tempo...

– E eu preocupada com as mãos dele – os pensamentos de Isabel emergiam do outro quarto, convergiam-se com os da matriarca e seguiam adiante. – Eu sei que isso é comum por aqui. Se algo acontecer, eles dão algumas cabeças de gado para a família ou coisa parecida. Mas nunca é tão simples assim, e sou sempre eu quem sai prejudicada e eu simplesmente não quero... ai meu Deus, meu Deus! Manoel! Manoel?

A seu lado, Manoel, desfalecido, não tinha o que fazer. Ele quis verdadeiramente salvar a menina de algo que não significaria nada para Rafa, mas que poderia arruinar a vida *dela*. Mas agora, uma timidez inata sobrepujara seu terrível senso de justiça e, petrificado pela idéia de agir, ele apenas se perguntara:

— De que adiantaria se, pelo menos por esta noite, o que está feito, está feito?

Assim, com esse pensamento na cabeça, quando Isabel o cutucou ele permaneceu deitado, rijo, fingindo dormir, emitindo um ronco fingido de quando em quando apenas para ela acreditar.

Capítulo 9

Da mesma forma, se havia uma coisa que Manoel não faria após proferir seu veredicto era voltar atrás. Além do mais, pensara enquanto deitado fingindo dormir, seria bom que o garoto se ausentasse por uns dias. Porque ele sabia por experiência própria que depois de uma revolução, passado algum tempo, os problemas tinham uma maneira de se resolver por si só. Era "deixar rolar para ver o que acontece", como diz o velho ditado popular.

Então de manhã, quando Jacyra deslizou pelo banco para tomar seu café da manhã, lá estava Rafa, parecendo contraditoriamente abatido e satisfeito, e se possível mais cansado que na noite anterior.

— O que há com você? — ela o fitava curiosa. — Não me diga que suas mãos ainda estão doendo depois de todo o estardalhaço de ontem à noite.

— Praga — seus olhos se iluminaram num relance —, está vendo estas mãos? Depois do que elas fizeram esta noite, elas estão prontas para qualquer coisa.

— O que você fez, pôs vinagre?

Rafa gemeu:

— Eu devia saber. Uma pessoa que não enxerga que é uma mulher nunca entenderia.

— Quem disse que não enxergo que sou mulher? — algo a possuiu fazendo-a olhar para ele por debaixo das pestanas de um jeito que nem ela sabia que podia, desafiando-o a tentar novamente.

– Olha aqui, Praga – ele inclinou-se para ela exalando um cheiro estranho de perfume barato e fumaça de lenha –, o que eu quis dizer é que Cácia veio ao meu quarto esta noite.

– A Cácia? Rafa!

– Rafa o quê? Ela é louca por mim. Ela faria qualquer coisa por mim, como...

– Como...? – ela inclinou-se para ele, vibrando por ele ter se comprazido em contar para ela e morrendo de curiosidade. Mas justo nessa hora tio Juca deslizou no banco ao lado de Rafa, estragando tudo, seu rosto quadrado divertidamente carrancudo:

– Ei, ei, vocês têm tanta fofoca que não têm tempo de comer? Melhor deixarem disso, não estou a fim de ter que agüentar dois fracotes famintos na viagem. Rafael, acorda e me passa o arroz carreteiro, por favor. Qual é seu problema, afinal, você parece surdo!

Sem dizer nada, Rafa passou-lhe o prato, uma poderosa combinação inventada pelos cozinheiros das comitivas – composta de arroz com pedaços de carne frita, alho, cebola e cozido em caldo de carne – que era apenas parte do reforçado café da manhã de carne frita na chapa de ferro do fogão a lenha, mandioca cozida, café, leite e pão, que precede cada condução de gado. Um desafio e tanto para ser encarado às cinco da manhã, mas a lembrança de que o dia pela frente não teria outras refeições foi suficiente para despertar subitamente a fome nos dois jovens. Mas Juca, porém, percebeu estar ele próprio sem apetite.

Era sempre a mesma coisa. No ímpeto de chegar à fazenda, ele se esquecera de como era estar aqui sem Olga. Não importa quanto tempo morasse aqui, cada vez que retornava da cidade ou de uma condução de gado, tinha que se acostumar de novo. Porque no momento em que chegava, ele se lembrava de como costumava ser, de como o amor que ela nutria pela natureza afetava tudo que tocava. Como sob suas mãos o leite coalhado se transformava em delicioso queijo fresco, e como prosperavam todos os tipos de criaturas colocados para viver no quintal, de galinhas a porcos selvagens. Com sua mão boa para o cultivo, ela mantinha um pomar repleto de frutas, uma horta de verduras e ervas medicinais, e samambaias que transformavam o átrio num Éden.

Eles nunca tiveram filhos, embora no curto período de sua vida em comum tivessem complementado um ao outro e sido felizes. E agora ele não conseguia deixar de lembrar que, apesar de ela nunca ter sido forte o suficiente para ir com ele, sempre se levantava para tomar um cafezinho enquanto ele comia sua carne com arroz e conversava sobre aonde iria e o que iria fazer.

Sem fome, depois de um pouco de arroz e um gole de café, ele reclinou-se e enrolou um cigarro de palha enquanto pensava na conversa da noite anterior com Tarciso, seu capataz, cujo conhecimento sobre certas coisas Juca valorizava mais que qualquer outro.

Tarciso era um homem feio – como se em seu caso seu puro sangue indígena tivesse conspirado para produzir, no lugar de beleza, uma terrível mistura de exageros. Uma testa baixa, protuberante, conspirava com maçãs de rosto altas, amplas, para enterrar seus olhos como dois carvões numa caverna. Um nariz em forma de flecha pendia para baixo apontando os lábios carnudos, a partir dos quais as bochechas pareciam dolorosamente repuxadas para trás e para baixo para dar apoio a uma mandíbula com o formato e o peso de uma pá.

Em ruas movimentadas, uma feiúra assim angustiante muito provavelmente faria as pessoas passarem ao largo, desconfiadas. Mas aqui no campo, onde o espaço era abundante, tal característica era quase um trunfo ao lidar com gado e homens meio xucros.

Talvez, Juca sempre pensava, fosse porque a feiúra lhe concedia ares de cacique, de um pai que podia oferecer um pouco de discernimento a homens que jamais tiveram algum por si sós. Qualquer que fosse a razão, ele era um homem sensato que sabia a diferença entre ser bruto e ser firme. Por isso, Juca só montava cavalos treinados por ele e só mantinha os homens que fossem dignos de sua aprovação.

Mas de todas as qualidades que Juca admirava em Tarciso, talvez a mais preciosa fosse uma certa sabedoria inerente, proveniente de seus antepassados, que ali habitaram muito antes do que qualquer outro – que não eles mesmos – pudesse se lembrar. Em função dela, sua vida era guiada pela lua e pelas estrelas – as Plêiades cujas sete estrelas, agora enfraquecidas, anunciavam a maturação dos frutos –, sabia o momento de agir guiado por sinais como o movimento dos cervos, o aninhamento de aves e répteis.

Foi por isso que, nas últimas semanas, os dois cavalgaram lado a lado, discutindo o desaparecimento dos cervos em direção às terras baixas, as crescentes reuniões de pássaros na mata à beira do rio, as folhas amarelas nas árvores que indicavam a baixa das águas. Até a noite passada, antes de Tarciso retornar a seu rancho além da salina, o tema da conversa fora não quando, mas como o primeiro rebanho – de algumas centenas de cabeças – seria deslocado nos próximos dias.

Partindo bem cedo, eles deveriam alcançar o lugar chamado Baía das Antas no cair da tarde. Ali, o gado seria guardado durante a noite nos currais e pastos, e então prosseguiria até chegar a um enorme pântano conhecido como "o brejo", além do qual não havia mais para onde ir.

Parecia tão simples, mas ninguém sabia melhor que esses dois homens quantas intempéries poderiam obstruir seus caminhos.

– A água ainda está bem alta em alguns pontos, mas eu vi vários ovos de jacaré ali embaixo perto do rio, e isso é um bom sinal – disse Tarciso a Juca, acrescentando animador:

– Além do mais, como esperamos até agora, os bezerros estão maiores.

– Você tem certeza de que eles conseguem? – Juca sabia que a pergunta era em vão. Havia sempre aquele ponto em que, a despeito de todo o peso de seu conselho, Tarciso transferia alegremente a responsabilidade final para seu patrão. Apagando a bituca com a sola do sapato, Juca pensou consigo mesmo por que perguntara, se já sabia qual seria a resposta.

– É o senhor que sabe, seu Juca. O senhor que dá as ordens. Bem, até amanhã, se Deus quiser. – E como sempre, levantando-se como se tivesse deixado para trás um grande peso, o capataz mergulhou com suas pernas arqueadas no escuro em formação.

Capítulo 10

Muito antes de os moradores da Sede começarem a tomar seu lauto café da manhã, os vaqueiros já haviam partido, conduzindo os cães. À frente deles iam os tropeiros com seus cavalos e mulas que proporcionariam o revezamento durante o longo e exaustivo percurso. Sob a reconfortante influência de uma égua mansa chamada de madrinha, eles ainda podiam ser vistos enquanto Juca e os outros montavam seus cavalos no curral.

Tendo também se levantado ao raiar do dia, Dona Veridiana veio à varanda do segundo andar assistir à partida, como sempre adorou fazer. Na noite anterior, com o assunto das leviandades ocorridas além das paredes do quarto temporariamente desgastado, ela e o Coronel conversaram sobre o tempo e o brejo. Tranqüilizada por aquele em cujo bom senso *ela* confiava acima de todos os outros, finalmente adormecera como um anjo. Agora, assistindo à comitiva de partida, ela não podia deixar de sorrir, pois jamais se imaginara um cortejo menos harmonioso.

Enquanto Tarciso liderava com uma determinada mula malhada chamada Feiúra, Rafael, animado, acima dos demais num grandioso festival de repressão, tentava conter o garanhão puro-sangue com que fora presenteado pela avó em seu décimo quinto aniversário. Chamado Relâmpago por sua inclinação à velocidade, o enorme alazão era uma fonte de constante apreensão para Isabel e um pomo de discórdia entre Juca e Dona Veridiana, mas ela sempre se mantinha firme.

– Rafael é um rapaz grande, forte – dizia ela, repreendendo Isabel – e um excelente cavaleiro. Vendo-o de longe, dá até para imaginar ser o Coronel Cândido. – Ela poderia ter acrescido "mas só de longe". Porque embora sua semelhança com o Coronel fosse assombrosa, quando se chegava bem perto, havia algo naqueles olhos... Então, ao invés de dizê-lo, apenas prosseguiu:

– Se você quer saber, um cavalo enérgico é exatamente o que o menino precisa para aprender a ter um pouco de prudência e comedimento.

Então, em resposta à alegação de Juca de que o nobre sangue inglês era uma ameaça à resistência natural dos cavalos, ela zombava:

– E sem ele você terá, em breve, cavalos resistentes que só poderão ser montados por anões.

Mesmo assim, Juca não abria mão – como se sua vida e orgulho dependesse disso – do Guaicuru – pequeno garanhão que recebeu o nome dos índios que roubaram, cuidaram e criaram seus ancestrais para se tornarem duradouros cavalos pantaneiros, lendários na memória de quem os conhecia. Um incurável contador de histórias, Juca contribuíra para a reputação desses cavalos com suas inúmeras histórias sobre as proezas do Guaicuru com o cavalo: sua coragem diante de vacas enfurecidas, porcos selvagens e jibóias ferozes, sua determinação contra rios furiosos e lama movediça. Nada disso mudava o ponto de vista de Dona Veridiana no momento, de que se comparado ao formoso e arisco Relâmpago, o Guaicuru tinha a triste aparência de um pangaré briguento por natureza.

– Eu só digo – ela repetia para si enquanto os seguia com os olhos – que uma injeção de sangue alto de vez em quando é uma absoluta necessidade. Principalmente quando se olha para a égua de Jacyra, que se fosse um palmo mais baixa, teria que nadar metade do percurso.

Mas àquela altura, tendo já cavalgado até não poderem mais ser vistos, foi Jacyra quem, como que por telepatia, assumiu o assunto dizendo para si mesma que não estava nem aí se quando cavalgava ao lado de Rafa seu santantônio batia na altura dos estribos dele. O que importava era que Sossegada, a tataraneta de Paciência, podia carregar qualquer um por um dia inteiro, num passo contínuo, e com um potro na barriga.

Além do mais, qualquer um com um pouco de massa cinzenta preferiria essa égua, que ganhou seu nome por ser tão mansa a ponto de poder esquecer-se dela e pensar em outras coisas enquanto ela seguia a trote, a ter que se concentrar o tempo todo em impedir seu cavalo de explodir a qualquer momento, como *certos* cavalos que ela conhecia. A única coisa que realmente a enfurecia era que se algum dia ela quisesse um cavalo como Relâmpago, mesmo se ela o ganhasse num concurso, nem Rafa, nem todos os vaqueiros da fazenda, ninguém acreditaria que ela poderia cavalgá-lo.

Mas tal pensamento amargo logo desapareceu de sua mente à medida que, em toda sua volta, as criaturas do dia despertavam. Contra um céu amarelo-pálido, torrentes de araras azul-royal erguiam-se num vôo estridente, e de seus ninhos apinhados nas copas das bocaiúvas, anus espalhavam-se em bandos esganiçados para procurar insetos que se alvoroçavam em nuvens atiçadas pela passagem do gado.

Observando-os, Jacyra ficou totalmente absorta, seus olhos negros, vivos, alertas, buscavam qualquer coisa que brilhasse, se alvoroçasse, paralisasse ou fugisse. Porque era assim também que os humanos reagiam ao Pantanal. Enquanto para alguns a infinita repetição de lagos e vazantes circundados de cerrados de árvores retorcidas, torturadas pelo fogo, era de uma monotonia insuportável, para outros era um mundo de infinitas surpresas no qual os ninhos de pássaros, as explosões de árvores em breves momentos de magnífica floração constituíam, a cada repetição, uma nova fonte de deslumbramento. Tais pessoas jamais se fartavam de cavalgar, sempre de ouvidos atentos em busca de trovoadas, farfalhadas em meio às folhagens ou uma agitação entre os aguapés que transformariam a quietude em vida e movimento. Tampouco se fartavam de dormir onde a noite os encontrasse – quer fosse nos abrigos profundos oferecidos pelas palmeiras-bacuri, quer fosse a céu aberto sob as estrelas. Quanto mais o faziam, mais aprendiam com as experiências e com as conversas sob a luz flamulante das fogueiras dos acampamentos – sua curiosidade e admiração renovadas bem como as próprias células de suas correntes sangüíneas.

Tio Juca era uma pessoa assim, Jacyra sabia, assim como seu Caco, Tarciso e seu filho Bento. E com uma solene introspecção – habilmente esquadrinhando seu coração em busca de sinais que o confirmassem –, a cada estação que acompanhava o gado ela sonhava tornar-se uma delas.

Estava sonhando acordada quando, os cavalos contornando uma baía, o capim fez-se vivo à medida que jacarés deslizavam ribanceira abaixo e desapareciam por entre aguapés roxos para se transformarem em flechas ligeiras, recortando a superfície calma e fumegante das águas.

– Psssiu! – sibilou instintivamente para Rafa quando, acima da baía, uma capivara do tamanho de um porco, seus olhos de roedor translúcidos de terror, fingiu ser invisível. Mas Relâmpago, o forasteiro, numa explosão de energias há muito refreadas, bufava, rangia os dentes e andava de lado, perturbando de toda forma a paz da manhã.

– Olhe só para ele – ela não conseguiu resistir, murmurando – já está suando. Quer apostar que ele não agüenta até o fim do dia? – Mal completara a frase, já estava arrependida. Era como se tivesse dito as palavras mágicas para acender o estopim de Rafa, que, inclinando-se ostentosamente para se fazer ouvir, desafiou:

– Claro que sim, e ainda incluo na aposta uma corrida contra você. Que tal?

Era o suficiente para lembrar-lhe de por que provavelmente ela nunca cavalgaria tão bem quanto seu irmão. Porque enquanto a idéia de cavalgar a todo vapor por terrenos forrados de moitas cerradas, corroídos por tocas de corujas e tatus, para ele era pura diversão, para ela dava uma sensação gelada bem debaixo da sola de suas botas. Mas de nada adiantava pensar nisso agora.

– Claro – respondeu à meia voz, irracionalmente torcendo para que ele não tivesse ouvido. Mas foi o suficiente para que a energia de Relâmpago fosse liberada com a força de um foguete, de modo que apenas os batimentos ritmados de seus cascos faziam crer que eles de fato tocavam o solo.

E foi o suficiente também para que o instinto de corrida de Sossegada, latente em todo cavalo, fosse alegremente detonado. Daquele momento em diante não restava nada a fazer a não ser inclinar-se ao longo de seu pescoço e confiar com todas as forças nas pisadas seguras e no bom senso de seu cavalo pantaneiro.

Ao todo, o espetáculo não deve ter durado mais de um minuto até que, com seu ritmo começando a diminuir, Jacyra olhou para cima e viu os vencedores trotando de volta em sua direção – Rafael curvado sobre o pescoço arqueado do garanhão, dobrando-se ao meio de tanto rir. Aliviado após sua grandiosa demonstração de vigor, Relâmpago pôs-se quase que calmamente ao lado da pequena égua esbaforida, enquanto seu cavaleiro, mais uma vez se inclinando para fazer-se ouvir melhor, provocava:

– Então, me diz agora: qual é o cavalo que não vai agüentar até o fim do dia?

Em resposta, Jacyra empinou-se sobre sua sela, olhou fixamente para um ponto entre as orelhas de Sossegada, que involuntariamente se contraíam para espantar as moscas, e declarou numa convicção irritante:

– O seu. – E partiu trotando para assumir sua posição entre tio Juca e seu Tarciso, cujos cavalos acompanhavam, ao fundo, o passo do rebanho.

Rafa, por sua vez, alcançou os vaqueiros mais ágeis – Jezu, Mauro e Bento, filho de Tarciso –, que mantinham os flancos do rebanho em ordem, ao passo que Brás, na liderança, cavalgava à frente atraindo o gado com seu enorme e retorcido berrante. E assim eles seguiriam por todo o dia, lenta, bem lentamente, às vezes chegando até a parar enquanto os vaqueiros dos flancos partiam com seus cães em busca do gado desgarrado escondido além dos capões de mata que os circundavam. Fascinado pelo chamado do berrante – através do qual um talentoso Brás imitava seu mugido impetuoso, meio selvagem –, o gado ia surgindo, avolumando-se por detrás de biombos de árvores, pisoteando o capim alto em ondas de até uma centena de cabeças.

Mas havia sempre alguns – bois velhos procurando sombra, vacas com bezerros novos escondidos no matagal – que precisavam ser procurados e encontrados. Eles não podiam ser simplesmente deixados para trás, não quando se sabia que estavam lá. Não importa o quanto custasse – ziguezaguear em torno de arbustos espinhosos, esquivar-se de galhos e trepadeiras, transpor troncos caídos –, ir atrás para orientar quatro ou cinco desgarrados geniosos era ir contra o dito que dizia: "Comece a deixá-los para trás porque são poucos, e no fim terá um monte de gado selvagem e nenhum rebanho". Ao que Juca poderia acrescentar: "Perca a persistência e perderá seu orgulho. E sem este, não há com que comandar os homens".

Era por isso que, naquele momento, Rafa, Bento e Jezu, os melhores cavaleiros, estavam espalhados pela mata enquanto os outros desaceleravam o gado e esperavam até ouvir o alarido dos homens e cães como sinal de que os fugitivos foram encontrados. Em seguida, os sinuelos – gordos e preguiçosos novilhos castrados, criados apenas para este fim – podiam ser colocados para atraí-los para o bando.

Parados, no momento, enquanto Brás circulava acalmando o gado com seu mugido, os outros sentavam-se esparramados por sobre as selas, tão imóveis que um estranho pensaria estarem dormindo. Mas Juca sabia que estavam apenas descansando, os corpos relaxados armazenando energia enquanto, sob os chapéus, os olhos se mantinham conscientes de cada movimento perdido e os ouvidos sintonizados prontos para captar quaisquer ruídos estranhos. Outro que não Juca estaria ansioso em função da distância a ser percorrida e da curta duração do dia. Mas ciente da inutilidade de tal tipo de ansiedade, Juca aproveitava o momento para sentar-se apreciando tranqüilamente o gado à sua vista.

Aqui e ali se escondia um malhado, chifres horizontais surgiam entre os animais em remoinho, remanescentes da miscigenação de gado Tucura que existira nos tempos de José Valente e da Viúva Inácia. Mas Dona Veridiana perseverara no sonho de Coronel Cândido de ter um rebanho todo branco de nelores puros e, quarenta anos depois, quase todos os mestiços haviam sido substituídos por um gado que mais se assemelhava àqueles animais sagrados retratados nos frisos dos antigos templos indianos. E embora o gado como um todo não fosse ainda exatamente branco, as reses tinham as orelhas longas, as sobrancelhas curvas e os olhos caídos; a pele frouxa e uma corcova para armazenamento de gordura; os cascos leves e fortes para longas caminhadas sobre o pior terreno possível. Todas estas, qualidades que, avaliadas sob o olhar de um pecuarista, reasseguravam Juca de que sua vida valia a pena.

Como sempre, tal visão levava-o a esquecer o que as pessoas comentavam entre si. Que ele se casara com a sem-graça da Olga por suas terras, e que Dona Veridiana aceitara-o porque era melhor não pagar nada a um genro em quem podia confiar do que pagar a um administrador contratado que poderia roubar. Embora houvesse um pouco de verdade no que diziam, ele sabia que, sagaz e ambiciosa, A Matriarca também precisava dele porque ele entendia de gado e ela queria formar o melhor rebanho do Pantanal.

Inicialmente, ele se opusera à eliminação dos Tucura, através de sucessivos cruzamentos, com seu tradicional argumento sobre a resistência do gado nativo, ao que Dona Veridiana rebatera dizendo:

– O gado Nelore tem toda a resistência bem como tamanho, o que mais seus Tucura têm a oferecer?

Era uma das questões que temperavam todas as suas discussões. Mas eles continuaram a trabalhar o gado juntos – discutindo, selecionando, freqüentando os melhores leilões para adquirir touros que mal podiam pagar. Às vezes quase chegavam a pensar que seus objetivos foram atingidos. Mas como a manutenção de um bom rebanho pode ser mais difícil que sua formação, seu objetivo era um sem-fim tão excitante para Juca quanto o era para a matriarca. Tanto que, na maioria das vezes, ele se esquecia de a quem o gado pertencia na verdade. Acima de tudo, parecia-lhe que, assim como ele e aqueles vaqueiros descansando sob os chapéus, o gado pertencia ao Pantanal. Pertencia a um plano que, imposto pela praticidade de certas pessoas anos atrás, havia provado servir para o lugar – que jamais poderia voltar a ser o mundo tribal que fora uma vez. Tal imposição deixou suas marcas, terríveis. Mas em poucos lugares, feridas cicatrizaram tão bem a ponto de preservar uma vastidão na qual enormes rebanhos, vagando sobre imensas extensões de terra, podiam viver em harmonia com as criaturas locais. Um plano que, sob o ponto de vista de Juca, chegava até a oferecer uma vida bem boa para os sobreviventes do tráfico de escravos indígenas, que também jamais poderiam voltar a viver como viveram um dia. Os descendentes dos índios guaicuru, pataguás e terena agora comiam carne e só caçavam e pescavam para uma variação de cardápio ou quando animais selvagens atacavam seus rebanhos, o que, dadas as poucas necessidades do gado, acontecia com pouca freqüência.

Se alguém conseguir pensar em algo melhor, eles que tentem. Alguns tentaram – os construtores de barragens e agricultores.

– Mas – Juca discutia nos bares de Santa Inácia, enquanto sucessivos copinhos de aguardente de cana crua aqueciam-no para seu assunto – tudo em vão. – Porque – doutrinava – não é que o "progresso" ainda tenha que chegar por estas partes. É que ele não tem nada o que fazer aqui. Se o que se quer é drenar pântanos, derrubar árvores, arar e plantar como está nos livros, de acordo com a experiência dos outros, é melhor que o façam nas ricas colinas do sul. Mas aqui é melhor deixarem as árvores em pé para que sustentem o Céu e a Terra em seus lugares e conservem aquele solo miserável, arenoso, coberto de capim. Que deixem as enchentes fazer a fertilização e aprendam a não ser gananciosos quando o capim estiver alto, para que não encontrem seus animais padecendo quando ela estiver baixa. O resto é apenas um jogo – por si só complicado o suficiente para consumir toda a energia – de acompanhar o ritmo do fluxo e refluxo das águas. Quem não conseguir jogá-lo – ele concluía seu longo discurso de maneira profética – pode estar certo de que logo o Pantanal o expelirá de seu sistema, como a um corpo estranho no organismo.

Estava ali, sentado, sorrindo para si mesmo diante de seu vingativo prognóstico, quando um berro repentino, jubiloso, tirou-o de sua meditação, avisando-o de que havia chegado o momento de entrar com os sinuelos. E assim foi o resto do dia, enquanto gradualmente se aproximavam das terras baixas: Brás na liderança encantando o gado com seu berrante e os cavaleiros dos flancos em constante atividade – cada qual absorto em seu papel, enquanto ajuntavam um rebanho que não cessava de espalhar-se.

Se havia alguém infeliz, esse alguém era Jacyra, enquanto Sossegada, ao fundo, caminhava sôfrega entre os cavalos de Juca e Tarciso. Ela estava com tanta inveja que mal notava o cenário que há tão pouco tempo lhe roubava toda a tenção. Tudo o que podia ver era Bento e o irmão, convencidos e seguros em suas posições importantes. Rafa, naquele seu cavalo arrogante, parecendo que já era o dono do pedaço. E Bento, dono de uma beleza suave, firme e à vontade, não importa quão subitamente tivesse que se deslocar. Olhando para ele parecia-lhe que, como as pessoas diziam, ele realmente nascera sobre a sela e que ele e o cavalo eram um. Ela podia imaginá-lo, como seus ancestrais guerreiros, cavalgando, galopando tão rápido que em certos momentos seu cavalo alçava vôo e desaparecia por entre as estrelas.

Tal pensamento levou-a a esquecer o medo provocado pela corrida daquela manhã, a ponto de ela desejar cavalgar com ele a toda por entre o matagal à procura de um boi enlouquecido. Se Rafa podia aprender, por que não ela? Era sempre a mesma pergunta que a fazia ferver enquanto seguia em sua égua, esmagada como uma espécie de refém entre tio Juca e seu Tarciso, enquanto eles tagarelavam incessantemente sobre todos os assuntos do mundo.

– Tio – queria interrompê-los para dizer –, não está na hora do senhor me deixar cavalgar na lateral? O senhor não disse que eu também tinha que aprender? – Mas, por algum motivo, as palavras não vinham à tona. Elas permaneciam presas em seu peito, deixando-a sem fôlego e fazendo sua cabeça latejar de desespero. Presa como elas, pensou:

– Será que ficarei para sempre aqui entre estes dois? Como posso sair daqui se não mostrar para eles do que sou capaz?

Pendurado numa árvore como um talismã, deixado no meio do caminho por seu Caco, que fora na frente com os mantimentos, estava um saco de charque seco ao sol. Dura como sola de sapato, tal provisão teria sido rejeitada em qualquer lugar onde houvesse um fogão por perto por qualquer um que não fosse cachorro. Mas ali mesmo as bocas se encheram d'água e os estômagos roncaram enquanto Tarciso desamarrava o saco e distribuía a carne seca que seria roída com avidez e sem qualquer reclamação.

Charque no bucho, Tarciso e Bento entraram com seus cavalos numa baía próxima, retirando água com suas guampas para fazer tereré, bebida amarga e morna feita de mate, embora agora parecesse incrivelmente satisfatória, já que não cessavam de encher suas guampas e passá-las adiante. Por último, os cavalos e o gado também bebiam água enquanto atravessavam a baía. Cavaleiros com os estribos suspensos no ar, a condução do gado prosseguia.

Capítulo 11

Um rancho, uma coleção de currais, uma pastagem aderente e uma rica plantação em solo aluvião, a Baía das Antas era o último ponto acima do brejo que podia garantir refúgio na pior das enchentes. Como tal, era o ponto de parada das conduções de gado a caminho do brejo no período das secas, ou em seu retorno para as terras firmes do campo no período das águas.

O mais ermo de todos os retiros, a baía por si só não era atraente o bastante para os sociáveis habitantes do campo, muito menos com o fato de, a menos de uma hora dali, jazer a grande "terra perdida" conhecida nos velhos tempos como A Mata.

Era ali que Coronel Cândido passara dias, que às vezes se desdobravam em semanas, caçando ou simplesmente explorando as redondezas: charcos e florestas impenetráveis, às margens do rio Pataguás. E foi ali que um homem, no auge da juventude, desaparecera para ser reencontrado dias depois numa curva do rio, abaixo de sua cabana de caça, os ossos limpinhos pelas piranhas e uma bala no crânio. O assassino nunca foi descoberto, embora tivesse ficado subentendido que fora Zé Valente, o Jaguar, que também desaparecera junto com sua família, dissolvidos na imensidão sem estradas.

Depois desse evento, como que para apagar as imagens da memória, Dona Veridiana abandonara a Mata, recusando-se até a falar sobre ela, como se ela não existisse. Ainda na memória daqueles para quem os espíritos são mais vivos que os vivos, a terra perdida passou a ser chamada de Mata do Jaguar – uma terra de ninguém da qual poucos se aproximavam, mas quase todos de uma natureza em grande parte violenta.

Tudo isso fazia da Baía das Antas um lugar que somente alguém como Odair Mendes, morando lá agora, poderia enxergar como lar. Um zagaieiro cuja profissão era abater onças com uma espécie de lança denominada azagaia, ele de fato acompanhara o Coronel quando menino. Mas na época em que conheceu Juca, não só já estava velho demais para caçar onças, mas também não existiam mais tantas assim para serem abatidas. O que restava então para um zagaieiro fazer?

Além disso, dizia, ele temia menos os espíritos que os homens, e nunca teve medo de lugares selvagens – inclusive da Mata do Jaguar. Era conveniente para ele e sua esposa, Dona Cida, morar perto da Baía das Antas, onde Odair podia pescar, criar uns porcos, plantar mandioca, milho e abóbora para si e para a fazenda. Com os filhos grandes e distante, o casal acostumara-se à solidão substituindo, quase que totalmente, a amizade das pessoas pela amizade com as criaturas do mato.

Talvez não fosse de estranhar que dentre os poucos que compartilhavam seu entusiasmo pela Baía estivessem Juca e Jacyra. Juca, porque ali era parte da herança de Olga e, quando ela estava viva e com saúde, eles sonhavam em um dia construir para si uma casa entre as árvores que davam vista para as águas serenas da baía. Jacyra, não só porque o rancho, com sua vastíssima fauna, era uma eterna fonte de encantamento, mas porque a proximidade com a Mata tornava-o muito mais assustadoramente encantador. Ousada e irreverente, mas com uma ponta de bom senso, ela confidenciara a Tomásio, seu melhor amigo, a quem podia contar tudo:

– Que diferença faz quem morreu lá? É nosso, não é? Um dia eu vou explorar a Mata. – E, petulante, acrescentou: – Você pode vir comigo se quiser.

Assim, para ela, não era só porque as pernas estavam doendo e suas nádegas pareciam desgastadas até o osso que ela ficou mais que feliz por chegar à Baía quando o sol ainda estava alto. Por uma razão que não sabia explicar, para ela – assim como para tio Juca – era como se estivesse voltando para casa.

Dona Cida, velha e torta como um galho seco, veio do alpendre abraçá-la e levá-la para dentro de um rancho onde tudo seria do mesmo jeito para sempre. A sala sob o telhado de sapê com sua mesa e duas cadeiras, talhadas em madeira da floresta, e a cristaleira que, como um relicário, exibia os tesouros da velha: porcelanas do casamento, um santo de gesso, um antigo rádio revestido em madeira. Uma tela de algodão imaculadamente alvejado sustentava contra a parede de barro uma coleção de panelas igualmente ordenadas, um espelho de tão areadas. Tudo incrivelmente limpo, no meio do nada. "Uma mulher que vale o pão que come", vovó Veridiana dizia com orgulho e admiração, e completava em tom de advertência: "O único tipo com que vale a pena se preocupar".

Jacyra trocara suas roupas empoeiradas por uma toalha e sandálias de borracha num segundo. No outro, já estava no corixo que corria mansamente para a Baía das Antas nessa época do ano. Ali, com a velha de sentinela, em águas tão límpidas que se podia enxergar o leito arenoso através de suas correntezas preguiçosas, Jacyra deitou-se apoiada nos cotovelos, sentindo a corrente fria, as bolhas emergindo da areia, as mordiscadas dos lambaris encorajados por sua imobilidade. Então de repente, num súbito desespero de sentir-se limpa, ela se esfregou inteira e se deitou novamente para deixar a correnteza acariciar-lhe os cabelos.

De volta ao alpendre de barro coberto de sapê, uma maritaca de um verde luminoso sobrevoou as proximidades à procura de migalhas, restos deixados por um porquinho-do-mato adotado, que rolava na poeira com uma ninhada de cachorrinhos e depois seguia-os para mamar numa cadela que ficava deitada à sombra de uma bananeira, não muito distante. Com toda essa cena simbiótica preenchendo-a de encanto, alegria e prazer, Jacyra riu alto. E então, o cheiro de comida no fogo – uma mescla de fumaça de lenha, carne cozendo e mandioca – fê-la sentir-se subitamente fraca, e ela se deixou cair sobre um banco.

Felizmente àquela hora, à medida que a luz do dia se dissipava, os homens começaram a pingar de volta, um por um, terminando sob a luz frouxa dos lampiões a querosene e a luminosidade do fogão de Dona Cida, todos sentados em bancos com os pratos de ágata abarrotados de comida.

A seus pés, após um dia correndo o triplo do que qualquer outro, os cachorros alimentados e deitados recebiam sua recompensa de sono, enquanto os homens, após um dia em que tudo fora atenção e controle, iam relaxando à proporção que comiam e conversavam. Para eles, a refeição por si só era uma celebração, consumida com gosto e regada a mate, cuja água escaldante transformara-o de tereré para chimarrão. À medida que passavam a cuia de mão em mão e sugavam o chá através de uma bomba de prata que lhes sapecava os lábios, as línguas se soltavam e eles conversavam sobre os assuntos de importância no único mundo que conheciam. Sobre gado e cavalos, festas e brigas na última viagem à cidade. Sobre o contrabando de ouro e pele de jacaré, a diminuição de peixes decentes nos rios, o aumento das piranhas carnívoras. Tão abundantes no Pataguás, que diziam ser impossível atravessar um rebanho sem antes talhar uma vaca velha e conduzi-la correnteza abaixo. Todos os assuntos que, obviamente, levavam o velho Odair a falar sobre como as coisas não foram sempre assim, como no tempo em que a Mata não era abandonada ele caçara, com o Coronel, onças de verdade, como um homem de verdade as caçaria.

Assim que começou, o silêncio ficou diferente, encheu-se de reverência enquanto o velho caçador levantava a cabeça para falar. E enquanto os outros seguiam seu olhar, este parecia de fato levá-los a um tempo em que a coragem e a habilidade mereciam maior respeito, quando havia zagaieiros que usavam a azagaia como única arma, não apenas para entrar em cena depois do tiro ser desferido.

— Não eram muitos, imaginem vocês, mas eu era um deles. Junto com Joaquim Guato e João Borroro. Já ouviram falar deles?

— Ai, ai, ai — veio a resposta em coro.

— Então é porque conhecem. Quem já viu uma onça correndo, nunca esquece. Mais suave que um rio, não é? E se alguma vez alguém chegou perto o suficiente daqueles olhos, sabe que da próxima vez não resistirá.

E aí você vai. Quando ouve o latido prolongado dos cães, você segue. Mas se eles latem macia e respeitosamente, o coração pára, porque já sabe que a fera está acuada numa árvore. Bem, quando se tem armas de fogo, vocês todos sabem como é. O bicho pensa que está seguro lá em cima. É quando você limpa o terreno, toma um trago de pinga e escolhe quem vai atirar. Porque não se pode dar ao luxo de errar.

Mas quando não se tinha armas de fogo, cabia ao zagaieiro — eu, no caso — convencer a onça de que ela não estava segura ali. Importuná-la até ela pular e ter certeza de saber quando ela o faria. — Ele pausou como que dando tempo para todos imaginarem os pensamentos na cabeça da onça. Como sempre, em resposta, o olhar dos ouvintes seguia o do narrador: para cima, cada qual, em sua imaginação, saboreando a agonia das horas passadas em indescansável alerta.

Toda alerta ela também, Jacyra podia ver perfeitamente o zagaieiro se agachando apenas para tomar impulso e lançar-se num vôo de um instante, durante o qual somente a Morte, parecia, podia decidir quem iria morrer.

— Háá! — Como um ator quebrando um feitiço que se tornara insuportável até para si, Odair, o garoto, voltou a ser o velho e, inclinando-se à frente de Juca, acariciou a cabeça da criança. — Assustei-a, Jacita?

— Quem, eu? — a inevitável deixa, ela sabia, para ele dizer:

— Com medo ou não, esta foi sua historinha de ninar. Então já para sua rede ter pesadelos, está me ouvindo?

É claro que estava. Não estava acordada, como todo mundo? Mas o que ela podia fazer, além de tentar parecer ainda mais indiferente, deslizar para fora do banco e desaparecer nas sombras, onde sua rede estava pendurada perto da janela e dos ouvidos de duenha de Dona Cida?

Acreditando que ela estivesse seguramente instalada, Juca também desapareceu da reunião debaixo do alpendre. Sozinho, caminhou uma boa distância além da roça de milho de Odair para um local ao lado da baía onde, por ordem sua, a vegetação rasteira fora desbastada, deixando apenas as árvores mais altas. Era ali que Olga e ele sonharam em vão construir sua casa. Mas agora que ela havia partido e ele não tinha mais direito a nada ali, o lugar tornara-se nada mais que um grandioso cenário, onde ele podia sentar-se numa tora, longe dos olhos dos outros, sacar um pequeno frasco de cachaça e servir-se de um segundo trago.

O primeiro, conhecido como "mata-bicho", ele mesmo servira a si e a todos os outros ao findar o dia de trabalho. Pelas regras, aquele deveria ser o único. Mas agora, concordando com Dona Veridiana – o que raramente acontecia –, que quem faz as regras pode escolher a quais delas obedecer, decidiu tomar mais um. Só um. E como ele o apreciou ali muito mais que nos bares de Sta. Inácia, onde um número ilimitado nunca parecia oferecer real satisfação. Aqui, sob as árvores que poupara, gostava de ficar só, sentado em silêncio, até sentir-se nada mais que uma simples peça no imenso quebra-cabeça do universo, diante do qual o homem parecia ser incapaz de encontrar um começo ou um fim.

Longe de se sentir incomodado por tal insignificância, pelo contrário, sempre a considerou uma ótima idéia da parte do criador do quebra-cabeça. Uma idéia da qual lembrou-se agora ao ouvir, de repente, vindos do outro lado da baía, os sons aterrorizantes de algo caindo na água e se afogando. Convicto, sabia que uma velha e respeitada jibóia, tendo dormido o dia todo por entre as taboas, havia acordado para envolver, esmagar e digerir uma anta ou capivara que fora rápida, mas não o bastante.

Tremendo, Juca tentou afundar as orelhas entre os ombros. Percebendo ser inútil, mesmo com seu pescoço curto, resignou-se a escutar até os sons se findarem deixando a baía, em sua interminável indiferença, novamente sossegada e silenciosa.

Capítulo 12

Foram os bugios que na manhã seguinte despertaram Jacyra de seus sonhos com onças e guerreiros guaicuru vagando por entre as estrelas. Na densa mata que margeava a baía, os sonoros bramidos dos macacos ecoavam em toda parte enquanto eles deixavam suas tocas nas cavidades das árvores à procura das frutas do dia. Mas agora não havia tempo para um despertar preguiçoso aos sons da manhã. Porque tão urgente quanto os berros dos bugios era a necessidade de engolir o café da manhã reforçado, arrear o cavalo e estar pronta para um dia que seria bem mais árduo que o anterior.

Quando pendurava a tira para cilhar Sossegada o mais forte que podia, por cima da sela viu Rafael surgir do nada, já montado em Relâmpago. Transbordando de coragem e vigor, o par realmente constituía uma visão de tirar o fôlego. Mas então ela viu tio Juca vislumbrar a mesma cena, passar as rédeas por sobre as orelhas do Guaicuru e balançar a cabeça decidido.

– Você conhece o acordo, Rafa, Relâmpago vem só até aqui.

– Ah, vai, tio, olha como ele está em boa forma. Só porque a vovó Veridiana tem medo? Quem é que vai contar? – Rafa deu de ombros fazendo pouco caso, mas a resposta de tio Juca foi inflexível.

– Você ouviu o Tarciso, não ouviu? O cavalo não está pronto. Você melhor que ninguém deveria saber disso antes de se arriscar com ele. Mas se não souber e quiser montá-lo assim mesmo, então cavalgue-o de volta para casa. Ou então escolha para si outra montaria, e depressa. Estão todos prontos, menos você.

Pior que tentar descaradamente fazer seu belo garanhão prosseguir era ter que enfrentar os olhares silenciosos e risadas contidas enquanto, desarreando Relâmpago e entregando-o ao velho Odair, Rafael era obrigado a escolher dentre os animais enfileirados junto à cerca, indistinguíveis entre si, o capão baio adequado.

Jacyra instintivamente sentiu pena dele, por conhecer ela própria a sensação provocada por aqueles olhares. Mas sua comiseração durou só até ele empurrar o baio abruptamente e, furioso, jogar-lhe o pelego nas costas. A força foi tanta que a pobre criatura empinou, dando vazão a uma saraivada de peidos, que atacaram o ar da manhã com a força e intensidade de um tiro. Os risos contidos inevitavelmente explodiram em gargalhadas.

Jacyra ainda contraía os lábios para não rir, podendo sentir o triunfo escapar por entre eles quando, montando e caindo a seu lado, o objeto das risadas resmungou em tom ameaçador:

— Vai, pode rir!

— Ora, Rafa, como alguém pode evitar?

— Eu posso! De quem é Relâmpago, afinal?

— E daí que ele é seu, se não é você quem dá as ordens?

— E você acha que aquele velho caduco manda em alguma coisa? — Rafa lançou um olhar fulminante nas costas de tio Juca. — Ele só mastiga e cospe as ordens. Esse é o problema deste lugar, aqui não tem nenhum homem que faça frente a qualquer obstáculo.

— Você está falando do tio Juca? — Agora *ela* estava furiosa, e não dava a mínima para o que ia dizer. — E você, todo-poderoso? Quando é que você faz frente a alguma coisa? E fazer birra ou fazer as coisas escondido não conta. Vamos, Rafa, admita que no brejo aquele seu cavalo chique é quase tão útil quanto tia Tatinha. — E numa tacada final, ela não resistiu e disse: — Essa é a diferença entre Relâmpago e Guaicuru.

Assim, percebendo, como sempre, ter dito mais do que deveria, ela deu a volta e trotou Sossegada para o fundo, deixando Rafa esfriar a cabeça na posição que sua idade e habilidade lhe permitiam: entre o gado e a floresta, enquanto contornavam a baía.

À medida que descem para o brejo, os raios oblíquos do sol invernal tingiam o verde das vazantes em declive de oliva para jade, de jade para malaquita à beira d'água; as árvores florescentes, de bronze para esmeralda. Sempre atento a mudanças, com o canto dos olhos, Bento podia entrever um bando de cervos pastando onde delgados buritis projetavam longas sombras através de uma viscosa, opulenta plataforma de capim-felpudo. E Tarciso, avistando uma numerosa vara de caititus fossando numa ilha repleta de gengibres-selvagens, "anotou na memória" para uma caça mais tarde.

Como jamais foi o tipo que admira a paisagem, Rafa só conseguia manter a atenção no gado, de tão enervado que estava em pleno desabrochar da manhã. Olhando para os lados, flagrou um sorriso acabrunhado pairando nos lábios finos de Jezu e já podia imaginar aquele idiota transformando a cena numa piada a ser exaustivamente repetida a cada chimarrão da noite. Podia até ouvir aquela voz, que parecia a de uma ema, espremida ao longo de seu pescoço magricelo. "Oi, companheiros, já viram alguém usar um pelego pra fazer um cavalo peidar? Vamos Rafa, ensina pra gente!" E Jacyra. Retorceu o rosto para imitar seu sorriso enfurecedor: "Como alguém pode evitar?"

Mas como a maioria das agruras de Rafa se originavam no fato de ele não ser capaz de rir de si mesmo, o episódio ficava o tempo todo se revolvendo em sua cabeça, crescendo como fermento no pão. Primeira coisa: quem estava em posição de dizer se Relâmpago estava ou não pronto para o brejo? Aquele ignorante daquele índio Tarciso ou aquele a quem o cavalo pertencia? Deus sabia que, apesar do insuportável comentário de Jacyra, o garanhão não estava sequer cansado quando chegaram à baía no dia anterior.

E esta manhã, como Relâmpago estava maravilhoso, como sempre: ao mesmo tempo bravo e feliz pela aproximação de Rafa. Quando iam se aproximando dos outros, com o garanhão dançando e andando de lado no fresco ar matinal, Rafa pensou que talvez alguém tivesse percebido. Mas ninguém sequer erguera os olhos, até tio Juca começar a falar pelos cotovelos como uma babá. E então... ele ficava doente só de imaginar Tarciso, cabeça caída para trás, grossos lábios partidos, borrifando cuspe por entre os vãos dos dentes; Bento rindo descontroladamente enquanto Jezu se contorcia como uma cobra risonha.

Parecia que rir dele era o esporte favorito de todos eles. E com razão. Humilhá-lo, fazer os outros rirem dele era a única maneira de tio Juca se sentir superior. Por quê? Porque não conseguia suportar a idéia de que um dia seria Rafael quem estaria ditando as ordens a todos, ele inclusive.

Um dia... Rafa sentia um nó no estômago só de pensar quão longe ainda estava esse dia; quanto mais ainda teria que sofrer ridículo e perseguição? Ele tinha que dar um jeito de pôr um fim nisso. Como esta manhã... Ele deveria era ter desafiado tio Juca. Simplesmente prosseguido cavalgando como se não tivesse escutado, deixar tio Juca imaginando como se livrar do vexame.

Mas quando tentou visualizar-se fazendo o mesmo agora, não conseguiu. A visão era despedaçada pela absurda consciência de que, por enquanto, aquela "relíquia embalsamada", tão achatado entre seu chapéu surrado e sua sela que mal dava para enxergar seus olhos flutuando em cachaça até a boca, era a única pessoa que ele não podia desafiar. E, sem vontade ou capacidade de compreender o porquê, Rafa passou a pensar nos outros.

Pessoas que não *o* desafiavam. Como na escola, onde ninguém tocava o apito para ele: o capitão do time de futebol; onde os professores não o reprovavam mesmo quando o pegavam colando. Onde ele podia ter qualquer garota que quisesse, imaginava, e até os pais delas fingiriam não saber – sendo ele quem era.

Tais pensamentos, pelo menos naquele momento, fizeram-no esquecer de todo o resto, menos da lembrança, sempre próxima de vir à tona, do rosto adorável de Cácia, flutuando em êxtase sobre o seu. Ali mesmo na sela, ele quase podia senti-la, quente e ávida, vibrando no excitante centro de *seu* universo. Amando-o. Ahh, como ele ansiava por contar aos colegas da escola quando chegasse lá... Na verdade, como ele adoraria contar para qualquer um – até para esses índios esparramados sobre as selas a seu lado, que pensavam saber tudo, mas no fundo não sabiam nada, a não ser como se enfiar no meio das pernas de uma mulher ou enfiar um cavalo no meio das suas.

Mas quando pensou no que lhes diria sobre a menina Cácia, mais uma vez sentiu uma coisa estranha, como se o ar tivesse-lhe sido arrebatado. Ele podia imaginá-los ouvindo, até sorrindo, mas não de um jeito em que ele pudesse confiar. Pensando em seus próprios assuntos por trás daqueles olhos juntos, puxados. Não, ele não poderia contar-lhes. Aqui tudo era diferente, contrário... Como o que Jacyra lhe dissera sobre a diferença entre Relâmpago e o Guaicuru. Não dava para contar nada para pessoas assim. Com esse último pensamento, Rafa completou um circuito que fez a prisão de sua mente parecer que ia explodir.

Capítulo 13

— Ooi, ooi, oooii... xiaau, xiiiaaau! À medida que os vaqueiros conduziam o gado mais fundo no brejo, cantarolando e açoitando os chicotes nas coxas revestidas de couro, Juca ouvia os sons da redução do passo com um ouvido atento e preocupado, enquanto a seu lado – tendo Jacyra entre eles – Tarciso seguia com uma tranqüilidade invejável. E por que não? Ele pensava na noite anterior à última, que parecia agora tão distante, quando eles se sentaram, seguros, nos degraus da Sede tomando decisões grandiosas que até então poderiam ser mudadas. "É o senhor que sabe, seu Juca", ouvia seu capataz dizendo de novo.

Mas agora... Embora uma semana atrás, sobrevoando estas terras pantanosas com seu irmão Vasco, parecesse-lhe que elas já haviam se transformado num mar de capim emergindo sobre a água por toda parte, de alguma forma, agora de perto, as coisas pareciam um pouco diferentes. Neste momento, por exemplo, Juca sabia que sob a extensão de água de que estavam se aproximando encontravam-se as margens de um corixo engrossado. Mas dali de onde estavam, atrás de oitocentas cabeças de gado arrastando-se persistentemente para adiante, a distância entre esta terra seca e aquela além da correnteza parecia perturbadoramente grande. Uma ilusão de ótica, é claro, mas buscando obter um pouco da confiança de Tarciso, arriscou:

— Parece bem fundo, né?

Tarciso meramente abanou os ombros e estirou o lábio inferior em resposta, numa expressão que, longe de ser reconfortante, sugeria que se algo desse errado a culpa era de Juca, não dele. Assim mesmo, nem ele nem Juca precisavam conhecer as leis da inércia para saber que fazer o gado voltar agora era o mesmo que tentar fazer um rio subir. Não, agora que começaram, era melhor acreditar no que decidiram. E o melhor agora era se deslocar o mais lentamente possível, sem deixar chegar a uma parada total.

Nesse momento, mesmo Tarciso tendo enviado Bento e Rafa ao longo dos flancos para mandarem todos diminuir o passo, os cavaleiros líderes tentavam apressar seus cavalos em direção à margem do corixo, ainda inchado até o tamanho de um rio, que cobria os brejos dos dois lados. Assim, chegando à descida, os cavalos líderes teriam tempo suficiente para encontrar um chão firme sob as águas, onde pudessem passar e o resto pudesse segui-los, às vezes quase em fila indiana, sobre o leito invisível cuja existência só podia ser comprovada passo a passo.

Onde a margem começava, ninguém sabia dizer ao certo. Mas à medida que alguns animais se encaminhavam para o centro, podia-se ver que a correnteza era forte, causando um certo terror entre as vacas que, agitadas, plantavam os cascos na lama sob a água enquanto os bezerros se debatiam e esperneavam entre flores e folhas flutuantes.

Como sempre, Juca se deleitava com a perseverança dos bezerros que lutavam, arriscando-se corajosamente contra as correntes traiçoeiras provocadas por incontáveis rios retornando a seus leitos. Inspirando, como que num suspiro interno de alívio por ter encontrado o chão firme, cada um porfiava adiante, atraindo os de trás, formavam eles próprios uma correnteza viva, ainda mais determinada que a das águas.

Se Tarciso sentiu-se aliviado, não o demonstrou.

– Cuidado com aquela vaca ali – advertiu, enquanto eles próprios desciam para a água –, aquela com os anéis em volta dos olhos. É um verdadeiro demônio...

– Não são os anéis – sorriu aliviado pelos primeiros bezerros terem atravessado –, é a cara estreita. Como as mulheres, já notou? Quanto menor a distância entre os olhos, maior a distância que se deve manter...

— É mesmo? Nunca pensei... — Tarciso chegou o mais perto que pôde do mesmo jeito de sempre, o olhar fixo no demônio em questão. — Fique sabendo agora: é melhor não lhe dar o privilégio da dúvida se não quisermos ficar aqui o dia todo. Lembra? Ontem ela quase esmagou Bento contra a cerca como se ele fosse uma mosca quando apartamos seu bezerro. E agora ela fica voltando para ele o tempo todo.

— Então vamos tocá-la um pouco para frente. — Enquanto Juca diminuía até quase parar, Tarciso tocava a vaca para frente, pretendendo impeli-la bem para o meio do rebanho. Mas como se a ardilosa criatura tivesse ouvido toda a conversa e estivesse esperando por uma chance, aproveitou-a agora — investindo contra o que parecia ser o ponto mais vulnerável nas redondezas.

Aconteceu que Jacyra também estava ouvindo. Em sua ânsia desesperada de ser colocada à prova, parecia que o momento perfeito havia chegado. Antes que Juca pudesse imaginar o que se passava em sua cabecinha, agarrando-se à montaria e berrando como um porco-do-mato ensandecido, ela fez Sossegada correr direto na direção da vaca com um ímpeto tão determinado que, antes que pudesse avaliar, tanto o demônio como a égua estavam nadando, a corrente atirando-as perigosamente para o lado.

— Mãe de Deus! — Juca prendeu a respiração e se preparou para atirar-se atrás delas. Teria se preocupado menos se soubesse que, enquanto os animais se moviam com um só propósito, Jacyra, igualmente petrificada, recordava palavra por palavra a ladainha que ele cuidadosamente lhe ensinara.

— Se não quiser nadar, mantenha os olhos na criatura à sua frente e vá aonde ela for. Mas se cair, agarre-se à cauda de seu cavalo e agüente firme. É o melhor jeito. É o único jeito.

A inesquecível advertência começou a suscitar visões que a fizeram concentrar-se nas ancas ossudas da vaca como uma noviça se concentraria na Virgem Maria em suas orações. Sem piscar, ela assistiu àquele quadril flutuar com a correnteza por um terrível momento e depois avançar e endireitar-se enquanto seus cascos encontravam onde se firmar.

— Amém — ela respirou suavemente enquanto, logo atrás da vaca, sua égua também encontrava o chão firme e o galgava em direção ao solo seco.

— Muito bem! — o cumprimento de Juca veio num arquejo que tinha mais a ver com alívio que admiração. Embora fizera as bochechas da criança corar, seu efeito sobre a vaca de olhos juntos foi outro. Novamente, seu instinto ardiloso, percebendo um segundo de distração, aproveitou o momento para se lançar — dessa vez através de uma brecha onde os cavaleiros dos flancos estavam se reagrupando — direto para as matas distantes.

— Bento! Rafa! — berrou Tarciso tentando impedi-los, mas Jezu, aproximando-se, fechou o vão entre eles e os dois garotos partiram para buscá-la. Em seguida, a necessidade opressiva de manter o gado em movimento deixou-os para trás, praticamente esquecidos.

O passo à frente diminuiu ainda mais quando, comprimido como um vasto rio penetrando uma fenda profunda, o gado seguiu a trilha através da floresta que crescia dos dois lados. Uma floresta alta, de árvores nobres — angico, água-pomba e piúva, cujos sólidos troncos erguiam-se resolutos, em direção a copas imponentes que, num caminho tortuoso apoiado por um emaranhado de trepadeiras em flor, espalhavam-se no alto, sobre um carpete de húmus e limo.

Nesse dossel que se desenrolava em direção ao sol, coatis, preguiças, gambás e mais espécies de macacos e aves do que alguém jamais contou caçavam e eram caçados numa vida em comunidade, exuberante e cruel. Mas ao mugido do berrante de Brás e o estrondo dos cascos do gado lutando para continuar a caminhada, tamanha quietude tomou a floresta que a vida parecia inexistir ali.

Para Jacyra — molhada e ainda de certa forma ofegante após seu "triunfo" sobre a vaca-demônio — o efeito do conjunto, realçado aqui e ali pela vibração iridescente das asas de uma borboleta, era como um encanto. Com Sossegada pelejando sob si no mesmo passo lento e retumbante que o gado, ela se sentia como que afundando num estado de torpor e teria chegado a um não fora o silêncio ter sido repentinamente quebrado pelo penetrante guincho de um tucano.

Perscrutando por entre o emaranhado verde-escuro, ela procurou, sem êxito, pela breve aparição involuntária de um avantajado bico cor-de-laranja. Mas agora, a todo custo dura e alegremente acordada, ela pensava no que seu Caco lhe ensinara – tão logo ela estava grande o suficiente para caminhar à beira da mata atrás da Sede – sobre como aquele som poderia facilmente vir de um japu.

– Sabe por quê?

Aquela palavra sendo sua mais nova descoberta e a palavra favorita no momento, ela lhe perguntara "por quê?", ao que ele respondera com ar de superioridade:

– Porque eles são pequenos e gostam de imitar os pássaros maiores.

– Por quê?

– Para criar confusão, como você.

– Mas por que os tucanos?

– Porque eles gostam das mesmas frutas...

– Que frutas?

E assim foram até ela achar que seu Caco desejara nunca ter aberto a boca. Mas então ele lhe mostrou a primeira árvore cheia de ninhos de japu, e desde então ela jamais viu ou ouviu um tucano enorme, preto e laranja, sem pensar nos pequenos japus, pretos com amarelo, e em seus ninhos, delicadamente tecidos em forma de cesta e pendurados por cuidadosos fiapos de fibra nas altas árvores de galhos lisos.

Colônias de ninhos, sempre tão bem montadas, eram sempre uma visão da qual ninguém se farta de admirar, de forma que agora ela começou a procurá-las por entre a vegetação encoberta de sombra ao longo do caminho. Totalmente desperta, procurava-os com a concentração de alguém que procura objetos numa composição em mosaico, até ser recompensada com a vista não de uns poucos ninhos, mas de uma colônia.

Pendurados aos galhos de uma água-pomba de tronco reto, os ninhos espalhavam-se com quase a mesma precisão decorativa com que se distribuem os enfeites de uma árvore de Natal. Uma visão tão extasiante que, ao aproximar-se da árvore na beira da trilha, por um momento se esqueceu de tudo, inclusive de outro fato crucial ensinado por seu Caco em sua primeira lição:

– Esteja sempre atenta, está ouvindo? – ele erguia a sobrancelha como que advertindo. – Dificilmente você encontrará um bando de ninhos de japu sem uma colméia de abelhas no meio. Elas os acalmam e os mantêm seguros.

Todos os outros concentrados no gado, Juca e Tarciso perdidos em conversas, foi Rafael quem avistou primeiro a colméia quando vinha de trás para juntar-se aos demais cavaleiros. Serpenteando por entre a densa vegetação rasteira durante a última meia hora, ele, Bento e seus cavalos tiveram que rebolar para fazer a vaca frenética, de olhos juntos, aceitar a derrota.

Fora duro, ainda mais entre aquelas árvores embaraçadas, por isso Rafa não podia deixar de sentir-se orgulhoso por ter conseguido acompanhar o ritmo daquele que, secretamente, considerava o melhor cavaleiro de Contendas. Mas quando a vaca, sem fôlego e cambaleante – agora já completamente misturada ao rebanho –, e os dois garotos chegaram, ofegantes e suados tais quais seus cavalos, alguém percebeu? Alguém disse "muito bem!"?

Já se revelando uma mente engenhosa, esse foi o primeiro pensamento que Rafa articulou quando, com uma espécie de fascinação onírica, ele assistiu ao objeto do eterno louvor de tio Juca espiar, curiosa, por entre os ninhos dependurados, tentando obter uma olhadela num filhote de passarinho com sua plumagem preta terminando em brilhantes tons de amarelo. Mais tarde ele chacoalharia a cabeça, não acreditando em como ela pôde não ter visto a colméia balançando como um pingente estranho, colocado ali para dar ainda mais contraste. Mas na hora ele assistiu a tudo, vidrado, até o pingente inevitavelmente abrir espaço para uma nuvem que pairou, zunindo no ar e se fechou sobre a cabeça da irmã como se esta fosse a colméia.

Menos de um segundo deve ter-se passado entre o momento de irresistível fascinação e o seguinte, no qual ele avançou impetuosamente gritando "corra, Jacy!" e açoitou o traseiro de Sossegada com seu chicote, fazendo a égua esquivar-se, empinar e correr direto para entre as árvores.

Como chegara até lá, Jacyra não lembrava direito. Ela só se lembrava da fúria insaciável que se infestou sobre seu corpo, enroscando-se em seu cabelo, ferroando-a cada vez mais violentamente quanto mais ela se estapeava e lutava. Então um chicote estalou e lá estava ela, desviando-se de árvores, agarrada ao cavalo como se ele fora sua própria vida, e, na confusão, as abelhas desistiram.

A lembrança seguinte era a de estar agachada no chão enquanto tio Juca despejava água do pântano sobre sua cabeça e, em seguida, passava a mão por todo seu cabelo com uma incrível delicadeza, seus dedos rudes arrancando os ferrões, um por um.

– Devem ser mais de cem – murmurou ele –, mas temos que tirá-los. Assim não incha tanto. Embora eu deva dizer que – esforçou-se para dar uma risadinha animadora – agora parece que você lutou boxe com um peso pesado. Está doendo muito, Jacy?

– Não.

Estranho o bastante, mas indubitavelmente ainda em função do choque, era verdade. Naquele momento, a pior sensação era a vergonha. Ah, ela se sentira tão boa vaqueira ao perseguir aquela vaca na água! Um ponto a mais para seu placar, pensou. Mas agora, essa falta de atenção idiota tinha destruído tudo. Assim, não foi a dor que fez as lágrimas vir-lhe aos olhos, sufocando-a de forma que ela mal pôde falar:

– Sinto muito, tio.

– Você! – seu semblante quadrado acomodou um olhar de melancólica dor de consciência. – Onde eu estava? Ainda bem que Rafa viu, não?

– Hmm. – O pensamento não lhe trouxe qualquer gratidão, só mais humilhação ao imaginar os outros, mais uma vez se divertindo à custa dos preciosos pirralhos da Sede, só que dessa vez, por se tratar da garota, Rafa riria *dela* também.

A visão fê-la tentar ficar de pé, mas a tentativa roubou-lhe o fôlego de modo que ela despencou sobre o vasto peito de tio Juca, enquanto ele, em consolo, corria seus dedos calejados das rédeas através de seus cabelos numa última tentativa.

— Pronto — declarou com ar de satisfação —, acho que tirei todos. E foram muitos para uma cabeça tão pequena, para não falar do resto. O que me faz pensar — virou-a de frente para ele — que você e eu deveríamos voltar para a Baía. De lá eu posso mandar vir seu Caco e a caminhonete.

A caminhonete! De repente, uma visão bem pior que a dos peões zombeteiros fê-la encontrar forças para sentar-se ereta enquanto via seu pai marchar em sua direção, Tatinha gritar, sua mãe desmaiar, sua avó virar estátua. À medida que as visões se intensificavam em sua mente, sua expressão deve ter sido suficiente para tio Juca também imaginar o que ela estava vendo, fazendo-o dizer, embora duvidando só um pouquinho:

— Quer dizer, você não acha...?

Era uma pequena brecha em sua resolução, mas o suficiente para ela conseguir o pouco mais de força de que precisava para se pôr em pé, vacilante, e dizer, com as mãos nas cadeiras:

— Juro, não há nada errado comigo, a não ser um pouco de inchaço, que já está diminuindo. — Felizmente ela não podia ver a cara que lançava para ele, assim pôde continuar tentando encorajá-lo sem ter afetada sua noção do quanto julgava estar sendo convincente:

— Olha, se eu não for para casa, muito provavelmente até amanhã eu já estarei bem e será como se nada tivesse acontecido. Sério, tio. — Sua voz encheu-se de razão. — Nós estamos bem mais perto da próxima parada que da Baía, um pouco de descanso lá enquanto trocamos os cavalos e eu estarei ótima.

— Você tem certeza absoluta? — ele fitava-a, esperançoso.

— Juro! — um cauteloso triunfo tornou possível um sorriso radiante. Muito mais difícil era manter as pernas firmes, comprovar suas palavras reunindo forças para tomar Sossegada pelas rédeas e montar em sua sela enquanto o chão parecia ser engolido debaixo de si.

Uma vez cumprida essa primeira etapa, agora era só permanecer ereta, parecer normal e concentrar-se no caminho que se desdobrava à sua frente. Por quanto tempo, ela não se lembrava mais, e por alguma razão não tinha coragem de perguntar. Porque agora a sensação era a de que seu centro de gravidade descera para o estômago, enquanto diante dos olhos de sua imaginação afetada, mares de capim, pássaros adejantes e seus fantasmagóricos reflexos brilhando nas águas, tudo parecia girar e se alternar, como imagens num caleidoscópio, levando-a a lugar nenhum.

– Você está bem, Jacy? – lá vinha a indagação ansiosa de tio Juca de tempo em tempo. Se ele soubesse o quanto de esforço era preciso para responder, não perguntaria.

Cavalgar pelo pântano alagado era pior, porque ele se virava sobre a sela a cada dois minutos para ver se ela ainda estava agüentando.

– Estamos quase chegando, agüente firme – sua voz parecia consternada, mas ela não tentava mais responder. O fedor de lama e folhagem em decomposição, ativado pelas pisadas submersas do gado, preenchiam-lhe as narinas, os pulmões, sem deixar espaço para palavras. Ela comprimiu os lábios para evitar vomitar as tripas sobre o pescoço de Sossegada, e cada vez que chegavam em terra firme ela suspirava aliviada diante da salvação. Até finalmente chegarem.

Orgulho, determinação, medo – todos fundidos como o atual objetivo de vida – um círculo de cochos foi avistado. Com a moderação de uma senhora idosa, ela apeou da montaria e caminhou com dificuldade, apalpando o pescoço de Sossegada em direção à sua cabeça. Desejou que todos parassem de olhar. Tudo o que queria era levar sua égua para onde a tropa estava reunida e soltá-la. Alguém tomou-lhe as rédeas das mãos e entregou-lhe uma guampa cheia d'água. Parecia que sua sede nunca mais iria saciar, até que, lembrando-se do fedor da lama, teve ânsias de vomitar e passou a guampa adiante.

Tio Juca segurou-lhe a cabeça até os espasmos cederem e enxugou sua boca com um lenço.

– Pronto, pronto. – E tomou-a nos braços. A partir daí, ela só conseguia se lembrar dele depositando-a em seu poncho e da inconsciência que se apossou dela misturada ao aroma familiar de suor e tabaco, gado e fumaça de lenha em seu rosto.

Capítulo 14

Onde eles estariam? O que estariam fazendo? Isabel freqüentemente se achava tentando decidir o que era mais absurdo: tentar imaginar ou não. Esta tarde ela se decidira pela segunda opção, retirando do último fardo de livros e revistas vindos do Rio um volume de crônicas de Rubem Braga que, leves porém inteligentes, ofereciam algo sobre o que refletir além de tragédia. Mas não funcionou.

Assim como não funcionara também na noite anterior. Passara deitada, em claro, seus pensamentos quase que exclusivamente voltados para o retorno de Rafa. Foi bom que Cácia fora despachada, mandada de volta para o rancho de sua família a um dia e meio de distância. Ao menos uma vez ela concordou com a matriarca: era a única coisa a ser feita.

— Mandei Cácia embora — anunciara Dona Veridiana no café da manhã. — É uma pena, mas não daria certo. Preciso de alguém que saiba servir à mesa e também esfregar os assoalhos, mas ela é muito desastrada. Não faz sentido Fátima desgastar-se tentando ensinar alguém que não consegue aprender.

Todos deram de ombros, concordaram que era uma pena, e só. Mas é claro que não era só isso, e Isabel temia a reação do garoto. A primeira, de choque e dor; em seguida, a ira subjacente sujeita a explodir em algum ponto. Seu pai deveria conversar com ele, dizer-lhe: "Olha, não é que seja errado, é só que mais tarde, a pobrezinha..." Ele deveria esforçar-se, mas há quanto tempo Manoel não fazia outra coisa senão dar ultimatos?

E quanto a ela? Ah, se ao menos ela conseguisse pôr tudo para fora, falar metade do que pensava e sentia sobre tudo o que via... Mas não havia outras palavras para descrever: ela era tímida demais. Sempre fora, desde que Manoel a trouxera ao Sobrado como noiva, e antes também. Era parte de sua criação, e mais ainda – ela tinha que admitir – parte dela mesma. Apesar de que, se ainda fosse bem no começo, ela teria se manifestado e dito: "Não faça isso. A vida é sua. Além do mais, para que é que você foi estudar no Rio?"

Poucos poderiam ter tido tantas oportunidades de embarcar numa carreira diplomática. Um belo casal de jovens: ele, estudioso e polido; ela, de uma família tradicional e bem posicionada. Papai conhecia todo mundo! Mas ela se manteve quieta e veio para cá. Manoel dissera que sua consciência não lhe permitiria agir de outra forma. Como último filho vivo, era seu dever retornar e assumir o posto de chefe da família Mas era para ter sido só por um curto período, até ele conseguir convencer sua mãe de que ali era o fim do mundo. Que vendendo tudo, livrando-se daquele fardo irremediável, infernal, ela poderia investir em apartamentos no Rio e viver como rica em qualquer outro lugar – deixando a todos uma bela herança. Sendo que para Manoel a melhor herança seria o direito de pôr seus estudos em uso.

Mas não demorou muito para perceber que isso tudo era uma ilusão. Que tentar pôr em prática tamanha transição seria como tentar transplantar uma árvore velha que, com a extensão e profundidade de suas vigorosas raízes e tudo pelo qual já havia passado, sabia muito bem como se defender sozinha. Mas ele não se permitiria acreditar nisso. Assim, gradualmente, outra ilusão começou a se manifestar – a de que ele era realmente o chefe da família e da fazenda. Um personagem-chave na interminável batalha por manter o poder dentro da absurdamente ínfima política do Pantanal. Em tudo era como o pai, o Coronel: o detentor da última palavra.

Como ela poderia discutir? Ao contrário, jovem e apaixonada, deu o melhor de si para adaptar-se, tornar-se parte de um mundo tão hostil e primitivo que vira e mexe literalmente a fazia tremer. Ela, uma jovem, como tantas outras de sua estirpe, educada na Inglaterra.

Certamente parte de seu problema fora esse insuportável "senso de dever" britânico, que a fazia sair como uma metropolitana indo "servir seu tempo no Pantanal" com sua abordagem civilizada de "servir". O único problema é que ela não estava em posição de poder servir, nem de leve. E onde quer que a oferecesse, sua ajuda era rapidamente dispensada com o sorriso tolerante, santo, de quem nascera para esta vida em todos os sentidos e era, obviamente, muito mais competente que ela.

Assim, com o passar do tempo, ela foi-se resignando ao único papel que lhe restara: o de não atrapalhar os outros. E quando Tatinha vinha, o de cuidar para que ela fizesse o mesmo. De forma que todas as suas esperanças foram depositadas nos filhos.

Rafael, aos quinze anos, um garoto forte e bonito, tinha um ímpeto ambicioso que poderia levá-lo a qualquer lugar se soubesse administrá-lo como convinha. Mais três anos e ele estaria pronto para a Universidade. Não importava que ele ainda não tivesse idéia do que iria querer estudar. O que quer que fosse, seria no Rio de Janeiro, a cidade que ela amava e da qual, já em peregrinações anuais com Tatinha e as crianças, dera-lhe amostras. Uma vez lá, tinha certeza de que o gosto se desenvolveria e ele se tornaria tudo o que Manoel poderia ter sido. Pouco a pouco, ele deslocaria o centro de gravidade da família para lá.

Igualmente, ela esperava que Jacyra fosse atraída pela cidade. Se puxasse à mãe, seria logo. Talvez até o ano que vem ela fosse para um colégio interno. Porque Deus a livre de se casar com alguém daqui! Como se não tivesse sido suficiente Olga ter sido empurrada para o casamento com Juca. Toda vez que Jacyra e Tomazio, sobrinho de Juca, estavam juntos, Isabel podia ver a mente de Dona Veridiana fervilhando com sonhos de união entre as duas famílias e terras.

– Não! – exclamou Isabel, resoluta, para si mesma. Jacyra tinha opções melhores que aquela.

Mas onde estariam eles agora? Neste mundo rudimentar onde a vida começava antes de o dia amanhecer e terminava antes de o sol se pôr, a luz dava seu rápido adeus ao átrio onde ela estava sentada com o livro no colo. A vegetação que se agarrava escalando as paredes e se derramava do alto do telhado, fresca e agradável – fazendo-a lembrar-se do Rio durante o dia –, sempre se transformava com o aproximar da noite, tornando-se o refúgio de apressadas lagartixas e pererecas – aqueles horrendos sapinhos que, com ventosas nas pontas dos dedos, podiam aparecer nos lugares mais inusitados. As raízes que se desprendiam dos galhos da grande figueira tinham uma maneira especial de, a esta hora, se tornarem assustadoramente semelhantes a cobras. E então o vento gélido do fim de inverno deitou-se sobre o pátio enquanto a luz se desfazia. Tatinha já havia apanhado seu xale, enrolado-se nele e partido para a cozinha onde o calor do fogão a lenha oferecia uma boa desculpa para sentar e fofocar com a criadagem. Graças a Deus, melhor que sentar aqui atormentando sobre onde Jacyra devia estar.

Ainda sentada ali sozinha, ficava cada vez mais difícil conter o terror que vinha acumulando-se durante toda a tarde e cuidar de seus próprios afazeres, como fizera Dona Veridiana, despreocupada com a aproximação da noite – como se seu cair não fosse motivo para qualquer alarme.

Era a hora em que Isabel normalmente ia preparar-se para a noite – passava horas aplicando seus cremes após o banho, vestindo-se cuidadosamente, arrumando os cabelos – dizendo para si mesma que todo esse ritual era para continuar civilizada e não apenas mais uma maneira de passar o tempo. Mas ela não conseguiu impedir o terror de colocá-la em pé, arriscando sair para a varanda e se debruçar sobre a balaustrada para contemplar fixamente o infinito.

D. Veridiana já estava lá. Passara a tarde distribuindo medicamentos – uma vacina para um recém-nascido, uma compressa quente de pimenta para um joelho inchado, remédio para vermes para todo mundo – e agora estava cansada demais para sua caminhada vespertina. A cura em si não era tão exaustiva quanto as conversas. As descrições de dores, que gritavam no fígado e ecoavam na cabeça, ou dores nas costas que eram respondidas por cãibras nas panturrilhas. Como se não houvesse uma só parte do corpo que não tivesse um eterno rosário de lamúrias para dialogar com outra. Não se podia esperar que houvesse remédio para todas essas dores provenientes de uma vida sofrida, a não ser ouvi-las. Mas hoje ela estivera um pouco menos paciente para essa conversa fiada entre bugres que sempre acabava em superstição. E agora tudo o que ela queria era sentar-se quieta e recobrar seu raciocínio, organizar seus próprios pensamentos.

Não gostou do que tivera que fazer pela manhã, mandando chamar Anísio para buscar sua filha. Ele tinha tantas filhas, coitado do homem, que tipo de vida ele poderia prover para elas se não a que tinham? Pelo menos na Sede elas podiam aprender que havia um jeito certo de fazer as coisas. E *isso*, em qualquer lugar, era a melhor arma que elas poderiam ter.

Mas graças a um capricho de menino, ela tivera que dizer a Anísio: "Sinto muito, ela é uma boa menina, mas não está dando certo". Tivera que testemunhar, enquanto ele analisava o rosto em lágrimas de Cácia, todas aquelas conhecidas sombras de desconfiança, humilhação, ressentimento e resignação encobrirem seu semblante desolado, sulcado pela vida, até finalmente, rebocando-a com seu saco de pertences na garupa, ele levá-la embora.

Talvez tenha sido precipitada, mas ela não conseguia imaginar outra solução, e no fim acabara tendo que decidir sozinha. Porque a noite passada no quarto do andar de cima, Ele também não ajudara em nada, apenas ria:

— Para que todo esse pandemônio, Vedi? Um rapaz tem que começar de algum lugar. Meu Deus, daqui a pouco você vai mandá-lo confessar-se com aquele seu padre.

— O que não lhe faria mal algum – retrucou. – Ao contrário, levaria-o a pensar um pouco. Nas conseqüências, por exemplo, caso aconteça alguma coisa.

— Mas se acontecer – deu de ombros casualmente –, não seria a primeira vez.

— Acho que você não está entendendo. As coisas não se resolvem mais tão facilmente hoje em dia, com algumas cabeças de gado, um lugar para uma criança onde ela recebesse a educação que você gostaria que – ela fez uma pausa para deixar as últimas palavras penetrarem – seu próprio sangue tivesse, Cândido.

— Humm — seu animado apoio à masculinidade de Rafael dera lugar a uma triste confusão —, que espécie de mundo é esse em que você vive?

— Um onde não há mais muitos lugares para se ir... Mesmo aqui...

Ela não disse mais nada. Já bastava ele ter concordado a contragosto. Mesmo assim, ela pouco pensou em outras o restante do dia.

Até agora, quando o habitual alarido das araras nas carandás anunciavam a chegada da noite, sem qualquer sinal de aproximação da comitiva, ela percebeu uma sensação de abatimento longe de ser desconhecida.

Pode ter sido reconfortante para Isabel saber que não é que a ansiedade não existisse para ela. Quanto mais se sabe, mais se há para temer. E tendo visto durante o dia sangue jorrando dos olhos de um homem picados por cobra e entranhas expostas por chifradas e similares, o coração de Veridiana apertou agora tanto quanto anos atrás, quando Candinho saiu com seu pai, levando consigo o destino recebido das mãos dela. Mas não havia nada que se pudesse fazer senão aceitar, como agora. Pelo menos no que dizia respeito a Rafael. O menino tinha que crescer para tornar-se um homem, aprendendo a viver, trabalhar e correr riscos entre os outros homens.

Mas e Jacyra? Centenas de razões demonstravam por que ela deveria ficar em casa como as outras meninas normalmente ficavam. Força física era uma das principais. Determinada como ela só, era tão pequena para sua idade. O que não significava que ela não estivesse mudando. Outro dia, no jantar, irritada ao extremo com as brincadeiras de Rafa, Dona Veridiana permitira a seu olhar vagar por outras bandas, assimilando o perfil de Jacyra, a coluna fina de seu pescoço realçada pelo esforço de Mercedes em puxar toda aquela espessa cabeleira negra para trás numa trança. Era um perfil forte, porém delicadamente feminino – o suficiente para já mexer com a cabeça dos homens.

Mesmo assim, apesar de todos os argumentos em contrário, ela continuava a concordar com Juca sempre que surgia a questão de

Jacyra acompanhar a comitiva. E, melhor que qualquer outra pessoa, ela sabia por quê.

Uma pessoa como Jacyra, confinada à Sede, acabaria odiando um lugar como este. Isso não poderia acontecer. Os homens podiam pensar e dizer o que bem entendessem, mas os anos de experiência ensinaram-lhe que lugar nenhum vai para a frente sem os cuidados de uma mulher. E fora ela mesma, que outra mulher nesta família importava-se com a Fazenda das Contendas?

Perturbador, esse motivo encoberto pela maioria dos pensamentos sobre a neta veio à tona, acrescentando uma sensação de culpa à sua ansiedade. E agora, a despeito de sua árdua resolução, ela se encontrava inclinada para frente, os olhos fixos na luz diminuta como se isso fosse materializar a comitiva diante de si.

A sua pose era esta – cotovelos sobre os joelhos, olhos cansados esforçando-se – quando sua visão foi quebrada pela aparição de Isabel. Ela assistiu à nora apegando-se à coluna de madeira, como que procurando nela apoio, e olhar silenciosamente na mesma direção, seu perfil desenhado sobre as trepadeiras e flores rastejantes. Um perfil elegante, Dona Veridiana sempre pensava, exceto por uma certa fraqueza no queixo, que ela suspeitava ser o resultado da decadente nobreza portuguesa. E agora esse queixo, levemente hesitante, irritou-a ainda mais quando Isabel verbalizou exatamente aquilo que ela vinha pensando:

– Está ficando tarde. O que será que pode ter acontecido?

– Nada de importante, creio. – Disfarçando sua irritação, Dona Veridiana conseguiu habilmente, como sempre, soar despreocupada. – Ouça só essas araras. Onde será que arrumam motivo para brigar toda noite? Elas não são cômicas?

– Talvez elas estejam fazendo as contas para ver se todos os seus filhotes estão em casa – Isabel não conseguiu resistir.

A matriarca, longe de não perceber a insinuação, usou o comentário para inverter a situação e transferir sua angústia oculta:

– Tem certeza de que não se sente culpada por deixar as crianças irem? Porque o Rafael já está moço... quase. E, acredite no que digo, Jacyra é uma verdadeira índia quando se trata de sobrevivência.

– Eu ficaria feliz se ela não fosse tão índia assim – respondeu Isabel –, e fosse mais afeita a atividades como ler e desenhar, ou até fazer queijo.

– Mas ela não é. – Dona Veridiana descartou o desejo de Isabel com óbvio orgulho. – Ela se parece demais comigo, eu acho. Ama o campo como se tivesse nascido de um ovo de caracará. Se você a prendesse aqui, pode imaginar como seria? Suponho que você já tenha ouvido falar do "mal-do-moral"?

– Em algum lugar – respondeu Isabel pensando, aborrecida –, como se alguém aqui nunca tivesse.

– Bem, então graças a Deus, eu diria, que temos alguém tão bom e de confiança como Juca, em quem podemos confiar que guardará aquelas duas crianças com sua própria vida.

Tendo o suficiente sobre abstrações, as duas voltaram a silenciar mergulhando em seus próprios pensamentos desinibidos. Isabel retornou ao estado de expectativa em que dizia para si:

– Se ao menos não houvesse essa cortina invisível entre nós. Se ao menos eu pudesse dizer a ela: "Sim, eu conheço muito bem o mal-do-moral... Ele vem de pensar de um modo diferente... Por exemplo, quando sobrevoamos o Pantanal para chegar aqui, sabe o que ele me parece? Um labirinto sem saída, é isso. Um labirinto do qual meus filhos não terão a chance de escapar nem se quiserem. Será que eu devo ser condenada para sempre por pensar assim?"

Mas do outro lado da cortina invisível, a matriarca já tinha esquecido Isabel quando tentou controlar aquele cantinho da mente onde os temores deveriam estar sufocados. Onde, em momentos como este, a Mata do Jaguar vinha à vista, não como uma ameaça real, porque ela sabia que ninguém tinha motivos para ir até lá. Mas como um lembrete – indestrutível, impossível de ser ignorado, não importa o quanto tentasse – de tudo o que poderia vir a acontecer. As nefastas possibilidades de fato começando a apoderar-se dela enquanto seu bom senso cedia lugar à imaginação.

Capítulo 15

Mesmo uma imaginação fértil como a da matriarca, no entanto, era incapaz de conceber a imagem de Juca sentado no chão ao lado do corpo sonolento de Jacyra nas últimas horas antes de cair a noite anterior – a cabeça baixa, as mãos desajeitadamente entrelaçadas em oração. Mas por mais que tentasse, a oração era para ele como um jogo de azar. Para funcionar, a pessoa tinha que ter uma certa inclinação pela coisa, e isso ele nunca teve. Ele viveu tempo demais entre os índios, achava, para poder acreditar que Deus era algum ser semelhante aos humanos, em algum lugar lá em cima, continuamente a postos para atender às orações dos fiéis. Além do mais, nunca tendo tido fé, quando se tratava de ser atendido ele imaginava que deveria estar mais ou menos perto do fim da fila.

Assim, fracassando nessa tentativa, parecia não lhe ter restado nada senão montar vigília enquanto a tarde se despedia levando consigo a possibilidade de retornar à Baía das Antas antes do anoitecer. À medida que a claridade esmorecia, sua ansiedade aumentava e com ela uma terrível sensação de culpa que só piorava com suas próprias cobranças.

Será que ele realmente pensou que seria o melhor para ela? Ou será que foi a idéia de enfrentar mulheres histéricas e um Manoel acusador que o fizeram crer que tudo ficaria melhor se ela descansasse um pouco?

E por que, chegando ao rodeio de cochos de sal, ele não aceitara a oferta de Rafael para ficar, no caso de ele precisar de ajuda? Ele podia até ver o garoto ali, de pé, estranhamente preocupado – parecendo literalmente não ter sangue correndo sob sua pele macia, oliva-escuro. Mas só de pensar em ficar sentado ali com um Rafael tremendamente agitado do lado fizera-o balançar a cabeça seguro:

– Não precisa, não precisa. O inchaço já está passando, ela já pôs o pior para fora quando vomitou, tenho certeza. É natural estar exausta. Ela só precisa dormir para tudo isso passar. Se ela não acordar daqui a pouquinho, eu a acordo.

E dispensando Rafael com um ar de autoridade, sentou-se com Jacyra adormecida a seu lado e o sabujo Juruna ofegando a seus pés, como um anjo da guarda, calmamente observando a comitiva trilhar através da água até a próxima cordilheira e a perder de vista.

Então, enquanto o sol se precipitava a uma altura crítica no céu, sabendo que não teria como regressar no escuro pelo pântano, ele decidiu que estava na hora de acordá-la.

– Jacy? – ele começou a rezar, pela primeira vez, só de pronunciar seu nome. E quando ela não respondeu, ele a chamou de novo, cada vez mais alto até flagrar-se gritando num vazio que se tornava mais poderoso e ameaçador quanto mais barulho ele fazia.

Tentou então acordá-la aos trancos, dando-lhe tapinhas nos pulsos e rosto. Não obtendo resposta maior que um grunhido, ele tomou sua pulsação, apertou o ouvido em seu peito. Nada de estranho, seus batimentos estavam calmos e regulares, assim como sua respiração. Embora a profundidade desse cochilo... Ele já vira outras pessoas dormirem após um ataque de abelhas, mas não se lembrava de elas terem um sono tão profundo. E eram todas homens e rapazes, nunca um pedaço de gente como ela. E tinha também aquelas histórias, contadas por bugres em torno da fogueira, de pessoas "possuídas" por abelhas que nunca mais acordavam. Que besteira! Ah, mas...

Impotente, sem tirar os olhos da criança dormente, ele tentou não pensar na palavra: coma. Mas enquanto ela continuava a insinuar-se sobre ele, pela primeira vez na vida, ironicamente, ele se sentiu completamente consciente do isolamento que o cercava. Ele, que justamente na noite anterior ouvira uma jibóia num instante dar cabo numa capivara e sentira-se em paz diante da idéia de não haver nada que pudesse fazer. Que monte de besteira tudo isso parecia agora que a "vítima" não era uma capivara, mas uma criança por quem não poderia ter mais amor nem se fosse de seu próprio sangue. Com quem tinha tamanha afinidade que, embora ela fosse uma menina, era para ele como um filho, a quem ensinar os segredos do campo era como passar uma herança preciosa. Mas que agora estava deitada em seu poncho, e ele, inútil como um cachorro, percebendo que a essa altura ninguém mais iria a lugar algum, adormeceu a seu lado tão tranqüilo quanto ela.

– É, eu sei – pegou-se tentando novamente –, ela se mete em brigas na escola de vez em quando. E uma vez ou outra ela foi pega pulando muro para roubar manga. Mas é só de brincadeira. Quem é que iria sentir falta de uma manga quando o mundo inteiro está coberto delas? E é Tomazio quem a convence a fazer essas coisas. E aí, é claro, ela se recusa a se confessar. Diz que não é nada da conta do Padre Emílio. Mas nisso, para ser franco, eu acho que ela está coberta de razão. Em suma, seus pecados todos, somados, não valem por um – concluiu, como que sobre alguma divindade imolada. – Se alguém quiser um pecador, que tome a mim.

E dessa vez, vendo todas as possibilidades aparentemente esgotadas, num ato próximo de ser uma humilde submissão, sua cabeça pendeu para baixo.

Quanto tempo ficou ali, num estado de depressão paralítica, jamais saberia dizer. Parecia uma eternidade, mas não deve ter-se passado muito tempo antes do horror de ficar sentado sem fazer nada compeli-lo a pôr-se de pé para mais uma tentativa. A qual, dessa vez, foi recompensada com um veemente e mal-humorado "vai pro inferno, sai daqui!".

– Jacy?

– Eu não falei pra você me deixar em paz, sua vaca velha?

Ao emergir das profundezas de seu sono, para ela era Mercedes quem estava ali em cima, cutucando-a e chacoalhando-a para acordá-la para ir para o colégio de freiras. Quanto mais enfáticas as brincadeiras antipáticas da velha, piores as reações grosseiras de Jacyra. Então, no momento em que se preparava para alcançar

nuto enquanto eu termino este cigarrinho e penso no que a gente deve fazer.

Sempre que olhasse para trás, pelo resto de sua vida, Jacyra se lembraria daquela noite como o momento em que teve certeza de ser um deles – como tio Juca, Tarciso e Tomazio. Mais tarde ela sorriria, percebendo o quanto devia ter atrapalhado tio Juca tentando "ajudá-lo". Porque, obviamente, ele tinha que ficar o tempo todo de olho nela, dar, paciente, intermináveis instruções que dobravam o tempo que levaria para selar os cavalos, encontrar uma nascente que jorrasse água limpa por entre as raízes de uma árvore, procurar madeira num capão de mato onde cada passo representava perigo de cima a baixo. Onde o pau-de-novato de flores vermelhas, uma das mais belas da floresta, podia cobrir uma pessoa de formigas ao ser tocado, ou um entrelaço de madeira apodrecendo podia se transformar num ninho cheio de cobras recém-nascidas.

Ela também riria afetuosamente com ele, um dia, lembrando de como ele se enervou e bufou realizando tarefas que há muito se acostumara a mandar os outros executar. Tais como utilizar o precioso machete, o facão que todo pantaneiro usa na parte traseira do cinto para outras finalidades além de talhar varetas de bambu para fazer varas de pescar. Músculos que ele nunca usava, exceto para cavalgar, agora reclamavam com justiça enquanto ele furiosamente atacava as raízes de um jatobá caído. Parte de seu tronco apodrecido, arrastado para o centro pisoteado do rodeio, serviria de base para sua fogueira.

Mas em hipótese alguma ele a deixava sozinha. Assim, ele a levava consigo, o tempo todo conversando de homem para homem, embora fosse sempre ele e Juruna quem se aproximava primeiro do objeto de sua necessidade.

– Isso mesmo, coloque os gravetos assim; o capim assim. Agora ponha sua sela contra o cocho e cubra-a com seu poncho, agora seu pelego. Quase tão bom quanto uma rede, né?

– Hmm. – Se ela não disse mais nada era porque o enxame de mosquitos do brejo, respeitando a estação, tornara-se tão denso que ficava perigoso abrir a boca. Em comparação ao infatigável tormento por eles imposto, ela se pegou recordando, quase que com saudades, a rapidamente experimentada ferocidade das abelhas. E ela, que ainda ontem dormira em sua rede a céu aberto sem qualquer preocupação, hoje só conseguia imaginar, sem ousar perguntar, como – nesta bruma agitadora, barulhenta e corrosiva – eles iriam sobreviver a esta noite.

Mas gradualmente, à medida que a escuridão pousava e a fumaça ardida do jatobá ascendia, os mosquitos se reduziram ao ponto em que se tornou possível pensar em outras coisas. Como no pedaço de resto de charque que tio Juca extraíra do alforje e dera a ela para roer como um cachorro. Ela até murmurou:

– Pobre Juruna.

– É a vida. Se Juruna não for capaz de capturar alguma coisa com todas as caçadas que vem realizando, vai ter que agüentar até amanhã – tio Juca murmurou de volta. – Que tal um chiclete de índio como sobremesa?

Ele derramou gordos cocos de bocaiúva de seu lenço para as mãos dela em forma de concha.

– Nada mal, né? – comentou ele, as bochechas se avolumando – desde que não se tenha que viver assim vários dias seguidos e dormir numa árvore por tempo indeterminado.

– E quem é que faria isso?

– Ah, muitas pessoas, como meu bisavô Tomazio quando chegou aqui.

– Mas por quê? – aos 12 anos, esta ainda não deixara de ser sua pergunta predileta.

– Não por serem preguiçosos para caçar alguma coisa, como nós. Em grande parte, eles não ousavam fazer uma fogueira, e sem fogo não podiam cozinhar ou dormir no chão. E por falar nisso, você está com frio? Aqui, enrole-se neste poncho e eu lhe conto esta história.

Ela sempre reverenciou o fogo, mas nunca como naquela noite quando, devidamente enrolada no poncho, bem junto a ele – olhando vidrada para *esse* fogo –, ela imaginou como deveria ter sido viver sem ele. Ter sido o primeiro Tomazio Cabrera numa época até hoje inconcebível para ela, antes dos Tavares ou de quaisquer outros possuírem esta terra.

— Naquele tempo – contou ele – você não precisava comprar a terra. Era só declarar posse do quanto conseguisse fazer alguém acreditar que conseguiria administrar. Os Cabrera vieram de Cuiabá, a cidade que nasceu do ouro. Mas você pode ter certeza de uma coisa, Jacyzinha, são poucos os que enriquecem do ouro.

O primeiro Tomazio não foi um deles, e ele tinha uma família grande: sete filhos com sua esposa branca e nove com a índia, de forma que decidiu procurar umas terras.

— Duas esposas?

— Muitas pessoas tinham duas esposas naquela época, mas elas não escondiam como fazem agora. Elas assumiam a responsabilidade – Juca comentou com ares de aprovação. — Agora escute.

Dali para frente ela escutou, imaginando, enquanto ele prosseguia descrevendo como o primeiro Coronel Tomazio e seus três filhos mais velhos chegaram rio abaixo a um lugar que chamaram de Porto dos Encontros, puseram um ponto no mapa e, com guias indígenas, viveram de fato como índios até conseguirem suas escrituras definitivas.

— As terras mais remotas e difíceis, é claro – Juca comentou casualmente –, ficaram para os filhos da esposa índia, Ninone, embora ninguém pudesse dizer que alguma delas fosse fácil. O que quer que fizessem, dava muito mais trabalho do que alguém poderia sonhar hoje em dia para fazer nascer algo do nada – homens e mulheres trabalhando meses a fio, cortando carandás e colhendo sapê do mato para construir um curral onde pudessem reunir o gado.

— E de onde vinha o gado, tio?

— Ah, a maioria era gado desgarrado, tornado selvagem com todas as queimadas. Se você conseguisse marcá-lo antes de qualquer outro, ele era seu. Foi assim – Har! Har! – que os Cabrera começaram seu império! Primeiro os currais, depois o mais rústico dos ranchos para onde Dona Aspésia e a família foram trazidos para morar.

Era um império maior que qualquer outro existente nos dias de hoje – disse Juca abrindo os braços em direção ao fogo –, controlado por um Coronel Tomazio que era tão rude e bruto que era impossível distingui-lo de seus peões até ele começar a dar as ordens. Nesses assuntos, nenhum deles era exatamente refinado. Como poderiam ser se mal sabiam ler e escrever e não tinham tempo para aprender? Vou lhe falar, na maior parte do tempo suas vidas eram um inferno, sujo e perigoso.

Nesse ponto, Juca balançou a cabeça, introspectivo:

– Uma coisa que eu nunca consegui imaginar foi o que fez essas pessoas quererem levar uma vida assim, sendo que foi só depois de todos morrerem que suas dificuldades começaram a dar frutos.

– Aí percebeu estar falando sozinho, porque, relaxando tranqüilamente sobre a macia pilha de pelegos suados de cavalo, Jacyra havia se rendido ao propósito de sua historinha de ninar.

Ele ficou sentado por mais algum tempo olhando para ela, e, apesar do frio que sentia em função de sua renúncia ao poncho, sentiu um tremendo bem-estar ao vê-la agasalhada e segura. A sensação perdurou enquanto se levantou para reabastecer o fogo e, ao recostar-se novamente, com a mente estimulada por suas próprias recordações, retomou do ponto onde havia parado...

O pior para ele era que, não apenas seus ancestrais quiseram passar por todo aquele inferno, mas por tão pouco, no final. Porque em poucas gerações o império dos Cabrera seria reduzido a nada mais que uma pequena fração do que fora no início. Devastado pela Guerra do Paraguai, diziam sempre, mas não era só isso. Muito provavelmente foi também porque, enquanto o velho Coronel Tomazio comandava seus domínios com mão de ferro, embora todo mundo soubesse dar ordens, ninguém nunca aprendeu a pensá-las por si só.

Quanto ao dinheiro? Eles nem sabiam o que era até construírem o Sobrado e o núcleo da família mudar-se para a cidade. O Sobrado e todas as outras propriedades foram gradualmente sendo perdidos quando os Cabrera descobriram o que era o dinheiro. Os que o gastaram em estudos foram embora e nunca mais voltaram. Os outros que ficaram para cuidar da terra aprenderam mais sobre política e como perseguir mulheres do que como administrar uma fazenda.

Cada geração teve um Tomazio que vendeu mais terras para financiar suas aventuras, até que, quando Juca tornou-se adulto, o que sobrara da Fazenda Entre Rios mal podia sustentar o que sobrara da família. E nessa época, é claro, a terra não era mais um bem disponível para o primeiro que chegasse, como antes.

Conhecendo seu irmão mais velho, Tomazio, como conhecia, ocorreu a Juca que o melhor que poderia ter acontecido foi que, dessa vez, *ele* é quem foi embora estudar direito, deixando o segundo filho, o sagaz e ambicioso Vasco, para cuidar de tudo.

Quanto a ele? Juca, nesse ponto, num momento de honesto autoesclarecimento, admitiu algo que geralmente preferia ignorar: o fato de, nas terras grandemente reduzidas do antes vasto império dos Cabrera, não haver mais lugar para dois irmãos ao mesmo tempo.

— Por essa razão, e por eu não ser sagaz, muito menos ambicioso — concluiu — eu deveria ficar feliz por minha confiabilidade ter-me dado a condição de genro leal de Dona Veridiana Tavares. Ou, pelo menos — não mais tão contente nem tão à vontade — olhou para o ser adormecido ali perto e pensou — a consciência lhe ardendo de novo — até agora.

Capítulo 16

À luz argêntea que precede o alvorecer, Juca e Jacyra, com frio, famintos e ansiosos, acordaram e partiram. À mesma hora, Tarciso e Rafael — tendo passado quase toda a noite sem dormir, com a mente singrando por entre pensamentos temerosos — já tinham partido em direção ao brejo. Viajando em direções opostas, encontraram-se no meio do caminho e, sem gado para conduzir, chegaram à Baía das Antas em um terço do tempo que levaram para chegar no dia anterior.

Aliviada, Dona Cida serviu-lhes um enorme café da manhã reforçado, e enquanto o devoravam, o apetite intensificado pelo alívio e euforia, todos concordaram que, se fosse preciso justificar a demora em chegarem à Sede, seria Juca – com seu talento de aplacar temores e minimizar desastres – quem deveria fazê-lo. Mas se mencionar o episódio das abelhas e a noite no brejo pudesse ser evitado, melhor ainda.

Se os motivos de Jacyra e Juca eram óbvios, para os outros era uma questão de boa vontade que, não fora por umas circunstâncias tolas, teria muito bem prevalecido. Mas do jeito que as coisas andaram, já atrasados – apesar de a viagem a partir da Baía ser fácil – eles chegaram bem depois de anoitecer. A essa altura, Tatinha, saturada das histórias de terror da cozinha e usando seu tato habitual, transmitiu, como que por osmose, o terror a Isabel de tal maneira que nem seu Caco, com seu palavreado suave, fora capaz de remediar.

– Os instintos se intensificam no campo, Dona Isabel – ele insistiu com toda a convicção que sua experiência podia agregar. – Eles quase nunca falham em trazer-nos sãos e salvos de volta para casa.

Para outros, talvez, o próprio modo de ele continuar raspando o batente da janela da cozinha – que construíra para substituir o antigo, crivado por cupins – sem sair do ritmo ao falar, teria sido por si só um elemento tranqüilizador. Para Isabel, no entanto, "quase nunca" tornara-se uma frase tão cheia de presságios que, quando a comitiva de fato chegou, ela estava afundada na cama, medicada com chá de erva-cidreira por Mercedes e sedativos por Tatinha.

Manoel, em sua cabeça, viu tudo. Primeiro o estrago – o rosto cadavérico de Tatinha avultando-se, vomitando fábulas sobre lagartos do tamanho de cães que caíam de árvores, crianças atraídas para dentro da floresta por espíritos e encontradas dias depois feridas e devoradas vivas por larvas. Mesmo sem escutá-la, ele podia ouvi-la mentalmente:

– Deus os guarde, Isabel. Nunca entendi como você pode permitir...

Estrago feito, a velha megera vinha em socorro, quase que como se Isabel não pudesse viver sem ela. Como ele abominava Tatinha nessas horas, ela e os problemas que incitava e que agora serviam para inflamar pensamentos que já vinham revirando-se em sua mente.

Pensamentos soturnos, atiçados por lembranças amedrontadoras que o faziam caminhar ao longo da varanda enquanto Dona Veridiana ficava sentada como uma esfinge esculpida em pedra. Até que o grasnar transtornado das saracuras – "gadigará, gadagará!" – nas árvores à margem da baía anunciavam uma chegada.

Rafael, galopando Relâmpago pelo quintal enluarado e saltando da sela, foi o primeiro a chegar. Mas no momento em que pisou na Sede, ao galgar os degraus da varanda no escuro, suas esporas chiando de ansiedade, ele sentiu que a menina Cácia tinha ido embora.

Primeiro, sentiu-se ridiculamente fraco e instável. Depois se sentiu como um idiota. Em seguida, transtornado de raiva e cheio de desconfianças contra a única pessoa para quem contara sobre Cácia, deixou escapar:

– Querem saber por que estamos tão atrasados? Adivinhem onde tio Juca e Jacyra passaram a noite passada, adivinhem!

Um a um os vultos foram aproximando-se, ansiosamente esquadrinhando a escuridão enquanto Rafa reunia fôlego para prosseguir. Mas naquele momento, fora ele um pouco menor e Jacyra maior, o ar poderia ter-lhe faltado. De qualquer forma, as palavras seguintes partiram de Jacyra, gritando como um papagaio enquanto subia as escadas socando-o pelas costas:

– Seu sujo, traidor, vira-casaca filho-da-puta!

Com os braços girando a uma velocidade que de certa forma compensava sua estatura, ela continuou a bater e socar até que, finalmente conseguindo agarrar seus dois braços e prendendo-os dos lados, Rafa arfou:

– Olhem só para ela, estão vendo o que eu quero dizer? Ela está louca. Não dêem ouvidos a ela, dêem a mim. – E então, suave, mas dramaticamente:

– Vocês podem imaginar meu estado e o de Tarciso quando eles não chegaram e nós já não podíamos mais voltar para buscá-los?

Seguiu-se então um profundo silêncio durante o qual pensamentos isolados – realçados por choque, alívio, culpa e responsabilidade – indubitavelmente convergiam dando a Manoel a coragem de dizer, justa e enfaticamente:

– Já chega.

Sob a tremeluzente luz movida a motor da varanda, as sombras pareciam maiores, os olhares se concentravam no vulto menor, ainda furioso, ainda atado nos braços do irmão como se soltá-lo pudesse ser perigoso. Todos, menos o olhar da matriarca, o qual – embora Jacyra o tivesse buscado com a sede de uma mártir condenada – contemplava solenemente a escuridão e não dizia coisa alguma.

Dali para a frente, o que se podia fazer? Nenhum penoso pedido de perdão por seu linguajar chulo, nenhuma explicação convincente de que tio Juca não tivera culpa poderia fazer diferença. Ninguém queria ouvir nada do que Jacyra tinha a dizer.

Somente sua mãe, que entrando em seu quarto no momento em que ia deitar-se, olhou para ela como se estivesse conversando com sua camisola e disse numa voz receosa:

– Jacyra, querida, Não queria fazê-lo, mas tenho que perguntar. Ele não te tocou, tocou? Seu tio Juca...

– Claro que tocou, mamãe – Jacyra retrucou apelativa. Seria possível ela entender? – Ele retirou todos os ferrões, cada um deles!

– Não é isso que quero dizer. – Isabel ruborizou-se profundamente. – Quero dizer, como aqui... – ela tocou o próprio seio, fez um gesto indicando para baixo e esperou, subitamente incapaz de olhar para qualquer outro lugar que não o chão.

– Para que, mãe? Eu não levei nenhuma picada *aí!*

– Para nada, filha, nada mesmo, Jacy querida. Me perdoa... – Jacyra achou que sua mãe estava agindo de forma muito estranha: aliviada, arrasada e clamando por perdão, tudo ao mesmo tempo. Era demais. Levantando-se para sentar-se ereta, Jacyra disse rispidamente:

– É ao tio Juca que todos deveriam estar agradecendo. Ele fez tudo!

Mas tal apelo também não funcionou.

— Não só ficou provado ser perigoso demais – seu pai proferiu o veredicto –, mas por seu comportamento e linguajar deploráveis, fica evidente que não convém a uma mocinha cavalgar dias a fio com uma comitiva de vaqueiros.

Capítulo 17

As chuvas estendendo-se este ano na região central até o período das secas, os pastos para engorda no sul transbordavam de capim e seus proprietários aguardavam o gado. Assim, poucos dias após o retorno do brejo, Vasco Cabrera, negociante de gado, irmão de Juca, comunicou por rádio que estaria chegando para dar uma olhada nos animais separados para venda.

Enquanto Vasco vinha na frente por avião, sua própria comitiva viajava pelo campo, reunindo gado ao longo do caminho – suas idas e vindas transformadas em espetáculo pelas excelentes mulas vermelhas, que eram uma maravilha da criação de Vasco. Criadas e selecionadas por anos, com infinito cuidado e orgulho, todas as mulas tinham mais de quinze palmos de altura e eram todas da cor de bronze polido. Magníficas criaturas, sua aparência nunca deixava de levar um ar festivo aonde quer que fossem.

Quando de sua chegada a Contendas, os boiadeiros de Vasco deveriam descansar uma noite e então seguir para buscar o gado na fazenda vizinha – Fazenda Entre Rios, dos próprios Cabrera – antes de partir para sua jornada de três dias até o fim da linha em Sta. Inácia. E já pelo rádio Vasco oferecera, a quem pudesse interessar, a honra de cavalgar uma de suas mulas até Entre Rios.

Por dias, então, Contendas ganhou vida com uma aura de expectativa que envolveu a todos, embora fosse por muito mais do que o simples prazer de admirar as mulas que Dona Veridiana esperava ansiosa a chegada do negociante de gado. Era porque, entre outras coisas, ela o considerava um raro amigo em quem podia confiar.

Ao contrário de seu irmão Juca, não havia nada em Vasco que pudesse ser chamado de reprimido. Um homem robusto, formoso e tempestuoso, seu vigoroso bigode se encurvava para cima exatamente onde o de Juca despencava. Embora levasse sua tarefa de negociar gado extremamente a sério e liderasse barganhas acirradíssimas, com seus risonhos olhos azuis ele lançava os mais ousados disparates para desafiar aqueles que tentassem fazer o mesmo. Era preciso ter inteligência e perspicácia para fazer um bom negócio com Vasco, mas uma vez fechado, estava fechado.

Com a mesma ansiedade com que o esperava para barganhar, Dona Veridiana também aguardava Vasco com avidez por um segundo motivo. Era porque – apesar de ser um dos que memorizaram a terra a bordo de carros de bois ou montada a cavalo e considerava voar desconcertante – uma vez no ar, ela rapidamente se enlevava pela vista arrebatadora da grande bacia hidrográfica, que só podia ser capturada do alto de uma aeronave. Assim, mal chegara a uma velocidade estacionária na pista de pouso, Vasco já teve que decolar de novo para Dona Veridiana – confiante em sua capacidade de pilotar tanto quanto na de negociar – sobrevoar a fazenda com ele como aves de rapina sobre suas presas.

Em terra firme, Tomazio, filho de Vasco, tinha acabado de desembarcar do avião quando Jacyra atirou-se em seus braços. Baixo e atarracado, de feições joviais, francas, mesmo em sua tenra idade Tomazio já parecia trazer a segurança do pai, embora com um ar mais tranqüilo. Ele não falava tão alto, mas ria com facilidade. E para Jacyra, sua maior qualidade era o fato de ele jamais ter demonstrado se incomodar pelo fato de ela ser uma garota.

Em suas brincadeiras de rouba-bandeira no Pátio, pular muros para roubar goiaba e manga, pescar e nadar no Pataguás ou trabalhar com o gado no curral, ao invés de dispensá-la, Tomazio sempre a convidava, sempre esperava dela o mesmo que de qualquer outro. Às vezes, de tão duro e implacável, ele parecia ser completamente sem coração, mas sua falta de misericórdia só a fazia voltar querendo mais.

Talvez porque, nunca tendo gostado das brincadeiras de meninas, não fosse por Tomazio, ela não teria tido com quem brincar.

Talvez, ela não sabia ao certo. Só sabia que, desde o momento em que aprenderam a falar eles já começaram a brigar. Mas com a mesma facilidade com que começavam uma briga eles compartilhavam suas aventuras, seus problemas, tudo. E até hoje nada, nem mesmo a zombaria dos outros meninos, interferiu no tipo de afinidade que os levava a, sempre que se encontravam, retomar do ponto exato onde tinham parado antes de se separarem da última vez.

Somente hoje é que isso estava de alguma forma diferente. Ao comprimir seu corpo contra o dele, pela primeira vez, através de suas blusas, ela sentiu seus mamilos contra seu peito. Foi uma sensação gostosa, excitante, que percorreu todo seu corpo até finalmente alojar-se na virilha. Ao se tocarem, ele recuou, o rosto enrubescendo, e ela repentinamente sentiu frio e vergonha. Ah, mas fora somente sua imaginação, decidiu. Porque em poucos minutos eles já estavam sentados no poço sob as mangueiras, sem sapatos, os dedos de seus pés descalços peneirando a areia. Exatamente como sempre.

E exatamente como sempre ela estava contando-lhe tudo. Sobre sua procura por japus nos ninhos pendurados na árvore e sua trombada de cabeça numa colméia de abelhas, sua disparada mato adentro, seu desmaio. Tudo.

Durante toda a narrativa, ele riu da maneira habitual: a cabeça atirada para trás e os ombros balançando, imaginando a cena. Porém, também da maneira habitual, quando ela terminou seu relato com a noite no brejo, ele comentou:

— Bem idiota, hein? Se eu fosse o tio Juca, ia ter querido te matar.

— E você, nunca faz nada idiota? – retaliou.

— Claro que faço, eu só estou dizendo que você teve muita sorte dessa história não ter acabado mal, e espero que você saiba disso.

— Bem, eu sei. Mas isso não quer dizer que o Rafa tinha que contar.

— Com certeza, eu entendo o que você quer dizer – respondeu Tomazio firmemente. – Se eu estivesse lá, eu mesmo iria querer dar uma surra nele!

Indubitavelmente o fato de Rafa, no momento, ter quase o dobro do tamanho de Tomazio explicou um certo alívio mal-disfarçado quando Jacyra respondeu rapidamente:

– Que bela ajuda ia ser... As coisas já estão bem mal como estão.

Então passou a descrever quão mal estavam contando o resto da história. Dessa vez Tomazio escutou sério, o tempo todo cortando talos de cana em pedaços curtos, descascando-os e passando-os para Jacyra e para as filhas de Fátima, que pousavam com a mesma freqüência que as moscas para chupar a cana antes de retornarem à sua tarefa de "ter algo o que fazer" varrendo as folhas das mangueiras que, estação após estação, nunca cessavam de cair.

Finalmente, a história terminou com o veredicto de Manoel, ao que, cuspindo um pedaço de bagaço de cana esturricado de tanto ser chupado, Tomazio comentou, sombrio:

– Então eles não vão deixar você cavalgar com as mulas, vão? Quer dizer, se eu bem conheço seu pai, quando ele dá a última palavra...

– Eu sei, mesmo se eu estivesse agindo como um maldito anjo. – Seus ombros se curvaram, mas só por um instante, até ela, projetando seu bem-conhecido queixo para frente, proferir:

– Vou lhe dizer uma coisa. Se alguém pensa que eu vou passar minha vida fazendo queijo e acompanhando curtas viagens de pesca com seu Caco e vovó Veridiana, pode ir tirando o cavalinho da chuva! E se fazer tudo direitinho não ajuda – tomando a faca, fez um talho violento numa cana para enfatizar bem suas palavras – você pode apostar *sua* vida como eu vou encontrar alguma coisa que ajude!

Meio convencido, Tomazio respondeu de maneira animadora:

– Eu aposto *minha* vida que você vai sim. – E então só para continuar a conversa, completou:

– Apesar de eu ainda não ter entendido por que o Rafa contou...

– Como é que eu vou saber? Ele não fala comigo, como se fosse tudo culpa minha.

– Culpa sua o quê? Ora, Jacy!

Seguiu-se um silêncio enquanto Jacyra lutava consigo, de súbito sentindo-se esquisita ao mentir:

– Não sei, Tomaz. Alguma coisa a ver com a Cácia. Mandaram ela embora. Acho que é por causa disso. Do jeito que ele está agindo... Todo nervosinho, bravo, como se não conseguisse tirá-la da cabeça. Entende?

– Ã-hã. Entendo, sei exatamente o que você quer dizer – respondeu Tomazio, pela primeira vez olhando para ela de um jeito que fez ela ter certeza de que ele também sentiu aquilo quando comprimira seu corpo contra o dele.

Capítulo 18

Os dias que se sucederam, para aqueles que trabalhavam com o gado nos currais, deixaram pouco tempo para pensar em qualquer outra coisa que não números, porteiras e a carne viva que por elas passava. Muitos concordavam que era perigoso demais para os cavalos trabalhar nos currais. Gente podia correr e escalar o cercado, cavalo não. Isso significava, para os homens dos currais, dias inteiros berrando em pé, estalando chicotes, agitando sacolas plásticas de sal e saltando para se salvar enquanto o gado se afunilava através da seringa para dentro do tronco de contenção, cego de desespero para sair.

Para Tarciso e Bento significava se empoleirarem sobre o tronco movendo suas portas para frente e para trás, para frente e para trás enquanto Vasco, com um olho impiedoso, fazia suas escolhas e Juca marcava os números numa caderneta surrada, velha de guerra.

– Essa fica, essa fica, essa fica... essa vai. – Enquanto, com essas palavras, o negociante separava as cabeças que gostaria de comprar daquelas que, segundo seus critérios, eram pobres demais para qualquer finalidade prática, Juca tentava manter uma fisionomia imparcial. Mas era impossível deixar de notar na rigidez de suas mandíbulas, dependendo do caso, uma certa tensão ou alívio que descia até o pomo-de-adão.

Quase sempre o nó na garganta de Juca tinha a ver com a permanente contenda entre ele e Dona Veridiana sobre as veneradas vacas velhas x as jovens e formosas novilhas. A regra era bem simples: qualquer fêmea pega duas vezes seguidas sem um bezerro no bucho ia pela porta da esquerda.

Mas com uma fraqueza comum aos vaqueiros, Juca sempre conseguia encontrar uma razão para dar às novilhas – muito mais gordas e faceiras por não terem bezerros para sustentar – uma nova chance. E quando se tratava de uma vaca velha e honrada, ao invés de vê-la passar por aquelas portas, preferia vê-la ir morrer no pântano.

– Se viveu tanto assim – argumentava – é por ser a vaca boa que é. Tenha misericórdia, com a seca deste ano é um milagre que alguém tenha emprenhado.

Se não era pela seca, era pela enchente. Ou pela doença. Ou pelos ventos frios que retardavam o cio das vacas. Se nada disso parecesse viável, com o consentimento determinado de um Tarciso igualmente conhecedor de vacas, ele simplesmente marcava esta ou aquela em seus "registros" como perdidas na vastidão de campos que os circundavam.

Não era essa apenas uma das causas de confusão na contabilidade final de Manoel, mas também um óbvio prejuízo a uma das mais importantes defesas da matriarca.

– Uma perda aqui, um ganho ali – ouviam-na dizer em tons filosóficos enquanto um saco de ossos velhos cambaleava através do portão esquerdo para ser mandada aos pastos de engorda de Vasco no sul.

– Só espero que ninguém nunca diga isso de você – murmurou Juca mentalmente. Mas com a regra de ouro para fazê-lo honesto, Vasco era o aliado da matriarca.

– Não tem uma vaca velha que eu não consiga engordar – dizia ele com mórbido entusiasmo. – Elas são minha paixão.

E foi por isso que, quando Dona Veridiana se aproximou, Juca ajeitou as calças e se escorou. Em meio ao turbilhão de poeira e calor, ela surgiu fresca e à vontade sob sua sombrinha, num elegante conjunto safári de linho bege e com suas botas – a despeito da ausência de Cácia – reluzentes, enquanto, escolhendo seu trajeto por entre amontoados de esterco de vaca, aproximou-se para juntar-se aos demais no tronco.

Especialmente para os homens no curral, suados e carregados de poeira, sua chegada com Mercedes atrás trazendo garrafas térmicas com água fria para o tereré era como a aparição de um oásis ambulante. Mas na monotonia daquele dia, mesmo entre os outros sua chegada causou um agito refrescante, enfeitiçante.

Às vezes ela dava às crianças uma aula de bom senso. Assumindo sua pose na plataforma ao lado do tronco e observando com um olhar crítico em direção a uma onda de jovens animais amontoando-se, desconfiados e bravios, no canto da cerca, ela dizia:

– E então, Tomazio, o que você acha daquele? Você acha vantajoso mantê-lo como touro? Mas por quê?

– Então, Rafael, você gosta daquela novilha? Mas e quanto àquele pescoço, não é muito feminino, é? Você se lembra do que o vovô Cândido sempre dizia a esse respeito? "Uma vaca de pescoço largo é como uma mulher de pescoço largo. Não é boa para cruzar."

Mas hoje, totalmente voltada para os negócios e não para diversão, começou com Juca no momento em que chegou:

– Estranho. Eu poderia jurar que na última contagem havia mais novilhas vazias do que as que temos aqui. Onde elas poderiam estar? Você se importa se eu der uma olhada na caderneta?

– Para ser sincero – corajosamente, a cabeça de Juca emergiu de entre seus ombros – eu resolvi dar a elas mais uma chance. Como àquelas vítimas da última epidemia de aftosa.

Acabou com as coitadinhas...

– Se eu bem me recordo, Juca, nossa última epidemia de aftosa foi há dois anos. Se elas não se recuperaram até agora, eu diria que então nem Deus poderia ajudá-las, você não acha?

A resposta de Juca foi outro meneio de ombros e entre os dois seguiu-se um silêncio teimoso, acentuado pelo estrépito profissional das portas enquanto Vasco, judiciosamente, tornava as ações mais prementes que as palavras.

A manhã evaporou e deu lugar à tarde. Dona Veridiana ia e voltava, inclinava-se sobre a cerca para observar e manter a contagem. Mas se ela estava parecendo menos comunicativa que o normal, somente Jacyra atribuía a posição travada do maxilar de sua avó a algo maior que sua irritação com tio Juca.

Mantendo sua própria observação com a intensidade de uma criança invocando poderes, ela tinha certeza de que a matriarca estava lutando contra a dor de tomar a importante decisão quanto ao que sugerir ou não a Manoel. E pequena como era, mais de uma agonizante experiência ensinara-lhe que quando seu pai mudava de idéia, em algum lugar a cabeça da matriarca estava por detrás.

Apesar de o dia todo Manoel também estar indo e vindo para manter sua própria contagem do gado naquele seu jeito estranho, distante e superior, ele mal ficou um minuto para conversar, e nem uma palavra fora dita sobre as mulas. Então se a vovó Veridiana ainda não falara com ele a respeito, quando é que iria falar?

Manoel Tavares não estava exatamente se escondendo. Melhor dizendo, qualquer um que quisesse poderia tê-lo encontrado onde ele passava a maior parte de seus dias em Contendas: sentado no escritório olhando para a parede. Para ele, era um cômodo deprimente coberto de coisas inúteis que ninguém ousava jogar fora: desde cobras e raízes medicinais em salmoura até troféus de caça, de armas e cabides de chapéus "históricos" à velha capa de chuva de borracha de mangabeira do Coronel Cândido – inutilizável porém sagrada.

Entre essas relíquias empilhadas em prateleiras apoiadas em ganchos, enfileiradas nos cantos das paredes, o equipamento de escritório consistia de uma minúscula escrivaninha com uma gaveta cheia de contas desconexas, um livro-razão no qual Juca registrava o que considerava serem fatos pertinentes e um outro para as contas pertinentes. O primeiro, se excêntrico, tinha seu lado intrigante. O último, em seu caráter ficcional, simplesmente servia para relembrar Manoel da inutilidade de sua posição.

Ainda como diretor-financeiro da Fazenda das Contendas, era melhor ficar aqui com a porta fechada fingindo estar fazendo alguma coisa do que lá fora, onde parecia óbvio a qualquer um que ele não se encaixava. Porque uma vez que conseguira escapar de uma infância em Contendas, onde cavalgar no campo era sempre uma experiência aterrorizadora, ele chegou à conclusão de que algumas pessoas precisam de espaços limitados onde possam manter seu equilíbrio.

Ele era uma dessas pessoas, enquanto outras precisavam do oposto – sua mãe e Juca entre elas. Quanto maior o espaço, mais seguros sentiam-se. Era por isso que, embora discutissem, um entendia o outro tão bem e exerciam tamanha influência sobre Jacyra. Sua própria filha, pequena e bela e de aparência tão delicada, por quem ele nutria lindos sonhos vagos.

Mesmo assim, ela parecia não ter a menor idéia do quanto ele a amava, nem qualquer interesse no que ele pensava. Nem podia, aparentemente, imaginar a agonia que ele sentia toda vez que, trotando confiante naquele seu cavalo bobo, ela se dissolvia na paisagem.

Curiosamente, até agora, sabendo que Juca se importava com ela como se fosse a filha que ele nunca teve, não era muito por sua integridade física que ele temia. Não. Sua angústia, com uma ponta de ciúmes, brotava da certeza de que Juca, com seus ensinamentos e fábulas, era mais como um padre que cativava uma criança por encantamento sem ela se dar conta.

Conquiste-as antes dos sete anos, como dizia o ditado, e elas serão católicas para sempre. Manoel não conseguia tirar da cabeça a idéia de que, cada vez que ela partia com Juca e a comitiva, o feitiço se aprofundava. Até parecer a ele tê-la perdido antes de ela ter a chance de saber o que seus sonhos acarretavam.

Como terminaria esse encantamento injusto? Quantas vezes Isabel quase o convencera de que, com a puberdade chegando, Jacyra deveria ser mandada para o colégio-convento no Rio?

– A escola lhe ensinaria boas maneiras... Só Deus sabe, Manoel, que ela solta palavrões com a mesma facilidade que um peão. Assim a escola ampliaria seus horizontes, criaria uma nova perspectiva.

Mas quanto mais sua filha se aproximava da puberdade, mais ele se enojava com a idéia de que, nos dias de hoje, uma criança pudesse ser obrigada a tomar banho de camisola "pelo temor de não ser vista nua por um anjo". Principalmente *esta* criança, que cresceu nadando pelada no rio.

— Que outra maneira — ele protestava — de sufocar toda a perspectiva e fazer a pessoa reverter a estágios primitivos?

— Então semi-internato — Isabel pleiteava. Ela e Jacyra poderiam facilmente passar o período escolar no velho casarão do Rio que pertencia a ela e a seu irmão. A casa era enorme e Eustácio, tão bom em ignorar pessoas, nem notaria a presença delas.

— Você não vê, Manoel? Seria um sacrifício, mas é o caminho...

Nem *tão* sacrificante assim, mais uma vez ele tinha que ser honesto. Ele imaginava que para Isabel seria um paraíso do qual ela poderia retornar para os feriados, renovada e possivelmente sem Tatinha. Para ele, o sacrifício seria equilibrado por um certo alívio da sensação incômoda de manter Isabel aqui como prisioneira. Tudo parecia lógico até ele pensar no momento em que teria que comunicar a decisão a Jacyra.

Então, com o coração quebrado, ele se permitia adiar esse momento até os acontecimentos no brejo confirmarem seu mais terrível temor. Mesmo que não da forma como Rafael insinuou.

Logo Juca, dentre todas as pessoas... Acordado na cama na noite em que Isabel fora na ponta dos pés ao quarto de Jacyra fazer a pergunta crucial, Manoel percebera quão absurdo era tudo aquilo, e como ele se odiou por, na histeria do momento, ter permitido que ela fosse. Felizmente a criança não entendera. Mas somado a todo o resto, o fato de ela ter passado a noite sozinha com um homem no brejo não era base suficiente para o veredicto que decretara? Mais uma vez disse a si mesmo que era.

O único problema era que, sentado aqui, olhando desatento para uma foto do Coronel com Marechal Rondon, Teddy Roosevelt e uma onça morta a seus pés, ele sabia que não resolveria nada.

Para alguém enérgica e indomável como Jacyra, ele sabia que seu bom comportamento ultimamente não significava submissão ou uma mudança de coração. Ela estava simplesmente cansando-o, sem acreditar. E agora a visão dela hoje nos currais, ainda olhando para ele como um falcão, fez suas pernas fraquejarem ao se levantar para ir até a porta.

A noite estava caindo quando finalmente a comitiva de Vasco chegou, as mulas adornadas com suas costumeiras condecorações. Suas rédeas eram de couro entrelaçado por discos prateados, e a madrinha que as liderava ostentava um sino de prata pendurado no pescoço. As mulas de carga que carregavam os suprimentos para a longa jornada portavam baús feitos de couro trabalhado à mão amarrado às costas. E agora, como sempre, quando esses belos animais apareciam com seus cavaleiros orgulhosamente montados, elas criavam uma enorme agitação.

Enquanto as mulheres assistiam do terraço da Sede, uma verdadeira multidão se juntava para esperá-las nas estacas de atrelar sob as mangueiras: Vasco, Juca, Caco, Tarciso e todos os peões – as crianças escalando a cerca para ver melhor. À medida que apareciam trotando, velozes, as nuvens aglomeradas no alto do horizonte formavam um cenário grandioso, ardente, contra o qual a luz do sol coruscava nas rosetas de prata das rédeas e intensificava o brilho nos flancos das belas mulas.

Desde sua chegada no dia anterior, tendo sido advertido por Tomazio sobre o estado purgatório de Jacyra, Vasco Cabrera vinha observando e matutando. Várias vezes decidira que era melhor esquecer o assunto e não convidar ninguém.

Mas agora, tocado como sempre pelo espetáculo, ele achou impossível resistir, e, virando-se para seu irmão Juca, anunciou em tom bombástico para todos ouvirem:

– Para quem quiser cavalgar para Entre Rios, como sempre há mulas de sobra. A casa está pronta. Vocês podem pousar lá e voltar no dia seguinte. A única coisa que peço é que estejam prontos de manhã bem cedo para que possamos chegar lá antes do anoitecer.

Seguiu-se uma quietude incomum, onde ninguém parecia capaz de reagir. Somente Jacyra, olhando fixamente para as mulas como que para não perdê-las de vista, apertou ainda mais o braço de Tomazio.

Capítulo 19

Toda sua vontade não servira para nada. Na escuridão antes do amanhecer ela ouviu-os se levantarem e se prepararem para partir: tio Juca, tio Vasco, Tomazio, Rafa. Ouviu as vozes conversando nos tons suaves, secretamente animados dos privilegiados, os escolhidos; suas esporas chiando ao pisarem no terreno arenoso sob as mangueiras onde se encontravam as estacas de atrelar. Mas ela não queria vê-los partir, então ficou deitada no escuro irada, paralisada.

– Não há o que discutir – dissera seu pai, a rispidez de sua voz como sempre desmentida pela suavidade de seus olhos. – Você é muito nova para entender. Só acredite que seu pai sabe o que é, e nunca faria algo que não fosse o melhor para você.

Mas ela não acreditava em nada daquilo. Era como se tivesse ido para a cama em um mundo e acordado em outro. Quando ela emergisse da escuridão ele ainda pareceria o mesmo, mas não seria mais. Porque ela não poderia mais ser, nesse mundo, a pessoa que era. Como o filhote de onça que eles capturaram e enjaularam, certa vez, depois de ter matado sua mãe. O que mais poderiam fazer? Ele morreria se ficasse sozinho, disseram. Mas ele acabou morrendo de qualquer jeito, deitado no canto de sua gaiola como se não quisesse ser visto.

Ela também não queria ser vista, não tinha nem que fingir. Ela não queria levantar e sair para onde todos poderiam olhar para ela de soslaio e verificar a transformação por que estava passando, avaliar como ela estava gostando de ser um dos que foram deixados para trás.

Não era justo. A sensação de injustiça era como um nó dentro dela, impossível de ser desfeito. Deitou-se encolhida, ela mesma como um nó, até Mercedes finalmente abrir a porta e entrar sem pedir licença, com seu pesado corpanzil balançando sobre suas pernas arqueadas:

— O que é isso, minha menina? Você pensa que está no Sobrado? Venha, tome um pouco de café com leite e a velha Mercedes a ensina a fazer queijo. Não adianta ficar amuada, hein? Isso não muda nada, só faz o tempo passar mais devagar. — A velha especialista, cuja fórmula era estimular falando a verdade, recuou esperando uma explosão, mas, ao contrário, o nó se arredondou ainda mais e arregalou os olhos.

Essa não era, de forma alguma, a reação normal. Para Mercedes, a menina estava parecendo um porco-espinho, de vivos olhos negros, fixos porém ameaçadores. Um instinto inato aconselhava à velha índia a recuar cautelosamente, retirar-se, pensar. Na cozinha disse, com os olhos revirando, agourentos:

— Pode ser alguma coisa. Ela tá parecendo um porco-espinho.

— Possuída! — arriscou Fátima, lúgubre. — Pra mim isso é caso para um padre.

— Meus Deus, Fátima, o que você quer dizer com isso? — Isabel se controlava para não gritar, sabendo bem o bastante que por "padre" ela se referia àquelas horrendas criaturas xamãs que sugavam o mal da área afetada. — E o Sr. Vasco saiu de avião. E agora, o que faremos?

Liderando o trajeto de volta ao quarto num passo firme e uniforme, Dona Veridiana inclinou-se para aplicar uma mão experiente em temperaturas à testa da criança.

— Nada, nem febre, nem nada. Está na hora de levantar, Jacy, não acha? Seu Caco vai pescar um pintado para nosso almoço. Você não quer ajudá-lo? — mas o apelo a uma normalmente ardente pescadora só a fez enrolar-se ainda mais. Mercedes tinha razão, pensou. Os olhos de um porco-espinho.

— Deixe ela ficar aí um pouco e depois ela vem — disse, bem menos convencida do que soara.

E o dia foi-se passando. Para acentuar sua crueldade, um vento noroeste se levantou e nuvens maciças reuniram-se no horizonte prenunciando uma tempestade. No meio da tarde ela veio. Do Pantanal, sem chuva há uma semana, ergueu-se um calor como se tivessem removido a tampa de um caldeirão, desafiando as nuvens carregadas de chuvas. Ventos violentos açoitavam as árvores, trovões brandiam as paredes da Sede, relâmpagos queimaram os fios elétricos.

À luz de velas, por toda a sala que dava de frente para o átrio, desfilou uma parada de sombras, de todas as formas e tamanhos, todas carregando líquidos. Suco gelado de maracujá fresco para acalmar os nervos; chá de limão com própolis como precaução geral; ipecacuanha, quem sabe? Enrolar-se daquele jeito num nó poderia significar amebas.

Súplicas como: "Ora, vamos, não aborreça sua mãe tanto assim" eram seguidas de ameaças: "Você sabe o que é se desidratar? Você se resseca inteira. Se você não beber nós vamos ter que obrigá-la...".

Mas os líquidos se acumulavam como oferendas espirituais numa mesa ao lado da cama enquanto a bola enrolada de olhos ardentes permanecia incomunicável e as mulheres da casa se revezavam recitando seus terços.

Enquanto as outras rezavam colocando-se em consoladores transes temporários, Dona Veridiana, ao contrário, nunca parava de pensar enquanto rezava. Usando sua litanias como uma espécie de música ambiente que ninguém ousava interromper, ela organizava seus pensamentos, e dessa vez começou pelo que Mercedes dissera na cozinha um minuto atrás:

— É o sangue índio que há nela, Dona Veridiana — dissera a velha criada com o mau agouro característico de sua raça. — Quando um índio não gosta de sua vida, ele decide não mais vivê-la.

— Venha, Mercedes — irritou-se impaciente. — Ela não é *tão* índia assim.

Mas agora enquanto rezava, nunca esteve tão certa que, embora somente um índio fosse tão teimoso a ponto de desejar morrer, o que estava acontecendo era da mesma forma um conflito de interesses contra uma garotinha que era índia o suficiente para não ceder. E se nem súplicas nem ameaças conseguiam trazer algum resultado, ela tinha certeza de que a força traria menos ainda.

Então o que restava? Terminando o terço, Dona Veridiana optou pela diversão. Algo para diverti-la e amansá-la, ao invés de confrontá-la. Uma história? Por que não? Diferentemente de um jogo ou uma tentativa de conversa, dos quais a pessoa tem que participar conscientemente, Dona Veridiana sabia, por experiência, que uma história podia envolver sem a pessoa sequer se dar conta.

Afinal, não seria a primeira vez em que se chegaria à neta assim. Geralmente era às margens da salina ou da baía, onde todo o esplendor da natureza inclinava-se às mais belas histórias, ainda mais encantadoras por nunca terem sido escritas, mas transmitidas de geração em geração. As histórias começavam com "No começo...". Mas agora, nesse quarto abafado de persianas fechadas ao qual esta criança teimosa se condenara, Dona Veridiana tinha a sensação de que uma lenda só iria piorar. Não, sem ser muito direta, ela precisava de algo pertinente, algo real que ela tivesse vivido e pudesse compartilhar. Assim, deixando o terço de lado, ela começou:

— Você pode imaginar, Jaci, que eu já era mãe aos 16 anos? Isso com certeza mudou minha vida.

Os olhos negros fulguraram para o nada. Mas sem se deixar desencorajar, a matriarca prosseguiu:

— Ah, eu sei como todo mundo fala de eu sempre cavalgar com o Coronel, mas quando eu tive um filho, e depois outro e mais outro, cavalgar a seu lado tornou-se um prazer que eu desfrutava quando podia. E foi só quando eu comecei a cuidar das coisas no rancho é que percebi o quanto eu havia descuidado.

Antes, eu não pensava em comida. Qualquer coisa servia. Para mim, o negócio era trancar a porta e sair cavalgando como Maria Bonita, mulher do Lampião. Mas e depois? Uma família precisa de um lar. Eu tive que aprender a fazer tudo, e no começo eu odiava porque me sentia uma prisioneira.

Mas então eu comecei aprendendo a fazer queijo. Sabe com quem? Com a Mercedes, que minha mãe e Milagre enviaram para morar comigo. E quando eu presenteei o Coronel com um queijo feito por mim, você deveria ter visto como seus olhos se irradiaram de prazer e alegria. Foi só aí que eu percebi quão faminto o coitadinho tinha estado todo esse tempo.

E eu continuei, você sabe, do queijo para lingüiça, para carneiro, porco e peixe temperados com ervas; doces de frutas da estação – mangaba, bocaiúva, goiaba, manga, carambola…humm! E todas essas coisas me levaram a plantar um pomar e uma horta com tudo o que fosse necessário para temperos e curas – pausou, reminescente. – Foi quando eu comecei a aprender a curar tanto pessoas como animais.

Então você pode imaginar, não? Quão rapidamente o tempo passava para mim, só de fazer o que havia para fazer. E como, ao invés de simplesmente um rancho onde pendurar seu poncho, o lugar se transformou num lar.

Quando o Coronel voltava para casa todo molhado, cansado e dolorido de cavalgar o dia todo no brejo, era um paraíso para nós dois. E quando eu *podia* cavalgar com ele, de certa maneira, significava muito mais. – Com sua própria descrição tocando-a de uma maneira que não esperava, Dona Veridiana limpou a garganta antes de fechar com o que considerava ser seu argumento conclusivo:

– Então foi assim que eu aprendi como a vida de uma mulher pode ser cheia. Como ela pode viver diversos tipos de vida. Mas só se ela aprender primeiro qual é o propósito de sua própria vida. Justo?

No confronto de interesses, Dona Veridiana permitiu-se, uma vez mais, uma olhadela para o lado para checar a reação da neta. Mas constatou, tristemente, que nem os olhos vivos e penetrantes podiam mais ser vistos. Só havia um calombo entre os lençóis que, no entanto, deve ter ouvido atentamente, porque de lá saiu um pronunciamento abafado, mas perfeitamente inteligível:

– Justo? Isso é o que nenhum de vocês é! Justo nada!

Ouvindo isso, Dona Veridiana percebeu ter cometido um erro ao encerrar sua narrativa justamente com aquela, dentre todas as palavras. Quase como que tivesse montado uma armadilha para a criança e caído ela mesma. Mas pelo menos recebera uma resposta, que a deixou muito certa do que fazer em seguida.

Respirando profundamente, puxou o lençol e, erguendo o rostinho para poder olhar diretamente nos olhos da "possuída", concluiu:

– Agora venha, você não tem idade o bastante para saber o que é justo. E enquanto continuar aí, não terá. – Então levantando-se rigidamente, partiu em busca de seu Caco.

Se ela não o encontrou imediatamente, foi porque, em seus espartanos aposentos junto à selaria, Caco acabara de receber a mãe de Jacyra. Não era novidade, e tinha a ver com seu conhecimento de raízes e ervas além das mãos e palavras tranqüilizantes com que as aplicava.

Alguns diziam haver poderes mágicos na curva da espinha que dera origem a seu apelido e fizera dele o faz-tudo mais procurado num raio de quilômetros. Seu Caco tinha sua própria explicação. Dizia que era pelo fato de as pessoas esperarem dele sempre o mínimo que ele tinha que fazer sempre mais.

Qualquer que fosse o caso, sempre que alguém precisava construir um telhado forte, soldar a haste de uma carroça ou consertar um móvel velho e estimado, era ele quem vinha à mente. E além disso, sua magia – ou uma curiosidade somada a uma apurada capacidade de observação – fizeram dele uma enciclopédia ambulante de flora e fauna e um explorador inato do coração e mente humanos.

Era por essa razão que Isabel era apenas uma dentre uma clientela quase tão grande quanto a daqueles que o procuravam por seu engenho. A única diferença era que o fato de ela procurá-lo para receber passes era um segredo guardado a sete chaves, que ela não gostaria de ver violado. Por isso se encontravam no quarto dele, onde nem Tatinha imaginaria que ela poderia estar.

De todas as pessoas que conhecia, Caco era a única a quem essa mulher tímida e intimidada podia dizer exatamente o que pensava. E geralmente ele só a ouvia, e no fim pressionava sua testa até as más vibrações se soltarem, ela se levantar, afastá-las com uma vibração dos pulsos e seguir seu rumo. Hoje, porém, ela não veio com suas lamentações costumeiras sobre o desperdício da vida de Manoel e da sua, o destino de seus filhos presos nesse labirinto folhoso que os cercava. Tampouco se sentou na dura cadeirinha aguardando um passe. Ao contrário, com os olhos mergulhados em lágrimas ansiosas, ela rapidamente confidenciou seu terrível, crescente temor de que os ferrões das abelhas tivessem afetado o cérebro de sua filha.

— Primeiro ela estava dócil demais para ser verdade, quase como se estivesse em transe. E agora, olhe para ela. Nada que eu digo faz ela se mexer. Você é o único em quem posso confiar, seu Caco. Deve haver algo que o senhor possa fazer!

— Eu posso tentar, Dona Isabel — respondeu. — Mas vai depender muito mais da senhora.

E então deu-lhe o único conselho que podia conceber:

— Todo mundo é diferente. Para ajudá-la, talvez a senhora devesse tentar enxergar Jacyra como ela realmente é, e não como a senhora gostaria que ela fosse.

Como ele esperava, Isabel deixou-o longe de estar tranqüilizada. E ele foi sentar-se na varanda perto da cozinha para tomar seu tereré e esperar Dona Veridiana aparecer, exatamente como estava certo de que ela faria.

Afinal, anos atrás ele já deduzira, pelo burburinho que emanava do quarto do andar de cima de onde vinham os conselhos "espirituais" da matriarca. Mas quando se tratava de colocar os assuntos reais em prática, quase sempre era aqui que ela vinha, sentando-se na frente dele, cotovelos em cima dessa mesa. Então quando ela apareceu depois de seu embate com Jacyra, ele já estava muito bem preparado.

— Pelo menos consegui com que ela falasse — comentou com um ar de triunfo sofrido enquanto ele lhe passava a guampa de tereré.

— E o que foi que ela disse, Dona Veridiana?

— Hmpf, não muito. Só que "não é justo". — Dona Veridiana projetou seu queixo para frente imitando-a, tornando impossível para seu Caco não sorrir.

— Bem, não é justo mesmo, é?

Foi tudo o que ele disse. Mas quando seus olhos se encontraram, um rio de compreensão entrecortou-os fazendo com que ela dissesse:
— Acho que está na hora do senhor tentar, seu Caco.

No momento seguinte, na cadeira ao lado da cama ainda morna das meditações da matriarca, parecia a seu Caco que se aquela forma entre os lençóis estava possuída por algo, seria muito menos por um porco-espinho que por um gato – contraída como uma mola pronta para saltar pela janela mediante um único toque. Vendo aquilo com a sensibilidade de quem sofrera a vida toda, ele podia imaginar a agonia de toda aquela energia reprimida e não conseguia evitar de sentir certa admiração.
— Então não é justo – retomou de onde a avó tinha parado.
— Por que não?
Ao perguntar o que até então ninguém se incomodara de fazer, recebeu uma fraca porém inegável resposta:
— Ninguém quer saber.
— Eu quero. Afinal, o velho seu Caco não é um curioso por acaso, é?
Sua recompensa foi ver o gato se desenrolar, sentar-se ereto e olhar para ele com os olhos de uma criança infausta. Quando começou, com gestos e expressões ora furiosos, ora afetadamente debochados, a verborragia ameaçava não ter mais fim:
— Tá bom, eu vou contar. É porque se o Tomazio ou o Rafa falam "puta-que-pariu" todo mundo revira os olhos e sorri. Ou se *eles* são pegos roubando manga, é apenas "coisa de moleque". E se fosse Rafa quem tivesse sido atacado por um enxame de abelhas e depois passasse a noite preso no brejo, o senhor sabe o que eles iriam dizer: "Acidentes acontecem" – imitou, afetada –, "faz parte do aprendizado". Mas como aconteceu *comigo*, acabou-se a história, ponto final. Condenada a prisão perpétua! Olhe para mim, seu Caco, eu também não sou um ser humano? Eu também não posso aprender, do mesmo jeito que eles podem? O senhor pode me dizer por que a única maneira de eu ficar por aqui como eu gostaria é virando homem?

Até esse momento, com a cabeça baixa como de costume, Caco apenas ouvia. Mas agora, diante de tal intimação, ele ergueu os olhos para ver essa criaturinha enfurecida que, de braços cruzados sob os seios em formação, cores intensificadas e lágrimas transbordando, formava a mais bela ilustração de ultraje feminino que ele já pôde ver. Pensou consigo se ela sabia ou podia imaginar que ele não poderia concordar mais com o que ela dizia. Mas o que ele poderia dizer? Alguém podia mudar o mundo em que viviam? De apelido Caco por sua semelhança com um pedaço de jarra quebrada com alça, como poderia ele explicar a essa garotinha que não era a magia, e sim sua deficiência que fazia com que as pessoas exigissem mais dele que de qualquer outro? Todavia agora, como em tantas vezes, era aquela dor chata e persistente na espinha quem lhe dava a inspiração para dizer:

— Se há uma coisa que você nunca poderá fazer, Jacy, é virar homem. Mas... olhe aqui – olhou por cima do ombro com um misto de careta e sorriso –, eu diria que essa "injustiça" a que você se refere é mais ou menos parecida com essa curva nas minhas costas. É só aceitá-la como parte de si e seguir em frente. Como sua avó. Como você acha que ela tem sobrevivido todos esses anos?

— Fingindo não ser *ela* quem dita as ordens, só assim! – A resposta irrompeu com uma legitimidade pela qual já deveria ter esperado. – Essa casa toda está cheia de fingimento. E se eu tiver que andar por aí fingindo ser o que não sou, eu prefiro muito mais morrer agora mesmo!

Tendo exposto seu ponto de vista, ela dramaticamente voltou a desaparecer entre os lençóis, reduzindo-se novamente a um nó tão apertado que, acontecesse o que fosse, nada naquele momento o faria levantar aquele lençol. Ao contrário, respeitosamente, ele se retirou pensando consigo mesmo:

— Ótimo.

Atravessando o corredor na ponta dos pés, ele se dirigiu ao átrio onde, como já esperava, encontrou Dona Isabel, um lenço enrolado nas mãos, o olhar perdido no espaço.

– Dona Isabel – disse suavemente para retirá-la de seu irremediável transe –, eu fui ver a Jacyra.

– Ah… – olhou para cima, os olhos arregalados e apavorados.

– A senhora não precisa se preocupar. Está bem claro para mim qual é o problema.

– Então o que é? O que quer que seja, por favor me fale. Eu não agüento mais não saber.

O diagnóstico era algo que ele vinha havia dias ensaiando como dizer. Mas agora, com ela esperando ansiosa, crendo em sua capacidade sobrenatural de conhecer a verdade, não se sentiu desconfortável em dizer:

– Ora, é o mal-do-moral, Dona Isabel. Está muito claro, me espanta ninguém ter visto isso antes. Sem dúvida ela ficará boa. Mas é claro que a senhora precisa saber que para Jacyra só há um remédio. E tenho certeza de que qualquer um que já a viu montando com o gado sabe qual é.

PARTE II

Capítulo 20

O Sobrado pertencente à família Tavares dava vistas para o Pátio da Velha Matriz na parte antiga da cidade. Construído no século XVIII, era uma casa sólida, despretensiosa, cujas densas paredes de argila e telhado de telhas desbotadas mantinham seu interior misericordiosamente fresco no verão quente e úmido, semelhante a uma masmorra na pálida luz invernal.

Pouco haveria para distinguir o Sobrado dos demais casarões do Pátio – exceto por seu tamanho – não fossem as lendas que a cercavam. Porque fora aqui que a Viúva Inácia sofrera seu martírio na época da febre. E foi na velha igreja do outro lado do Pátio que sua filha, Dona Veridiana, teve a visão que fez da viúva uma "santa".

Também foi do Sobrado que, após o assassinato de seu marido Coronel Cândido, apesar do mundo desregrado e ganancioso a seu redor, Dona Veridiana conseguiu manter o domínio sobre as terras da família.

Mas apesar desse sólido casarão ter-lhes provido abrigo e segurança por quase três gerações, talvez o único sentimento unânime entre aqueles que o habitavam era o desejo de estar em algum outro lugar.

Seguramente ninguém sofria mais desse desejo do que Dona Veridiana, que, se pudesse fazer sua própria vontade, já teria trancado tudo e ido morar definitivamente em Contendas. Mas tinha que pensar não só nas crianças e em seus estudos. Na cabeça de Dona Veridiana havia também a questão de Manoel. Porque por mais que seu filho agisse como condigno Diretor-financeiro da Fazenda das Contendas, ele tinha tanto tino comercial quanto um poeta, coitado. Então quem é que tinha que ficar de olho no mercado, sentir o momento certo e cutucar esse homem no mundo da lua para vender os novilhos? Por essa razão a matriarca suportava longas estadas no Sobrado de forma a manter as coisas sob controle.

E por essa razão também é que Manoel alugou um escritório noutro casarão do outro lado do Pátio, para manter sua sanidade. Assim como o "escritório" em Contendas, este era seu refúgio onde, como que por um pacto silencioso, ninguém – muito menos a matriarca – entrava sem permissão. E hoje, como em qualquer outro dia quando o Sobrado era ocupado pela família, Manoel viera para cá para ficar sozinho.

Hoje, contudo, era o dia da festa de Santa Inácia. Logo, enquanto no escritório tudo estava em paz e silêncio, na quadra diante da "nova" igreja o ambiente estava festivo e agitado após a procissão e a missa em honra à mártir Inácia de Muniz. Algumas horas atrás, com a cidade inteira a reboque, a família Tavares caminhara até o cemitério para depositar flores em seu sepulcro. Como sempre, Dona Veridiana realizou a homenagem com dignidade e feições inexpressivas. Depois, ladeada por Manoel e Padre Emílio, liderou a procissão até a igreja erigida em resposta a sua "visão".

Ali, como sempre, Manoel sentara-se num estado de sofrimento abjeto enquanto o padre louvava e divagava sobre o milagre do martírio de Inácia. Em seguida, enquanto os outros arrastaram-se para o merecido gozo da roda-gigante e outros brinquedos, barraquinhas e jogos da festa na praça, ele escapulira para o escritório no Pátio.

Como em Contendas, viera para ficar seguramente só, mas sua solidão aqui tinha uma diferença. Porque ao contrário do outro escritório, este cômodo, com suas prateleiras forradas de livros jurídicos e clássicos das Línguas Portuguesa, Inglesa e Francesa cobertos de pó, era o único lugar onde ele sentia que seu propósito, e portanto sua existência, era real.

A princípio, esse propósito fora o de organizar as coisas e, com o máximo de documentação possível, separar fatos de mitos para definitivamente registrar a história da família Tavares. Na verdade, quando jovem, procurando por algo além do pedaço de papel amarelado de Inácia, ele desempenhara aquilo que talvez fosse o único ato aventureiro de sua vida.

A despeito da matriarca, a quem aquela escritura de terreno bastava, ele viajou secretamente para a cidade natal de Inácia, Corumbá, à procura de mais. Sua busca por documentação, no entanto, não obteve resultados a não ser o fato de, em 1898 – o ano da migração de Inácia rio abaixo –, um certo cartório de registros ter sido reduzido a cinzas. Porque queimar arquivos, naquelas bandas, estava longe de ser um meio incomum de "limpar a ficha", Manoel não se surpreendeu. E sentindo-se ao mesmo tempo desapontado e aliviado, ele teria deixado tudo como estava, não fosse o escrivão encarregado reavivar sua curiosidade indicando-lhe um bar chamado Café das Cafonas. Ali, deveria procurar uma velha cozinheira negra chamada Ourozimba, nascida e criada naquele estabelecimento nos tempos em que ainda era um bordel.

A história que a velha enrugada lhe contou – a de uma formosa Madame Ina Anaia, que recebera de um coronel local umas terras rio abaixo em troca de seu silêncio – deixou Manoel quase que literalmente de cabelos em pé. De volta a casa, sentado no santuário de seu escritório, ele cuidadosamente recordou o relato de Ourozimba sobre a partida de uma mulher escura, muito bonita, durante a noite, acompanhada de sua filha, a ama Milagre e o inquieto cafetão chamado Zé Gato. Ina Anaia transformada, por seu traje de viúva, para parecer "uma grande borboleta negra".

Manoel relembrou a velha cozinheira imaginando o que teria acontecido, maravilhada:

– Parece improvável, mas alguns dizem que ela virou santa.

– Neste mundo, tudo é possível – lembrou-se também de ter respondido. E foi aí que, registrando tudo em seu livro-razão, ele decidira continuar com a investigação em segredo.

Algumas vezes, também, uma vez que o mito persistia em sobrepujar as comprovações documentais, ele escolhera perseguir a verdade descrevendo os fatos como os recordava. Era uma atividade que, com freqüência, se revelava profundamente perturbadora. Embora ao mesmo tempo fizesse com que, uma vez absorto, sua mente se estimulasse de tal forma que, enquanto estivesse sob seu feitiço, ele perdia toda a noção de tempo e do mundo janela afora. E foi assim que hoje, ao voltar da missa com a impressão ainda fresca em sua mente, ele apressadamente abriu a gaveta de sua escrivaninha. Extraiu dela o terceiro de uma série de antiquados, enormes livros-razão do tipo que ainda se utiliza para registrar os enigmas burocráticos, apanhou sua caneta e escreveu:

– Por que isso me aborrece tanto? Por que depois de tantos anos aquela missa ainda me transforma num garotinho oprimido por uma sensação de embuste e triste humilhação?

E então, como se ao serem escritas as palavras fizessem-no cair em sua própria descrição, ele se transformou de novo naquele garotinho – desejando fugir, mas incapaz, preso atrás de um enorme vaso de samambaia na varanda de Contendas enquanto Zé Valente e o pai de Manoel, sentados, fumavam e conversavam.

No início pareciam bem calmos, apenas dois homens discutindo suas contas enfadonhas. Mas então, algo além daquele costumeiro ar de antipatia mal-disfarçada o prendeu. Um olhar de ameaça e vingança parecia ir além do ponto de subterfúgio enquanto, num tom ainda baixo, Zé Valente provocou:

– O que o senhor me diria se eu dissesse que Dona Inácia aceitou se casar comigo?

O ar já pesado pela aproximação de uma tempestade tornou-se irrespirável quando Coronel Cândido redargüiu:

– Após tanto tempo esperando, como você pode cair no erro de me contar com antecedência?

Ao que Zé Valente, semicerrando seus olhos de gato e sorrindo, respondeu:

– Porque agora que o senhor sabe tanto quanto eu quem Dona Inácia realmente foi e a quem Contendas pertenceu, eu acredito que o melhor que o senhor tem a fazer é comparecer ao casamento.

E assim dizendo, Zé Valente levantou-se, seu corpo magro e poderoso se desenrolando para inclinar a cabeça e partir com o andar ágil de um velho e habilidoso caçador.

Em seguida veio o silêncio mortal, tão inusitado ao pai que Manoel conhecia – geralmente dado a explosões que preenchiam e esvaziavam o ar ao mesmo tempo – e as súplicas da mãe que nunca suplicava, não tendo a menor inclinação para tal, tampouco necessidade. Estranhando, o menino ficou deitado esforçando-se para ouvir, enjoado com um inexplicável porém crescente terror.

– O que aconteceu? – ouviu um sussurro na escuridão. – Por que você não me fala? Você sempre me contou tudo. De que outra forma podemos resolver os problemas? Ah, meu amor, não há nada que não possamos resolver juntos. Nada que valha a pena você esconder de mim.

Mas o silêncio persistiu, ainda mais terrível por ser desconhecido, afetando a todos, preenchendo o ar com um temor que se tornaria inesquecível. Até que na terceira noite – talvez porque seu pai mal parecesse capaz de falar, cada palavra ficou indelével na memória de Manoel – Coronel Cândido anunciou:

– Tem um jaguar lá na Mata que ultrapassou suas delimitações. Não podemos mais tolerar isso. Acorde-me cedo.

– Eu vou com você.

– Não, você não pode deixar o pequenino.

– Eu dou um jeito. A Mercedes...

– Não! – era uma ordem. E prosseguiu, de certa forma suave demais, persuasivo demais:

– Além do mais, por que você deveria ir? Você nem sequer gosta de caçar. Não é por isso que você detesta a Mata? Não, Vedi. Se você quer mudar, escolha uma outra hora. – Em seguida, menos rancoroso e mais delicado: – Agora não se preocupe, levarei comigo todos de quem precisar.

E assim ele se foi para sempre. Foi-se também o jaguar que ultrapassara suas delimitações. E antes que alguém se desse conta do que acontecera, também Zé Valente e sua família.

Foram encontrados os ossos, depositados pela correnteza numa curva abaixo do rancho de caça no Pataguás, com a bala no crânio, alguma roupa e uma cruz inscrita em torno do pescoço – o suficiente para convencê-la da verdade. O menino Manoel jamais se esqueceria do pranto da mãe – ela, que nunca erguia a voz. Pensou que ela havia enlouquecido.

Mas então a febre veio descendo o rio e ela subitamente silenciou, forte e incansável, enquanto ela e Mercedes deslocavam-se incessantemente pela casa protegida por tela contra mosquitos e impregnada com uma mistura de cheiros de incenso e doença. Nunca antes dada a orações, ela rezou. Ou, pelo menos, ele pensou ser reza o que escutava através das paredes, embora o murmúrio, baixo e conversativo, tivesse uma estranha conotação.

Se era força que pedia, esta parecia transformá-la numa coluna de madeira com mãos frias e delicadas, e com uma perseverança que a fez aceitar silenciosamente a morte da pequena Jacyra – antes dos três meses de vida, depois a de Veridiana, de quatro anos, e por fim a do primogênito, Candinho – a imagem do pai.

Estranho que Manoel e Olga, nunca muito fortes, tenham sobrevivido para assistirem à febre passar e às janelas voltando a se escancarar para o frescor que dissipava o ar carregado, mas não levava embora a lembrança da enfermidade e da morte. Nem o terrível vazio de uma família privada de seu pai, de uma mulher cujo homem fora-lhe roubado por um assassino.

Era assim – silenciosamente irada, olhos incandescentes – que ela parecia. Não sabendo o que se passava em sua cabeça, Manoel sempre imaginava o que ela teria feito se não tivesse chegado a notícia de mais um membro de sua família acometido pela febre: Inácia.

Capítulo 21

Eles devem ter constituído uma estranha procissão chegando à cidade com seus carros de boi enfileirados, repletos de pertences. Até hoje Manoel podia claramente ver sua mãe montada no carro da frente – ereta e austera, o olhar fixo à frente até chegarem ao Sobrado.

Acontece que, com o calor e o remanescente perigo da febre, antes que pudessem chegar, Inácia fora enterrada no mausoléu de mármore negro que mandara construir para a família um ano antes. Não havia ninguém no Sobrado além de Milagre, a velha e fiel criada que cuidara de Veridiana quando pequena.

Ela arrumou a casa para eles, preparou-lhes uma boa refeição. Quando chegaram, ela abraçou Mercedes e Veridiana como as crianças há muito perdidas que eram para si. E quando se sentaram na rígida mobília que jamais servira bem a Inácia, ela lhes contou uma estranha história:

— Coitada dela! – disse da mulher que por pouco não fizera dela uma escrava. – Ela fez tudo o que podia, deu sua vida a vocês, vindo para cá. E vocês sabem por que ela morreu dessa maneira? Porque quando ela ouviu o que tinha acontecido ao Coronel Cândido, ela mudou de uma hora para outra. Eu vi, Veridiana, e quem a conhecia melhor que eu?

Você consegue imaginar sua mãe esquecendo-se de suas vaidades, de comer, de tomar banho? Ela saía para cuidar dos doentes entre os pobres, especialmente onde nem as freiras iam: aos bordéis à beira-rio.

— Por que, Milagre, por que ela fez isso? – indagou Veridiana rispidamente. – Você precisa me dizer. – Mas embora falasse como se fosse uma ordem, Milagre não estava prestes a dizer. O máximo que a velha arriscaria era:

— Não posso dizer a vocês o que ela pensava se ela nunca me contou. Às vezes eu acho que ela só queria morrer. Então quando adoeceu, quando *podia* falar, a única coisa que fazia era se preocupar com vocês. Com o que iria acontecer.

Lembro-me especialmente de duas coisas – a velha parecia procurá-las no cérebro para poder explicá-las direito: – "Fale para Veridiana não ter dó de mim" – começou – "eu confiei em Zé Valente e se não fosse por isso, Cândido estaria vivo". E a segunda – Milagre literalmente rezou – me ajude, Senhor, a lembrar direito, ela dizia assim: "Fale para Veridiana que toda a terra é dela. Eu nunca dei qualquer escritura a Zé Valente, e não há outras escrituras senão a que eu mostrei a ela. Ela sabe onde está". Falar tudo isso deve ter desgastado a pobre Dona Inácia, porque depois disso – a velha finalizou seu relato engolindo as lágrimas – ela nunca mais disse coisa alguma.

– E lá estávamos nós – Manoel escreveu em seu livro-razão –, uma família de três pessoas com nada além de um velho documento trancado na alcova para provar que nossas terras eram nossas. E ninguém para defender essa prova além de minha mãe.

Ninguém contestara a posse enquanto Inácia, Zé e Cândido estavam vivos para sustentar o estranho equilíbrio de forças entre si. Mas e agora que morreram? Por mais que as pessoas ajudassem umas às outras nos períodos de enchentes, seca e procriação, o Pantanal ainda era uma terra de coronéis – um campo aberto para gado desgarrado vindo de toda a parte, um império do mais forte. E sabendo como são as pessoas em qualquer lugar, ainda mais aqui, quem sabe se não foi um milagre que conservou Contendas?

E então quando penso em tudo que minha mãe passou e em tudo que ela teve que enfrentar, não era de admirar – principalmente com sua imaginação – que ela tivesse se convencido de qualquer coisa.

Finalmente há esse inexplicável anseio, por parte dos outros, de ser persuadido. Padre Emílio era tão medíocre na época quanto o é agora, mas era muito jovem e impressionável. Então não é difícil imaginar a impressão causada por alguém tão forte e imponente como Veridiana.

Minha mãe vinha rezando na velha Igreja da Matriz quase que incessantemente e sem comer havia dois dias. Olga e eu estávamos apavorados. Era como se ela tivesse sido arrancada de nós e trancada num vazio sagrado do qual talvez nunca retornasse.

Quando ela entrou em transe, só estavam na igreja o Padre Emílio e três fiéis rezando após a confissão. Uma combinação rara e propícia, que não se poderia encontrar em nenhum outro lugar. Os três eram: a esposa do prefeito, Dona Aspésia Toledo de Moraes, sua filha Solange e uma moça bonitinha chamada Bartira, que trabalhava dois turnos como empregada e prostituta no hotel Santa Magdalena à beira-rio. O que por si só era suficiente para tentar acreditar que as forças do céu e da terra estavam trabalhando a favor do que estava prestes a acontecer.

No começo as pessoas pensaram que Veridiana tinha simplesmente desmaiado de exaustão e fome. Mas então ela começou a falar, numa voz estranha, sobre o sacrifício de sua mãe Inácia. Disse que via uma igreja num ponto alto acima do nível do rio e as palafitas onde Inácia cuidara dos pobres. Por fim, no mesmo tom de uma pessoa possuída, ordenou:

– Sigam-me.

E assim todos obedeceram – primeiro Padre Emílio e as mulheres da igreja, depois os pantaneiros da escadaria. Numa cidade onde nunca nada acontece, não é preciso muito para forjar um acontecimento. Em pouco tempo as pessoas estavam despejando-se para fora das casa, lojas e bares para seguir a crescente procissão. Entre elas estava Olga e eu, agarrados a Milagre e Mercedes, em cujas mãos nossos destinos pareciam estar confinados para sempre.

Era uma manhã quente, mormacenta, no começo da estação das chuvas. O ar estava parado e carregado, esperando pelo capricho de um bando de nuvens plúmbeas reunidas a oeste no horizonte. Nessa atmosfera, como posso fazer justiça ao ar de segurança e convicção dessa mulher, pequena e ereta, em traje de luto que parecia não andar, mas planar como que por alguma orientação extraterrestre? Enquanto isso, o resto de nós, sob um calor causticante que ela parecia não sentir, bufava e arfava atrás dela.

Quem, dos que não o testemunharam, conseguiria imaginar cenário tão perfeito no qual, ao chegarmos à ribanceira sobre o rio e ela serenamente se ajoelhar para rezar, as densas nuvens se partiram para dar passagem a uma senda de luz?

Então por que ainda me sinto tão horrivelmente arrasado? Relembrando tudo isso, talvez seja eu quem deva flagelar-me por ser um homem de tão pouca fé. Ou talvez eu deva apenas agradecer ao mistério que tornou possível uma igreja ser erguida naquele exato local e a cidade, anteriormente conhecida como Porto dos Encontros, ter se tornado a cidade de Sta. Inácia porque um dos resultados, certamente, é o fato de ninguém ter tido coragem de questionar as escrituras dos terrenos pertencentes a Veridiana Tavares, filha de Inácia, a "viúva" que virou "santa".

Capítulo 22

Tendo chegado a essa conclusão e sentindo-se ao mesmo tempo esgotado e purificado pelo esforço, Manoel pôs a caneta de lado e, descansando os cotovelos sobre a mesa, olhou de novo para o Pátio lá embaixo. Tendo também deixado para trás o garotinho de sua descrição, era como se naquelas poucas horas de absorção ele tivesse evoluído e se tornado a pessoa que é hoje. Uma pessoa que, não fosse por esses pensamentos aos quais dava vazão apenas num papel por trás de uma porta fechada, seria pouco mais que uma sombra.

Isabel dizia que ele vivia uma ilusão. Isabel querida, quão pouco ela sabia sobre ele... Por mais que olhasse para ele, ela não via que, levando a política tão a sério como ele levava, ele não tinha a menor expectativa de fazer sucesso como político. Se fora aprovado como juiz e eleito prefeito duas vezes, ninguém tinha mais consciência que ele mesmo de que isso teve menos a ver com suas crenças do que com o fato de ele ser o Diretor em Exercício das Fazendas Reunidas Tavares.

"Em exercício", pensou zombando de si mesmo, pelo menos era uma boa descrição. Assim mesmo, dizendo a si próprio que como chefe da família ele não poderia desertar de sua posição, permitiu-se cair num vazio em que a cada ano ficava mais fácil permanecer. Houve um tempo em que ele sonhava que, quando Rafael voltasse e assumisse o comando, ele retornaria ao Rio e retomaria a lei. Ou até com a ajuda de Eustácio, irmão de Isabel, que ganhava a vida conhecendo todo mundo, iniciaria uma carreira diplomática. Mas quanto mais perto chegava a hora, mais remota parecia a possibilidade. Porque mesmo com o incentivo de Eustácio, quem no Rio de Janeiro poderia querer um envelhecido juiz de Sta. Inácia, Mato Grosso?

Mesmo assim, disse para si mesmo, agora que Rafael completara os estudos e em breve estaria de volta, ele deveria sentir-se aliviado. Afinal de contas, nada o deprimia mais que a política tribal do Mato Grosso. E com seu excessivo desejo de deixar um seguidor, Rafa se encaixaria em tal cenário perfeitamente. Não faria a menor diferença para *ele* se uma revolução em nome de ideais viesse e fosse embora, e se, como os cínicos previram, "as moscas mudassem, mas a merda continuasse a mesma".

E quanto às terras da família? Uma vez que Rafael inevitavelmente tomaria seu lugar, ele não tinha mais que se preocupar com isso. Apesar de que, conhecendo seu filho tão bem como conhecia, era cada vez mais difícil acreditar que a transição seria pacífica.

A ausência de Rafael, esta sim, vinha sendo pacífica. Apesar de o garoto não dar a mínima por uma boa educação e só querer um diploma, ao menos a vida no Rio manteve-o ocupado. Durante os cinco anos de sua ausência, suas visitas à Sta. Inácia foram tão raras que Manoel quase conseguiu esquecer como era quando ele ainda estava aqui "sem nada para fazer".

Com toda sua energia e competitividade, em determinado momento pareceu-lhe necessário competir com os colegas no tipo de farra e bebedeira que teria levado um peão pobre à cadeia, se não ao cemitério. Nessa época, Manoel passava metade do tempo repreendendo e silenciando. Uma batida na porta do Sobrado à noite fazia sempre sua espinha retesar.

Então veio o incidente que tornou mais conveniente a Rafa iniciar seus estudos um pouco antes do previsto. Uma briga num bar. Como Rafa contou, o cidadão, falando alto e cambaleando, veio até ele numa reta só, derrubando todas as mesas no caminho. Rafa sacou sua arma. Pela graça de Deus, Tomaz (sempre Tomázio, Manoel pensou com um estranho, injusto ressentimento) estava por perto e desviou-lhe o braço para baixo de forma que o tiro só pegou no pé do sujeito.

Sendo assim, o caso não foi levado ao tribunal. Seu pé foi tratado e, tendo recebido advertências suficientes por seu comportamento agressivo e sendo um bom vaqueiro, o homem encontrou um emprego numa fazenda distante daqui. Mesmo assim, no caso de a distância e as advertências não terem sido suficientes, decidiu-se que Rafa deveria ir imediatamente para o Rio estudar, mesmo ainda sendo férias.

Para Manoel, foi um daqueles incidentes estúpidos que resultam do hábito, por estas bandas, de começar a andar armado quase tão logo a criança for forte o suficiente para puxar um gatilho. Tudo o que Manoel esperava era que o problema tivesse ensinado a seu filho uma lição. Certamente era inútil discorrer longamente sobre o assunto, especialmente se levando em consideração quão bem Rafael tinha se dado desde então.

Integrado a um sistema acadêmico voltado ao aluno perpétuo que poderia passar anos e anos sem aprender nada, Rafael dedicou-se a se formar o mais rápido possível. Nesse ínterim, ele circulou na esfera sem fim da política estudantil o suficiente para manter-se em evidência, mas não tanto a ponto de ser rotulado pelos generais como subversivo. E a despeito das manifestações que ocorriam a três por quatro, ele bateu um recorde entre seus colegas ao concluir quatro anos acadêmicos em cinco.

A verdade era que, pelo que Manoel depreendeu da conversa que tivera com seu filho em sua última visita, ele estava ansioso para acabar logo e passar para "a vida real".

– De nada adianta falar – Rafa dizia com aquela pitada exata de cínico sofisma. – A única razão para se trabalhar é para entrar na política. E ao único jeito de se pôr as coisas para trabalhar é sendo político. – A frase não era original, mas se Rafael a levasse ao pé da letra como a maioria, pensou Manoel, ele iria longe. Sendo assim, Eustácio introduziu-o no caminho conseguindo-lhe o cargo de Assessor de Imprensa do Governador do Estado do Mato Grosso. Um emprego que lhe oferecia contatos que mais tarde poderiam ajudá-lo a seguir seu caminho em direção a uma candidatura em Cuiabá. Nada mal para quem está começando, Manoel pensou com um certo orgulho. E sorrindo para si mesmo quase que esperançosamente diante da idéia, pela primeira vez desde que adentrara seu santuário e tomara sua caneta, seu olhar de fato se concentrou no que estava se passando no Pátio.

A vegetação camuflante que veio com o calor e as chuvas de dezembro projetava tantas sombras que a princípio ele não enxergou a filha sentada a uma mesa em frente ao Bar e Venda do Salim. Mas ao dar-se conta de quem se tratava, descansou seu olhar sobre ela por um longo tempo com o deleite de um pai amoroso. Daquele ângulo era fácil verificar a contribuição de Isabel no alongamento dos membros, que a faziam parecer mais alta do que era. De Isabel também puxara a cintura escassa e as mãos e tornozelos que emprestavam uma extraordinária graça a seus movimentos. No entanto havia neles uma força e elasticidade provenientes de algum outro lugar – "da terra", diria Veridiana – e que eram responsáveis pela orgulhosa empinada de cabeça, a projeção exagerada do maxilar, os lábios perturbadoramente cheios.

Aos 18 anos de idade, Jacyra ainda prendia a pesada cabeleira negra numa única trança "em nome da praticidade", dizia, embora certamente soubesse como tal penteado realçava a delicadeza de suas orelhas, a testa estreita, suave, sob a qual brotavam aqueles enormes olhos puxados com sua reflexão de verde, olhando inquiridores ao redor.

Procurando o quê? Mas é claro – Manoel olhou para o relógio e, surpreso, percebeu já ser quase noite. Jacyra deveria estar esperando para encontrar-se com o grupo que mais tarde tocaria para os dançarinos nas festividades da Praça de Sta. Inácia.

Como a maioria dos grupos por aqui, este também quase não merecia tal designação por sua informidade. Exceto em ocasiões como esta, eles raramente se reunem. Mas quando o faziam, era o anseio pela música que os unia, o tipo de música dependendo de quem ou quê. Uma harpa, uma flauta e uma guitarra; um tambor, um tamborim e um acordeão estavam lá para a apresentação. Algumas das músicas eram antigas e sabidas de cor, outras

algum objeto e jogá-lo, ela acordou e viu, ao invés das largas tábuas do teto de seu quarto no Sobrado, um mar de flores amarelas contra um céu crepuscular.

— Amém! Por um momento ela fitou, confusa, as feições caídas de tio Juca em cima dela, enquanto ele a observou, com a fascinação idiota de um cão de caça antes de, num arroubo, tomá-la num abraço e girá-la com uma alegria aparentemente insana.

— Me põe no chão, tio, tá louco? O que está errado?

— As abelhas, Jacy, você não se lembra das abelhas? Enquanto ele a olhava de novo, dessa vez temendo uma amnésia, instintivamente ela levou a mão a uma picada que, semelhante aos primeiros estágios do esticamento labial dos índios txucarramães, era surpreendentemente a única evidência visível de sua prova.

— Jesus, tio, as abelhas! — contorcendo-se para soltar-se de seu abraço, ela olhou em volta. — Onde estão os outros?

— Já foram.

— Já foram? — enquanto a conscientização plena a tomava, ela se voltou e olhou incrédula. — Então para que você está sentado aqui? Vamos...

— Encontrar com eles? — ele, que um instante atrás estava desesperado o bastante para rezar, sentou-se calmamente preparando um cigarro de palha como se não houvesse nada no mundo mais importante para fazer. Com uma concentração irritante, ele picou o fumo de rolo sobre a palha aberta, enrolou-a, selou-a e, depositando satisfeito o resultado sobre os lábios, acendeu-o para olhar para ela com os olhos semicerrados através da fumaça, como se ela tivesse esquecido alguma lição.

— Você deveria saber tão bem quanto eu que o sol vai se pôr em uma hora e não tem jeito de voltar com a água alta assim no escuro.

— Mas por que você não..

— Acordei você? Já tentou acordar um defunto? Escute só, criança, deixa eu lhe dizer uma coisa. Enquanto você tirava uma longa e gostosa soneca, você sabe onde eu estava? Eu fui até as portas dos infernos e voltei. Então senta aí quietinha um mi-

eram compostas na solidão de um quarto, mas todas eram tocadas de ouvido.

A principal contribuição de Jacyra fora seu violão, e com ele a possibilidade de romantismo nas letras. E depois, com sua normalmente lastimável inclinação para discussões, tornara-se uma das principais competidoras no duelo de versos e ritmo conhecido por "desafio".

Inicialmente houve uma discussão quanto à adequação de ela tocar em público, para não dizer de ela confrontar o sexo oposto em estridentes discussões poéticas. Imprevisível como sempre, a matriarca manifestara-se a favor.

— Os tempos estão mudando — argumentou —, até aqui. Lembram quando nenhuma mulher em Sta. Inácia dirigia? E quem foi a primeira a tirar carteira de habilitação? — Ela inclinou a cabeça num gesto de autocongratulação e prosseguiu:

— Como os olhos desta cidade estão eternamente sobre os Tavares, se há um inofensivo precedente a ser inaugurado, nós é que devemos fazê-lo.

No fim ficou decidido que, contanto que sua música ficasse confinada aos festivais da igreja e às reuniões no Pátio debaixo das vigilantes janelas do Sobrado, não haveria problema. Afinal, havia tão pouco para uma garota fazer. Até...

Diante do pensamento de até o quê, Manoel sentiu um peso familiar ao redor do coração. Milhares de vezes, na "privacidade" de seus cômodos no Sobrado, ele e Isabel conversaram em sussurros:

— Se ela ficar aqui, você sabe o que vai acontecer. Dá para vê-los todos apenas esperando o fruto amadurecer.

— Não vou deixá-la ficar aqui.

— Então cabe a você falar, persuadir. Insistir, até, se for preciso...

Sim, ele sabia. Aqui, neste quarto, onde poderia falar com ela sem interferências. Antes que fosse tarde demais. Mas sempre que se sentava aqui sozinho – não tendo o hábito de "discutir" assuntos com os filhos – a idéia de por onde começar geralmente fazia sua mente gravitar de volta para a segurança do livro-razão aberto diante de si.

Agora, no entanto, a idéia fatalmente atraiu seu olhar em direção ao Pátio para observar que ninguém se juntara a Jacyra onde estava sentada. Tampouco – subitamente se deu conta – havia qualquer violão no banco a seu lado. Cuidadosamente, como que especulando, parecia, ela olhou para cima em direção a sua janela. Então ela se levantou e, a passos firmes, encaminhou-se para a direção em que estava olhando.

Ouvindo-a marchar nos degraus, em estado de pânico, jogou o livro-razão – jamais visto por outra pessoa – dentro da gaveta. Em seguida, com o coração ridiculamente disparado, esperou ela bater na porta.

Capítulo 23

Jacyra havia esquecido quão embolorado o escritório era. Uma teia de aranha ligava o lustre a uma prateleira cheia de belos livros com capa de couro. Não surpreenderia se os livros fossem fachadas vazias, as páginas há muito consumidas por cupins. O pai se encontrava sentado sob a luz diminuta, o rosto sombreado, as mãos cruzadas diante de si sobre a escrivaninha vazia para impedi-las de tremer enquanto, despreparado, ele lutava para incorporar sua expressão de Imperador. O fato de ele estar tão desconcertado quanto ela não ajudava.

– Sei que nenhum de nós dois gosta muito dessa festa, papai – ela começou –, então achei que hoje pudesse ser um bom dia.

– Um bom dia?

– É. – E olhando diretamente para ele, começou a recitar o discurso que vinha ensaiando havia semanas, havia anos, de certa forma. Sobre como, agora que completara seus onze anos de estudo no Colégio de Freiras, ela gostaria de fazer alguma coisa da vida. E tendo quase o mesmo número de anos em experiência, ela já estava praticamente certa sobre o que queria fazer. E recitou-o com tanta sinceridade e firmeza, que quando chegou à palavra "vocação", ele realmente olhou para ela alarmado:

– Você está querendo me dizer que quer virar freira?

Não conseguindo se conter, ela teve que rir:

– Deus que nos livre, pai! Tem outros sentidos para essa palavra!

– Perdão. – Ele mesmo deu um sorriso amarelo, tornando mais fácil para ela prosseguir:

– O que eu quis dizer é que Rafael estudou direito... para ser político, eu acho. E eu gostaria de estudar agricultura e administração pecuária.

Até quando ensaiava o que iria dizer, ela tentava imaginar como ele reagiria. Primeiro seria com incredulidade. Mas então, passado o susto inicial, se ela colocasse as coisas nas palavras certas e tivesse tempo de explicar, viria a compreensão gradual de um homem que lia bastante, tentava manter-se em sintonia com o mundo, tentava inserir idéias – liberais, ele as chamava – em sua política. Era a esse homem que – dizia a si mesma – ela iria apelar dizendo:

– Há tanto para aprender e que poderia ser posto em prática aqui.

Mas se um instante atrás Manoel fora capaz de ver sua filha ser engolida pela Igreja, agora ele simplesmente a encarava, incrédulo:

– Administração pecuária? Você, Jacyra?

– Por que não? A meu ver, um dia tio Juca irá se aposentar. Alguém vai ter que assumir seu lugar. Alguém que esteja preparado para realizar mudanças, estar em sintonia com seu tempo.

– Você? Estudar e se preparar para administrar Contendas? – Seu corpo retesou e ela pareceu vê-lo retrocedendo, talvez cem anos, para trazer a suas feições tristes e cansadas a séria expressão de onipotência patriarcal. Tal expressão nunca lhe caiu bem, e não o fazia agora que, mal disfarçando aquele sempre ardente ciúme, indagou:

– De onde você tirou essa idéia? Do seu tio Juca? Bah, que diferença faz? A questão é: as coisas já foram longe demais. – Agora era a voz que ele tentava impedir de tremer. – Eu não vou permitir que você prossiga nesse caminho romântico, absurdo que a trouxe até aqui e que não a levará a lugar algum. Está entendendo?

– Entender? Eu? – Ela advertira-se mil vezes a não se descontrolar, mas agora não conseguia evitar. – Por acaso o senhor acha que eu não tenho idéias próprias? Eu estou simplesmente contando o que eu gostaria de fazer. É isso que o senhor chama de absurdo?

Era só o que ele precisava – sua perda de controle, como um presente, convidando-o a dizer, com benévola condescendência:

– Calma, calma, não há motivos para exaltação. Comporte-se como uma criança e será tratada como uma. Jacyra, minha querida, como você pode saber o que quer quando tudo quanto conhece é este ... *lugar* e as pessoas que o ocupam? Ah, não... – Aproveitando a oportunidade, pausou pensativamente e prosseguiu, quase como se tivesse sido *ele* quem a tivesse intimado para explicar-lhe como ele vinha pensando sobre a vida dela quase tanto quanto ela. Mas ele não falara nada antes porque:

– Como você vai aprender, boas decisões nunca são tomadas com pressa. É evidente que agora – ele até esboçou um sorriso bondoso – chegou a hora de lhe contar. O que eu decidi foi enviá-la para o Rio. Para ficar com seu tio Eustácio, por quanto tempo você quiser, estudando artes, história, letras, o que lhe apetecer. Será uma despesa, mas felizmente Rafael já terminou os estudos. E mais que nunca estou convencido de que valerá a pena, para você ganhar uma nova visão...

Notando que ela estava ouvindo tudo com uma atenção absorta, ele completou quase confiante:

– Bem, o que você acha?

– É isso ou nada?

Ele afastou as mãos e olhou para ela pasmo, como se fosse dizer: "E precisa mais?". Mais tarde ela pensaria em como aquele gesto fora perfeito para prover-lhe a coragem de balançar a cabeça e por fim dizer calmamente:

– Obrigada, papai, mas eu também sei o que eu *não* quero fazer. Eu não quero ir para o Rio estudar – e imitando o gesto dele, completou – coisa nenhuma.

E consciente de que perdera a disputa e tentando não chorar de raiva, ela se levantou e o deixou exatamente como o encontrara:

sentado sozinho, as mãos cruzadas sobre a escrivaninha vazia, olhando fixamente, angustiado, para a porta.

Capítulo 24

Se havia alguém mais feliz que Manoel pelo fim do dia de Sta. Inácia, esse alguém era Dona Veridiana. O que era para a cidade uma celebração, para ela era uma prova que só suscitava dolorosas recordações há muito deixadas para trás. Sem querer recordar os acontecimentos daquele dia a muitos anos atrás, às vezes ela não conseguia deixar de sentir como se a procissão fosse, para si, um tipo de penitência.

Qualquer que fosse o caso, ao lado do túmulo, mesmo enquanto discursava sua homenagem anual, ela mentalmente agradeceu à mãe "santificada" por ter realizado um milagre de salvação num momento de terrível dificuldade. Findada a homenagem assim como a missa, retirou-se discretamente para o Sobrado. Não para descansar ou meditar, como muitos poderiam imaginar, mas para passar a tarde junto a Mercedes, correndo por todo lado para assegurar a viagem de volta para Contendas o mais cedo possível.

Agora, com a prova suspensa por mais um ano, ficou em pé na varanda superior da Sede contemplando a paisagem e agradecendo a Deus por estar onde estava. Ainda era manhã e o calor já se desprendia do solo e elevava-se em ondas iluminadas. Mas aqui nesta varanda, que parecia incrustada entre os galhos de árvores, agitava-se uma brisa suave. E na densa folhagem, praticamente um viveiro de pequenas espécies – pardais, garriças, cardeais, periquitos e joões-de-barro –, inundavam os sons das tarefas domésticas com seu próprio estardalhaço. Os filhotes já estavam prestes a voar e diante de si estendia-se um mundo em que os tons de marrom, amarelo e vermelho das folhas brotando e o resplendor das flores primaveris cederam lugar aos infinitos verdes estivais.

Até agora, nesta parte do Pantanal as chuvas bastaram para deixar o campo verdejante. Mas no brejo, os rios em elevação ainda trariam as enchentes, de forma que, com o capim germinando em suas margens, tudo estava indo bem: os bezerros ficando robustos e as vacas, bem alimentadas, tinham leite abundante e estavam fecundas.

No todo, era o tipo de ano em que se podia olhar de cima para baixo para os compradores de gado e esperar os preços subirem. Um raro momento no qual, cercados de fartura sob um céu benevolente, seria anormal não sonhar com o futuro.

Então ali, em meio às copas das árvores, a matriarca sentou-se e sonhou com o dia em que Rafael assumiria o lugar de Manoel. Não para se sentar carrancudo naquele escritório abafado e se preocupar com as contas, obviamente. Manoel poderia continuar fazendo isso. Suas idéias estranhamente coincidiam com as de Manoel nesse assunto: era no campo da política – deteriorado por seu filho até quase virar pó – que ela via Rafael. Como um deputado, senador ou governador, por que não?

E enquanto Rafael crescesse em poder e influência, se todas as suas preces fossem atendidas, os Tavares e os Cabrera mais uma vez reuniriam suas forças através do matrimônio e Tomazio assumiria o lugar de Juca para cuidar da terra. Este era seu segundo sonho toda vez que assistia a Jacyra e Tomazio desaparecendo na distância com os condutores de gado, embora tivesse que admitir que, considerando o comportamento de Jacyra ultimamente, não se sentia nem um pouco segura a esse respeito.

E ela não era a única, embora para Tomazio, que compartilhava suas incertezas, a parte de assumir não era nem de longe tão importante no momento, como a de simplesmente se aproximar de Jacyra. Era por isso que, mesmo no meio da época da cria, quando ele era mais necessário em casa, ele não resistiu ao pedido de Juca de dar-lhe uma mão na avaliação do gado.

E ainda, de férias da Universidade somente por um curto período, ele não podia deixar de sentir uma pontada de culpa esta manhã por estar conduzindo o gado em Contendas e não em Entre Rios. Uma sensação que se intensificava quando pensava no acordo a que chegara com seu pai antes de partir. Invocando toda sua coragem, rompera com todas as tradições e sugerira estudar agronomia.

– Estudar agronomia? – Vasco estudou-o, perplexo. – Para quê?

– Alguma vez o senhor já pensou, pai, que saber cuidar da terra é tão complicado quanto saber medicina?

– Eu sei muito bem – Vasco tentou condescender –, mas você tem que admitir que medicina dá bem mais dinheiro.

Mas Tomazio manteve-se firme. E inspirado de uma forma que jamais imaginara poder estar, prosseguiu conversando e discutindo com Vasco, controversista por natureza, até de madrugada sobre como, para administrar uma fazenda hoje em dia, não bastava ser um negociante inescrupuloso e um chefe de mão firme, mas acompanhar as infindáveis evoluções das ciências, das quais a medicina era apenas um ramo. Até que, finalmente, vendo o negociante de gado sentado quieto com um olhar apreensivo, Tomazio disse rapidamente:

– Eu lhe proponho um acordo: o que eu não produzir de lucro, eu pago de volta em trabalho, tudo bem?

Ele falava sério, e Vasco sabia disso. E, desconfiando já há algum tempo que seu filho estava certo, Vasco respondeu de atravessado:

– Uma proposta assim eu não posso dispensar, posso? Só espero que você não tenha que trabalhar de graça o resto de sua vida.

Ainda ontem, no tocante a ajudar em Contendas, com uma centelha nos olhos refletindo os da matriarca, seu pai parecia forçar alegria ao dizer:

– Acho que podemos abrir mão de você por um dia ou dois. – E agora, enquanto cavalgavam em busca de gado, Tomazio, decidindo engolir a culpa e aproveitar, ficou feliz pelo fato de, no momento, o principal trabalho estar a cargo de Brás, que, através de anos de prática, tornara-se um artista com seu berrante.

Como uma concha que armazena os ecos do mar, o enorme e retorcido chifre de Guzerá continha uma riqueza de mugidos que, quando tocados por alguém que os conhecia, podia transmitir qualquer mensagem que seu dono desejasse. Nesse caso, enquanto a comitiva descia a ladeira em direção ao brejo, a mensagem era "SAL" e ao avistarem os remanescentes de um rebanho espalhado, Brás só precisava levar o berrante aos lábios para o gado avolumar-se, vindo de toda a parte e de lugar nenhum.

Mas enquanto nada ainda fora avistado e Jacyra cavalgava à frente, aparentemente absorta demais em seu trabalho para conversar, Tomazio cavalgava atrás, absorto com nada mais além de quão fortemente as coxas macias de sua amada agarravam-se à montaria e o quanto ele gostaria de estar entre elas no lugar do cavalo.

Tal preocupação não era novidade. Se quisesse apontar seu início, ele supunha ter sido naquele momento anos atrás quando, ao retornar da cavalgada com as Mulas Vermelhas, encontrara Jacyra "convalescendo" daquilo que seu Caco diagnosticara como mal-do-moral.

Ela não lhe parecia nada doente. Na verdade, correra para encontrá-lo e exclamar suavemente em seu ouvido:

– Da próxima vez eu vou com você. – E naquele momento, quando ela comprimiu seu corpo contra o dele de um jeito que já fazia sua cabeça girar, ele sentiu como se tivesse levado um choque elétrico em todas as suas extremidades mais importantes. E assim fora desde então. Embora as ocasiões não poderiam ter sido mais raras.

O que quer que tenha acontecido enquanto ela esteve confinada à Sede aqueles dias, obviamente ela vencera. Mas Manoel, detentor da última palavra, deve ter tido de exercer alguma manipulação mental para transformar sua proibição de uma sentença de morte para uma suspensão temporária.

Se ele fizera restrições específicas, ela não disse. Mas Tomazio tinha certeza de que ela fizera algumas. A mais importante, pensava sempre, deve ter sido a de esquecer que era mulher quando cavalgando com os homens.

Com muito custo ela recebera permissão de juntar-se a ele e Rafa mais uma vez, para, sob a tutela de Juca, Vasco e Tarciso, cavalgar com a comitiva e aprender as regras do campo. Regras que não incluíam apenas as da terra e do céu, plantas e criaturas, mas as dos vaqueiros com quem conviviam – tão de perto a ponto de serem um deles, e ao mesmo tempo eternamente distantes por serem herdeiros da terra.

Nesse aspecto, os três tiveram que confiar na força e agilidade, aprender a engolir o medo, a raiva e a compaixão. Mesmo assim, Tomazio tivera sempre consciência de que, no tocante a Jacyra, havia uma diferença. O que era esperado dos rapazes nunca era realmente esperado dela, de forma que cada conquista dela era recebida com surpresa. Várias vezes ele mesmo se surpreendera, mas tentava jamais humilhá-la admitindo seu deslumbramento em voz alta. Ao contrário, ele torcia por ela internamente, estreitando um laço entre eles até parecer que ela se tornara secretamente parte dele, como Eva gerada da costela de Adão.

Às vezes dizia para si que estava errado ao pressupor que tal laço existisse. Talvez do lado dela não houvesse dor alguma em correspondência à dor lancinante de sua parte. Mas se fosse assim, por que ele precisava apenas olhar bem para ela, mesmo sem tocá-la, para senti-la encher-se de vida?

Não. Ele tinha certeza de que ela o correspondia por milhares de razões que tinham a ver com a própria euforia no ar quando estavam juntos, a qual emprestava uma sensação de legitimidade a tudo que faziam. O sentimento era instintivo como o de qualquer animal, e ao mesmo tempo tão profundamente enraizado em suas essências que ele duvidada poder ser capaz de não senti-lo se quisesse, assim como a dolorosa força elétrica entre eles, que só poderia ser aterrada por sua união.

Mas quanto mais se afligia, mais difícil parecia conectar tais conhecimentos a palavras. Se antes eles se sentiam livres e à vontade contando tudo um para o outro, agora a regra parecia ser evitar pensamentos mais profundos a qualquer custo, como se neles residisse algum perigo.

"Que perigo?", ele queria perguntar. Nós não somos crianças. E você é uma mulher que precisa do amor que um homem poderia dar. *Meu* amor, caramba! Ele queria poder gritar para ela ali mesmo.

Mas no momento, um longo e vibrante uummmm do berrante trouxe de dento da mata uma onda de gado branco como um batalhão em ataque. Num instante todos estavam se movendo, ora a trote, ora a galope para acompanhar o gado que, estimulado por uma idéia única, crescia ao seu próprio critério. Passando por caminhos estreitos entre as árvores, contornando lodaçais traiçoeiros, o gado correu, atravessando o baixio de uma vazante, até chegar à elevação do outro lado onde os cochos de sal o aguardavam.

O rodeio onde o gado estava reunido era um círculo de comedouros desgastados entalhados em troncos de peroba nos tempos do Coronel. Tanto quanto um suplemento mineral, o sal descarregado nos comedouros era um atrativo para reunir o gado em um só local. E para animais que não lambiam sal há uma semana, este era um banquete, uma distração que, quando finalmente alojada em seus rúmens, tornava-se também um elemento apaziguador.

– Uuuumm, huuumm, quieta, vaca! – através do berrante e da voz, o ar encheu-se de sons tranqüilizantes, Jacyra fazendo os seus próprios ao examinar os animais para verificar quais precisariam de curativos.

Com suas mãos pequenas e rápidas e suave agilidade, ela era boa em curas. Foi sua avó quem a ensinara, trabalhando em cachorros, cavalos e vacas leiteiras. Ela nunca esqueceria a sensação de quase desfalecer a primeira vez que assistiu à vovó Veridiana trabalhando com uma pinça cirúrgica. Mas passando a pinça para Jacyra, ela disse:

– Assistir é pior que fazer. – E, miraculosamente, suas palavras se mostraram verdadeiras. Uma vez com a pinça na mão, uma espécie de ímpeto ávido por *fazer* expulsou qualquer outro pensamento de sua mente.

De apalpar os animais à procura de larva de mosca varejeira, ela passara a extrair espinhos e suturar cortes profundos. Ela não tinha a força de erguer um útero prolapso, mas podia costurá-lo logo em seguida melhor que qualquer homem que desse o empurrão.

Ainda a certa altura, Dona Veridiana sacou uma irritante máxima:
– Na Sede é uma coisa, no campo é outra. O Coronel nunca me deixava curar lá.

Nisso, como se tudo que viesse de seu campeão imortal fosse a verdade absoluta, Juca era aliado da matriarca.

– Imagine se por um acaso você se descontrola. Num minuto a boiada inteira pode se voltar contra você.

– Por que eu me descontrolaria mais que qualquer outra pessoa?

– Você ouviu sua vó, não ouviu? Simplesmente não daria certo.

Então agora ela assistiu, queimando por dentro – hoje talvez mais que nos outros dias –, a Jezu erguer-se em sua sela e, num gesto quase prazeroso, lançar a corda sobre a cabeça de um bezerro. O bezerro soltou um berro quando a corda o laçou como que ensinada, e os vaqueiros se aproximaram para apartá-lo de sua mãe. Antes que a poeira assentasse, Tomazio estava no chão torcendo o pescoço do bezerro para trás para desequilibrá-lo, forçando-o com suas coxas e joelhos até ele cair. Ajoelhando-se sobre seu ombro, ele amarrou uma pata dianteira a duas traseiras e com seus próprios membros estrategicamente distribuídos usou todo seu peso e força para mantê-lo quieto enquanto Bento trabalhava em uma cratera escavada por larvas exatamente onde o cordão umbilical fora rompido pela vaca.

Eles formavam uma bela equipe: Tomazio, sólido e robusto; Bento, leve e ágil. Um calor irresistível se apossou de Jacyra diante da visão dos braços e ombros poderosos de Tomazio, uma expressão comicamente briguenta em seu rosto ao impulsionar toda sua força para baixo. O céus poderiam ter-se aberto, ela sabia, e ele ainda estaria ali, com todo seu poder, sem prestar-lhes qualquer atenção.

Sabendo disso também, ficava mais fácil para Bento fazer o que tinha de ser feito. Primeiro o creosoto para soltar as larvas e matá-las, depois a assepsia. Sem ser cruel, ele era duro e calmo, uma rara combinação que tio Juca constantemente dizia valer mais que ouro neste mundo primitivo. Mesmo assim, ela ficava louca ao vê-lo sondar o bichinho com uma vara.

– Não adianta – tio Juca dizia sempre –, você nunca vai conseguir fazer esses homens usarem *pinças* – a palavra em sua boca soando frágil e delicada.

– Então *eu* uso. – Saturada de assistir, ela sentiu um impulso incontrolável de pular, arrancar a vara da mão de Bento e fazer o serviço ela própria com o objeto proscrito, mais rapidamente e melhor. Mas obediente como sempre a tio Juca – quem tinha de estar no comando –, com a disciplina de um soldado, ela se refreou.

Como que para enfatizar seus pensamentos, o bezerro soltou outro berro, que foi respondido por uma investida da mãe. Mas a vaca foi confrontada por uma barreira de vaqueiros, Jezu habilmente induzindo-a para a direção oposta enquanto Tomazio ainda tentava segurá-lo a qualquer custo e Bento, esbravejando contra o bezerro, prosseguia:

– Filho de uma puta – raspa, raspa –, bosta de uma puta – cutuca, cutuca –, puta que pariu, pronto!

Uma borrifada de violeta genciana e inseticida e Bento se levantou. Com os braços girando como uma manivela solta, Tomazio desamarrou o bezerro e saltou de lado, permitindo-lhe mergulhar no rebanho onde, no minuto seguinte, ele estava mamando vorazmente enquanto outro era derrubado e esperneava na ponta do laço de Jezu.

Já era quase meio-dia quando terminaram. Uma vaca velha com um úbere perfurado por uma garça à caça de carrapatos, cinco bezerros que morreriam em poucos dias escavados por larvas.

Enquanto o gado se espalhava pastando deslocando-se para seus abrigos do meio-dia sob as árvores que sombreavam uma nascente, a comitiva ficou esticando as pernas antes da longa jornada de volta. Depois de alguns dias sem chuva, a água da nascente estava coberta por uma película de poeira que Tarciso afastou ao mergulhar sua guampa. Ainda assim Jacyra maravilhou-se, como sempre, com quão refrescante a água estava, filtrada através do tereré.

Ela passou a guampa para Tomazio, suas mãos se tocando, os olhos se encontrando por tempo o bastante para ela sentir o choque

que não tinha similares. Como sempre, a sensação a fazia querer continuar tocando, retirar-se para estar com ele – em algum lugar onde ninguém mais existisse. Mas, ao contrário, ela desviou o olhar abaixando-se para acariciar o velho cão de caça Juruna, sempre por perto com os olhos repletos de amor inocente, espontâneo.

– Seu sabujo maluco – ela afagou suas orelhas como se pudesse descarregar seu calor no cachorro. – Você está muito velho para essas correrias! Eles deveriam prendê-lo!

– Só se você ficasse presa comigo – Tomazio brincou de responder pelo cão. – Você sabe que eu nunca a deixaria sozinha.

E então, falando novamente por si:

– Ei, Juruna, considere-se privilegiado. Você é o único com quem ela falou a manhã inteira. – Neste momento, pensando ser agora ou nunca, arriscou:

– O que há com você, afinal? – os olhos azuis, límpidos, diretos e questionadores, tornando impossível ela escapar. – Desde que chegou aqui você tem andado como uma velha freira azeda trancafiada num convento com seus segredos.

Ele não poderia ter escolhido uma comparação pior, para seu infortúnio.

– Bem, neste momento eu acho que essa é uma possibilidade bem real! – Lágrimas de raiva, sedutoras, verteram de seus olhos, mas ele não as viu porque ela se voltou e caminhou para onde seu cavalo estava atrelado.

– Pro inferno – resmungou, e voltou-se também para juntar-se aos homens, deixando-a cavalgar de volta para casa do mesmo jeito que viera: praticamente só através de uma paisagem transformada pela primavera.

Capítulo 25

Nos suntuosos bosques do brejo, as piúvas brancas – a última e mais gloriosa árvore a florescer – recobriam-se completamente de flores imaculadas contra o verde sombrio de uma folhagem tão densa a ponto de se tornar impenetrável. Cercando esses morros escuramente forrados de florestas, o brejo espalhava-se num mar de alto capim-felpudo pontilhado de íris do pântano amarelas e quebrado por uma pelúcia de capim-mimosa que crescia às margens das lagoas.

Onde as vazantes corriam para as baías, erguiam-se taboas como plantações de espadas azul-esverdeadas. E onde a água se acalmava, tapetes de lírio e aguapés boiavam por sobre uma camada verde de algas borbulhantes, agitadas pelos peixes. Em meio a eles, aves pescadoras – colhereiras cor-de-rosa, cegonhas altas de cabeça cinza e gigantes tuiuiús de asas pretas e papo vermelho passeavam, alimentavam-se da generosa recompensa sob as flores flutuantes.

O instinto de retorno ao lar conduzindo-os sem necessidade de serem incitados, os cavalos deslocavam-se a um ritmo ligeiro e constante, embora não ligeiro o suficiente para desanimar a conversa entre Juca e Tarciso. Esparramados confortavelmente em suas celas como velhos camaradas lado a lado em cadeiras de balanço, eles sustentavam um constante fluxo de fuxicos enfeitados de filosofia, tão familiares a Jacyra que ela nem precisava ouvi-los para saber o que estavam falando.

Qualquer outro dia ela teria se juntado a eles, como Tomazio fizera, para contribuir com sua opinião sobre questões como se ter o corpo "fechado" por um xamã era realmente uma proteção contra veneno de cobra. Ou se a mulher de Zeca Barbudo merecia uma surra por estar sendo infiel a seu homem. Questões da vida, dignas de infindáveis conjecturas. Mas há dias ela não conseguia livrar-se da sensação de dor e de desespero que a fazia ridiculamente querer gritar, chorar ou os dois, no momento em que a conversa tornava-se pessoal. Exatamente como um minuto atrás com Tomazio. E agora ele estava bravo com ela e ela o merecia, como sempre, sem a menor desculpa de sua parte.

– Uma velha freira azeda com seus segredos. – Uma descrição bem merecida, está certo. Mas ele não poderia ter imaginado como a imagem fizera-lhe imediatamente se enxergar como o fizera dias atrás sentada diante do pai, atrás daquela escrivaninha misteriosamente vazia.

Quando deixou Manoel, ela permitiu-se o luxo de externar sua ira através do choro na privacidade de seu quarto. Mas na manhã seguinte, recuperada, desceu as escadas à procura da avó, cuja abordagem alternativa fora sua salvação mais de uma vez. Encontrando-a na cozinha repassando uma lista para o êxodo a Contendas no dia seguinte, Jacyra estatelou-se na cadeira em frente, descansou seus cotovelos sobre a mesa e com o queixo nas mãos começou:

– Suponho que a senhora saiba que eu tive uma conversa com papai ontem?

– É? – Ao erguer os olhos do papel a sua frente, o olhar da matriarca parecia registrar mais um convite do que surpresa. Então Jacyra prosseguiu e contou-lhe sua idéia de estudar agricultura. O entusiasmo crescendo à medida que falava, ela chegou a imaginar ter visto engrenagens interesseiras funcionando, incentivando-a, enquanto Dona Veridiana a ouvia. Até que, com um olhar de censura e um aceno com o queixo, a matriarca declarou como tantas vezes antes:

– Eu não vejo que mal isso possa ter – embora acrescentasse cautelosamente –, dependendo de onde, é claro.

– Esse é o problema – Jacyra continuou. – Não importa onde, vó, porque o papai já deu seu veredicto. Ele é definitivamente contra. Tudo o que ele me oferece é estudar no Rio, qualquer coisa que eu quiser. Mas quanto a isso, *eu* sou definitivamente contra.

– Hmm. – Captando uma clara ponta de alívio diante da exclusão do Rio de Janeiro, Jacyra prosseguiu tentando dizer o mais casualmente possível:

– Então eu pensei. Já que papai se recusa a me mandar à escola agrícola, me parece que eu deveria começar a trabalhar regularmente para o tio Juca.

Mesmo agora Jacyra não podia evitar de fazer uma careta ao pensar no quanto o quadro havia mudado:

— Trabalhar? Para seu tio Juca? – obviamente era uma idéia que nunca passara na cabeça de Dona Veridiana. – Para quê?

— Não é isso que eu estaria fazendo se eu fosse homem?

— Mas você não é um homem. E nós temos que encarar o mundo em que vivemos, não? Só Deus sabe, eu já não tentei ensiná-la? – E então, com a expressão desesperada de alguém cujas lições não foram aprendidas: – Ah, Jacyra, por que você não pode ser paciente e se contentar com o fato de ter uma vida tão boa diante de si?

Em seguida, num tom bajulador que só piorou a situação por ser-lhe totalmente estranho, Dona Veridiana acrescentou:

— Você se lembra do velho ditado: "Onde tem um bom cacique tem sempre um pescoço para mover a cabeça"? Se os ditados sobrevivem, acredite, é porque são verdadeiros.

Aquele papo furado? Vindo de sua avó? Era intolerável. De súbito, exatamente como no dia anterior com o pai, Jacyra sentiu-se queimando de raiva e decepção, mas dessa vez muito mais intensamente.

— É isso o que a senhora realmente pensa, vó? Isso é tudo o que eu tenho a fazer?... Então a senhora quer dizer que eu ser o pescoço escolhido é a condição?

— Não seja tola, você está distorcendo minhas palavras – disse a matriarca impaciente e, pondo um fim ao assunto, voltou para sua lista.

Não houve qualquer continuação para essas conversas. Somente a dor e a frustração que pairavam no ar, tornando mais difícil do que nunca conversar com qualquer um. Até com Tomazio, com quem antes conversava sobre tudo.

Mas isso fora antes do amor pelo amigo de infância ter-se transformado num sentimento infinitamente mais complicado e difícil de controlar. Um sentimento natural que teria sido maravilhoso em todos os sentidos, não fosse pela insistente sensação de ser observada quando estava com ele.

Por seus pais, com terror; pelos outros, como se sua possível união com Tomazio fosse um capítulo inevitável de um plano predestinado. Observando, sempre observando. Como agora, mesmo enquanto ele cavalgava conversando com os outros, ela podia sentir os olhos de tio Juca sobre si, imaginando qual seria o problema, por que ela estava sendo tão fria. E isso tornava o quadro todo não apenas horrível e artificial, mas ainda a fazia sentir-se como uma ave de asas cortadas. Ou, argh!, um pescoço com a cabeça de Tomazio em cima.

"AUUUUUU!" Um uivo selvagem seguido do som de jubilosos latidos prolongados arrancaram-na de sua contemplação e, por alguma razão, fizeram-na sentir frio apesar do calor escaldante da tarde. Então ela entendeu por quê. Juruna! Erguendo-se nos estribos e seguindo o som com os olhos, ela viu os cachorros mergulharem num arvoredo um pouco mais adiante.

– Queixada! – gritou Tomazio, e num instante, impelido pela mesma idéia, os dois estavam galopando na mesma direção: um charque alagado onde porcos com dentes de serrote fossavam a terra, deitados entre eles e a mata, obrigando-os a reduzir o passo para um trote limitado. Parecia a Jacyra que Sossegada nunca se movera tão lenta, tão desajeitadamente, com o coração disparado ao ouvir o que não podia ver. Os longos latidos deram o lugar a rosnares e ganidos de arrepiar, avisando-a que um dos porcos devia ter-se virado para encarar os cães – um ato instintivo, heróico, que custara a vida de muitos cães quando a criatura encurralada partia para o confronto.

Ao ouvir o estampido, Jacyra também instintivamente sacou a pistola do coldre. Um Colt 35 que tio Juca dera-lhe de presente em seu aniversário de 15 anos, assim como no ano anterior dera-lhe um rifle e ensinara-lhe a usá-lo declarando seriamente:

– Está na hora.

Fora um varrão enorme, no auge da juventude, pesando talvez uns duzentos quilos, com presas enormes, curvas que pegara Juruna – sempre o mais corajoso e o mais incauto – pela lateral e estava literalmente arrancando a vida do velho cão aos trancos. Os outros avançaram na barriga do varrão, penduraram-se em suas orelhas, mas lutando por sua própria vida, nada conseguia fazê-lo soltar.

O primeiro tiro de Jacyra, que acertou o varrão atrás do ombro, pareceu, a despeito do escuro jato que jorrou, ter passado despercebido. O segundo tiro, acertando-o no pescoço, fê-lo cair no chão com um estrondoso e gorgolejante gemido, o cão ainda preso entre suas mandíbulas.

Tomazio, vindo por detrás, apeou de seu cavalo num instante e no outro estava ajoelhado com uma vara forte alavancando a boca do queixada morto. Mas as mandíbulas abertas revelaram uma espinha quebrada, e, com um estremecimento, Juruna também morreu antes que Jacyra pudesse alcançá-lo. Instintivamente ela se abaixou para segurar a cabeça do cachorro em suas mãos.

Sabia que estava morto. Assim mesmo sentou com sua cabeça no colo, incapaz de separar-se assim tão facilmente desse companheiro que fizera parte de tanto, de tantas histórias. Ela podia vê-lo correndo atrás dos cavalos, nadando obstinadamente, porfiando contra as correntes de vazantes caudais, caindo pesadamente aos seus pés perto do fogo. De certa forma – principalmente agora, depois da decisão que tomara antes de vir para Contendas desta vez – parecia não ser apenas sua morte que ela estava testemunhando, mas o fim de praticamente tudo que sua vida fora até então. E dessa vez nem sequer tentou segurar as lágrimas.

– Jacy – sem a necessidade de pensar no momento, Tomazio inclinou-se e, erguendo-a pelos braços, puxou-a para si. Como era bom apoiar-se nele, dividindo amor e tristeza, e uma paixão que se tornara mais avassaladora, suplantando todos os outros sentimentos quando ela correspondeu, sua boca abrindo sob a dele. Todo o sofrimento dos últimos meses durante os quais, em determinados momentos, chegara a odiá-la tanto quanto a amava, pareceu dissolver-se quando, apertando-a ainda mais com seu abraço, sussurrou contra seu cabelo:

– Eu preciso tanto de você, sabia? – E ela suspirou de volta:

– Sim, Tomaz, eu também... que boba.

– Não vamos voltar agora – desenlaçando-se, olhou para ela sorrindo. – Vamos ficar aqui, sozinhos – ele indicou com a cabeça um capão de bacuris com o formato de uma caverna protetora, não muito longe de onde se encontravam.

– Eu quero você – disse ele impetuosamente –, você não sabe disso?

Recomposta e segura, ela respondeu:

– Sim, eu sei, eu sei...

Mas no instante em que ele estava pronto para levá-la consigo – renascer da morte e do passado –, o farejar e o choro dos outros cachorros anunciaram a chegada de tio Juca. E lá estava ele, a boca entreaberta, completamente sem palavras, seu rosto grande emoldurado pela vegetação atrás de si numa aparição da qual iria se arrepender pelo resto de sua vida.

Na manhã seguinte, voando em direção ao nascer de um sol que parecia consumi-los numa gloriosa explosão de nuvens flamejantes, Vasco e Tomazio partiram para Entre Rios para cuidar de seus próprios rebanhos, que necessitavam muito de seus cuidados antes que Tomazio partisse para a escola onde escolhera estudar "abandonando" seu pai mais uma vez.

Depois disso, raramente deixando a fazenda, Juca veria-os pouco porque Jacyra decidira de repente fazer um curso de inglês que a manteria na cidade pelos próximos seis meses.

Inglês? Jacyra? Não fazia sentido para ele. Ela nunca esteve distante de Contendas por tanto tempo. E na ausência desses dois que foram sempre uma parte natural de sua vida assim como respirar, Juca vivia com um presságio que aumentava quanto mais perto chegava a hora de Rafa retornar ao Mato Grosso.

Capítulo 26

E finalmente Rafael chegou. Aguardando na ponta da pista de pouso pela chegada do avião oficial do governador, Juca duvidou que alguém estivesse mais consciente dos fatos do que ele. Porque foi ele quem, no último mês, sob a supervisão esporádica de Dona

Veridiana, preparou a fazenda para a comemoração de sua chegada, que coincidiria com a festa anual de Santo Antônio.

Cada ano a festa em homenagem ao santo padroeiro dos boiadeiros era realizada em uma fazenda diferente, reunindo vizinhos distantes. Mas nunca mais fora realizada em Contendas desde a época de Coronel Cândido. Sua vez chegara e fora passada diversas vezes, as pessoas entendiam por quê. Porque não foi muito depois da festa que supostamente deveria trazer boa sorte que o Coronel desaparecera e a febre descera o rio. Lembranças completamente desventuradas que poderiam desafiar a coragem até de alguém como Veridiana Tavares.

Mas finalmente este ano Juca podia imaginar, mesmo sem ela dizer, quem a fizera acreditar que o momento certo havia chegado. Não apenas eles comemorariam o retorno da terceira geração a Contendas, mas ao cenário político pelo qual – como a visita do governador faria todos saberem – a família Tavares não fora ainda completamente esquecida.

Ela queria uma festa digna dos velhos tempos, e para isso todas as mulheres da fazenda vinham preparando lingüiça e doces, compotas de goiaba e carambola e licores de jenipapo e jabuticaba com meses de antecedência. E agora pelo menos doze animais, abatidos no dia anterior, eram assados sobre os carvões de árvores derrubadas enquanto sob os carvões seus cérebros assavam nos fornos naturais de suas cabeças e as maiores iguarias – testículos, úberes e conduítes mamários – eram separadas para serem grelhadas a pedido.

Haveria uma missa celebrada pelo fiel Padre Emílio, após a qual viriam as tradicionais corridas, rodeios, concursos de laço e marcação. À noite haveria o jantar e o baile no terreiro diante da Sede sob a música de harpas e flautas, tambores, violas e sanfonas.

Todo o espaço disponível sob um teto fora limpo e arrumado para a grande maioria dos hóspedes que iria pernoitar, exatamente como nos velhos tempos. Se havia uma grande diferença era que, ao invés de percorrer a jornada por carros de bois que mais tarde seriam convertidos em cama, um bom número de visitantes chegaria de avião. Especialmente o governador, para cujo jato oficial a pista de pouso fora ampliada até quase o dobro de seu comprimento original.

Emprestada pela prefeitura de Sta. Inácia, uma escavadora fora solicitada e arrastada por dias como um grande dinossauro morto para realizar o feito da ampliação. Juca podia imaginar o que teria acontecido caso tivesse chovido. Mas não choveu, e para a infindável surpresa de Juca, agora estava tudo pronto.

Olhando para aquela extensão que corria em direção a uma imensa faixa desejando boas-vindas ao governador em letras garrafais e a Rafael em letras devidamente menores, Juca sentiu novamente como se estivesse sonhando. Embora, estranhamente, parecesse mais ser o fim de um sonho que todos estiveram vivendo até agora. Um sonho sobre o qual a realidade de Rafa assumindo a fazenda ainda não tinha desabado.

Naturalmente o governador tinha que se atrasar, Juca avisara a todos para não terem pressa. Mas Rafa era o menos inclinado a ouvir. Em pé no horário do despertar pantaneiro, ele vinha testando as habilidades de seu novo cavalo havia horas.

Relâmpago já não existia. Previsivelmente, Rafa culpara Juca por negligência. Mas, na verdade, o belo puro-sangue não conseguiu resistir à anemia contagiosa e incurável que a maioria dos cavalos pantaneiros carrega como mais um de seus fardos pela vida toda.

Em seu lugar viera Cacique, um quarto-de-milha que Juca, de má vontade, admitira que não podia ser superado em provas de apartação e laço, embora cavalgá-lo o dia inteiro fosse uma punição. Enorme e poderosamente musculoso, com seu pelo alazão reluzindo à luz do sol, o garanhão e seu montador formavam uma bela imagem. Mas a essa altura, com o sol a pino e nada do governador, o efeito de seu trote curto e rápido estava transformando o sorriso ofuscante de Rafa numa careta de sofrimento.

Assistindo-lhe por cima da cerca, Valéria Vasconcellos, a devota da vez, começou a parecer menos deslumbrada. Para uma garota da cidade, acostumada a uma vida entre o cabeleireiro e a piscina do Clube, três dias em Contendas foram uma iniciação no sentido mais duro da palavra.

Para esse dia, ela aparecera naquilo que Jacyra se referira como seu traje de filme de "bangue-bangue": todo preto bordado com fios prateados do chapéu até as botas de salto agulha. E agora, quando uma mecha de cabelo tingido de loiro escapou-lhe de debaixo do chapéu para cair sobre seu lindo rosto, pálido, Jacyra pensou com presunçoso deleite:

— A pobrezinha não vai durar até o fim do dia. — Em resposta ao que Valéria, que considerava Jacyra, com seu chapéu achatado e suas bombachas, pouco mais que uma selvagem, pensou:

— Se você pensa que, depois de agarrá-lo, algum dia eu vou encostar de novo numa cerca, quanto mais montar num cavalo, você está louca. "Principalmente aqui!".

Mas seus pensamentos acabaram interrompidos por um zunido que rapidamente evoluiu para um ronco e, numa literal tempestade de poeira, o avião saltitou até parar a pouco de acertar a cerca antes de virar e taxiar de volta para encontrar a multidão que os aguardava.

Dois homens armados emergiram olhando para os lados com ostentosa desconfiança. Em seguida, o próprio governador saltou de dentro da aeronave com a leveza e agilidade de uma ave. Um homem magro, de pele suave e feições ásperas, Nilo Jacinto descendia dos mamelucos que fizeram suas fortunas com a caça de escravos e com o ouro de Cáceres e Cuiabá.

Os primeiros a chegar, eles estabeleceram o domínio político em uma época em que o poder era disputado mais por guerras tribais do que por voto. Como todos os poderosos coronéis, eles consolidaram sua riqueza em faixas de terra muito além dos mais ousados sonhos de famílias como as dos Tavares e Cabrera.

Mais tarde, à custa de enormes rebanhos, os Jacinto viveram maravilhosamente bem, a maior parte do tempo no Rio, de onde viajavam para o exterior e enviavam seus filhos para estudar na França ou nos Estados Unidos. Nilo era conhecido por ter estudado em Harvard, o que o fazia soar muito "aceitável", embora ele nunca mencionasse – e ninguém ousasse perguntar – a duração desses estudos: três meses e sem diploma.

– Raspe a superfície e você encontrará um bandido como todos os outros – comentava Eustácio, irmão de Isabel, cinicamente.

Mas quem se importava? O que importava, já que era o que Rafa queria, era o encontro do governador no almoço no Iate Clube com o promissor rapaz de uma boa família mato-grossense que se encaixava num esquema. Antes de Nilo e Rafa se conhecerem, Eustácio explicara que o pai do garoto, Manoel Tavares, era conhecido por sua honestidade, apesar de isso tê-lo impedido de ir longe na política.

Ouvindo atentamente, Nilo Jacinto respondeu:

– Ótimo, uma reputação de honestidade não faz mal a ninguém. E quanto ao garoto?

E agora, meses depois, com o dragão motorizado cessando de cuspir fogo pelas turbinas, Rafa aproximou-se montado em seu garanhão, conduzindo um belo produto de seu cruzamento, o qual, sob os aplausos dos presentes, o governador montou com a habilidade de um homem do campo. Então, cavalgando lado a lado, eles contornaram a salina para chegar aos degraus da Sede, onde Dona Veridiana os aguardava.

– Excelentíssima Senhora Dona Veridiana – os olhos escuros do governador se iluminaram de vitalidade e charme enquanto ele se inclinava suavemente sob sua mão – a senhora não imagina quanta honra!

– Senhor governador – intencionalmente omitindo o pronome de tratamento superlativo, ela inclinou a cabeça graciosamente –, o senhor não imagina que prazer. Permita-me apresentar-lhe minha nora, mãe de Rafael, Dona Isabel.

– Encantado – exclamou o governador sob a mão de Isabel – por conhecer a mãe de um rapaz tão memorável. – E enquanto ele a cumprimentava, fazendo Isabel sentir-se bem como havia dias não se sentia, a matriarca discretamente se retirou para observar os acontecimentos, pelo resto do dia, a uma certa distância.

O primeiro deles, a missa campal, sob uma árvore recoberta de trepadeiras, ameaçadoramente vigorosas, carregadas de maracujás e flores. Com o papagaio Lauro ecoando cada palavra, prudentemente Padre Emílio não pediu nem muito, nem pouco do santo padroeiro do dia. Pediu apenas que ele intercedesse em relação ao clima, do qual toda vida, como qualquer bom santo deveria saber, dependia inteiramente.

Em seguida, durante o churrasco, foi a vez do governador. Em pé em seu lugar de honra à ponta da longa mesa de madeira arranjada sob as mangueiras, ele primorosamente evitou questões espinhosas ao falar daqueles trechos da história do pantanal que podiam suscitar sentimentos calorosos em qualquer coração. De Guia Lopes e o Visconde de Taunay, dos heróis da Guerra do Paraguai, do grande humanista Marechal Rondon, conhecido em todo o Brasil e até no exterior como o primeiro verdadeiro protetor dos índios. Das corajosas famílias que suportaram todas as formas de dificuldade para habitar e domesticar essa vastidão selvagem. Das mulheres por detrás de seus homens.

Enquanto ele discursava, a mente de Dona Veridiana vagou em direção a Rafael e ela flagrou-se comparando o neto com o avô, Cândido. Como Cândido, Rafael era carismático e persuasivo. Mas, ao contrário do avô, ele tinha o tipo de egocentrismo insaciável que podia fazer da política um fim por si só.

Era ali, pensou ternamente, que residia a diferença. Cândido amara o campo mais do que a si mesmo – algo que Rafa jamais poderia fazer. Na cabeça dela, então, quanto mais longe ele ficasse, melhor. Era a distância que ele poderia contribuir, estabelecendo diretrizes que Cândido teria recomendado, as quais beneficiariam o Pantanal como um todo e Contendas em particular. Então ela continuou a sonhar, sem prestar qualquer atenção nas palavras do governador até ele contribuir com um tributo à heroína, Dona Veridiana, que mesmo viúva sustentara e comandara sua família até este momento histórico em que seu neto Rafael estava retornando a Contendas para preservar este paraíso intocado para a posteridade.

— Muito bonito! — Dona Veridiana sorriu de novo graciosamente. No entanto, mais tarde, ela pensaria que fora uma pena que o discurso de Manoel em resposta – dedicado às questões espinhosas das medidas que poderiam conservar o paraíso intocado – praticamente não foi ouvido. Porque, àquela altura, todas as pálpebras estavam a meio pau graças ao calor do meio-dia e à comilança excessiva.

— Meu reino por uma rede — o murmúrio agonizante de Vasco Cabrera nessa hora pareceu muito mais influente que toda a eloqüência de Manoel.

No entanto, foi só Juca levantar-se e convidar os presentes a tomarem seus lugares para o rodeio, para a empolgação miraculosamente ressuscitar. Num instante, como um rebanho excitado pelo toque de um berrante, jovens e velhos, grandes e pequenos, patrões e peões se acotovelaram para escalar as arquibancadas descobertas improvisadas por seu Caco no caminho ao longo da pista de pouso. E por toda a tarde, sob um sol que não demonstrava a menor consideração pelo insípido pedido de clemência de Padre Emílio, ao invés de minguar, o entusiasmo só aumentava.

Armas e facas não foram permitidas, aos menos iluminados. Mas sob a influência de mata-bichos parcimoniosamente medidos por seu Caco, as apostas – quer em moeda corrente, galinhas, porcos selvagens domesticados ou barras de sabão do armazem da fazenda – aumentavam à medida que a sede por sangue se intensificava.

Um homem não era homem a menos que pudesse sentar-se sobre um touro escoiceando por pelo menos um minuto antes de ser lançado longe voando. Um touro não era um touro a menos que pudesse lançar seu montador como uma boneca de pano com a intenção de pisoteá-lo sobre a terra.

— Um senhor touro! — exclamou com satisfação o governador, um homem de fala mansa e paixões másculas. E ao observar um peão raquítico que, saltando de lado para escapar de ser trucidado, saiu andando despudoradamente a passos largos para participar do concurso de laço, ele acenou para Tarciso, que estava tomando notas das apostas, e indicou com um movimento do queixo:

— Aquele ali.

Sentado ao seu lado, Rafa riu:

— Não gaste todo o orçamento ainda, senhor governador. Guarde um pouco para minha equipe na próxima prova. Bento, Jezu e Rafa incorporados. Somos invencíveis.

— É bom serem mesmo — o governador ameaçou brincalhão. — Eu detesto apostar em perdedores.

— Não mais do que eu detesto perder! — Rafa sorriu malicioso e, levantando-se para tirar seu chapéu para a multidão, caminhou para onde Jezu e Bento o aguardavam à beira da cerca.

— Ave Maria! — Valéria Vasconcellos deixou o queixo cair ao perceber que o concurso de castração com o qual Rafa vinha provocando-a era para valer e estava prestes a começar. — Eu acho que eles só fingem, como no concurso de marcação a ferro. Eles não vão mesmo...

— Cortar o bezerro? — disse casualmente Jacyra, sentada a seu lado. — Ã-hã. Para marcar é preciso fogo e tudo mais. Mas para castrar só é necessário uma faca.

— Um-hum. — Valéria engoliu em seco e escorou-se. Ah, estava tão quente. Seu chapéu de feltro preto estava como um forno e dentro de suas botas de salto agulha seus pés morriam aos poucos.

Até agora, com Rafa a seu lado, ela tinha se saído muito bem, apostando despreocupadamente, competindo amigavelmente com o governador. Mas agora era o governador que estava a seu lado, apoiando os cotovelos nos joelhos e os olhos apertados numa concentração demasiadamente intensa enquanto, do outro lado, estava a besta insensível da irmã de Rafa.

Teria ajudado saber que a cara amarrada que Jacyra fazia era resultado de indignação e pena.

— Para que fazer um show de sofrimento? — perguntou a Tomazio na última vez em que se sentaram juntos para assistir.

— Acho que para provar o quanto se pode ser corajoso sendo cruel, eu acho — respondeu. Mas Tomazio não estava hoje com ela, então, sem admitir, ela sentia também um pouco de pena de si mesma, o que não deixava sobrar muita pena para o docinho de coco a seu lado.

– Rafa não será o primeiro – disse como uma criança travessa que quer estragar uma surpresa. – Ele gosta de criar um suspense.

– Claro – Valéria concordou com a cabeça. Discretamente ela enxugou o suor das mãos no gabardine preto de sua calça agarrada e inclinou-se para frente naquilo que desejou que ao menos o governador entendesse como uma ansiedade voraz.

Como Jacyra facilmente previra, a equipe de Rafa fora a última. Até lá, uma série de bezerros raquíticos, desajeitados eram capturados e postos a berrar em urros soluçantes que, mesmo por trás das pálpebras fechadas, retratavam a Valéria a vítima e seus torturadores em tons vívidos de vermelho e púrpura. Nada disso preparou-a melhor para a visão, quando ela, por consideração, abriu os olhos e viu Jezu triunfante com uma faca em riste numa mão, e algo vivo e pingando sangue na outra.

A equipe não poderia ter feito melhor. Com um instinto cultivado por gerações, o quarto-de- milha não precisou da orientação de seu montador. Nem bem Cacique emparelhara com o bezerro, numa única tentativa Rafa lançou a corda sobre sua cabeça. Essa sincronia, somada à velha combinação de Bento e Jezu, os fez, como Rafa prometera, invencíveis. Quando Jezu ergueu os testículos no ar, Juca parou o cronômetro, comparou os resultados e anunciou:

– Os vencedores!

Foi um momento grandioso, sentimental, do romântico retorno de um herói. Todos participaram, gritando, aclamando-o e cobrindo Rafa de glórias enquanto ele jogava seu chapéu para o alto. Mas tudo que a pobre Valéria iria lembrar era a visão daquelas bolas ensangüentadas antes do animado governador e todo o resto da arquibancada começar a girar e ela mergulhar em completo esquecimento.

De volta à Sede, no quarto, Jacyra aplicava compressas frias em sua testa e disse, afinal, com uma espécie de solidariedade culpada:

— Não pense mais nisso, Valéria. É só exibicionismo de macho. Eu odeio tanto quanto você. — Mas para Valéria, a gentileza tardia não tinha muito sentido, uma vez que sentia que jamais seria perdoada.

Capítulo 27

Para o restante, entretanto, a sensação de euforia e bem-estar ainda pairava na atmosfera bem depois do sol se pôr quando, tendo o governador decolado para assuntos mais sérios, aqueles dispostos a dormir em qualquer lugar sentaram-se às mesas bebendo e dançando no terreiro em frente à Sede. O grupo imprevisível de Jacyra chegara todo de caminhão no dia anterior. E apesar de, ao observá-los, Dona Veridiana achar que não se comparavam aos grupos de teatro mambembe de antigamente, ela tinha que admitir que quase todos pareciam apreciar sua música. Até Manoel e Isabel, que dançavam impassíveis em meio aos demais casais que rodopiavam e batiam os pés, como se estivessem num antiquado salão de baile Imperial, enquanto Tatinha, esticando seu perigalho, resmungou para Marília Cabrera a seu lado:

— Olhe só para Tomazio. Ele parecia estar com medo de perder aquela Anália Xavier de vista. Você acha que aí tem alguma coisa, Marília?

— Tomazio? Imagine! — rindo, a sensata mulher de Vasco imponentemente se esquivou de Tatinha com uma resposta equívoca: — Bem que eu queria que esse menino pensasse em algo além de mulas e vacas!

A matriarca deu uma risadinha seca, sem achar graça. No íntimo, ela se retorceu, odiando Tatinha por ter feito a pergunta que há muito ela mesma queria fazer. Se Tomazio não estava levando a sério, então o que estava fazendo? Tentando despertar ciúmes em Jacyra, ou ele tinha realmente desistido? E agora, ai, Deus o livre.

A música mudou, a dança cessou. De repente, viola a viola, cara a cara, Jacyra encontrou-se num desafio com Otacílio, um nordestino de olhos abrasadores e rosto chupado que migrara da seca do sertão para este paraíso alagado num momento de sede desesperada. Mas agora sua ingratidão parecia não ter fim.

– Então o que é melhor? – começou o improviso. – O momento em que ...

– A chuva faz a terra seca ficar verde? – ou:
– Quando água das enchentes retorna para os rios?
– O que é pior...?
– Ossos cobertos de pó? – ou:
– Ossos afogados na lama?
– Morrer de sede?
– Ou morrer afogado?

Cantando num invariável tom ritmado, eles se curvavam para a frente e para trás como parceiros com um serrote de duas mãos.

Mãe de Deus! A matriarca não sabia para onde olhar. Será que esse pavoroso desafio nunca iria terminar? Jacyra parecia pior a cada minuto, grasnando como uma gasguita para aquele homem bruto fora de si. Por que ela não desistia? Ela não sabia que os homens detestam ser superados? Será que ela não via que teria que perder essa competição no final? Além do mais, de quem era esta noite? Não era para menos que Rafa estava tão carrancudo.

Pobre garoto, foi uma pena aquela menina Valéria fazer tamanho papel de tola. Poderia ter estragado tudo, embora felizmente não o fizera. Seu desmaio acabou parecendo mais um tributo extra. Além disso, de certa forma foi bom ele ter acontecido, pois mostrou que ela não era a garota para um pantaneiro. Melhor saber agora que mais tarde.

Mas agora, com a menina ainda agarrada como um louva-a-deus, ele sentou-se um pouco afastado, o olhar parado, como se todos tivessem esquecido ser *sua* volta que estavam comemorando – o que muito provavelmente fizeram. O que ele esperava das pessoas? Será que ele não percebeu que só os puxa-sacos conseguem manter um ritmo constante de adulação? Se quiser que pessoas reais o adorem, é preciso juntar-se a *elas*. E de qualquer forma, o governador não saíra favoravelmente impressionado?

Talvez até demais, Rafa pensou, acenando enquanto o jato oficial preparava-se para a decolagem. Distribuindo abraços por todos os lados, quando chegou a vez de Rafa, Nilo Jacinto disse:

— Difícil dizer quem tirou mais proveito dessa visita, você ou eu, né Rafa? – falou de forma fanfarrona, mas Rafa detectou um leve tom de advertência em sua voz.

Esse recado na voz e Valéria extenuada sob os cuidados de Jacyra o desequilibraram. Que idiota, transformando sua vitória no tipo de comédia que esses pantaneiros rudes e insensíveis adoravam. Ah, eles vibraram, mas agora que vinham com cumprimentos e tapinhas nas costas, ele percebeu que estavam rindo, e iriam rir nos bares de Sta. Inácia pelos próximos meses. Se ao menos ele pudesse rir com eles.

Para ordenar seus sentimentos, ele aspirou um pozinho enquanto se preparava para o baile. Mas a euforia subseqüente não superou a depressão de ter que passar a noite com Valéria, nem mesmo quando imaginava como iria livrar-se dela de volta a Cuiabá, onde ela poderia tornar-se mais agressiva. Ela e seus pais, os principais cabos eleitorais do governador. Sua mão em seu braço estava começando a parecer um torquez apertado. Ele imaginou que pudesse afrouxar seu aperto convidando-a para dançar, mas aí ela se penduraria em seu pescoço. Então, sem dúvida, quando sua irmã se aproximou de braços abertos, ele atirou os seus próprios em torno dela com a gratidão dos resgatados.

Como Dona Veridiana previra, de acordo com os juízes, Jacyra perdera. Então, rindo, ela erguera a mão de Otacílio em vitória e em seguida os dois puseram as violas de lado para dançarem juntos um forró por todo o terreiro. E agora, deslizando para os braços de seu irmão, erguendo a cabeça para olhá-lo no rosto, perguntou:

— Por que você está tão sério? Eu é que sou a perdedora hoje.

— Como pode rir quando sabe que você foi melhor?

— O que é que eu posso fazer, atirar no juiz? É só uma brincadeira, Rafa, e Otacílio está tão só e longe de casa... Além do mais eu vim aqui para parabenizá-lo.

— Pelo fiasco desta tarde?

— Ora, vamos, todos adoraram. Mas não era a isso que eu me referia. Eu me referia a algo maior, Rafa... Essa coisa toda de estar começando desse jeito...

— Ora, obrigado, Praga! – avivou-se. – Vindo de você é um verdadeiro elogio. Você *sabe* como isso é importante.

— Fazer o que realmente se gosta. Você *realmente* gosta de tudo isso, não Rafa?

— De bajular aquele maluco, Nilo Jacinto? – pela primeira vez na noite ele teve que rir. – Ah, bem, como você diz, é só um começo, e eu tenho que começar de algum lugar. Mas olhe aqui – ele se afastou um pouco para olhá-la com rara curiosidade –, por falar em fazer o que se gosta, e essas suas aulas de inglês? Eu nunca vi você muito como uma lingüista. Está pensando em um dia tomar o lugar da Dona Rima no colégio de freiras?

— Quem sabe? – ela sorriu provocativa. – Todos nós temos que tomar o lugar de alguém algum dia para chegar aonde queremos, não temos?

Capítulo 28

Passada a festa e todas as atividades frenéticas que a anteciparam, a fazenda caiu numa espécie de marasmo. Com o fim da temporada de cria, era um daqueles momentos em que havia pouco para se fazer. Enquanto não houvesse sinal de chuvas na Serra de Maracaju, o gado poderia ser deixado nas terras baixas, quanto mais tempo melhor.

A família poderia ter retornado à cidade, mas, como o gado, Dona Veridiana preferira ficar onde estava. E Manoel, estimulado pela chegada de Rafael a "fazer algo" com a contabilidade, ficou para infernizar a vida de Juca, para não dizer a sua própria, com um minucioso estudo dos "registros". Enquanto Isabel e Tatinha, recusando-se a ficarem sós em qualquer lugar, aconchegaram-se como refugiadas no átrio interno da Sede.

Jacyra, profundamente solitária, passava horas caminhando e cavalgando. Às vezes ela tentava ocupar-se com leituras para aperfeiçoar seu inglês. Mas do jeito que estavam as coisas, ela não conseguia se concentrar, com sua mente vagando à deriva de um lado para outro entre o que acontecera antes e o que viria depois.

Era verdade que nos últimos seis meses ela vinha misteriosamente aplicando-se no estudo de Inglês. Mas mesmo se Rafa estivesse realmente interessado, ela não lhe teria contado seus planos, mantendo-os em segredo para todos, menos uma pessoa: sua professora, Dona Rima que, no decorrer das aulas, tornara-se uma aliada à sua causa.

Em seu mundo limitado, Dona Rima Abdallah era uma das raras pessoas que ensinavam não porque não tinham outra escolha, mas por que tinham uma paixão por ensinar. Uma paixão que transbordava em seus brilhantes olhos negros, fazendo as pessoas esquecerem a feiúra de seu nariz bulboso e da falta de queixo assim que começava sua matéria. Ela se utilizava de todos os recursos – debates, declamações, peças teatrais fielmente assistidas por pais que não entendiam uma palavra – para despertar o interesse de seus alunos. E quando sua indiferença a levava à depressão, como último recurso, ela dizia:

– Lembrem-se, meninas, de que se quiserem fazer alguma coisa no mundo lá fora, a melhor passagem é o inglês.

Ao contrário de todo o resto, essa admoestação fixou-se na cabeça de Jacyra, fazendo-a, quando chegada a hora, atravessar o Pátio e subir as escadas para os aposentos de Dona Rima em cima do bar de seu irmão Salim Abdallah em busca de ajuda.

Ao avistar a menina que em sua aula passava a maior parte do tempo irrequieta e olhando para fora como um animal selvagem em busca da liberdade, Dona Rima mal pôde crer em seus próprios olhos até Jacyra dizer:

– Eu nunca me esqueci daquilo que a senhora disse sobre o inglês ser uma passagem, Dona Rima.

Ao que Dona Rima entendeu na hora e perguntou:

– Você está preparada para viver e respirar inglês no mínimo oito horas por dia?

— Se for esse o preço – respondeu Jacyra, sentindo-se subitamente condenada.

No início foi uma batalha terrível, dolorosa, travada nos aposentos com clima de *purdah* de Dona Rima, mas quanto mais liam e conversavam, com Jacyra gemendo e franzindo as sobrancelhas para exteriorizar os pensamentos, mais elas se descobriam inclinadas a um único propósito: independência. Um valioso objetivo que, com seu mísero salário de professora, Dona Rima nunca fora capaz de alcançar.

— É preciso ter dinheiro – concordaram. *And zat you won't find here.*

Conscientizar-se de que já era tarde demais para si somente tornou a professora mais determinada, por isso a crescente conspiração. Mesmo assim ela não preparara Dona Rima para o momento quando, um dia, próximo do fim de sua provação nas aulas de inglês, sua pupila subiu as escadas correndo, lançou na mesa o *Correio da Manhã* do Rio e gritou:

— Talvez esta seja a passagem!

O jornal estava aberto na página de empregos. O anúncio circulado procurava uma moça entre 18 e 25 anos, bilíngüe e com conhecimentos de sobrevivência na selva. As candidatas deveriam procurar Mr. Donald Delray na Vida Selvagem Tours Ltda.

— O que isso quer dizer? – Dona Rima olhou para ela aflita.

— É exatamente o que quero descobrir.

— Mas eu...

— Pensou que eu ia tentar um emprego de secretária ou algo parecido...?

— Pareceria um pouco mais convencional, mais seguro. Que estranha combinação, Jacyra...

— Mas a senhora não vê? – disse em polvorosa – esta sou eu!

Finalmente, vendo que conseguira extrair um relutante sorriso de consentimento, ela prosseguiu, tranqüilizando:

— Além do mais, é só uma idéia. Pode até ser uma piada...

— Possivelmente.

— Então, se a senhora não se importa, eu gostaria que não comentasse isso com ninguém, pelo menos por enquanto...

— Deus me livre – defendeu-se a professora, ao imaginar claramente a família do outro lado do Pátio –, acho que eu preferiria morrer!
— Então, a senhora se importa de eu usar o telefone?

Toda a vez que se lembrava, ela tinha a mesma sensação de terror diante do som de uma pessoa que jamais poderia ter sido ela mesma, berrando:
— *Iés, ai spik Ínglish*.
— *Not so loud, please* – estava claro que a voz na outra ponta da linha não falava o mesmo inglês que ela – *It doesn't make me understand you any better.*
Em seguida, num português que *ela* também nunca ouvira:
— Suas qualificações?
— Eu tenho todas – ela prendeu um suspiro de alívio e começou a descrever em sua própria língua e sua própria voz, sua capacidade de sobrevivência aprendida na "escola da selva" de Juca Cabrera.
— Hmm… hmm… hmm. Bem, obrigado pela ligação – e quando ela já começava a pensar, resignada, que era isso, a voz disse abruptamente:
— Parece bom, mas obviamente não posso contratá-la sem vê-la pessoalmente. Se você puder vir para uma entrevista no Rio no próximo mês, senhorita – o que mesmo? – Tavares. Sim, no fim do mês que vem. Isso mesmo, mesmo número. Ligue-me quando chegar. Procure por Delray, Don Delray.
— *Dom Delhay* – olhou para Dona Rima surpresa –, será que é bispo?

Ela e Dona Rima mantiveram o pacto de silêncio.
— Conheço minha família – declarou Jacyra sem emoção. – Eles vão todos querer me dizer o que *eles* acham, e como eu já sei, eu não quero ficar ouvindo tudo de novo um mês inteiro. Então eles podem esperar.

A última pessoa a quem contaria era Tomazio, mas isso porque ela temia o que poderia acontecer se ela chegasse perto o suficiente para contar. Desde aquele dia no brejo, o desejo de abraçá-lo novamente e completar o ato de amor era como um espaço vazio dentro de si que tinha que carregar onde quer que fosse. Era esse mesmo desejo, essa fraqueza que a fizera evitá-lo mais um vez, por saber que ela só precisava chegar perto dele e dizer: "Sim, está bem, está bem!" para o vazio ser preenchido. E também por saber que não havia nada que desejasse mais.

Mas então ele veio à festa de Rafa e passou o tempo todo com aquela Anália pendurada em seu braço. Ninguém jamais poderia ter descrito a Jacyra quão horrível o ciúmes pode ser. Ela gostaria de ter arrancado o cabelo daquela cadela.

– Ainda por cima no seu território – é claro que Tatinha teve que ressaltar, inconscientemente encorajando Jacyra a seguir de uma vez na direção que ela teria desejado.

Ótimo. Se era assim que ele queria!

E agora que ele fora embora, pela primeira vez em sua vida Contendas parecia verdadeiramente um vazio do qual ela também queria somente distanciar-se. Começar sua própria vida – quanto mais cedo melhor, não importa quão louca sua fuga acabasse sendo.

PARTE 3

Capítulo 29

Em sua enorme, decrépita mansão com vista para o mar, Eustácio Vilela aguardava a chegada de sua sobrinha com mais do que sua ansiedade habitual. Não que ele não gostasse de receber. Como diplomata, sua carreira baseara-se nisso, sempre na Europa, onde sua descendência direta da Corte Imperial era quase tão apreciada quanto no Brasil. Lá, ser o sobrinho-neto do Barão de Guaratinguetá dava-lhe um exótico ar de nobreza. Aqui, conferia-lhe um certo requinte do Velho Continente que lembrava os círculos em que transitara numa outra época, na qual o comportamento, não importa quão nocivo, era sempre dignificado e agradável. Era um papel interpretado com facilidade por esse homem frágil de refinadas feições aquilinas e uma voz macia que nunca falhava em ser ouvida.

Por esse talento, agora que estava aposentado, ele era invocado para ser o catalisador numa extensa variedade de contatos, e, adorando uma intriga, nada lhe dava mais prazer do que conceder uma atmosfera apropriada aos negócios dos outros. Mas quando os contatos eram feitos, ele preferia preocupar-se com seus próprios negócios, evitando meticulosamente um envolvimento mais profundo enquanto recuava para se divertir observando-os.

Por essa razão ele fora o tio perfeito para Rafael, que adorava exibir o tio "nobre" para os amigos, mesmo quando mentia sobre suas intenções e as dos amigos. Mas Rafael era homem. E para este feliz e desimpedido solteirão de meia-idade, a idéia de fornecer abrigo a uma jovem colocara-o num estado de depressão profunda a partir do momento em que Isabel telefonara para advertir:

— Você sabe tão bem quanto eu: ela nunca esteve em qualquer lugar maior que Sta. Inácia sozinha. Você vai ficar de olho nela, não vai?

O que Isabel queria dizer? Ele deveria seguir Jacyra por toda a parte, iluminar todos os seus passos? Questionar todos os seus telefonemas? A cabeça de Eustácio doía havia dias com essas questões subjacentes. Então quando finalmente aconteceu, foi quase com alívio que ele escutou o som ecoante da maciça porta de entrada se abrindo e o grito de boas-vindas de sua velha criada Graça anunciando a chegada de Jacyra.

Ela apareceu na porta, não a criança que ele conhecera – lembrando ora a avó, ora a mãe –, mas uma moça com uma atitude própria. De fato, enquanto estava ali, tudo nela fazia parecer como se ela estivesse às portas de uma aventura. Em seguida, nem bem tinha entrado para abraçá-lo, ela declarou:

– Vamos deixar tudo bem claro, tio. A última coisa que eu preciso é de uma babá. Já tive o suficiente lá de onde eu vim.

Vim? Arrepiando-se ao perceber o verbo no passado, disse com repentina sinceridade:

– Excelente, porque eu não teria a menor idéia de como pajeá-la, mesmo se você me deixasse. Agora venha jantar e me conte sobre todos, especialmente minha querida Isabel. Posso lhe dizer uma coisa, ela parecia vibrar de surpresa e alegria por você ter decidido vir para o Rio por sua própria vontade.

Graça preparara para o jantar uma moqueca de camarão nadando no leite e coco temperado com pimenta malagueta. Sobre o prato fumegante, incapaz de suportar o suspense por mais tempo, ele decidiu sutilmente abordar o assunto:

– Acredito que você vá querer ver quais cursos a Universidade oferece. Eu mesmo sempre tive uma preferência por literatura e história.

– E eu por agricultura – ela não conseguiu evitar de sorrir diante de sua expressão desnorteada –, mas esse assunto já foi encerrado. Não, para falar a verdade, eu apenas pensei que poderia ser divertido tentar o Rio sozinha por um tempo.

– Ah, bem, não é uma má idéia – ainda perplexo, tentou mudar o rumo da conversa. – É claro que você sabe que eu sou um carioca da gema. Não suporto ficar muito tempo longe daqui com medo de perder alguma coisa. Mas quando eu me pego começando a perder a perspectiva, admito que considero revigorante viajar para outra cidade, perder-me numa multidão que não a minha própria e conversar com pessoas que não conheço.

— Isso mesmo, é exatamente o que estou pensando em fazer: "perder-me numa multidão" – ela sorriu, misteriosa, deixando-o novamente pensativo, de forma que mais tarde, no terraço com uma taça de vinho do porto, ele disse:

— Agora que estará experimentando o Rio como uma mulher adulta, você o achará muito diferente. Espero que goste, Jacyra. E se precisar de ajuda, não hesite em pedir.

— Obrigada, tio, o senhor é muito gentil. Mas verdade, não precisa se preocupar – ela torceu para soar segura –, eu sei que aqui é diferente, mas eu *sou* muito boa em tomar conta de mim.

Deixou-o então torcendo também para ele não ter percebido que absurda saudade de casa ela subitamente começou a sentir.

Seu quarto, o mesmo que ocupara quando criança, trazia-lhe somente agradáveis lembranças da infância. Como poderia ser diferente, nesta casa enorme e antiquada onde ela fora cuidada com tanto zelo e carinho, onde cada momento era aproveitado sabendo que duraria pouco? Mas ao mesmo tempo ela tinha algo que Jacyra parecia conhecer de alguma outra vida, enquanto, na ornada cama de carvalho inglês, herança do Império, ela se deitava, sozinha, pela primeira vez desde sua partida.

Nessa outra vida, o último passo em casa fora anunciar que passaria algum tempo no Rio:

— Se o senhor achar que pode financiar, pai.

— Por que não, Jacyra? – Manoel a fitou pasmo. – Não era eu quem queria que você fosse estudar no Rio?

— Ah, mas não é nada disso, eu só quero mudar um pouco o cenário para pôr minhas idéias no lugar.

— Idéias? – Ela podia imaginar a única pergunta por detrás de todos os olhos em torno da mesa quando estes se voltaram para ela: "Tomazio finalmente a pediu em casamento?". Ela sentiu vontade de rir alto, ao invés de amargamente dentro de si.

Foi só quando observou a avó, que permanecera estranhamente silenciosa, é que pensou se ela suspeitava da *verdadeira* verdade. Se suspeitava – de que Jacyra estava indo para mudar de vida –, a matriarca nada disse. Como se sua última palavra a esse respeito tivesse sido pronunciada aquele dia na cozinha, ela se manteve rigidamente silenciosa até o último momento quando, dentre todas as vozes, a sua pareceu exageradamente solene para a ocasião ao dizer:

– Espero que não se ausente por muito tempo sabendo o quanto é necessária por aqui.

– Não se preocupe – respondeu Jacyra, engolindo uma incômoda sensação de estar mentindo e dizendo para si mesma que, não tendo nenhum deles uma vez sequer perguntado o que *ela* poderia querer da vida, mentira é o que mereciam.

E foi isso que repetiu para si mesma enquanto, apoiada nos cotovelos, contemplava a cidade cintilante que teria que enfrentar amanhã – como tio Eustácio tão bem colocara – numa multidão que não a sua. E recostando-se, por fim, cansada demais para pensar, ela adormeceu no momento em que sua cabeça tocou o travesseiro.

Capítulo 30

Antes de acordar, ela sonhou que ouvia os morcegos voltando aos seus ninhos sob o telhado e que, de sua estreita cama em Contendas, ela deveria levantar e vestir-se antes que tio Juca partisse sem ela. Quando de fato acordou, por um momento não sabia onde estava. E então, diante da idéia de ligar para Mr. Delray sua temperatura literalmente despencou.

Naquele instante, parecia que ela preferiria enfrentar uma jibóia, da qual só teria a opção de fugir. Mas não tendo se concedido tal opção, pareceu uma eternidade até tio Eustácio, terminando seu café da manhã e delicadamente enxugando os lábios finos com um guardanapo de linho, informar que estava indo para a Biblioteca.

– Eu estou lendo a Legislação Monárquica – disse –, os livros são um tesouro nacional, você praticamente tem que lê-los acorrentados junto à mesa. – E ressaltou: – Isso me mantém lá todas as manhãs por pelo menos três horas.

No momento em que ele saiu, ela alcançou o telefone e, mais uma vez, tentou imaginar o homem por trás daquela voz amena, talvez excessivamente animada:

– É claro que me lembro. Como não poderia? Sua voz é muito distinta. – Será que ele estava caçoando? – Você pode me encontrar para almoçar?

– Ora, eu posso ir até seu escritório.

– Sim, mas almoçar seria melhor. Sabe – teria ele hesitado enquanto pensava? –, com todas essas pessoas chegando eu tenho tantos compromissos que o almoço é o único horário em que posso encaixá-la. Você conhece o *Le Casserole*?

– Não, eu... – pela primeira vez lhe ocorreu que ela nunca dissera a ele de onde viera. Ele também não perguntara...

– Você vai gostar, é um lugar onde não é preciso gritar para ser ouvido. Rua da Pátria, 1200. À uma em ponto, está bem?

Às 12 h 30 min, dando uma última olhada no espelho para assegurar que sua aparência estava suficientemente conservadora e colocando a arma na bolsa como se fosse uma parte normal de sua vestimenta, ela saiu à rua e chamou um táxi. Dez minutos depois, emergindo da atmosfera sombreada e íntima do restaurante, Don Delray levantou-se para cumprimentá-la, um homem de aparência boa demais para o gosto dela, cabelos loiros levemente grisalhos, e cuja tendência para força muscular era sem dúvida posta em xeque pelo clima atlético do Rio. Seu sorriso foi receptivo o suficiente. Porém ela perceberia mais tarde que, sob espessas sobrancelhas, seus pequenos olhos azuis ao mesmo tempo avaliadores e evasivos, lembravam estranhamente os de um comprador de cavalos. Tendo ambos se acomodado, ele propôs em inglês:

– Bem, que tal um drink para relaxar antes de começarmos?
– *A drink? Oh, no, I **nevere**...*

– Então também não vou beber.

Parecendo levemente perturbado, ele chamou um garçom e pediu. E então, assumindo uma postura profissional, para seu alívio ele disse em português:

– É melhor sermos diretos. Por exemplo, o que a faz pensar que pode exercer essa função?

Decidindo que trabalhar com o gado não era o ponto por onde começar, ela disse:

– Eu suponho que o mais importante seja saber como sobreviver na selva, não é? E enquanto ela começou a explicar sua existência pantaneira tudo de novo, ele se reclinou e com aquele seu estranho par de olhos pôs-se a observá-la.

Ele tinha que admitir que, embora já tivesse visto de tudo, esta era estranhamente curiosa: uma índia de feições pronunciadas, lábio cheios, olhos penetrantes e uma voz que parecia cantar. De novo também ele ouvia mais a voz do que as palavras enquanto fazia a análise de praxe. Os seios poderiam ser maiores para o gosto dos estrangeiros. Mas mesmo debaixo da blusa de linho devidamente abotoada, ele podia dizer que eram bem moldados e firmes. E quando ela entrou, é claro que ele observou a cintura fina, as pernas longilíneas e os tornozelos que sugeriam haver um puro-sangue em algum lugar de sua linhagem. A trança era uma loucura, desfeita deveria chegar até os quadris. Poderia ser considerada antiquada, ou exótica. Alemães e suecos adoravam os dois.

Mas quão antiquada seria *ela*? Quão exótica? Ele não lhe perguntara de onde era da primeira vez porque na verdade não lhe interessava. Neste negócio, de quanto mais longe melhor, de forma que o Pantanal agora lhe soava bem. O que importava era *por que* viera, o que queria e o que seria capaz de fazer para ficar. Ela era danada de nova, mas às vezes isso era bom, assim era mais fácil torná-las dependentes.

– Por que uma boa moça jovem como você não está na faculdade? – ele a interrompeu como se não estivesse escutando o que ela dizia.

— Eu poderia estar estudando se quisesse – ela tentou não transparecer sua irritação –, mas acredito que no momento posso aprender mais com um emprego.

— Creio que você saiba quão difícil é conseguir um emprego sem um diploma. Quer dizer, um bem remunerado.

— O senhor não pediu diploma. O senhor pediu experiência e inglês. Talvez meu inglês não seja dos melhores, mas com um pouco de prática...

— Isso não é problema, contanto que você consiga se fazer entender. As pessoas gostam de sotaques. Elas acham exótico – ele brincou com a comida no prato, considerando seriamente se deveria desistir ou prosseguir. Obviamente ela era inocente, mas ao mesmo tempo parecia desesperada o bastante, olhando para ele com aqueles enormes olhos negros, fazendo-o ir contra seu bom senso e experiência para dar-lhe mais uma chance.

— Neste negócio o mais importante, creio eu, são as cortesias sociais. Acredito que você saiba que este tipo de emprego envolve uma série de entretenimentos.

— Envolve? – os olhos negros estreitaram-se formando uma expressão de interrogação. – Eu pensei que uma guia...

— Só guiasse? – como um bom tenista ele rapidamente lhe devolveu o olhar. – Minha cara jovem, estamos falando de pessoas de alto nível pagando fortunas. Com certeza você não acha que eles viajariam toda essa distância só para seguir sua trilha dentro de alguma floresta? Quer dizer, eles gostam de ver um pouco da vida noturna.

— Vida noturna? O senhor faria a gentileza de explicar?

— Está certo. Digamos assim: você gostaria de sair à noite e ter todas as suas despesas pagas? É claro que com um adicional noturno...um *bom* adicional.

A princípio ela não conseguia, não queria entender. Mas agora, enquanto sentia os olhos avaliadores observando-a, esperando para ver o que faria, um instinto próprio fez com que ela colocasse a mão na bolsa como quem tiraria um estojo de pó compacto enquanto insistiu suavemente:

— Bem paga pelo quê?

— Ora, por ser uma boa companhia. Você não percebeu que "vida selvagem tours" era uma espécie de jogo de palavras? No ramo do turismo, essas coisas são parte do trabalho. — Subitamente ele pareceu perder a paciência. Desviou o olhar, os olhos perambulando pelo salão como que à procura de algo. Quando retornaram a Jacyra, tinham-se tornado íntimos, carinhosos como se, arrebatado pela situação, ele estivesse falando somente por si:

— Não me diga que você não sabe o quanto é atraente, com essa sua trança? — Enquanto falou, Jacyra sentiu um vigoroso joelho pressionar-se contra o seu sob a mesa.

A pressão era leve, embora a sensação fosse chocante e repugnante, como a de ser inesperadamente tocada por uma enorme rã.

— Se eu fosse uma cobra — ela diria mais tarde a tio Eustácio —, ele estaria morto.

Mas como não era, "argh!", estremecendo ela recuou e enquanto o fez, Mr. Delray — inimaginavelmente hipnotizado — assistia à sua cara de nauseante repulsa assumir uma expressão perturbadoramente mortífera quando, ainda num tom baixo, mas claro o suficiente para ser compreendido, ela disse:

— Eu estou com um revólver na minha mão, seu filho da puta. Tente isso de novo e eu atiro em seus colhões.

E enquanto ele ficou ali sentado, olhando, furioso e impotente — possivelmente pego pelo pior erro de cálculo que sua mente obtusa jamais cometera —, ela inclinou-se para frente e com uma abertura quase que imperceptível entre seus lábios, cuspiu no prato dele.

No momento seguinte ela estava na rua, caminhando a passos rápidos — qualquer coisa para parar o tremor que se apossou dela assim que saiu. Não que ela achasse que ele poderia segui-la, ela apenas queria distanciar-se desse "nada" nojento que ocorrera.

No momento em que adentrou o fresco, escuro *foyer* do casarão, seu nojo e fúria transformaram-se em uma espécie de desolada raiva de si mesma, que fez com que ela não quisesse outra coisa senão ir direto para seu quarto e se esconder. Mas na sala, entre si e a escadaria, estava tio Eustácio, sentado numa enorme poltrona de couro, lendo. A penumbra do lustre de vitrais sobre sua cabeça emitia uma luz sinistra através de seu rosto, dando-lhe uma afetação cômica que a fez querer rir e chorar ao mesmo tempo quando ele olhou para ela e disse com agradável despreocupação:

– Seu almoço foi bem?

– Ah, sim, foi bem, obrigada.

Mas ao ver a expressão em seu rosto, mesmo o diplomático embaixador Eustácio Vilela não conseguiu deixar de murmurar chocado:

– Jacyra, filha, o que aconteceu?

– Ai, tio! – Qualquer outra teria chorado. Ele agradeceu a Deus pela misericórdia de ela ter, ao contrário, simplesmente afundado numa inóspita cadeira Luís XV de frente para ele olhando fixamente para o nada.

– Não foi exatamente como você esperava, presumo – ele tentou dizer o mais casualmente que pôde. – Não importa, não há garantias de que pessoas que não conhecemos serão as pessoas certas.

– Eu fui uma idiota.

– Você gostaria de me contar?

Quem imaginaria que ela iria admitir qualquer coisa a esse distinto, polido cavalheiro, conhecido por ter desaprovado o casamento da irmã com um questionável clã mato-grossense. Mas ali ela se sentou, como uma fugitiva encurralada por seu próprio plano de fuga, contando-lhe todos os detalhes até o momento em que os desígnios de Mr. Delray se tornaram claros.

– Espírito de porco! – ela bufou, sem deixar de notar que seu tio estranhamente não parecia nem um pouco surpreso. Na verdade, irreprimivelmente entretido descreveria melhor a expressão desse ávido colecionador de histórias quando ele perguntou, animador:

– E depois, o que aconteceu?

– Bem – ela retornou ao seu relato, indignada –, eu estava com meu revólver na bolsa. Não me pergunte por quê, talvez porque não desse para usar um coldre com meu *tailleur*. Então eu ameacei atirar naquele lugar.

— E então?

— E então eu cuspi no prato dele — algo revirou dentro de si ao ouvir-se e explodiu numa gargalhada ao ver tio Eustácio de lábios franzidos, com os ombros chacoalhando incontrolavelmente enquanto lágrimas de tanto rir deslizavam rosto abaixo.

— Ahhh — ele suspirou, balançando a cabeça e batendo de leve no coração com se tivesse feito um esforço excessivo —, que história, que história maravilhosa! Eu amei cada detalhe.

— Mas o senhor não vai contar, vai? — sua expressão alarmada foi o suficiente para produzir uma visão de uma Isabel histérica e uma matriarca justificadamente vingativa, o que o fez ficar imediatamente sóbrio.

— Não, não, claro que não. Não para todo mundo. Mas olhe aqui — ele decidiu que estava na hora de repreendê-la um pouco —, imagine sua mãe. Poderia ter sido pior. Você tem que entender quão perigoso…

— Poderia ser se tivesse acontecido com outra pessoa e não comigo? Mas eu *soube* cuidar de mim, não soube? — Algo familiar na projeção de seu maxilar dizia-lhe que suas palavras envolviam uma recuperação e um pouco mais: — Pense nisso, tio. Era um risco que eu tinha que correr. Ou então eu estaria sentada em Sta. Inácia até agora. E o senhor quer saber de uma coisa? Eu estou pronta para arriscar de novo.

E assim dizendo, baixando os olhos, ela projetou o queixo ainda mais para frente:

— Eu vim para encontrar um emprego, tio Eustácio, e custe o que custar, eu vou ficar no Rio até conseguir.

Seguiu-se um pesado silêncio durante o qual a completa significação de suas palavras mergulharam na mente de Eustácio. A mente de um homem que ajudara inúmeras pessoas, embora sem nunca se incomodar *com*, ou ser incomodado *por* nenhuma delas. Ele nunca sentiu uma responsabilidade genuína com relação a qualquer uma delas ou a seus parentes. Mas sua própria família era diferente. E agora, depois de ter prometido a si mesmo nunca mais se envolver com os parentes de Isabel, não importa quão tentado se sentisse em ajudar a irmã, aqui estava ele, todo enroscado.

Obviamente ele não podia mandá-la de volta. Ela não iria. Obviamente não podia mandá-la mudar-se… Enquanto ela ficava ali sentada, sem dizer nada, o máximo a que ele conseguia associar a situação era chantagem.

Mesmo assim, havia algo nela que contrastava com as pessoas com que estava acostumado, a maioria delas tão mimadas e egoístas. Algo que – a despeito de uma perturbadora semelhança com Veridiana, a mulher que ele mais desprezava no mundo – era tão vivaz e espirituoso que ele flagrou-se dizendo tolamente, no final:

– Tudo bem Jacyra, eu proponho um acordo.

– É? – ela olhou para ele numa expectativa ambígua, como se estivesse esperando para ver suas cartas.

– É o seguinte. Eu sei que você recusou minha ajuda ontem, mas hoje é um outro dia, não é? E já que eu conheço praticamente todo mundo, em troca de manter minha boca fechada, eu sugiro que você me permita procurar alguém a quem você possa ser útil. O que você me diz?

Capítulo 31

O que ela poderia dizer? Ela nem ousou perguntar onde ou quem, embora quando ele disse: "Ainda bem que você fez aquele curso de datilografia", sua temperatura despencasse mais uma vez.

Sendo assim, vasculhando os caminhos de sua memória de ocasiões consulares, títulos e nomes que desafiaria o político mais experiente, ele acabou desencavando um tal de Mr. Horace Renshaw, diretor de uma ONG conhecida pelos íntimos com UNPF – *Universal Nature Preservation Foundation*. Eustácio lembrou-se de, numa recepção consular em homenagem a Mr. Renshaw, sentir uma ponta de pena desse homem tão alto e franzino, que obviamente não tinha a menor aptidão para comunicar-se em tais ocasiões. Conseguira arrancá-lo de um estado de paralisia verbal ao mencionar que tinha uma irmã morando nos ermos da bacia do rio Paraguai, e, dali em diante, Eustácio não precisou dizer mais nada, só ouvir.

Tempos depois ele ajudaria esse homem – noutras circunstâncias tão calado – a sair de numerosos labirintos burocráticos, descobrindo, nesse ínterim, que a família de Horace Renshaw fizera fortuna com a mineração no Colorado e que, horrorizado com o estrago feito, seu objetivo de vida era tentar repará-lo e evitar novos estragos.

– O fundo familiar é para isso, Eustácio – contou ele, um dia, numa frustração agoniada –, mas encontrar alguém que faça bom uso dele é outra coisa.

Em conversas como essa, Eustácio pôde deduzir também que Horace Renshaw era um homem decente e que poderia fazer muito mais se conseguisse ser um pouquinho mais capaz de confrontar as situações como eram. E tudo isso fez parecer no mínimo levemente razoável a Eustácio telefonar e dizer:

– Horace, lembra-se da minha irmã no Pantanal? Bem, eu tenho uma sobrinha que fala inglês, que literalmente foi criada nadando entre jacarés e está procurando um emprego. Naturalmente eu pensei em você...

E depois, enquanto tentava preparar a sobrinha para a entrevista:

– Pelo menos você não vai ter que se preocupar em atirar no pé dele. Quanto ao resto, eu diria que simplesmente ser você mesma seria seu melhor trunfo.

Como se tivesse alguma outra coisa que eu pudesse ser, ela pensou nervosamente enquanto se aproximava das portas envidraçadas da sala de recepção no dia seguinte. Pelo menos não teve que esperar, mal teve tempo para uma respiração funda antes de se encontrar diante do homem mais alto que já vira em sua vida. Macilento e anguloso como uma cegonha, ele se desdobrou para recebê-la de maneira tão desastrosa que fez sua cadeira balançar.

Dizendo "bom dia" numa voz rouca, gesticulou para que ela sentasse. E então, acomodando-se novamente com a mesma inflexibilidade, inclinou-se em direção a ela encarando-a, míope, através das grossas lentes de seus óculos enquanto ela, fascinada, o encarava de volta. No rosto comprido, a mandíbula se espichava sob a linha fina de uma boca da qual os lábios retrocediam para exibir os enormes dentes íngremes, cerrados quando ele coaxou novamente em inglês:

– Senhorita Tavares, você suspeitaria de mim como parte de uma conspiração internacional para roubar as riquezas do Brasil através da obstrução do progresso de seu país?

– *Why should I sínk zat?* – Ao que ele respondeu, ainda em inglês:

– Não sei – balançou a cabeça, confuso. – Eu só quero que você saiba que não há por que trabalhar para mim se pensar assim. Pronto. Agora que passou no primeiro teste, vamos para o próximo. Quando se trata de sobrevivência humana, você acha que a beleza é algo que não deva ser considerado?

Dessa vez seu olhar ansioso gerou na mente dela uma imagem da salina ao entardecer, tão vívida em si mesma que a fez perder a respiração ao responder:

– *Of course not! Who could survive **wizaut** beauty?*

– Ninguém! – sua entonação estava exultante. – E vou dizer porquê. Porque nós não somos formigas, miss Tavares, nós somos seres humanos cujo maior propósito na vida é a beleza. E mesmo se fôssemos formigas, ainda assim não poderíamos viver sem ela, porque as formigas precisam de folhas para sobreviver. E as folhas são belas não são?

– *All zi ones I know are* – respondeu numa simples e absoluta concordância.

– Sendo assim – Mr. Renshaw limpou a garganta como que para trazer-se de volta ao enfadonho escritório onde se encontrava –, seu tio Eustácio me disse que você é plenamente capaz de sobreviver na selva. É verdade?

E com certa dignidade, e seu inconfundível sotaque, deu continuidade ao diálogo:

– Eu sou uma pantaneira, *Míster Rr-enshaw* – exclamou ela com um certo orgulho. – O senhor precisa de uma guia?

— Não exatamente. — Ela sentiu a decepção tomar conta de si quando ele franziu a testa e inclinou a cabeça: — Se eu pudesse, sabe, eu mesmo passaria a maior parte do tempo na selva, mas não posso. E há muito tempo venho procurando alguém que possa ser uma espécie de contato entre a Fundação no Rio e os projetos com que ela contribui. Em outras palavras, para verificar o que os projetos precisam e que o dinheiro chega aonde deveria. Você acha que pode ajudar nisso?

— *Míster Rr-enshaw* — ela olhou de olhos arregalados imaginando se estava realmente entendendo direito — *I sínk I might. But what makes you sínk…?*

Por um instante ele quase chegou a sorrir:

— Porque você tem a cara deste emprego, e é a primeira pessoa que conheço que tem. É tudo que posso dizer. — E acrescentou, um tanto quanto severo: — Bem, avise-me se quiser tentar.

Foi Isabel a primeira pessoa a quem ela contou a novidade pelo telefone, sabendo que a faria feliz. Ainda mais porque poderia dizer:

— Não precisa se preocupar, mamãe, foi tio Eustácio quem me arranjou este emprego. Claro que não posso visitá-la. Os americanos dão férias curtinhas uma vez por ano. Mas a senhora pode vir me ver… — Pouco depois, enfraquecida de tanta exaltação, Isabel sentou-se na marquesa de Inácia e chorou de alegria. Tatinha balançou a cabeça em reprovação, repetindo numa incompreensível admiração:

— Em que essa criança poderia estar pensando? Um emprego, para quê?

E enquanto Manoel deixava a sala e a casa quase que imperceptivelmente, Dona Veridiana sentou-se em sua cadeira de balanço austríaca sem fala ao pensar, pela primeira vez, que, se seu mundo estava virando de ponta-cabeça, a culpa poderia muito bem ser dela mesma.

Capítulo 32

Nos meses que se seguiriam, tal pensamento tornar-se-ia cada vez mais freqüente, não importa o quanto tentasse tirá-lo da cabeça.

Lá, no Sobrado, onde a chegada de cada carta preenchia-a com uma sensação de terror. Aqui, na fazenda, onde a presença de Jacyra – estridente, geniosa, e sempre vendo coisas e falando sobre elas – enchia de vida tudo que se relacionava a ela. Mantinha a mente daqueles à sua volta trabalhando e debatendo.

Agora, com a ausência de Jacyra, parecia que ela passava a maior parte do tempo debatendo consigo mesma ou com Ele, como na última vez em que aparecera:

– Um emprego? Mas como Manoel pôde permitir?

– Não é bem assim – ela tentou apaziguar. – Manoel foi contra, ele queria que ela fizesse alguns cursos, passasse o tempo, mas ela não quis. Afinal de contas – ela o lembrou –, não foi você quem quis que ela fosse criada para ser auto-suficiente? Não foi por isso que finalmente concordou que ela deveria aprender tudo o que Juca tinha para ensiná-la?

– Auto-suficiente sim. Quando isso significar ser capaz de manusear uma arma ou manter-se montada num cavalo em águas profundas. Mas sair por aí assim…

Toda sua fisionomia, desde a maneira como estava sentado, encolhido em sua cadeira, até a melancolia em seu olhar, era a de dolorosa incompreensão.

– Será que ela não percebe que é necessária aqui? Que aqui ela pode ter tudo o que uma mulher normal pode desejar? Se ela queria ser útil, ela poderia muito bem estar criando uma família, cuidando de si própria. Por Deus, se ao menos eu estivesse *aqui*. Eu mesmo iria para o Rio e a traria de volta pela nuca!

Ela se lembrava muito bem quão difícil fora, na ocasião, impedir-se de dizer em voz alta: "Mas é isso aí, você *não* está aqui!". Mas ao contrário, disse apenas:

– A justiça estaria atrás de você num minuto.

– Justiça? Isso é que é justiça? Um instrumento para permitir aos filhos desafiarem seus pais? Será que ninguém enxerga? Uma mulher precisa de proteção. Ainda que nada aconteça com ela lá, ela ainda pode tomar uma decisão errada e arruinar o resto de sua vida.

Sendo isso exatamente o que ela própria vinha pensando havia dias, o que poderia responder?

– Não estou dizendo que a lei é boa ou má, meu querido. Só estou dizendo que é a lei. E como não há nada que possamos fazer, é melhor acreditarmos que ela é capaz de tomar suas próprias decisões e torcermos pelo melhor. Entendeu?

Ele não tinha entendido nada, e enquanto ela tentava pensar no que dizer a seguir, deu-se conta do quão antiquado ele aparentava. Não era apenas as roupas, os pantaneiros não haviam mudado muito sua maneira de se vestir. Eles ainda usavam as mesmas roupas práticas de brim e um cinto largo para munição e facas. Era aquela aparência teimosa de homem irredutível que agora se misturava à expressão de alguém aflito, como se o que ela dissera tivesse ameaçado sua autoridade vistosa, sua posição e a própria ordem do universo.

Ela imaginou de repente, por um instante, se esse minúsculo universo a que ele estava confinado não lhe seria alguma espécie de purgatório. Era uma idéia tão desconfortável que, para livrar-se dela de uma vez, ela passou a contar-lhe tudo sobre Rafael; as partes boas, pelo menos.

Sobre quão bem ele havia se saído com o governador e que boa impressão causara com seu último discurso às pessoas no Pró-Pantanal. Sobre como a melhor maneira de se controlar os intrusos, com suas destilarias poluidoras e represamento das cheias, era tendo um pantaneiro representando o Mato Grosso em Brasília. Alguém que "promovesse a legislação certa para atingir o equilíbrio sem impedir o progresso".

Mas todas as suas tentativas não conseguiram animá-lo nem um pouco sequer. Serviram apenas para irritá-lo ainda mais:

– Brasília? Onde é isso? No meu tempo tudo era resolvido no Rio, e eu nunca tive que ir até lá para controlar qualquer coisa. O que nós precisamos é de alguém que saiba o que está fazendo *aqui*. Isso é tudo o que importa e você sabe disso. Ora essa, Veridiana – ele balançou a cabeça, exausto –, de que adianta eu aconselhá-la se você não me escuta? É quase como se você estivesse perdendo o controle.

E com isso ele foi se esvaindo, deixando-a ao mesmo tempo triste e exausta, de tanto tentar explicar coisas que ele não parecia mais capaz de entender.

Mas apesar de tudo o que ele não entendia, suas últimas palavras corroeram-na desde então, lembrando-a bem demais de tudo aquilo que não lhe contara sobre a última visita de Rafael.

Como ele teria reagido? O que ele teria dito se pudesse ter visto a expressão no rosto do neto quando Rafa, dando uma pesarosa mexida em seu cafezinho, olhou para cima um pouco casual demais e disse:

— Então o que nos resta, a meu ver, é vender algumas centenas de novilhos. Infelizmente, a política é assim hoje em dia, não dá para lançar uma campanha sem dinheiro. E, obviamente – ela lembrou ter tentado não dar atenção à ameaça subentendida –, nós não queremos dever às pessoas erradas.

— Você quer dizer – Manoel parecia estupefato – que você não consegue patrocínio suficiente das pessoas que se importam?

— O senhor conseguiria? – havia algo de impiedoso no olhar de Rafael que, naquele momento, deixou Manoel sem fala e, por um instante, tocou a matriarca com uma rara sensação de dó:

— Calma, Rafael – disse ela. – Tenha um pouco de respeito. Um dia esse seu gênio ainda vai acabar metendo você em sérios problemas. Além do mais – continuou de maneira objetiva –, a política existe para que se faça uso dela, não para que se brigue por ela. Em quantas cabeças você está pensando?

— Ahh... – Rafael deu de ombros aliviado. – Não mais do que umas quinhentas, vó. E se a senhora ficar chateada, pense nisso como um empréstimo. Acredite, vó, se eu conseguir, as recompensas compensarão, e muito, o sacrifício – seu sorriso era encantadoramente irreverente. – Ter um deputado da família, não é esse o sonho nacional?

Sim, ela acreditou ser assim que deveria pensar. Mas quando se tratava de questões reais como terra e gado, ela não conseguia. Ela só conseguia pensar que manter um animal vivo até desmamar e então vendê-lo quando seu peso estava baixo, e os preços mais baixos ainda, era puro sacrilégio. Então, é claro que no dia seguinte ela galgou os degraus em direção ao escritório de Manoel para ter uma daquelas conversas particulares que sempre pareciam resolver os problemas.

Ela nunca soube o que ele fazia ali, só ficava feliz por, o que quer que fosse, aparentemente mantê-lo ocupado e consolá-lo de uma vida que doutra forma seria profundamente insatisfeita, pela qual ela sempre sentira grande pena. Estar ao encargo de algo com que não se importava deveria ser muito duro, para dizer o mínimo. Ela mesma não teria agüentado um minuto. Mas já que Manoel conseguia agüentar, ela concluiu que deveria ficar feliz e, portanto, não perturbá-lo de seus sonhos mais do que o necessário para dar-lhe seus conselhos maternais. Mas naquele momento, tinha andado tão mergulhada em seus próprios pensamentos que não percebera como Manoel tinha, desde a partida de Jacyra, se tornado mais distante e introspectivo do que nunca. Se tivesse percebido, teria se preparado melhor enquanto esperava do lado de fora, ouvindo o inevitável farfalhar de papéis e fechar de gavetas. Teria percebido algo diferente na compostura do filho quando, sentando-se diante dele e observando-o atentamente da maneira zelosa com que sempre o fazia nessas ocasiões, disse:

— Eu andei vendo os preços do gado na televisão. É a seca, claro, mas mesmo depois que passar ainda vai demorar um pouco até os preços subirem. Até lá nossos novilhos deverão estar em excelente forma, voltando do brejo. Vendê-los agora... — ela balançou a cabeça como se a idéia lembrasse um pecado mortal.

Como lhe era peculiar, no tom ponderado de um juiz, Manoel respondeu:

— Eu pensei no assunto e posso dizer que concordo — mas então tudo mudou quando, apanhando sua caneta destampada, olhou para ela como se esta incorporasse todo o mistério de sua vida e disse, de súbito:

— Mas receio que a senhora tenha que ver isso com Rafael, mamãe. — E, encarando-a com aquela expressão pomposa que usava para esconder emoções, acrescentou:

— Eu decidi me aposentar.

Enquanto ela ficava ali sentada, imaginando se tinha ouvido direito, ele prosseguiu:

— Eu já lutei o suficiente, tenho me sacrificado desde menino. Eu tinha a idade de Rafael quando abri mão de uma carreira diplomática para vir para casa e cuidar das coisas.

Ele, lutado? *Ele* tinha se sacrificado, cuidado das coisas? Será que ele realmente acreditava no que estava dizendo?

— Rafael é jovem, forte e ambicioso. E já que não conseguimos chegar a um acordo sobre certas questões, eu decidi que já está na hora de eu sair de cena. — Ela assistiu à pompa dar lugar a uma súbita vingança mal-disfarçada enquanto, com a dignidade que lhe sobejara quase a vida toda, Manoel transformou sua derrota numa concessão.

— No curso natural da vida, de pai para filho...

No início ela quase conseguiu acreditar que era um blefe, um daqueles veredictos que mais tarde encontrariam uma nova interpretação. Mas logo percebeu que ele realmente estava feliz em firmemente exercer o papel que escolhera, levantando-se mais cedo que nunca e subindo as escadas do quarto mofado com vista para o Pátio da Matriz para fazer o quer que fosse que fazia.

Ela não podia discutir. Era, sim, parte do curso natural da vida, como todos esperavam. Será que ela esperava estar morta quando isso acontecesse? Não sabia. Ela só sabia que ele estava se aposentando era do tedioso dever de dar a última palavra no que dizia respeito a Contendas. E foi aí que descobriu, finalmente, o valor incomensurável do filho. Porque onde Manoel alegremente aceitava conselhos em troca de paz — ela já estava aprendendo —, Rafael não queria conselho algum, só a paz para fazer o que bem entendesse.

Capítulo 33

Era a época da bruma seca, quando a poeira da seca e a fumaça das queimadas — ateadas para queimar o capim velho, cansado e fazer brotar o novo – ficavam tão densas no campo que nem Deus conseguia enxergar alguma coisa. Essa era a época em que o céu se abria diariamente apenas o suficiente para deixar um jatinho aterrissar e permanecer no local algumas horas, antes de a poeira e fumaça voltarem a convergir impossibilitando o vôo. Um fato que Rafa manteve em mente enquanto correu para assumir seu lugar sobre o tronco.

Chegando lá, sentou-se, com as costas eretas, auspiciosamente no comando. Se a ponta do chapéu estava abaixada e cobria-lhe os olhos, não era tanto para escondê-los do sol, mas para encobrir uma sensação que podia ser qualquer coisa menos triunfante. Ele deveria estar feliz pela avó nem ter ido a Contendas para testemunhar a venda. Mas, estranhamente, sua ausência emprestava um peso quase que insuportável à já pesada atmosfera de reprovação que pairava sobre o rebanho pateticamente amontoado nos cantos do curral, como reféns de uma guerra.

– Levou uma semana para conseguirmos reunir mil cabeças, e olhe para eles. Recém-desmamados, Rafa, estão em sua pior fase. Tem certeza que quer fazer isso? – Tio Juca deu-lhe um olhar incisivo ao qual, furioso, respondeu bruscamente, tentando não demonstrar estar abalado:

– Foi isso que eu disse, tio, e eu não mudei de idéia. – Então, com o que esperava ser um ar de autoridade, colocou-se em posição e meneou o rosto em direção aos portões: – Vamos começar.

Durante as próximas horas que se seguiram, nada aliviou o peso da atmosfera em que até os vaqueiros trabalharam em silêncio emitindo apenas os sons necessários para fazer o gado passar pelo tronco, enquanto tio Juca e seu Vasco pouco falavam entre si a não ser os necessários "abre, fecha; vai, não vai".

Quantas vezes não sonhara com o momento em que ditaria as ordens a Juca Cabrera? E agora que o momento chegara, um olhar tinha sido suficiente para fazê-lo sentir-se nada mais que uma criança incorrigível. Será que algum dia isso iria mudar, ou ele estava condenado para sempre a sentir, na presença de Juca, que esse resto de homem conhecia-o mais do que ele conhecia a si próprio?

Durante toda a manhã ele lutou como um nadador para emergir através do pesado ar de reprovação, dizendo para si mesmo que a longo prazo isso não importaria, eles veriam. E mesmo se não vissem. Era meio-dia e as turbinas de seu jato oficial já estavam aquecidas para uma rápida decolagem quando o último bezerro passou ofegante pelo tronco e os homens desceram de seus lugares na cerca. Com uma parte de sua geralmente irreprimível arrogância restaurada, Rafa fez o melhor possível para construir uma nova imagem pelo menos perante Vasco Cabrera, o comprador do gado de Contendas de reputação aparentemente eterna.

Estendendo a mão, ele disse:

— No fim das contas, seu Vasco, considerando o preço, eu espero que o negócio tenha sido bom para o senhor.

Mas apertando-lhe a mão firmemente, Vasco lançou-lhe um olhar paternal, de comiseração e respondeu:

— Vou lhe dizer uma coisa, Rafa, e espero que você receba como um conselho. Eu nunca considero uma compra boa a menos que o momento seja o certo para ambas as partes.

Depois disso não lhe restara nada mais a dizer a não ser:

— Até a próxima vez — e agora com uma ruído vibrante e ensurdecedor, Rafa pôs-se no ar.

Em toda sua vida, nunca se sentira tão feliz por ir embora. No momento em que circularam e rumaram para o Norte, ele começou a sentir-se como si mesmo, novamente, embora não fosse sentir-se assim completamente até terem ultrapassado os limites do Pantanal e ele poder estar novamente entre pessoas que reconheciam seu valor, que entendiam o que significava ter chegado aonde chegou aos 25 anos: Secretário de Comunicações e candidato... Era só aqui, no meio desse nada, que as pessoas pareciam não saber com quem estavam falando.

Diante desse pensamento, ele ficou mais determinado ainda a um dia vender a fazenda toda ao invés de um punhado de bezerros esqueléticos. Mas muitas coisas deveriam acontecer antes, como por exemplo ele se estabelecer suficientemente bem na política para não depender de Contendas para seu sustento. Não se vende quando se precisa de dinheiro. Havia também, claro, a questão da persuasão. Aos 85 anos, vovó Veridiana permanecia até agora inexorável. E depois tinha Jacyra.

Além de tio Juca, que não contava, o único membro da família que se importava com Contendas era ela, mas agora, quem sabe? O que será que ela estava planejando, essa Praga obstinada? Ele tinha que lhe dar o justo valor, por sair e arrumar um emprego assim... Obviamente, trabalhar para alguma organização de pretensões ambientalistas não poderia ser um objetivo de vida. Mas quem sabe se no decorrer dos dias alguém não a escolheria e a levaria para algum outro lugar? Ou se, nesse ínterim, Tomazio não se impacientaria e encontraria outras terras com que se casar?

Se Jacyra viesse, quão rapidamente seus pais "aceitariam" uma vida do Rio. Uma vida que vovó Veridiana, se ainda estivesse viva – o que parecia desanimadoramente provável –, no fim teria que aceitar. Aquela velha maldita. Afinal, o que é que havia aqui realmente para qualquer um?

Pela janela, ele viu a sombra do avião como uma enorme ave planando sobre as monótonas repetições de cerrados e florestas, quebradas por espelhos circulares e semicírculos de águas habitadas por nada que se desejasse tocar com a mão. Daqui a Cuiabá, 500 quilômetros distante, dava para contar nos dedos o número de moradas, a maioria delas inabitáveis para qualquer um exceto um índio. Nesta vasta, inóspita paisagem, o gado se transformava em pontos esparsos, patéticos – a desculpa do pantaneiro para ocupar o inocupável. Antigamente, quando as pessoas possuíam mundos e nada custava nada, tinha funcionado bem. Mas agora, tinham que fazer de tudo – menos dividir Contendas – para alguém querer comprá-la.

Seu desejo de ver-se livre dali para sempre tocou-o, antes que pudesse escapar, com o único medo que jamais alimentara: o de, por algum acidente, morrer aqui, literalmente engolido pelo Pantanal. A sensação, tão estranha à sua natureza, fez o tempo passar muito mais lentamente, e o aviãozinho quente e barulhento, muito mais claustrofóbico, principalmente agora que a bruma do meio da tarde começava a se fechar formando uma camada entre a terra e o céu.

Era como voar pelo inferno, pensou. E finalmente, a sensação sendo contagiosa, ele e o piloto – um machão atrevido e garboso chamado Belchior dos Santos – se puseram a gritar mais alto que o ruído do motor da aeronave sobre as mulheres e a vida noturna de Cuiabá.

– Já ouviu falar num lugar chamado "Caverna das Estrelas"? – o piloto berrou para Rafa, e quando ele estava prestes a gritar de volta que não havia um lugar que ele não tivesse ouvido falar, uma voz crepitou no rádio para assegurá-los de que o rio estava logo abaixo deles.

E num instante lá estava ele, o Cuiabá. Correndo forte e constante entre os lamaçais sem vida dos garimpeiros de ouro, margeado por barracos de crescimento desordenado, esporádico. Então, quando Belchior circulou para pousar, como que procurando um sinal de sorte, Rafa esticou o pescoço para avistar a velha cidade. E lá estava ela, na curva do rio, como estivera por séculos – ao mesmo tempo decadente e graciosa, desfazendo-se em ruína aqui, renovando-se acolá –, prosperando e crescendo como um fungo: à custa da morte e putrefação da floresta a sua volta.

Meia hora depois, sob o chuveiro, sentindo a água morna correr por seu corpo forte e enxuto, ele não precisou se lembrar de que Cuiabá também não era para ele. Os magníficos platôs e despenhadeiros de calcário da Chapada dos Guimarães que abriam caminho para a floresta amazônica ao norte eram tão deprimentes para ele quanto os pântanos do sul.

Cuiabá era apenas um passo no caminho certo em direção a Brasília, que, por si só, era um pouco mais que um estéril paraíso de burocratas no meio do nada. Mas ninguém que era alguém ficava em Brasília, eles só iam e voltavam. E quando chegasse em Brasília, ele seria *alguém*, morando numa mansão no Rio.

Sempre o rodeando, essa visão nadou em sua mente enquanto ele se enxugava e se vestia para a noite. Parou em frente ao espelho da porta do guarda-roupa para uma inspeção de última hora, deslumbrado pela sorte de ser alto e atlético como diziam que fora seu avô. Mesmo com seu nariz adunco e feições aquilinas, julgou decididamente parecer o que aqueles paulistas tapados dos quais descendia chamariam de "de boa família". E havia então aqueles olhos verdes puxados, cuja origem era um eterno mistério que os tornava ainda mais irresistíveis. Ou, pelo menos, era o que lhe diziam às vezes.

Suas roupas – um visual carioca consistindo de uma camisa de linha azul-marinho e branca, calça de brim branco e um caro par de tênis – pareciam adequadas. Elegante, mas não exagerado, Rafa decidiu que o conjunto dava-lhe um ar globalizado que deveria impressionar seu anfitrião, que, apesar de todo seu poder, era ignorante e vulgar e só conhecia o que fosse necessário conhecer sobre o mundo.

Capítulo 34

A propriedade de Inocêncio Salvador ficava escondida além de um antigo mangueiral no extremo da cidade, com suas paredes brancas erguendo-se ao alto como que uma fortaleza do deserto em lugar errado. Por trás das paredes, para evitar confusão durante a festa, os estúpidos cães fila – originalmente criados para caçarem escravos – foram presos e substituídos por guardas uniformizados. Um deles ficou à entrada, numa guarita equipada com um microfone diante do qual as palavras mágicas certas deveriam ser pronunciadas para que a porta levadiça de aço se erguesse permitindo a entrada do escolhido. Dentro, ao fim de um caminho sinuoso ladeado de flamboyans e acácias, ficava a casa principal, projetada no estilo árabe, que era a coqueluche do momento. Com exceção que aqui, cercada pela vegetação tropical em constante crescimento, a estrutura concebida para o deserto comportava a sufocante atmosfera de uma caverna subterrânea prestes a ser engolida pela selva. Suas paredes maciças e janelas estreitas, idealizadas mais para espiar do que para ver, davam-lhe uma impressão ameaçadora pouco aliviada pelo agourento interior decorado com sofás de couro escuro trabalhado e pinturas de mulheres com véus no rosto e jarros na cabeça.

Os assoalhos eram de pedra e ressoavam todos os passos pelo que parecia serem quilômetros de distância até esse interior cavernoso abrir-se, como um arroto enorme, agradecido, sob a forma de um enorme pátio contornando uma piscina iluminada. No fim desse pátio, numa cova cavada entre os vestígios de uma selva, jaziam os restos esquecidos de carne no espeto transformados em cinzas sobre as brasas agonizantes.

Na entrada do pátio, na boca escancarada da caverna, havia um bar em forma de meia-lua, com uma parede espelhada ao fundo e prateleiras recobertas das bebidas mais caras. E era ali, de costas para o bar, que Inocêncio Salvador estava sentado, bebendo um mata-bicho e inspecionando os destroços de uma festa que fora um sucesso.

Um sucesso para ele, no sentido de que, certamente não por amor, todos a quem convidara compareceram. Políticos, especuladores e empreiteiros, todos vieram atraídos por planos grandiosos de abrir terras para o plantio de soja e cana-de-açúcar para o abastecimento de uma série de destilarias de álcool ao longo do trecho superior do Cuiabá.

Até o momento, tudo – estradas, represas, destilarias – estava num estágio do sonho que poderia durar anos, ou talvez nunca se realizar, dependendo do impulso recebido deste ou daquele governo. Ainda assim, só a idéia já dobrara o valor de grandes extensões de terra das quais Dr. Inocêncio, tendo-lhes extraído todo o ouro existente, estava ansioso para livrar-se. Para todos os efeitos, ele era um criador de gado, mas todos sabiam que, embora possuísse apenas dois postos legais – um em Cuiabá e outro em Alta Floresta –, ele era o maior comerciante de ouro da região, se não do Brasil. E obviamente, qual o comércio ilegal de ouro que não estava interligado ao tráfico de outras coisas? Todos sabiam e conversavam a respeito abertamente, assim como o faziam sobre qualquer outra coisa supostamente "clandestina" até a palavra parecer ter perdido seu significado. Exceto, claro, quando era conveniente usá-la corretamente.

Mas nesse caso, evidentemente não era. Inocêncio tinha dinheiro para comprar de tudo. Era, também, não apenas inescrupuloso, mas insensível e, portanto, um homem muito perigoso. Esta era mais uma razão pela qual, a menos que se quisesse passar despercebido por ele, era melhor estar do seu lado do que contra ele. Daí o sucesso da festa. As esposas não foram convidadas, mas não faltaram mulheres. Lindas jovens, cor de coco, de olhos escuros, brincalhões e nada além de saias mínimas e blusas diáfanas para cobrir suas nádegas cuidadosamente esculpidas de forma arredondada e seus adoráveis seios infantis. A música era maravilhosa, e as meninas exímias dançarinas. Após algumas doses das caras bebidas ou alguns tragos ou cafungadas de qualquer outro produto "clandestinamente" disponível, até o mais tímido dos convidados perdera suas inibições. E logo o consumo de carne deu lugar aos balés aquáticos sem roupa e outras brincadeiras que se tornavam mais intensas à medida que a noite avançava. Até chegar esse momento, quando a maioria dos hóspedes desaparecera para dar início a suas festas privativas e nos bancos do bar não restar ninguém a não ser o dr. Inocêncio e o jovem Rafael Tavares de Muniz.

Esse Rei do Ouro da Amazônia era imenso de gordo. Isso porque comia compulsivamente – quilos de carne, arroz, feijão, tigelas de fruta em calda e caixas de bombom para aplacar uma ânsia que, por algum motivo, recusava-se a ser satisfeita. Sua comilança só fazia contribuir para o aumento de seu peso e para o círculo vicioso no qual seu singular talento para os negócios parecia fadado a mantê-lo até a morte.

Sua esposa Zuléia era jovem e de uma beleza metálica, como uma estátua de ouro falso, com um mínimo de inteligência, mas uma certa astúcia que a mantinha ocupada construindo casas como esta aqui na selva e outras em Cuiabá, Corumbá, Rio e Brasília. Para ela, era um investimento para o futuro, para Inocêncio, uma maneira de mantê-la ocupada. Tudo o que queria dela era herdeiros e alguém para exibir de vez em quando.

Às vezes, como se dizia no linguajar local, ele comia uma dessas garotas que vinham a suas festas, a melhor que pudesse ter por uma noite. Mas hoje não. Esta noite, equilibrando suas banhas sobre o banquinho do bar como só um especialista saberia fazer, ele reservara a si o papel de observador, com seus pequenos olhos negros espiando por sobre a carne de suas bochechas como que através da mira de um revólver, com um único objetivo em mente. Ele queria observar o máximo possível do comportamento de Rafael Tavares, antes de, quase no fim da festa, acenar para ele com uma leve inclinação da cabeça e um gesto para baixo com a mão indicando para o rapaz aproximar-se.

De sua posição privilegiada no início da noite, ele observara Rafa interagindo com perspicácia e naturalidade – ouvindo um pouco aqui, falando diretamente ali, sem rejeitar ninguém, sempre respeitoso embora nunca adulador. Então, à medida que a festa progredia, continuou a observá-lo, com uma garota atrás da outra – todas aparentemente apaixonadas por ele –, até chegar a um determinado limite e sensatamente recuar. Vendo-o excitá-las dessa maneira, Inocêncio, que nunca excitara ninguém – ou sequer fora amado pelos próprios filhos, que usavam sua gana insaciável como meio de extorsão –, sentiu um súbito ódio por esse jovem fidalgo a quem tudo parecia ser tão fácil.

Qualquer outra pessoa teria, sem dúvida, simplesmente se divertido. Mas não tendo senso de humor, Inocêncio reprimiu sua inveja obstrutora para continuar a observá-lo de um ponto de vista puramente pragmático. Ao fazê-lo, percebeu também que vez ou outra Rafa recolhia-se atrás de um floreado filodendro para emergir com as energias renovadas. Essa atitude sugeriu-lhe que o rapaz tinha também um lado descuidado que poderia ser tão perigoso quanto vantajoso, dependendo das circunstâncias.

De fato, Rafa esperava que seus olhos não estivessem brilhantes demais quando se lançou levemente sobre o banco a seu lado e Dr. Inocêncio, acenando com o mesmo gesto autoritário ao garçom, ofereceu-lhe uma bebida.

— Não, obrigado, doutor, eu não gosto de ultrapassar meu limite — respondeu Rafa, ponderado, e imaginou o que esse homem sem humor quis dizer com: "Hé!".

O rosto do Rei do Ouro estava inexpressivo, os olhos tão frios, praticamente inanimados. A voz que saía da boca estreita era irritante e monótona, fazendo Rafa imaginar algo extraído do lodo no fundo de um rio. Seu timbre também não era alterado por suas constantes incursões a uma tigela de azeitonas a seu lado, mastigando-as e cuspindo os caroços enquanto falava.

— Ouvi falar de seu discurso sobre o Pró-Pantanal — começou —, sobre a legislação e coisas assim. Tudo muito bonito, mas não dá para deixar de imaginar, que *tipo* de legislação?

Mentalmente, Rafa respirou fundo antes de repetir fervorosamente tudo o que dissera aqui e ali no decorrer da noite.

— Do tipo, doutor, que pode promover o progresso evitando conflitos desnecessários — era uma frase feita que durante a noite bastara aos outros que, afinal de contas, não tinham vindo à festa para trocar idéias. Mas assim que acabou de proferi-la, ele soube que ali não iria colar. Inocêncio Salvador não disse nada, e por um momento Rafa pensou que o Rei do Ouro fosse dar-lhe as costas, rejeitando-o como a uma azeitona insípida. Mas após alguns instantes de silêncio, ele disse:

— Diga-me, conflitos com quem?

— Os ecologistas são poucos, doutor — Rafa ouviu-se dizer ousadamente —, mas sua influência está crescendo lá fora.

— Ah, você está falando dessa ladainha sobre ecologia, principalmente dos estrangeiros. Que piada. — Os pequenos olhos negros de Inocêncio tornaram-se redondos como os de um búfalo raivoso, fixando-se em Rafa com uma intensidade inquisitiva — você sabe quantos metros cúbicos de mogno são retirados de reservas indígenas na Amazônia para serem vendidos todos os anos?

— Centenas de milhares — arriscou Rafa.

— E você sabe para onde eles vão?

— Para a terra do Príncipe Charles — Rafa respondeu cinicamente e, notando um vago sulco na testa protuberante do Rei do Ouro, imaginou se não tinha chutado longe demais. Mas novamente Inocêncio o confirmou:

– Exatamente. Então você pode ver o que há por trás dessa influência externa quando se trata da verdade. A única coisa que realmente importa para eles é saber quem vai chegar aqui primeiro. Acredite-me – finalmente o rosto desse homem sofrido, ambicioso, ganhou vida com um olhar desanimadoramente profético –, começando aqui mesmo, em Cuiabá, onde a Amazônia encontra seu Pantanal, vai haver uma briga doida. Esses poetas podem conseguir parar uma serraria, ou o garimpo de algum pobre coitado aqui e ali, para inglês ver – ele se permitiu uma risadinha sem-graça –, mas no final o Cuiabá, que está preso no meio, vai se tornar mais um grande esgoto, como o Tietê e o Paraíba. Isso é que é o progresso e qualquer um que não enxergar isso vai rolar pelo o ralo junto com ele. Entende o que eu digo?

Rafa entendia. Mas de repente, sem motivo justo, essa profecia visual causou-lhe um desejo quase incontrolável de socar esse debochado barril de toucinho no meio do nariz. Até pouco tempo atrás ele o teria socado, mas isso foi antes da política ensiná-lo aquilo que ninguém mais fora capaz de ensinar: a guardar seus socos para o momento certo. Então agora, de uma maneira que sua família e velhos amigos teriam considerado admirável, ele disse, relevando:

– Então o senhor acha que a legislação é inútil?

– Claro que não, a legislação é sempre necessária, caso contrário não precisaríamos de legisladores, não é assim? É por isso que estou conversando com você – imediatamente a expressão de Inocêncio Salvador tornou-se íntima, quase paternal –, porque eu acho que você é um garoto esperto, que sabe como vencer. E se fizer o jogo certo, eu o vejo um dia sendo presidente. Não, sério... Agora que o país está saindo de vinte anos de generais, não há ninguém na política além de um monte de cartas marcadas de passado corrupto e cérebros deteriorados. Agora pense, alguém de boa aparência e idéias modernas seria um herói. Mas você tem que escolher seus patrocinadores e ficar com eles. E, é claro – como que para ilustrar o outro lado da moeda, ele inclinou-se para trás e cuspiu um caroço de azeitona até o meio do pátio –, uma vez que entrar, se quiser ficar, você terá que fazer sua parte.

Dito isso, Inocêncio ficou em silêncio por tempo suficiente para que, quando voltasse a falar, parecesse estar começando um outro assunto totalmente novo:

– A propósito, Rafael, como você está de verba?

Com a lisonja colocando a antipatia de lado em favor de uma ufana presunção sobre sua própria importância, Rafa respondeu:

– Para falar a verdade, muito bem, doutor.

– É mesmo? Deve ser bom ser tão independente. Mas se não sabe ainda, logo vai descobrir que a política é um saco sem fundo – deslizando para fora do banquinho, Inocêncio Salvador deu a Rafa um aperto de mão sem vida. – Então quando precisar de algum apoio, entre em contato. Dependendo das circunstâncias, eu posso me interessar. Ah! E Rafael, um último conselho... – mais uma vez o Rei do Ouro esboçou uma sombra de sorriso – seus olhos estão um pouquinho brilhantes demais esta noite. Cuidado com esse bagulho. Os únicos que sabem fazer bom uso dele são aqueles que nunca o tocam.

Capítulo 35

– "Para inglês ver", miss Tavares. *Where's that expression come from?*

De há muito tempo, mister Renshaw, um truque dos portugueses para fazer os ingleses pensarem que estavam fazendo o que lhes tinham mandado. – E, dando continuidade ao diálogo em inglês, mister Renshaw retrucou:

– E você ri...

– Não consigo evitar, acho que é meu jeito... É uma expressão engraçada e ao mesmo tempo tão adequada, o senhor não acha?

– Completamente, se quer saber... – Ninguém, pensou ela, sabia expressar uma dor melhor que mister Renshaw. – Leis, como a total proibição da caça... O que poderia servir melhor aos contrabandistas de peles? Qualquer um que olhar bem consegue enxergar.

– É exatamente o que "para inglês ver" quer dizer. Elas devem servir a alguém. Não é mesmo?

– Então a quem essas leis servem?

– Às pessoas que as criam e aos "ingleses", o que significa no final, acho, pessoas que querem ser enganadas.

– Muito certo, receio. – Quando ele sorriu, foi tão recompensador que quase tornou suportável o ar condicionado da sala em que se encontravam. Mas durou só um instante, até o sorriso esconder-se por trás de uma expressão de autodisciplina imposta que pretendia ser contagiosa. – E por falar nessas pessoas que são justamente o que deu início a esta conversa, você já reviu os projetos deles?

– Sim, senhor.

– E dá para entender alguma coisa?

– A meu entender sim, senhor.

E assim faziam. Projetos modestos que pareciam sensíveis e trabalháveis até entrar num gabinete oficial com um deles debaixo do braço e descobrir uma centena de pessoas sentadas, tomando cafezinhos, mas ninguém capaz de indicar a pessoa certa. E quando se conseguia achar a pessoa certa, quão freqüentemente ela concordava, até com certo entusiasmo, que o projeto era muito bom. Mas então ela balançava a cabeça, meio que em dúvida e vinha com o que Jacyra aprendeu ser o "procedimento". Uma palavra que significava que não só o projeto precisaria ser aprovado, mas também os donativos, os participantes, tudo, até as latrinas dos pesquisadores – mesmo se essas fossem um buraco numa tábua.

Essas eram as leis feitas pelos legisladores segundo a interpretação dos burocratas. Em pouco tempo ela já havia se acostumado a reforçar-se antes de entrar e a ouvir a gaveta se abrir assim que fechava a porta atrás de si.

Os "ingleses" vinham para conferências. No começo ela imaginara por que será que mister Renshaw parecia deprimir-se diante da idéia de todos aqueles cargos importantes.

– Quanto mais alto o cargo, pior é – ele dizia tristemente. – Helmut Kohl, Príncipe Charles, Albert Gore vinham conferenciar com Dr. Goldemburg ou quem quer que estivesse "mostrando-lhes" as coisas no momento. Era como uma visita do Monte Olímpia. Quanto mais importantes, mais cadeiras, garrafas, copos e espaços necessários. Quanto mais tinta o nome e o cargo consumiam, maior o eco que ficava depois.

– Não estou dizendo que eles não tenham coração, miss Tavares, não me entenda mal. É que eles não têm nada além de governos atrás de si – seu rosto inexpressivo fazia sentido, o que tornava uma risada ainda mais irresistível –, não importa se no futuro a visita real provar claramente que suas palavras eram inteiramente corretas.

O melhor que lhe acontecera naqueles dias foi a visita da mãe. Encantada, Isabel encaixou-se perfeitamente no papel, acompanhando Eustácio a todos os coquetéis – os dois juntos conferindo uma atmosfera de diplomacia do Velho Continente, que dava à coisa toda um ar de primeiro mundo.

– Tão galante, o Príncipe, você não acha, Jacy querida? – Isabel murmuraria.

Pelo menos Tatinha retornaria feliz ao clube de costura de Sta. Inácia, abastecida com assuntos suficientes para um ano. Mas no tocante aos projetos ambientais, o efeito da visita do Príncipe foi nulo, se não anestésico.

Os outros "ingleses" vieram para um tour de inspeção em novembro e sezembro – o inverno, época de dar baixa nos livros contábeis, como mister Renshaw cinicamente descrevera. Eles eram geralmente de meia-idade e muito ricos, ansiosos para sair e ver o que estava acontecendo – contanto que fosse nas proximidades de um ar-condicionado, um chuveiro quente e drinks na noite.

O resultado era que a maioria dos tours de inspeção duravam cerca de dez minutos enquanto o restante do tempo era gasto levando-os e trazendo-os. O que não era de todo mal, já que não havia nada de espetacular para ser visto. Não tinha truque para inglês ver. Era aí que os doadores diziam:

– Mas para onde vai o dinheiro?

E Jacyra sentia vontade de gritar: "Reuniões, jantares, coquetéis, relatórios, papéis, papéis, papéis!!!!". Mas respondia diplomaticamente:

– As coisas são caras por causa da inflação, mister Moody. Custa um dinheirão só para chegar aqui de barco, é tudo tão longe...

– Você pode dizer isso quantas vezes quiser. Mas eu ainda gostaria de ver algo concreto quando chegar aqui. – Isso dava em Jacyra uma vontade de achar um pedaço de concreto e jogar na cabeça dele. Mas, ao contrário, ela dizia:

– Ranchos e redes são bons na floresta. Nós não queremos gastar dinheiro naquilo que não precisamos. Para os pesquisadores, o que importa é o equipamento para coletar e preservar. Eles já não ganham muito, e às vezes ainda têm que pagar do próprio bolso para que seu trabalho não se perca.

Era verdade, e era também a razão pela qual sua maior alegria era ser enviada sozinha para passar algum tempo com essas pessoas que faziam o que ela veio a chamar de "trabalho real". Para viajar com eles o dia todo num barquinho através dos mangues à procura de ninhos de tartarugas. Ou para caminhar por trilhas através da Serra da Bocaina a lugares onde mudas de árvores nobres eram esmeradamente plantadas, uma vez que somente as árvores nobres dessas florestas conseguiam sobreviver entre as trepadeiras, folhas e musgos de seu *habitat* original.

Era fácil desaparecer por dias sob tais circunstâncias, e ela ficava o quanto podia – ajudando, pescando e assando o peixe enrolado em folha de bananeira como tio Juca e seu Caco haviam lhe ensinado. Sempre feliz, por estar em contato com a natureza, não importa onde, e com essas pessoas a quem os outros se referiam como "cientistas malucos" – que gostavam tanto do que faziam que pouco mais parecia importar, contanto que pudessem continuar fazendo o que faziam.

Voltar ao Rio parecia somente ressaltar as diferenças. Era como entrar no espelho, ela pensou. Exceto que para ela o Rio era o país das maravilhas onde se passava horas enchendo lingüiça em um relatório para transformar um trabalho útil e simples em infinitos milagres para as pessoas que precisavam de milagres assegurarem seus cargos.

— Um milagre para você, dois para você — ela tinha vontade de dizer em voz alta enquanto distribuía os *kits* nas conferências.

— Jacyra, eu atribuo essa sua vontade de revolucionar o mundo à sua extrema juventude. Mas não se esqueça do velho ditado: "Uma mão lava a outra". E não se esqueça de que se trata também do seu emprego.

Era tio Eustácio, como sempre, quem falava em um tom fleumático que, apesar disso, obrigava-a a lembrar-se do porquê estava aqui e onde estaria se não estivesse: estudando o que não queria na Universidade ou sentada em Sta. Inácia esperando pelo casamento que inevitavelmente faria dela a dona da Fazenda das Contendas.

E como isso era inaceitável, ela decidiu contentar-se com o que tinha e ouvir mister Renshaw dizer:

— É incrível pensar que já faz mais de um ano que você está conosco. E eu entendo que o trabalho de campo foi apenas uma pequena parcela. Mas seja paciente, se eu disse que a enviaria em missões distantes, você deve entender que eu tenho toda a intenção... enquanto isso, aproveite o tempo para treinar seus "te-agás" — e acrescentou subitamente, com um ar de inspiração:

— Eu tive uma idéia. Quando as pessoas têm problema de ceceio em inglês, elas treinam os "*esses*" dizendo "*Surcease of sorrow*". Talvez você possa fazer o contrário!

Devastada e furiosa, ela contou a tio Eustácio, que, ao invés de solidarizar-se, riu com satisfação:

— Por que você não tenta? Você quer falar inglês tão mal quanto Renshaw fala português pelo resto de sua vida? Sabe, Jacyra, às vezes você age exatamente como a criança mimada que estou certo de que você foi.

Ainda mais furiosa, mas agora desafiada, ela de fato tentou: repetindo *"Thurtheathe of thorrow"* cem vezes por noite antes de dormir por uma semana e depois lendo em voz alta os livros que mister Renshaw lhe emprestava, até um dia descer para o café da manhã e anunciar:

— Ouça aqui, tio Eustácio: *"THis book is about portuguese THugs in THe Atlantic Forest. It is called 'WiTH broadaxe and firebrand'".* Que tal, tio?

— Bravooo! — ele aplaudiu e gritou em sua voz refinada — e agora, você nunca mais vai falar *"zí"*?

— Nunca.

— Ótimo. Eu diria que isso lhe confere o direito de corrigir Renshaw quando ele trocar os gêneros e as conjugações verbais, e tenho certeza de que ele lhe será muito grato. Mas agora, fale mais alguma coisa.

— Em inglês?

— Por favor.

— Tudo bem — ela respirou fundo. — *Uncle Eustace, I have found myself a small flat.*

Era algo que ela vinha pensando em como dizer havia dias. E esta pareceu subitamente ser uma boa oportunidade. Mas ela não se preparara bem para o olhar abatido que ele também não se preparara para evitar.

— Mas Jacy, não há necessidade — continuou em inglês. — Não é por causa do que eu disse, sobre você ser mimada?

— Não, tio. Quer dizer, eu fiquei muito bêbada na hora.

— Não, querida, você não ficou "bêbada", você ficou "brava". A diferença está no *"off"*. *Pissed* significa bêbada e *pissed off* significa brava.

— Ah. Mas o senhor tem razão, eu sou mimada. Eu sempre tive alguém cuidando de mim. Inclusive o senhor, então… — ela sorriu calorosa, percebendo o quanto tinha aprendido a gostar dele. — E esta é uma das razões pelas quais eu penso que, se eu quiser aprender a me virar sozinha, tenho que ir morar só.

— Eu entendo. Na verdade eu entendo muito bem — num instante sua expressão tornou-se estranhamente saudosa. — Se ao menos sua mãe pudesse ter feito o mesmo… Mas isso era impensável na época, mesmo aqui no Rio. Ah, mas se começarmos a nos prender nos "se ao menos", não saímos nunca mais do ponto de partida. E eu não quero que você pense que há algo de bom nisso.

Capítulo 36

Mais tarde, sozinha em sua quitinete, ela se lembraria muitas vezes do que ele dissera. Foi bem mais difícil do que ela imaginava deixar aquele seguro quarto de infância no velho casarão acima do mar. De certa forma, foi como sair de casa de novo. Por fim ela percebeu quão bom era chegar e ter uma deliciosa refeição elegantemente servida, com uma pessoa considerada e divertida com quem conversar.

Finalmente neste quartinho divertidamente mobiliado com as sobras das relíquias imperiais de tio Eustácio, ela teve uma noção real do que era estar sozinha. Principalmente sozinha com pensamentos que interrompiam sua leitura, seu trabalho e até a acordavam de noite com um incontrolável desejo de correr para o telefone. Talvez fosse porque, de toda sua família, a única pessoa por quem se sentia culpada era tio Juca. Talvez por isso sentisse cada vez mais insistentemente que lhe devia uma explicação.

Mas no momento em que pensava em ligar para ele, ela se dava conta de que não era algo que poderia falar pelo telefone, muito menos por carta. Inúmeras vezes tentara escrever-lhe, mas quanto mais escrevia, mais mortas suas palavras pareciam. Ela podia vê-lo lendo-as, balançando a cabeça sem entender nada, a não ser que – depois de tudo o que ele lhe ensinara, preparando-a para a vida na qual ela teve a boa sorte de nascer – ela o traíra. Fora embora sem ao menos lhe dizer por quê.

– Como pôde fazer isso? – ele a questionava em sonhos que a faziam acordar. Mas no final ela não telefonara nem escrevera porque sabia que o que precisava dizer vinha do coração e se resumia em poucas palavras, que só poderiam ser ditas face a face.

— Preciso vê-lo – dizia para si mesma, ansiosa –, mas quando?

E logo vinha a resposta: quando ela pudesse encarar Tomazio, por quem o espaço vazio em seu interior continuava a doer como uma ferida que não quer sarar. Uma sensação que também podia fazê-la encontrar centenas de desculpas para correr para o telefone. Mas ela sempre o punha de volta no gancho pensando: "Se eu ligar, ele vai dizer: 'Olha, você não me engana, seu lugar é aqui'. E o que poderei responder a isso?"

Algumas noites, para evitar de pensar no espaço vazio ou em onde é que era seu lugar, ela saía. Na maioria das vezes com pesquisadores que vinham da floresta passar o fim de semana, e se sentia bem mais à vontade com eles do que com os estudantes que tio Eustácio apresentava.

— Não sei, tio – ela dizia. – Às vezes me parece que a vida real não está na agenda dos seus alunos.

— Eu suponho que "vida real" para você signifique contar ovos de tartaruga e monitorar micos-leões-dourados com rádios? – ele sorria gracejando.

— Sim – ela sorria de volta –, mais real do que só falar de carros e computadores.

Havia tantos lugarejos no Rio onde se podia sentar, bebericar uma caipirinha e ouvir chorinho, samba e bossa-nova.

— O tipo de música que deveria servir de fundo para as grandes paixões – dizia Pedro Calazans, o especialista em árvores. Ele era frágil e de uma beleza refinada, com olhos ágeis, inteligentes. Quando dançavam, a pressão de suas mãos e o olhar naqueles olhos diziam-na que ele adoraria ser convidado para voltar para casa com ela. Não que ela fosse contra a idéia. Ser dominada por uma paixão arrebatadora por ele soava-lhe maravilhoso. Mas quando chegava a hora, com a presença dele despertando-lhe nada além de nostalgia, ela sempre acabava voltando para casa sozinha.

Até que uma noite, uma voz com forte sotaque francês atrás de si disse:

— Você deve ser Jacyra Tavares.

Era um daqueles coquetéis aos quais mister Renshaw adorava mandá-la em seu lugar. Desta vez era no Consulado Americano em homenagem a Charles Cruikshank, Diretor Honorário da UNPF. Mister Cruikshank era um milionário que, pelo prazer de caçar, estava disposto a contribuir com montantes anuais para assegurar ao mundo uma enorme variedade de animais para sua diversão.

– Entenda, Jacyra – dizia mister Renshaw –, são pessoas como ele que dificultam a vida dos contrabandistas de peles.

Mister Cruikshank gostava de contar histórias de gansos selvagens abatidos em pleno vôo sobre as planícies texanas e gazelas caçadas de trens em movimento na África do Sul. Tentando demonstrar estar impressionada, Jacyra resolvera que já tinha ouvido histórias suficientes para garantir seu salário por aquela noite, quando a voz atrás de si insistiu:

– Ouvi dizer que você veio do Pantanal.

– Você conhece o Pantanal? – feliz em ter uma desculpa para afastar-se, ela virou-se e deu de cara com um rapaz alto, esbelto, num paletó desarrumado e uma gravata frouxa. Sob uma mecha desobediente de cabelos castanhos, suas feições ostentavam uma angularidade gaulesa quase dolorosa que, apesar disso, não obstruía a franqueza e a desenvoltura de um homem do campo.

– Eu passei algum tempo lá estudando a vegetação rasteira e as árvores leguminosas. *Magnifique...* – pela expressão em seu rosto era difícil dizer se ele estava referindo-se a ela ou ao Pantanal, até ele apressadamente prosseguir como que para esclarecer:

– Mas até agora você é a única pessoa que ouvi dizer que esteve lá além de mim. Foi por isso que tentei falar com você a noite toda. – Uma linha reta em forma de boca transformou-se num amplo sorriso e um par de olhos da cor do mar num dia tempestuoso contemplaram-na com uma avidez encantadora. – Então, agora que a festa está quase no fim, posso sugerir irmos a um barzinho na avenida para tomarmos uma caipirinha? Ah, desculpe-me, já ia me esquecendo: meu nome é Adrien Vaneau.

Capítulo 37

— Bem — disse Isabel, entrando na sala após ter passado a última meia hora pendurada no telefone cochichando com seu irmão Eustácio —, é uma notícia e tanto!

Apesar de estarem no meio do inverno e o sobrado estar frio como uma tumba, ao sentar-se na marquesa ela literalmente abanou-se:

— Parece que Jacyra está saindo com um marquês francês.

— Um o quê!? — esganiçou Tatinha.

— Um marquês. Ah, não do tipo que nós temos aqui, mas um marquês de verdade. No momento que soube, Eustácio procurou verificar suas origens. Claro que sem Jacyra saber. — Isabel levou os dedos aos lábios para prosseguir furtivamente. — Vocês sabem o ataque que ela teria se descobrisse. Mas ouçam. A família possui vinhas históricas no sul da França.

— Então o que ele está fazendo aqui? — Tatinha franziu a sobrancelha num gesto desconfiado que moveu sua peruca.

— Ah, essa é uma das coisas que eles têm na França. Ele é o *segundo* marquês, e só o primogênito herda a terra. Mas isso não importa — Isabel sorriu confiante —, ele ainda tem o título e um excelente emprego. Na ONU, vocês imaginam? Se alguém mexer os pauzinhos certos, Eustácio disse que ele pode ficar no Rio indefinidamente.

Manoel, que ouvia a tudo por trás de seu jornal, dobrou-o e lentamente colocou-o de lado.

— Talvez mesmo assim fosse bom você ir até lá para verificar. Quer dizer, só para termos certeza de suas intenções.

— Ia ajudar muito — Dona Veridiana falou sarcástica e, incapaz de suportar mais um minuto daquela especulação ridícula, levantou-se rigidamente de sua cadeira de balanço e subiu para seu quarto.

Por vários dias após aquele episódio, a matriarca passou a maior parte do tempo sentada à janela que dava vista para o rio, os pensamentos inspirados pelo que estava do outro lado: a enorme fazenda, metade da qual, de acordo com a lei, pertencia à viúva; a outra metade seria dividida igualmente entre os herdeiros diretos. Nada da conta de nenhum "segundo marquês". E se a herança tivesse que ser modificada em qualquer aspecto, deveria ser com o consentimento dos vivos...ela sendo a mais importante.

Manter a terra unida fora a missão de sua vida. E só Deus sabia o quanto ela batalhara por esse propósito, sempre agarrada à sua porção e convencendo Manoel a não vender a dele. Mantendo, de fato, os netos próximos à terra para desenvolver-lhes ainda mais o vínculo. Mas agora os dois tinham praticamente se desligado de Contendas de forma que parecia que, de um minuto para outro, este mundo que era deles poderia desabar.

Toda vez que pensava nisso, sua mente voltava para o dia em que Jacyra irrompera na cozinha com a idéia de trabalhar para Juca. E também para o momento em que pedira ao pai para estudar na escola agrícola. Dois conceitos tão novos à matriarca que, naquele momento, pegaram-na completamente de surpresa.

O que ela deveria ter dito era:

— Se é isso que você quer, tente. — Ela logo descobriria quão duro, até aviltante, seria trabalhar tanto com os peões olhando incrédulos enquanto ela exerceria funções que simplesmente não lhe caberiam.

Mas naquele momento, incapaz de imaginar a veracidade das idéias de Jacyra, a matriarca pensou: "Daqui a pouco ela se acalma e o juízo volta". E, para pior, ela tentou apaziguá-la terminando com aquele irritante ditado sobre "o pescoço que move a cabeça".

Toda vez que Dona Veridiana pensava no assunto desde então, tinha vontade de enforcar-se por ter dito aquilo. Para Jacyra foi a gota d'água – especialmente por ter vindo dela, que sempre no mínimo a escutara, e quase sempre a apoiara em todas as situações. Ela deveria ter sabido também que não era uma idéia repentina – que quando Jacyra falava sobre algo era porque já havia se decidido a respeito. Mas ela nunca mais tocou no assunto e foi aí que começou a ter aquelas aulas de inglês. "Espero que não se ausente por muito tempo", Dona Veridiana dissera quando Jacyra anunciou que estava de partida para o Rio, "sabendo o quanto é necessária por aqui".

O que ela deveria ter dito era: "Por favor, não vá, eu imploro, o futuro está nas suas mãos!" Se ela já pensava assim na época, tanto mais agora ao ver o que estava acontecendo por aqui. Como Rafael, que, ao invés de cuidar dos interesses da fazenda, pouco fizera além de sugá-los desde que "assumira o comando".

Não. Sendo completamente sincera consigo mesma como o momento a obrigava a ser, Dona Veridiana tinha que admitir que era realmente culpa sua Jacyra ter ido embora. E quanto mais a garota imergia nessa outra vida sem contato com a terra, mais ela se tornava remota, difícil de se lidar na mente da matriarca. E agora ainda havia outro homem envolvido.

Ah, ela podia até ouvir o Coronel! Se esse francês tivesse aparecido aqui em Sta. Inácia, ela sabia o que ele teria dito: "Livre-se dele. Ponha-o para correr desta cidade. Não foi para isso que Manoel transformou o filho de Padre Emílio em delegado? Para que pudéssemos usá-lo para manter a ordem quando necessário?"

Ao pensar nisso, era impossível não visualizar o delegado bastardo Ernesto Badaró. Uma punição por um pecado da mocidade do padre, se é que houve um. Aquele nojento.

Embora, graças a ele, quão fácil seria, se esse francês aparecesse aqui, armar uma emboscada para ele, matá-lo de medo e fazê-lo sumir – para nunca mais voltar. Com certo deleite, ela podia ver esse "segundo marquês" interrogado num pau-de-arara com o rosto refletido de ponta-cabeça nos óculos escuros de Ernesto.

Era uma visão tão real que ela teve que chacoalhar a cabeça para trazer-se de volta à irritante realidade de que o francês *não* estava aqui. E mesmo se estivesse, como já estava provado, esta não era a maneira de lidar com Jacyra. Diante da conclusão, um súbito fluxo de orgulho percorreu as veias de Dona Veridiana, levando-a de volta à questão original.

Como desfazer o que já estava feito? Atrair a garota de volta para casa, para seu próprio território ao qual pertencia, antes que fosse tarde demais? Após três dias de meditação não muito diferente daquela que precedera o milagre de Sta. Inácia, a matriarca decidiu o que fazer, mesmo que significasse abrir mão da supremacia pela qual lutara a vida inteira.

E tendo tomado a decisão, dirigiu-se ao escritório de seu velho amigo Vasco Cabrera na praça de Sta. Inácia e pediu a indicação de um bom advogado.

– Não me pergunte por que, seu Vasco – disse ela em seu conhecido jeito enigmático. – Apenas acredite, é o melhor para todos.

Feito isso, à noite anunciou durante o jantar que decidira mudar-se definitivamente para Contendas.

– Você vai morrer! – exclamou Tatinha, dramática.
– Sim, e vou morrer onde gosto.
– Mas o que as pessoas irão dizer?
– Quem se importa com o que as pessoas dizem contanto que não ousem dizer para você?

A respiração presa de Isabel acompanhou a de Manoel:
– A senhora não pode fazer isso, mamãe!
– Besteira, Manoel. Se você pode recolher-se ao seu cubículo, eu também posso recolher-me na fazenda. Juca e seu Caco podem tomar toda a conta de mim. E Mercedes pode cuidar de todos vocês. – Ela ainda poderia ter acrescentado: – Se eu continuar no Sobrado, certamente morrerei de tédio, enquanto em Contendas eu tenho todos os motivos para viver.

Mas, ao contrário, contradizendo todos os seus anos no comando das tarefas domésticas, ela declarou:
– Vocês não precisam mais de mim aqui.

E na manhã seguinte ela montou na caminhonete ao lado de seu Caco e partiu, deixando para trás de si um Sobrado que, para ela, havia perdido toda sua vida e significado.

Capítulo 38

Se por um lado o Sobrado fora deixado como um abrigo abandonado hospedando sobreviventes, por outro a Sede tornara-se mais uma vez um lar, imbuído da energia e controle de quem viera não apenas para ficar por um tempo, mas para a vida toda.

Cada dia ela encomendava algo diferente: rúcula picante para a salada, goiabas e laranjas amargas para fazer doce. Num dia o coalho era misturado com leite e manteiga derretida para fazer um rico requeijão cremoso; no outro, pimentas malaguetas eram colocadas no azeite com alho e louro. Um dos resultados foi que a repetitiva gororoba da qual Juca sobrevivera exclusivamente por anos deu lugar a refeições que ele esperava ansiosamente com satisfação. Mas é claro que não era só isso.

Porque se uma casa não fica verdadeiramente em ordem a menos que seu dono esteja lá, quanto mais uma fazenda, onde cada dia é único e tudo é governado por decisões tomadas diante do imprevisível.

– Só há um jeito de verdadeiramente possuir um pedaço de terra – dizia Juca – e é se importando com ele.

Mas ultimamente, com nenhum dos proprietários parecendo importar-se e apenas um deles dando ordens a distância sem qualquer discussão envolvida, o que restava a alguém como ele fazer?

Agora subitamente a detentora da maior porção de Contendas estava aqui. E subitamente também pareceu emocionante argumentar – com essa velha com quem passara uma vida inteira discutindo – tudo o que precisava ser feito.

Ah, havia tanto o que conversar, da reforma dos currais por seu Caco com toras de carandá até a melhor vacina a ser utilizada contra aftosa, conforme prescrito pelo estudante Tomazio. Ou quais touros estavam realmente procriando e quais deveriam ser mandados para o gancho. Ou aonde ela e ele deveriam ir para escolher animais – voando para as feiras no rico interior de São Paulo e as vastas planícies de Goiás – para inserir sangue novo no gado.

Ao ouvi-los, Caco imaginava novamente – como fizera inúmeras vezes ao longo dos anos – como teria sido se Dona Veridiana tivesse simplesmente morado aqui desde o começo. Ela e Juca administrando Contendas com o zelo daqueles que eram "da terra".

Aí, obviamente, Caco especulava, os outros herdeiros não teriam posto o pé aqui. Não teria havido netos cavalgando ao lado de Juca como se fossem seus filhos, e a história teria sido inteiramente outra. Será que teria mesmo?

Como que em resposta, a menção desses outros herdeiros servia só para dissolver a atmosfera eufórica do retorno de Dona Veridiana. Um silêncio tomava conta da longa mesa do refeitório e, sem olhar para ninguém, todos submergiam em seus próprios pensamentos.

Era só falarem em Jacyra para Juca ser absurdamente soterrado por uma culpa ainda maior que a da matriarca. Para ele, tudo remetia ao dia em que Juruna morrera e ele tropeçara nos dois no pior momento possível. Se tivesse ido embora e os deixado sozinhos, certamente Tomazio e Jacyra teriam se unido como marido e mulher, e isso teria resolvido tudo. Mas o momento fora desperdiçado... Juca, a duenha até o fim. Literalmente. Ao ouvir sua confissão, Caco podia ler sua mente enquanto ele ficava ali, sentado em silêncio. Mas não tinha a mínima idéia quanto ao que estava por trás das palavras da matriarca quando, em resposta à expressão melancólica de Juca, ela dizia, ambígua:

— Fique feliz por Jacyra pensar por si só e tenha fé, Juca. Eu rezo por seu retorno todas as noites.

Ou, à menção de Rafael:

— Bem, Juca, fique feliz por ele estar voltando. Pelo menos demonstra interesse.

No entanto, claramente, ninguém estava nada feliz. Nem mesmo quando, um mês depois da chegada definitiva de Dona Veridiana a Contendas, Rafa comunicou por rádio sua intenção de vir a ajudar no arrebanhamento anual de bois velhos.

— E ele ainda falou que tem muito a conversar comigo, o que é que você acha? – ela perguntou enquanto saboreavam o pudim de caramelo, favorito de Juca, na noite da chegada de Rafa. Mas Juca simplesmente deu de ombros e seu humor sombrio não foi quebrado. Nem mesmo quando Caco disse, com uma súbita convicção intuitiva:

— Já que é com a senhora que Rafael quer falar, eu diria que é muito bom que a senhora esteja aqui, em seu próprio território!

Não era difícil saber do que se tratava o mau humor de Juca. Às vezes, durante os longos silêncios de Rafa, era possível crer que, no que dizia respeito a Contendas, a existência dele não fazia a menor diferença. Uma ilusão dramaticamente estilhaçada no momento em que ele surgia no rádio ou em pessoa.

Normalmente, com seu próprio bando de seguidores de pernas arqueadas atrás de si, ele chegava distribuindo ordens: requisitando cavalos e cães para caças, barcos e barqueiros para pescarias – qualquer coisa para, parecia a Juca, demonstrar sua supremacia e perturbar a ordem do dia. Se Juca protestava, Rafa balançava a cabeça, desalentado:

— Você já viu algum lugar em que o dono não pode usar seus cavalos quando quer?

"Pelo menos desta vez – pensava Juca enquanto partiam em busca dos bois velhos – posso agradecer por não haver uma horda de bajuladores atrás de nós." Mesmo assim, sua gratidão não conseguia dispersar uma certa sensação de mau agouro.

Procurar touros velhos que foram castrados e largados para engordar no capim do brejo era uma tarefa que nunca empolgou Juca. Excluídos do bando, os bois perambulavam juntos, cada dia mais selvagens. E, como que pressentindo seu destino iminente, retrocedendo para os outeiros florestados de onde nem os ensinados sinuelos conseguiam atraí-los.

Excelentes, nobres animais, Juca podia aceitar o fato de serem condenados. Se não fosse para matá-los, para que é que se criaria gado? Mas ele não conseguia acostumar-se à idéia de seu sofrimento extra, auto-infligido. Porque o único jeito de conseguir arrancá-los do mato era laçando-os e amarrando-os pelos chifres a vigorosas árvores até que a sede e a exaustão matasse-lhes o orgulho. Na falta de uma árvore estratégica, muitas vezes os bois tinham que ser derrubados e amarrados. Mas para um animal grande e velho, tal experiência freqüentemente se revelava tão traumática que não deixava outra alternativa aos vaqueiros senão a de abatê-los ali mesmo e transformá-los em charque.

Era uma tarefa dura, que só os mais brutos tinham o coração de executá-la, principalmente porque, além de tudo, era também extremamente perigosa. E esta era a principal razão pela qual Juca temia a vinda de Rafa. O perigo envolvido despertava um irrefletido destemor em Rafa que sempre fizera dele um campeão entre pessoas que admiravam tal qualidade.

Mas especialmente neste caso, era justamente essa valentia que tornava a tarefa muito mais arriscada e difícil àqueles que, usando as árvores como estacas e aproximando-se passo a passo, tinham que amarrá-los. Era *aí*, na verdade, que a maior agilidade e a verdadeira coragem entravam em cena.

– Devagar – Juca sempre dizia –, nós não queremos ter que voltar aqui e fazer charque. – E era de fato para cuidar de que as coisas não se tornassem mais selvagens do que o necessário é que, embora odiasse a situação como um todo, ele sempre vinha para supervisionar.

Mais de uma vez hoje, no entanto, graças à estrondosa aproximação de Rafa justamente no momento em que Bento tinha atraído um desses bois injuriado para menos de um metro de uma árvore, quase que o próprio Bento acaba esmagado contra o tronco. E por mais que tentassem, não conseguiram atrair o boi novamente para perto da árvore, de forma que foram obrigados a laçá-lo, segurá-lo firmemente, derrubá-lo e amarrá-lo no chão.

Quando finalmente a fera estava imobilizada, sem necessidade alguma, Rafa chutou-a na cara. Ouviu-se então o sonoro ruído de ossos rachando que Juca ainda podia ouvir horas depois, sentado na Baía das Antas onde, exaustos, os homens pararam para pernoitar.

Ali, entre suas altas árvores à beira da lagoa, ele podia ouvir claramente o mugido atormentado dos bois amarrados que perduraria durante toda a noite e o dia, até seus mugidos se transformarem num gemido rouco e depois em enfraquecidas arfadas desesperadas de sede. Ai, como ele lamentava aquele som, e a idéia fê-lo tomar mais que sua dose usual do mata-bicho do frasco a seu lado.

Algum tempo depois, a cachaça entorpeceu-o tanto que ele mal teve tempo de pendurar sua rede antes de apagar. Mais tarde, porém, o silêncio despertou-o para imaginar, deitado num estado de profunda depressão, o que é que Rafa queria agora.

Primeiro foram os novilhos, vendidos fora de época. "Pense nisso como um empréstimo, se quiser", ele dissera. Mas, ao invés de pagar, logo depois ele tomou um empréstimo de verdade no Banco do Brasil.

No frescor da noite clara, seus pensamentos ficando mais lúcidos a cada minuto, Juca teve que admitir a si mesmo de que fora facilmente persuadido a pegar emprestado aquele dinheiro inútil. Havia tantas coisas que se poderia sonhar em fazer e que o preço do gado, sempre uma estação atrás da inflação, não conseguia pagar. Como construir quilômetros de cerca para melhor dividir os milhares de hectares de pasto.

Então por que não? – tentou Rafa. – Há todo esse dinheiro barato que se pode ter para benfeitorias, e ainda podemos pegar uma bolada de uma vez só. Não é para isso que serve a influência política? – Instigada pelos sonhos de Juca, Dona Veridiana dera a seu "representante político" o benefício daquela séria dúvida.

O resultado foi que Rafa pôs o dinheiro no *overnight* para evitar sua desvalorização até que pudesse ser usado, disse ele. O único problema foi que, antes que as estacas fossem fincadas e Juca estivesse pronto para comprar os primeiros rolos de arame, podendo sacar o dinheiro quando quisesse, Rafa já o tinha consumido por completo. E Contendas vinha pagando por isso desde então.

Bem, Rafa vencera em sua campanha e agora era um Deputado Estadual.

– Imagine só, tão jovem! – Isabel estava eufórica.

– Sim, maravilhoso – Dona Veridiana esperançosamente concordara, a despeito do estranho silêncio de Manoel.

Até Juca teve esperança de que agora o garoto iria endireitar, virar homem – mesmo sabendo, no fundo, que ele não iria. Não havia, pois, tentado, por anos a fio, incutir nele uma noção de certo e errado? Mas foi como perder tempo tentando treinar uma mula que já nasceu geniosa. Ou você já nasce com isso dentro de si, ou pode esquecer. E aqui esta tarde, novamente, Rafa demonstrara sua deficiência bem na frente de todo mundo.

"Quando ele chutou a cara do boi", Juca pensou, "se ele ainda fosse pequeno eu teria lhe dado uma bronca. Se ele queria ser um mau exemplo na frente de todo mundo, eu teria ajudado dizendo: 'Por que fez isto? Há inúmeras razões para se chutar os animais sem precisar fazer isso por nada'". Mas mesmo Rafa sendo um homem agora, ele deveria ter dito alguma coisa.

Porém naquele momento, sentindo a afeição que um dia nutrira pelo garoto transformar-se num ódio cada vez mais difícil de ser controlado, Juca ficou sem fala. Então continuou cavalgando, de cara fechada, sem dizer nada e sentindo-se decididamente aliviado quando, ao se aproximarem do rancho de Odair, ao invés de entrar Rafa prosseguiu sozinho.

Para onde ele iria cavalgando em direção ao brejo que se estendia entre aqui e a Mata do Jaguar, Juca não conseguia imaginar. Caçar? Após um longo dia como este e sem nenhuma platéia? Parecia altamente improvável. E agora, deitado em sua rede entre suas árvores enormes, ao invés de diminuir, o mau agouro de Juca aumentou. Parecia-lhe que, sem alguém que pudesse controlá-lo, a presença de Rafa era como uma força maligna que impregnava tudo à sua volta. Fazendo até Juca perguntar-se pela primeira vez:

– Enquanto as coisas estiverem assim, que direito tenho eu de querer que Jacyra volte?

Capítulo 39

Numa coisa Juca estava certo. Sem uma platéia, Rafa não ia caçar coisa alguma, principalmente depois que as conseqüências de ter chutado o boi não justificaram o esforço. Seguiu-se um silêncio temperado com um toque de perplexidade que parecia dizer, no mínimo: "Para que perder tempo quando Dona Aparecida está nos esperando com um caribé que dá água na boca só de pensar, antes mesmo de sentirmos o cheiro?"

— Venha Rafa, já sabemos que você é valente. Além disso, estamos todos com fome — Jezu, como de costume riu, exatamente como se ele ainda fosse a mesma criança de quem todos debochavam. Como se não pudesse entrar em suas cabeças que agora ele era Doutor Rafael Tavares, Deputado pelo Estado de Mato Grosso. Nem mesmo de "seu" conseguiam chamá-lo, quanto mais de "senhor".

— Quem está cavalgando na frente? — eles diziam.

— Seu Juca com Rafa.

Se agora estava cavalgando sozinho, disse a si mesmo, era principalmente para ficar longe da maioria deles. Embora no fundo soubesse que uma estranha e terrível curiosidade atraía-o em direção à Mata do Jaguar. E quanto mais se aproximava, mais clara ficava a visão da Caverna das Estrelas e o encontro que o trouxera até aqui.

Na Caverna, ele estava com Catucha, que se tornara, digamos assim, sua garota fixa ali. Uma boa menina, não só por sua robusta beleza italiana, mas também esperta e cheia de vida. Tendo perdido os pais num tiroteio em um garimpo e sido "adotada" pela dona de um bordel aos 13 anos, era seu sonho, contou a Rafa, fazer alguma outra coisa. Mas não era fácil nessa profissão pagar suas dívidas e escapar com vida.

— Então cá estou eu — ela lhe sorria amorosamente, de tempos em tempos tentando-o a conseguir-lhe um emprego de auxiliar em seu gabinete, permitindo assim que o Estado pagasse suas contas. Mas embora parecesse realmente estar apaixonada por ele, ele sempre lembrava a tempo que "no mundo lá fora" ela poderia tornar-se mais exigente e, portanto, menos excitante. E além do mais, tinha o problema dos cartuchos.

Eram cartuchos vazios, às vezes usados para medir pó de ouro contrabandeado, outras vezes para medir um outro tipo de pó, mais leve e — como Inocêncio Salvador cinicamente o advertira —

ainda mais valioso que ouro àqueles que o negociavam, mas nunca o tocavam.

O problema era que Rafa ainda tinha que conseguir seguir o conselho de Inocêncio. Ele não era negociante, mas comprador, e quanto maior sua necessidade se tornava, mais ele entendia o verdadeiro significado de ser "importante". Por um lado, coloca você acima da lei, por outro, faz de você um objeto. De fato, os pequenos cartuchos entregues no quarto de Catucha tornavam-se mais caros na exata proporção que ele despontava como político. E é claro que quando conheciam alguém, os entregadores o lembravam para sempre.

Era o barman Jorginho, um árabe de nariz adunco, bigodes caídos e olhos pesarosos quem fazia as entregas, e quando Catucha reclamou do aumento nos preços, ele balançou a cabeça compadecidamente e disse:

– O que você quer? Infelizmente doutor Rafael é um homem muito importante.

Ironicamente, sob outras circunstâncias tal comentário teria feito seu coração arder, mas sob estas, quanto mais Jorginho falava, menos prazer Rafa sentia em sentar-se na Caverna com sua bela garota ao seu lado, oferecendo uma cadeira e bebidas a quem quer que se aproximasse para apertar-lhe a mão. Principalmente se fosse um estranho, como da última vez, quando Jorginho, parecendo ainda mais triste do que de costume, apareceu para apresentar um tal de seu Antonio Abrantes, que "gostaria ter uma palavra com o senhor, seu Deputado".

Quando Rafa virou o rosto para assimilar o vulto diante de si, ele parou por um instante para pensar se não estava alucinando. Ou talvez fossem as luzinhas pisca-pisca no teto da Caverna das Estrelas – seu brilho obscurecido pela fumaça – que fizeram o indivíduo parecer de alguma forma fantasmagórico. Talvez fosse só sua aparência – a pele dourada, quase sem pelos, as maçãs do rosto empinadas, as feições oblíquas dos Guaicuru tornadas sinistras pela alternância entre luz e sombra. Mas não, mais tarde Rafa descobriria que eram os olhos – cor de âmbar pálido e inexpressivos –

como os de uma ave de rapina. Era como se, tendo-o encontrado, esses olhos aprisionassem Rafael em seu olhar vazio de predador.

— Boa noite, doutor Rafael — ele inclinou a cabeça com uma certa polidez segura que fez com que Rafa oferecesse-lhe uma cadeira antes mesmo de perceber o que estava fazendo. — Um lugar impróprio para se falar de negócios, eu sei — disse o estranho, sentando-se —, mas eu preciso embarcar para o Paraguai amanhã, e como a empresa que represento lá está ansiosa para fazer negócio, achei que o senhor pudesse se interessar agora pelo que tenho a dizer.

Colocou sobre a mesa um cartão impresso com um daqueles nomes propositalmente ambíguos, tão comumente conectados ao Paraguai: "Interinvest, *Sociedad Anónima*".

— Nós comercializamos propriedades — prosseguiu — e, pelo que sei, o senhor é proprietário da Fazenda das Contendas?

— Sou — Rafa olhou para ele impaciente, o cartão por si só um mau sinal.

— Nossa companhia está pensando em comprar sua vizinha, a Fazenda Promissora. Não sabíamos se o senhor tinha ouvido falar.

Então era isso. Rafa imaginou se tinha deixado escapar seu alívio.

— O senhor gostaria de uma avaliação?

— Não, eu conheço a área bem o suficiente. É que Contendas detém um pedaço de terra na curva do rio Pataguás, algo em torno de 5 000 hectares. Um pântano sem valor. Mas a companhia gostaria de comprá-lo para alinhar suas fronteiras e, quem sabe, transformá-la numa reserva natural. Os proprietários são muito preocupados com a ecologia — um sorriso cínico tocou os lábios do estranho. — E, para isso, estão dispostos a pagar um preço razoável.

— Pela Mata do Jaguar? — agora, além de alívio, Rafa tinha que tentar esconder sua animação. — Para falar a verdade — ele externou, condescendente —, como nunca precisamos, nunca nos passou pela cabeça vendê-la. Eu precisaria de algum tempo para pensar.

— Entendo — o estranho parecia estudar o copo vazio de Rafa como se este pudesse dizer-lhe o que fazer em seguida. Mas quando ergueu os olhos totalmente sem expressão, Rafa sentiu que eles estiveram observando-o o tempo todo. — Mas eu sugiro que o senhor pense seriamente, levando em conta que esta pode ser a chance de uma vida.

Exatamente, Rafa estava pensando. A Mata do Jaguar, que não valia nada para ninguém, a não ser para os desesperados... Sentindo um frio repentino como o que sentira quando o estranho aparecera, teve que esforçar-se para dizer:

— A chance de uma vida? Não entendo.

Embora devesse, não estava preparado para a súbita ousadia do homem:

— Porque a companhia negocia principalmente em ouro. E fui informado de que o senhor já fez vários negócios com comerciantes de ouro, então o senhor sabe como eles são. Quando querem alguma coisa, eles não desistem.

— Canalha! — se a incerteza fizera Rafa esquecer sua condição um instante atrás, agora ela voltou num relance. Numa fúria cega, ele inclinou-se para frente balançando seu dedo sob o nariz do homem para enfatizar cada palavra:

— Me parece que é *você* — ele reduziu o pronome de tratamento — quem tem que pensar um pouco e se lembrar de com quem está falando!

Catucha, experiente nesses assuntos, estava pronta para abaixar-se. Mas, ao invés de reagir na mesma moeda, desta vez o homem ergueu os dois braços num gesto de rendição quase que gozador:

— Não quis ofendê-lo, doutor, eu só quis dar um bom conselho. — No semblante suave de malares altos, os lábios finos desdobraram-se num sorriso quase íntimo: — O senhor é o doutor Rafael Tavares, da mesma família que possuía Contendas desde os tempos do Coronel Cândido?

— Sou eu mesmo — Rafa levantou-se com um ar conclusivo.

— Ah, então estou certo em pensar que nossas famílias já foram vizinhas, tão próximas que alguns pensavam que eram parentes? O senhor pode não lembrar, mas tenho certeza de que Dona Veridiana se lembrará: Valente? Nós possuíamos uma grande faixa de terra ao longo da borda da Mata, mas a perdemos. Uma questão de registro, acredito. Daí meu interesse ser quase pessoal. – E inclinando a cabeça mais uma vez, disse: –Antonio Abrantes a seu dispor. Mas a maioria das pessoas me chama de Caracará.

E com isso ele se retirou, seu vulto dourado-claro se dissolvendo na escuridão enfumaçada de forma que, mais tarde, Rafa poderia muito bem ter-se convencido de que, dado seu "elevado" estado no momento, fora tudo resultado de uma imaginação superestimulada.

Isto é se não fosse pela parte sobre os comerciantes de ouro. Essa foi uma mensagem clara o suficiente para não haver muita dúvida quanto a quem pertencia a companhia anônima do Paraguai. O desespero por saber levou-o direto a Inocêncio Salvador, que, obviamente, teve grande prazer em dar-lhe uma resposta evasiva.

– Interinvest? Nunca ouvi falar. Mas se estão oferecendo um bom negócio, eu diria que, quanto mais rápido aceitá-lo, melhor. Esse Caracará é bem perigoso, pelo que ouvi, nunca se sabe o que ele irá aprontar.

Caracará. De acordo com a lenda indígena, Caracará era o intermediário. Condenado a ser um falcão devido a sua ganância, ainda assim reteve sua cínica sabedoria para ser conselheiro e mensageiro dos deuses. A imagem era boa: um mensageiro do "Deus do Ouro" – e das drogas, e do contrabando, era isso?

Bastou-lhe conversar com Inocêncio para ter certeza quanto a quem eram os donos da empresa paraguaia e para que queriam a Mata. Mesmo assim, ele realmente não sabia dizer por que se sentira compelido a vir até aqui para vê-la.

Para entender sua amplitude, era preciso vê-la do alto de um avião, desenrolando-se monotonamente em alagadiços, pântanos e charcos, pontilhada de espelhos circulares de lagos e fios de vazantes que pareciam ir a lugar nenhum num vazio sem fim. Olhá-la daqui era como tentar enxergar através de uma tapeçaria de trepadeiras unidimensional.

Mas havia algo na Mata ao entardecer que deixava o cavalo de Rafa tão irritadiço a ponto de ele ter que dar trancos nas rédeas para controlá-lo. Era algo gélido e ameaçador, tão cheio de advertências quanto o uivo dos macacos e os gritos das anhumas e curicacas ao se apressarem em encobrir seus filhotes.

Virando seu cavalo, Rafa percebeu-se tão desejoso de sair dali quanto sua montaria. Se teve algum resultado, a excursão à Mata apenas intensificou a sensação de inescapabilidade que o assombrava desde seu encontro com Antonio Abrantes. Da família Valente? Ele podia ver de novo aqueles olhos âmbar na tênue luz crepuscular. Olhos de caçador – frios e inexpressivos, embora com uma promessa de continuar voltando, caçando como ele era caçado até que um ou outro cedesse.

Capítulo 40

No momento que chegou à Sede no dia seguinte, Rafa foi direto a seus aposentos para tomar um banho, a água quente puxada do fogão a lenha fluindo, suavizante, sobre seu corpo dolorido. Então, injetando uma substância entre os dedos dos pés porque as marcas de agulhadas nos braços estavam ficando perceptíveis demais, ele se deitou em sua cama para descansar e preparar-se para a entrevista com a matriarca.

Não que devesse haver algum problema, disse a si mesmo. Se fossem pensar bem, realmente não haveria qualquer razão pela qual alguém não concordaria em vender a Mata, principalmente vovó Veridiana. Não fora ela a primeira a, literalmente, abandoná-la, banindo-a completamente de suas vidas? Por que ela não ficaria feliz em livrar-se dela? Ele já não tinha conseguido persuadi-la antes a vender aqueles bezerros, a tomar aquele empréstimo? Pena que ele não poderia dizer-lhe que era sua liberdade que ela estaria negociando, pensou amargamente. Pena não poder contar-lhe coisa alguma.

Ao todo, demorou cerca de uma hora para ele se preparar para chegar à varanda parecendo o imaculado, arrogantemente belo Rafael que todos conhecem. A matriarca estava sentada, sozinha, e quando ela se levantou para beijá-lo, ele pensou ter visto seus braços tremerem no esforço de erguer-se da cadeira. Mas no momento seguinte, seu surpreendente perfil assegurou-lhe de quanto vigor ela ainda possuía enquanto esperava que ele falasse. Parecendo a obstinação em pessoa, ela tornara muito mais difícil começar com a abordagem otimista pela qual ele optara.

— É que nós recebemos uma oferta, vovó, de uns trouxas querendo comprar algo sem valor.

— As coisas têm diferentes valores para as diferentes pessoas. O que é, Rafael?

Fora um começo detestável, que o fez resolver deixar o otimismo de lado e ir direto ao assunto:

— Então digamos que é sem valor para nós. — Tendo todo o cuidado de manter seu tom comedido, comercial, ele descreveu a oferta feita pela companhia paraguaia, preparando-se o tempo todo para sua reação diante da mera menção da Mata do Jaguar. Mas ele deveria ter sabido que a matriarca não demonstrava emoção quando tinha algo a defender.

— Para alinhar as fronteiras, você disse? — perguntou ela friamente. — O preço que você mencionou é muito dinheiro, Rafael, por algo que não vale nada. Tem certeza que não tem nada a ver com minha idade?

— Por que a senhora diz isso?

— Porque se sabem que eu não faço nada com ela, talvez estejam preocupados com quem colocará as mãos naquelas terras quando eu tiver partido. Alguém que realmente possa fazer dela uma reserva ecológica.

— Mas o ponto é: nós não fazemos nada com ela. Então para que mantê-la?

— Acho que você sabe por que, Rafael. É parte de minha herança.

— Será que não dá para a senhora entender, vovó? Esta pode ser a chance de uma vida!

— Só se for da sua, Rafael, da minha não. — Dona Veridiana balançou a cabeça e lenta e resolutamente explicou: — Anos atrás, quando seu avô morreu deixando duas viúvas e um pedaço de papel para proteger Contendas, nós poderíamos facilmente ter perdido a terra. Mas sua bisavó morreu praticamente uma santa, exigindo o respeito de todos. E com a ajuda de seu pai e tio Juca, eu consegui segurar as terras até hoje. Por isso os Tavares são uma família poderosa e respeitada da qual você é um representante. Sem as terras aqui no Pantanal, quem você seria?

– Quem? – era mais do que ele podia suportar. Ele sentiu um sincero desejo de assassinar esse monumento à obstrução que agora parecia fixo a um ponto em algum lugar atrás de si e além de sua compreensão enquanto ele lançava sua última cartada: – Sim, quem somos nós, vó? Quem o Jaguar foi para nós e o que ele sabia que fez meu avô querer matá-lo?

Há quantos anos ela esperava por essa pergunta? E, por fim, aqui estava seu próprio neto, parecendo suficientemente desesperado para usá-la como uma ameaça. Mas, no momento, seu sentimento mais forte era o de triunfo ao responder, de fato, a verdade:

– Só seu avô sabia, Rafael. E foi ele quem acabou morto, se é que você se lembra. – Ela não ergueu a voz, mas seus olhos se inflamaram de uma maneira pouco comum ao arrematar: – Quando isso aconteceu, eu jurei nunca vender minha parte de Contendas. Se você não percebeu antes, espero que perceba agora. E eu gostaria de pedir que você não tocasse nesse assunto novamente.

Ele foi embora, sem nem se despedir direito, naquele tipo de ira que ela não via desde que ele era pequeno quando, ao ser admoestado, inevitavelmente acabava fazendo algo de mau para provar que podia fazer o que bem entendesse.

– Pior para ele – disse ela para si mesma, indignadamente, enquanto o avião alçava vôo. – Não dá para ceder sempre.

Foi só depois que ele partiu e que ela sentou-se na varanda do andar superior assistindo ao pôr-do-sol é que ela encontrou-se com uma sensação de pena e até culpa pela maneira antiquada em que seu neto fora criado, quase como um fidalgo. Todos sempre dizendo:

– Deixe-o fazer o que quiser, ele vai ter muito com o que se preocupar mais tarde. – Até que no final, parecia, ele realmente não conseguia se preocupar sozinho com coisa alguma. E agora esse negócio com a Mata...

Era verdade, ela havia cortado-a de sua vida, evitado pensar nela por anos. Mas agora, e somente agora, as memórias evocadas por Rafa com sua conversa sobre a Mata demoliram suas poderosas defesas para trazê-la de volta ao pior momento, quando tudo começou.

Àquela época após o desaparecimento de Cândido. Ela recordou o quanto sentira falta dele – tanto que praticamente rezara para Ele dizendo:

– O que é que eu faço, o que é que eu faço? – Mesmo assim, ela se horrorizava ao pensar em sua vinda. Até que ele de fato aparecera, e era exatamente igual a quando havia partido: imaculado em trajes de caça e aparentemente calmo. Foi como se ela tivesse acordado de um pesadelo para descobrir que nada acontecera, até estender a mão e perceber que não havia nada para ser tocado.

– Você conseguiria se acostumar a isso? – perguntou ele seriamente.

Demorou algum tempo para ela encontrar a voz, mas quando conseguiu, aterrorizada pelo medo de perdê-lo novamente, ela respondeu:

– Sim, meu amor, claro que sim.

E assim, como se estivessem assumindo um novo contrato de casamento, ele estabeleceu as condições. Ela não deveria jamais tentar descobrir o que acontecera ou por quê.

– Você deve simplesmente acreditar em mim, meu amor. Você estará mais segura se não souber.

E, obviamente, ela não poderia dividir este quarto com mais ninguém. Ao dizê-lo, algo ao mesmo tempo ardente e temeroso misturou-se à sua voz e ele disse:

– Veja, nós fizemos deste lugar nosso paraíso, e eu não posso existir em qualquer outro lugar.

Até então, em sua angústia e revolta, ela só quisera viver para proteger seus filhos e vingar-se daquele que causara Sua morte, destruíra suas vidas. Mas com Sua chegada, uma visão completamente nova do propósito de viver também chegou. Como ele pedira, ela fechou a mente para as razões de sua morte até o ponto de ignorar a Mata do Jaguar. E concentrou todas as suas energias naquilo de valor que lhe restava. E embora a oração nunca tivesse sido para ela nada além de um dever imposto, ela encontrou-se orando sinceramente por orientação e força para manter tudo em ordem.

Era uma fé estranha a dela, segundo a qual ela nunca tinha certeza de onde vinha a orientação. Ela só sabia que, nos momentos difíceis, ela vinha. E que ela era particularmente poderosa neste quarto, neste mundo que eles modelaram e onde Sua presença ainda existia. E se deixasse de existir?

Ultimamente, quando ela se recolhia à noite, havia muito o que ela não lhe contava. Sobre a venda dos bezerros, o empréstimo. Sem falar na aparição do francês no Rio e no esquema que ela planejara e que parecia ser a única saída para salvar o paraíso deles. A cada omissão, um silêncio desconfortável se interpunha entre eles e ficava cada vez mais pesado a cada nova aparição. Ela sonhava em poder contar-lhe tudo – mesmo se ele se irasse e gritasse –, mas ainda assim se aproximassem novamente. Mas a cada vez que o via ali, sentado, de alguma forma parecendo menor do que fora um dia, sua expressão vaga, distante, esperando – ela se enchia de novo daquele crescente temor de contar-lhe coisas que ele estava antiquado demais para entender e, pior, velho demais para suportar. E por essas razões, pela primeira vez na vida, ela receou entrar no quarto que sempre conservara para compartilharem.

Capítulo 41

Além daquela estranha química que se dá quando olhares se encontram, talvez o que tenha atraído Jacyra a Adrien Vaneau fora simples curiosidade. Ela nunca havia conhecido alguém como ele, um aventureiro nato em cuja natureza estava procurar empregos que o levassem a lugares estranhos.

Somado a isso, ele era um bom contador de histórias que, na primeira noite em que sentaram juntos bebendo suas caipirinhas, fizera-a rir ao relatar suas aventuras – na Air America lançando búfalos vivos de pára-quedas à resistência nas florestas do Laos, cruzando a Arábia sobre camelos carregando armas, atravessando a Patagônia em trens a vapor alimentando os motores como forma de pagar pela viagem.

– Mas não agora – disse ela, ainda curiosa.

– Pode se tornar exaustivo – admitiu meio que de brincadeira. – Por isso aceitei este emprego. A Organização disse que eles precisavam de alguém que pudesse se sentir tão à vontade num rio na selva quanto num coquetel diplomático. Então pensei, por que não tentar?

Ele sorriu, imodesto, enumerando as vantagens:

– Remuneração por esforços, despesas de viagem nos melhores hotéis, férias uma vez por ano. Depois de um tempo, certamente supera contrabandear armas e lavar pratos em prostíbulos. E também ajuda a ficar em um único lugar tempo suficiente para conhecê-lo. – Então ele lhe contou que seu sonho era encontrar o lugar ideal para modelar seu próprio mundo. Uma fazenda exatamente como sonhava.

– Então eu suponho que o Pantanal não serviria?

– Como eu disse, ele é inigualável – encantadoramente belo. Embora para mim seja um tanto quanto assustador, talvez porque eu seja um homem das montanhas. Me dá a sensação de que aquelas planícies infinitas poderiam engolir alguém vivo.

– É questão de se acostumar – disse ela, subitamente enxergando-as claramente. – A beleza está no céu, no pôr-do-sol, nos reflexos na água.

– Talvez a beleza esteja nisto, naquilo a que estamos acostumados. Ou talvez estejamos sempre procurando aquilo que deixamos para trás. Em qualquer um dos casos, você e eu jamais concordaremos. – Os olhos cor-de-mar olharam-na fascinantes, ousadamente convidativos. – Mas isso não significa que eu não gostaria de vê-la novamente. Então, posso?

Ele não foi para casa com ela naquela noite, mas foi algumas noites depois para descobrir, para seu choque, que ela era virgem.

– Não é que eu não entenda dessas coisas – disse-lhe ela, desinibida. – Afinal de contas, eu vivi cercada de vacas e touros, porcas e porcos, cães e cadelas. É só que a vida no Pantanal pode ser perigosa, mas é protegida. Além do mais – ela continuou, um tanto quanto séria – eu não sou fácil de ser tentada.

Na manhã seguinte ele começou a se preocupar – pensando em sua inocência e também em sua ignorância. Pensou que talvez devesse desvencilhar-se dela enquanto ainda podia. Antes que algo terrível acontecesse. Embora ele também nunca tenha conhecido alguém como *ela*. Apesar de sua franqueza, havia um mistério, algo ilusório que o atraía a ela e, como a bebida, parecia inofensivo o bastante até se decidir parar.

Quanto a ela, estava simples, completamente apaixonada. Quão maravilhoso era poder deixar todos os sentimentos naturais, há tanto tempo reprimidos, virem à superfície para serem ricamente desfrutados!

E que lugar melhor para se estar apaixonado que o Rio de Janeiro? Como tudo agora parecia diferente para esta criança dos rios e das planícies que, até este momento, sentira-se sufocada pela cidade esmagada entre as montanhas e o mar.

Eles se deitavam lado a lado nos gramados dos Jardins Imperiais observando as compridas, reservadas janelas da antiga residência do Imperador. Escalavam de mãos dadas a Floresta da Tijuca para contemplarem, do pedestal de granito do Cristo Redentor a vista dos promontórios florestados erguendo-se de dentro do vasto oceano onde todos os rios terminavam.

Ele ensinou-a novos mistérios do mar. A velejar de forma que ele pudesse levá-la ao lado mais longínquo da mais longínqua ilha para fazerem amor entre peixes cintilantes em resplandecentes e ensolaradas piscinas naturais.

Entre goles de caipirinha ao pôr-do-sol na avenida, eles assistiam aos últimos jogos de futebol na praia darem lugar à escuridão e aos rituais de velas a Iemanjá. E então, enquanto as prostitutas perambulavam por entre as mesas, eles contemplavam um ao outro até não restar nada além da compulsão que os carregava à quitinete atulhada de móveis do século XVIII, onde se deitavam agasalhados pelas brisas do mar.

– Consegui uma extensão para meu trabalho – ele contou. – O Brasil tem muito o que se ver, eu preciso ter mais tempo. Além do mais, preciso conhecê-la melhor, Jacy. – Em seguida, ele continuou a falar, contando-lhe avidamente suas aventuras, como se ela fosse parte delas, de seu sonho de encontrar o lugar exato onde fincar seu mundo e ficar para sempre.

Era maravilhoso saber que ele realmente falava sério em cada palavra, pelo menos no momento. E quando se está profundamente apaixonada, o momento é tudo o que importa, é sujeito e objeto de obsessão. Tal idéia também anestesiava, acalmava a saudade que tinha de tudo o que deixara para trás. Cobria uma absurda sensação de traição que tinha ao pensar em Tomazio, quem – como se só pudesse existir uma pessoa no mundo – ela sempre teve certeza de que amava.

– Estou bem feliz aqui – ela assegurava a si e a Adrien. – O que importa é gostar do que se está fazendo.

Porque ele queria que ela ficasse onde estava, ele a ajudava a inventar razões para fazer o que gostava. Ele era muito bom nisso.

– Os mangues? Está bem – dizia. E no instante seguinte já havia um projeto intitulado "Mangues Protegidos para o Cultivo Sustentável de Palmitos e Ostras".

O projeto levou-os a Cananéia, uma cidadezinha colonial ainda misericordiosamente remota na costa sul de São Paulo. Ali eles contrataram o meio de transporte mais barato: uma casa-barco chamada Imperatriz das Ondas. Guiada por um negro alto e bonito de tranças *rastafari* chamado Hipólito, a Imperatriz navegava ao longo de uma maré de enchente.

Durante o dia eles realmente davam duro, testando a água, contando ostras e árvores. Seguindo os pescadores que viviam nos mangues para encontrarem sambaquis – enormes montes de conchas, restos de cozinha e esqueletos amontoados deixados por seus ancestrais coletores-caçadores milhares de anos atrás. Lugares onde ostras habitaram aos montes e poderiam muito bem voltar a habitar.

Ou então eles caminhavam com os miscigenados caboclos através de montanhas florestadas onde cortavam juçaras, extraíam seus palmitos e carregavam-nos nas costas – exatamente como os índios faziam antes – até as fabriquetas clandestinas – próximos, mas não próximos o bastante de uma estrada.

Ao meio-dia eles se sentavam do lado de fora das cabanas de palmito dessas pessoas, compartilhando com eles o peixe, a mandioca e as bananas que plantavam nas redondezas. E conversavam, maravilhando-se com o conhecimento que os caboclos tinham de plantas, árvores e criaturas nos arenosos e encharcados manguezais e na grande floresta que os circundava e que se erguia em torno de suas clareiras como um templo em ruínas.

Voltando à Imperatriz, ainda eufóricos com o dia, eles trocavam observações e imaginavam as possibilidades – certos de que as idéias que discutiam poderiam funcionar. Em suas mentes, eles vislumbravam os mangues e florestas mais inclinados a uma vida eterna que à morte. Conversando sobre o que visionavam, eles podiam de fato acreditar que tudo dependia de professores, pessoas conhecedoras de florestas e dinheiro que viria através da UNPF e da FAO.

Então, bem longe correnteza acima, onde os mangues se abriam em forma de uma praia ampla, arenosa – banhando-se na límpida água salgada do rio invadido pela maré –, eles se esqueciam de tudo, menos um do outro. Enquanto se banhavam, Hipólito – que fazia tudo, e tudo discretamente – desaparecia rio abaixo para preparar-lhes um jantar pescado do mar. Eles jantavam assistindo ao pôr-do-sol penetrar a cornija de floresta multicor lá em cima para refletir nas frondes das palmeiras e faiscar sobre a água aqui embaixo. E quando o sol se punha, no alpendre protegido por telas criado para se dormir sob as estrelas, eles faziam amor como se este fosse um momento no paraíso ao qual podia ser que nunca mais retornassem.

Era uma maneira maravilhosa de amar, recheada de toda a intensidade e romance de um amor proibido. Embora a idéia de por que seria assim e por que poderiam não mais retornar fazia com que dirigissem silenciosos e pensativos de volta para o Rio. Porque era como estar fingindo, Jacyra não conseguia deixar de pensar. E quanto mais se aproximava da cidade, melhor ela entendia o que isso queria dizer.

Ao longo desta costa onde os mangues pareciam um dia ter sido infinitos, agora as pessoas moravam no meio da lama. Onde a enorme floresta antes mantinha tudo no lugar, agora os barracos fincados sobre plataformas no sopé de montanhas, soterrados por deslizamentos, transformavam-se em esquifes a cada nova estação de chuvas.

Pessoas como seus familiares eram enterradas ali mesmo, pessoas vindas de lugares que não teriam deixado se pudessem ter ficado. Deus o livre, pensou, que um pantaneiro se encontrasse neste lugar, e sentiu-se profundamente triste e só.

Assim mesmo, assim que se encontrava em seu quarto, com todos as suas anotações em volta da mesa de jacarandá, ela se perdia novamente na tarefa de trazer à vida, no papel, os mangues, as montanhas e as pessoas que viera a conhecer, aquelas possibilidades todas que pareceram tão reais quando Adrien estava no meio delas. A cada palavra, pensava em seu próprio povo ao escrever:

"Ninguém poderia ser mais adepto do que eles a fazer uso de seu conhecimento herdado, sem falar em sua força, perseverança e inclinação natural pela vida. Essencialmente, o mais necessário é ajudá-los a reaprender seus hábitos de salvar e renovar, e dar a eles um uso melhor".

Aqui Adrien entrava com descrições, tabelas, mapas e planos para viveiros protegidos pela floresta, fazendas de ostras e chocadeiras de tartarugas, uma cooperativa, pequenas fábricas, uma escola. Tudo acompanhado dos cálculos de custos que decididamente pareciam razoáveis – se bem administrados e colocados contra a devastação: a perda de um meio de subsistência.

– Muito bem – disse mister Renshaw com seu cruzamento de olhar de censura e sorriso. Vocês o trazem à vida e ainda o fazem de maneira tão clara.

– Meu pessoal vive na mesma situação – disse Jacyra.

– Nós todos vivemos, se formos pensar bem – ele respondeu. – Como aproveitar melhor espaços menores ocupados por mais pessoas, já que agora reconhecemos oficialmente ser errado matarmos uns aos outros. Mas ainda acho que devem ampliar a parte sobre os custos menores da preservação comparados aos da reparação. Não só uma descrição de epidemias anuais de dengue, morte e destruição, mas da valorização de estradas e propriedades, as possibilidades de recreação e comércio. Conhecem alguém que possa ajudá-los?

– Acho que sim – respondeu Jacyra, tomada pela decepção.

– Eu sei – ele suspirou. – Você gostaria de mergulhar logo de cabeça. Mas o maior obstáculo a ser superado é sempre a falta de visão e a ganância, mesmo entre aqueles que podem se dar ao luxo de não tê-las.

– Sem falar naqueles que não podem – disse Adrien. – Você sabe qual a primeira coisa que esses caboclos da floresta dirão, não sabe? "Isso tudo demora muito. Quem vai agüentar todo esse tempo? E se os clandestinos forem realmente expulsos, como iremos viver?" Não é isso o que eles vão dizer?

– Olha, de quem foi essa idéia?

– Minha – respondeu ele em sua habitual combinação de cinismo, honestidade e amor –, para mantê-la perto de mim.

– Só isso? – indagou ela, ainda mais furiosa.

– E é só isso que *você* me diz? – provocou-a. – Eu acredito no projeto tanto quanto você, e acho que trabalhei com o mesmo afinco, não? Só quero lembrar-lhe daquilo que você já deveria saber a essa altura. Tudo o que posso fazer é tentar tornar algo viável e no final torcer por um milagre.

– Eu sei, eu sei – respondeu ela, e, lembrando dolorosamente de por que às vezes isso parecia um jogo, silenciou-se. Até que ele disse:
– Vamos falar de outra coisa. Por exemplo, que tal explorarmos as montanhas este fim de semana?

As excursões às montanhas eram gloriosas. Eles andavam a cavalo e ela aprendia uma nova maneira de montar – engolindo o pânico nas subidas e descidas – enquanto escalavam a Serra do Mar. Das alturas, eles contemplavam as outras montanhas, púrpuras de tanto capim-catingueiro em flor. Enquanto aqui, uma plantação verde-escura de café acompanhava a curva do morro, ali uma floresta antiga, esquecida, seguia o curso de um rio.

Sentados, olhando para baixo, ele descrevia as colinas conforme sua própria recriação, sombreadas por pomares de laranja e nogueiras-pecãs, as nascentes que alimentavam os rios sendo levadas a fluir através de lagos repletos de trutas e tilápias ao lado de uma casa construída sobre um declive acima do mundo.

Eles faziam piqueniques no topo de rochas de granito onde orquídeas de um vermelho e amarelo vívidos brotavam nas fendas. E então, deitados, banhados pelo sol suave do inverno, eles se transformavam em sobremesa um do outro, pingando e lambendo mel onde os montes e fendas aguçavam seu desejo.

Seu plano era conseguir que ela amasse as montanhas tanto quanto ele abominava as planícies. E então convencê-la de que haveria um dia uma colina onde eles poderiam permanecer em seu estado de encantamento para todo o sempre. De alguma forma – embora ele se descrevesse como "O Segundo Marquês, herdeiro do vento" – ele arranjaria o dinheiro.

Às vezes ele quase parecia convencê-la. Mas então tio Juca veio para visitar.

Capítulo 42

Nunca tendo desejado ir além de Goiás para comprar touros, vir até o Rio foi o supremo sacrifício da vida de Juca. Com suas roupas de comprador de gado – suas melhores bombachas enfiadas em suas melhores botas, o chapéu baixo como que para não se ofuscar com o fulgor da cidade – ele parou no vão da porta segurando uma sacola plástica com sua guampa. Parecia tão perdido e indefeso que ela teve vontade de rir e chorar ao mesmo tempo e, antes que pudesse pensar, correu para abraçá-lo.

Somente mais tarde, sentados frente a frente, é que ela franziu a testa desconfiada e perguntou:

– O que o traz aqui, tio? Justamente o senhor? Não foi a vovó que o enviou?

– Você acha que seu velho tio não consegue fazer nada por si só? – desta vez ele é que franziu a testa, como que em resposta. – Eu estava com saudades, Jacy. Já faz dois anos. Pensei que você fosse para casa ao menos para visitar, mas como você não foi...

– Sei que eu deveria ter ido – respondeu ela, completamente convencida. – Principalmente porque, dentre todas as pessoas, é ao senhor que eu devo uma explicação. Mas acho que não tive coragem.

Assim, enquanto saboreavam seu tereré no calor da tarde do Rio, ela lhe contou o que já deveria ter-lhe contado desde o início, uma vez que seria *ele* o mais afetado. Mas ao terminar, buscando com o olhar um pouco de compreensão da parte dele, o que ele fez?

Ergueu as mãos para o alto e disse como todos os outros:

– Trabalhar para mim? Para quê? Ô, minha menina... Você não sabia o quanto Tomazio queria se casar com você? Tudo o que ele estava esperando era acabar os estudos para pedi-la em casamento...

Vendo-a ainda estupefata, muda, como se isso o fizesse lembrar de sua missão, ele continuou:

– Mas olhe aqui. Eu não vim pedir-lhe para voltar. Nesse assunto, eu estou com sua avó. "Não iria adiantar", ela me disse. "Ela sabe que pode voltar quando quiser". E eu concordo. O que me trouxe aqui, já que ninguém parece capaz de me dizer, foi a vontade de saber como você está. Saber se você está feliz aqui.

O olhar que ele lançou ao terminar foi extremamente complicado. Era um olhar sofrido, como se, o que quer que ela fosse dizer, ele estivesse preparado para forçar-se a acreditar. Dava vontade de ela consolá-lo:

– O senhor sabe que não é bem assim. O senhor acha que eu não sinto falta de tudo e de todos, e que eu não adoraria estar cavalgando com vocês agora mesmo? Mas se eu estivesse, minha vida não seria minha. Querendo ou não, eu estaria simplesmente fazendo o que me era esperado. Enquanto aqui eu tenho um emprego que paga meu aluguel e me dá o direito de ir e vir como me convier. Agora o senhor entende?

Não. Ele não conseguia entender o que poderia haver de errado em se fazer o que os outros esperavam que se fizesse. Não tinha ele próprio feito isso a vida toda e ainda a ensinado a fazer o mesmo? De certa forma, a idéia fazia-o sentir-se tão fracassado com ela quanto com Rafa. Mas se ela se encaixava tão bem nos planos, por que iria querer fazer o inesperado? Mas qualquer que fosse o motivo, ela quis, já tinha ido embora e evidentemente não sentia o menor remorso. E levando em consideração o motivo pelo qual ele viera...

– Bom, que ótimo. – Embora não houvesse meios de disfarçar sua decepção, ele acenou com o rosto concordando: – Estou muito aliviado em saber que você está feliz. Como eu disse, é só o que eu precisava saber.

Mas ainda procurando uma razão que fizesse sentido para si, ele completou:

– Além do mais, você está realmente gostando desse francês, né?

– Estou – respondeu ela ternamente. – Estou sim.

Ele ficou mais dois dias, só para matar a saudade. Na praia, tentou equilibrar-se em suas botas através da areia, constrangido por uma nudez que nunca vira antes nem nos estabelecimentos à beira-rio.

– *Você* não sai por aí assim, sai?

A multidão e o trânsito deixavam-no mais nervoso do que o estouro de uma boiada jamais o deixaria. A comida – ou a falta dela – enchiam-no de desejo:

— Este peixe até que não é mal, mas é tão branco e seco... Você não preferiria um bom pacu, escuro e pingando gordura sobre a fogueira?

Diante do café da manhã sem arroz-de-carreteiro parecia que ele ia morrer de fome. Ele passava a maior parte do tempo sentado no minúsculo sofá, uma consciência encarnada, um Pantanal pouco a pouco consumido pela seca.

Eles falavam de superficialidades — com o novo elemento do estranhamento entre si, fazendo os dois se sentirem inusitadamente desconfortáveis.

— Eu pensei que ter sua avó o tempo todo por perto fosse ser um inferno. Mas você sabe que ela se ocupa, cuida do Caco e de mim como se fôssemos seus filhos. A comida nunca foi melhor.

— E Tomazio?

— Estudando muito, trabalhando duro. Às vezes me preocupa o tanto que ele trabalha... — Ela não lhe perguntou como Tomazio estava indo com Anália Xavier nem ele contou, certo de que sua mãe já havia alegremente lhe fornecido todos os detalhes de que quisesse saber.

De fato, após aquele primeiro comentário, ele não voltou a mencioná-lo exceto de maneira indireta:

— Se lembra daquele ano em que tivemos que cavalgar com algodão no nariz e nos ouvidos para os mosquitos não entrarem? Vocês estavam cômicos, har!har! — Ou: — Assim que eu voltar vamos separar o gado, e depois chegarão as mulas vermelhas. Estão mais lindas do que nunca, se me permite dizer...

Só de imaginar tais cenas, lágrimas vieram-lhe até quase a superfície, e ele quase mudou de idéia, quase abriu o coração e disse tudo. Mas ela se recompôs tão rapidamente que ele não teve chance. Além do mais, o que ele poderia dizer sobre Tomazio, que nem sequer tivera o bom senso de ir atrás dela e trazê-la de volta quando ainda podia?

— E o Rafa? — Como a idéia de tirá-la da felicidade para engalfinhar-se com o irmão fora o motivo que o trouxera, em primeiro lugar, ele não lhe contou nada sobre como Rafa vinha depenando a fazenda, nem sobre a influência estranha, negativa, que ele exercia sobre todas as coisas.

— Você conhece o Rafa — respondeu ele, engolindo em seco para empurrar seu ódio até alguma parte de seu ser onde ele pudesse ser reprimido. — Tão envolvido na política que quase nunca aparece. O que não tem muito problema... Nós podemos cuidar das coisas sem ele.

Mas então — pensando que talvez ela viesse a descobrir, ele tentou dizer da maneira mais neutra possível:

— Da última vez ele apareceu com a notícia de que tinha um comprador para a Mata do Jaguar. Dá pra imaginar?

— A Mata! — Após tanta superficialidade forçada, sua expressão de choque o surpreendeu. A Mata do Jaguar, em todo seu esplendor e vida, selvagem e proibitiva, estava diante de seus olhos, junto com uma ponta de terror em sua voz quando disse: — Mas por quê?

— Pensou que fosse ser um bom negócio livrar-se dela, acho. — Ele deu de ombros e ergueu as calças daquele seu jeito que sugeria que já havia falado demais e realmente não queria dizer mais nada. Mas ela insistiu:

— Quem iria querer comprá-la?

— Uma empresa paraguaia. Olha — ele encontrou-se lutando para tranqüilizá-la —, não importa muito, importa? Porque você pode ter certeza de que sua avó recusou. Não importa o que mais a Mata signifique para ela, ela é parte de Contendas... A parte dela.

— Sim, claro. — Se a explicação não a satisfizera, ela fingiu que sim e reassumiu a guarda, de forma que eles não falaram mais desse assunto também.

Até que — à medida que pouco a pouco chegavam a um ponto em que parecia não haver mais nada que pudessem discutir confortavelmente —, incapaz de suportar aquela situação, Juca declarou:

— Preciso voltar. Você pode imaginar, com o período das secas chegando, quanta coisa precisa ser feita.

Ao levá-lo à estação rodoviária, ela fez o melhor que pôde para dizer naturalmente:

— Não se preocupe, tio. Eu irei visitá-los assim que tiver uma chance.

E então ele se foi. Pior que sua presença amorosa, reprovadora, era sua ausência. Porque ela sabia que ele fora embora entendendo mais sobre o que vovó Veridiana havia dito, do que sobre o que *ela* havia feito como conseqüência.

Capítulo 43

Ainda assim, da parte de Juca, teria sido mais reconfortante se tivesse sabido que, por mais indiretas que fossem suas conversas, sua visita fora qualquer coisa, menos em vão. Foi como se, enxergando o Rio pelos olhos dele, ela fosse forçada a enxergar a distorção de conceitos e os excelentes valores que, no mundo que uma vez compartilharam, ele se esforçara tanto para ensinar-lhe. Tais como permanência, continuidade.

No Rio, essa contraposição de valores serviu para destacar a preguiça, a corrupção e a indiferença da burocracia como permanentes fatos da vida. Todos atualmente personificados pelo ponto em que se encontrava o Projeto Cananéia, uma vez que o subsídio governamental chegara tarde demais no ano fiscal para poder ser posto em uso.

— Fique contente que o Projeto foi *aprovado* – disse Adrien, otimista. Comece de novo e torça para a próxima vez ser melhor. Você não vai deixar isso derrubá-la, vai?

— Já derrubou.

— Mas não pode. Pense que pelo menos Cananéia foi uma boa experiência. Se você se deixar afetar por esses problemas, não vai conseguir viver.

— E como dá para ficar viva e não se deixar afetar? – ela queria saber, à medida que a dor de tomar consciência parecia crescer, contagiando tudo a seu redor. Até mesmo as montanhas, antes uma fonte de visões e sonhos deslumbrantes, agora começavam a parecer inescapáveis. De suas alturas ela se via com Adrien, vagando de montanha em montanha, projeto em projeto – sempre a caminho de algo, sempre com um novo plano.

– É isso o que acontece com pessoas como nós? – ouviu-se dizendo para si mesma. – Passamos o resto da vida correndo atrás das coisas?

Tais questionamentos, por sua vez, evocaram outras imagens que, acirradas pela conversa de tio Juca, ela não conseguia tirar da cabeça. Quer fosse trabalhando em seu cubículo na UNPF ou tomando caipirinhas na avenida, sua mente viajava para águas correndo para trás pelo empuxo dos estribos, para o som oco, engolidor dos cavalos mourejando num ritmo constante. Ou para as salinas e baías ao entardecer, enormes espelhos inflamados que envolviam os aguapés flutuantes, os altos estrados de buritis. Mesmo no meio do amor à beira de um mar fosforescente, ela se encontrava fitando o céu à procura das Plêiades.

Ela não disse nada, de que adiantaria? Mas com seu humor servindo de aviso, Adrien instintivamente decidiu pedi-la em casamento.

– Veja bem – disse ele –, eu tenho a sensação de que se eu a perdesse, ainda que por um século, quando a encontrasse de novo nós retomaríamos exatamente de onde tivéssemos parado, com todo o tipo de coisas intrigantes para dizer. Ainda encantando um ao outro, ainda apaixonados. Então para que correr o risco de perdê-la?

Deitados juntos, na maresia de seu quarto, ela teve certeza de que era verdade. Mesmo assim, quando ele foi embora, ela continuou acordada e a sensação era a de ter sido convidada para embarcar numa aventura com um estranho. Com alguém que ela adorava, mas que não chegara a conhecer. Alguém que estava propondo um futuro, a ser aceito ou não. E de certa forma isso também colocou o amor dela sob uma luz diferente, fazendo-a enxergar quão profundamente ela vinha, até agora, vivendo apenas o momento.

– Em que você está pensando – dizia Adrien. – Como se eu não soubesse. Está na hora de você voltar para lá para dar uma olhada.

– Que diferença isso faria?

– Poderia curá-la. Foi o que voltar à França para dar uma olhada fez por mim. – Ele lançou-lhe um sorriso charmoso, como que se auto-reprovando. – Talvez eu ainda não saiba onde quero morar, mas pelo tanto que amo a França, ao menos eu sei onde *não* quero.

Ele estava certo, é claro. A única maneira de "curar-se", de fazer cumprir as palavras que dissera a tio Juca, era voltando, encarando tudo e todos. E então poder dizer como Adrien: "Pelo tanto que eu amo o Pantanal…". E sabendo que se tratava de uma questão de coragem, a cada dia que se passava ela se sentia mais covarde.

Capítulo 44

Em meio a esse turbilhão, não foi totalmente por acidente que um dia mister Renshaw chamou-a em sua sala e, erguendo os olhos de um mapa aberto sobre sua mesa, começou:

– Acho que tenho o desafio pelo qual você vinha esperando. Mas quero que você pense muito bem antes de decidir se pode aceitá-lo.

O desafio em questão residia no Pantanal, na confluência dos rios Paraguai e Cuiabá, exatamente onde a Serra de Amolar delimita a fronteira entre o Brasil e a Bolívia. Numa região anualmente alagada por dois grandes rios, a melhor parte da fazenda Anhumas conseguira manter-se acima da água o ano todo por tanto tempo que se tornou lendária como um refúgio garantido contra as enchentes.

Graças a esse singular atributo, seu proprietário, o Dr. Nestor de Andrade, um renomado advogado residente no Rio, fez uma razoável fortuna alugando-a como pastagem durante os períodos de cheias. Isso até 1981 quando, numa questão de vinte e quatro horas, 28 000 cabeças de gado desapareceram nas águas apressadas de uma correnteza que podia ser ouvida a quilômetros de distância. A maioria atribuiu o desastre às represas construídas por plantadores de cana nos afluentes do Cuiabá. Qualquer que fosse a razão, o fato é que – embora as chuvas não a alagassem no ano seguinte nem no outro – a fazenda perdera sua reputação e, portanto, tornara-se um estorvo para seu proprietário no Rio.

– Um paraíso, Eustácio – Dr. Nestor disse um dia a seu amigo enquanto descansavam de pés para cima, no terraço do Iate Clube. – Mas é algo que um humilde advogado como eu não pode manter só para caçar.

– Eu bem posso imaginar – concordou Eustácio, imediatamente tendo uma idéia. Era um momento no qual, numa onda de expropriações politicamente corretas, vastas áreas haviam sido designadas como parques nacionais. E Eustácio apresentara Doutor Nestor às pessoas certas e, por um belo montante, o advogado aliviou-se de seu fardo.

Dali em diante, a fazenda passou a ser fardo de mister Renshaw porque, embora a UNPF tivesse sido convidada a participar, no que dizia respeito ao governo, uma vez que os parques estivessem no papel, era ali que permaneceriam. Somente alguém exacerbadamente consciencioso perderia o sono por algo que a maioria das pessoas preferia esquecer no instante em que lhes vinha à mente.

Sendo uma dessas raras pessoas, mister Renshaw fora perturbado por sua consciência por um longo tempo. Não só porque seu entusiasmo o tivesse persuadido a investir o dinheiro de colaboradores naquilo que era agora um imenso elefante branco. Mas porque ele estava começando a sentir como se tivesse contratado Jacyra Tavares sob falsas premissas.

Ele a vira como uma jovem inteligente, espirituosa, com aparência de ser muito dedicada, e não se enganara. Mas quanto mais ela mostrava ser capaz, mais ele se abstinha de oferecer-lhe trabalhos que, pelo próprio desafio que representavam, eram mais fadados a fracassar.

O que o fez mudar de idéia foi a expressão no rosto dela, aquele olhar de desilusão conhecido demais, tantas vezes visto nos olhos de várias outras pessoas de potencial, sempre pouco tempo antes de decidirem que estavam fartas de fazer aquilo para que não vieram.

– Se vou perdê-la, é melhor que seja por algo digno, algo que valha a pena – disse a si mesmo. – E agora, com o mapa entre eles e a apreensão lutando contra um otimismo nunca totalmente derrotado, ele fez o melhor que pôde para explicar:

— Nossa política de salvar rios é, evidentemente, a de começar, sempre que possível, perto da nascente. Anhumas era, portanto, o lugar óbvio. Irresistível, poder-se-ia dizer. — Um familiar sorriso censurável suavizou suas feições graves, de olhos fundos. — Então, quando pediram a participação da UNPF, eu aceitei. Mas e depois? São 400 000 hectares de terra, somente acessíveis por avião e barco. E a contribuição do governo até agora? Um guarda florestal.

— Parece-me familiar, mister Renshaw.

— Mas você consegue enxergar o propósito disso tudo?

— Ah, sim, o de sempre, claro!

— Bem, então... — Subitamente seus olhos transpareceram aquele zelo missionário que ela quase não viu desde seu primeiro encontro. — Como a única pantaneira que conheço, ocorreu-me que você pudesse descobrir algo mais útil, mais nobre, do que pagar combustível de barco a afixar cartazes de "Caça Proibida". No Pantanal, Jacyra. O que você me diz?

Enquanto mister Renshaw esperava, ela olhou paralisada para o mapa como se estivesse perdida, até que, incapaz de suportar mais um segundo do suspense, ele disse:

— É claro que, se você quiser, eu posso providenciar alguém para acompanhá-la...

— Ah, não — ela respondeu. — Eu só estava tentando captar a sensação do lugar, eu acho. Não, não, contanto que haja alguém lá para me guiar, eu prefiro muito mais ir sozinha.

Capítulo 45

A sensação do lugar já havia se manifestado no momento em que o avião começara a circular para pousar. Sobre a confluência dos rios, a Serra de Amolar erguia-se na forma de despenhadeiros de arenito em direção a amplos platôs florestados enquanto, de uma lago reluzente, ilhas em forma de cone, recobertas de selva, surgiam como memórias de um mundo sem o homem. Com a aeronave se inclinando, eles voaram em direção ao contraforte onde o campo se espalhava, verde, viçoso e sombreado por árvores retorcidas e onde cervos pastavam por entre agrupamentos de carandás que brotavam dos banhados próximos à beira da água.

– Deus é bom! – foi o único comentário de Ciro, o piloto, enquanto, tendo averiguado a pista de pouso, evitava arbustos e moitas para taxiar até uma parada brusca. Quatro anos antes, a pista havia sido desbastada e aberta, tão limpa quanto jamais fora novamente, para a inauguração do Parque. Seguido por uma comitiva que parecia um cardume de nervosos peixes fora d'água, o Ministro do Meio Ambiente permanecera apenas tempo suficiente para cumprimentar a população ribeirinha e sorrir para as câmeras.

A partir de então, como todos os equipamentos da fazenda simplesmente "desapareceram", todos os que foram até lá aterrissaram por seu próprio risco, para serem recebidos pelo único "guarda-florestal" do parque com um olhar de dúvida crônica. Um homem atarracado, de feições amplas, comuns a seus ancestrais, os índios guatós, e os músculos à flor da pele de quem vive pela perseverança, seu Jairo Jatobá fora o capataz da Fazenda Anhumas até ela ser transformada em parque. Como lhe pediram que ficasse até que encontrassem outra pessoa para assumir, hoje, quatro anos depois, ele ainda estava aqui.

Em seu uniforme doado – calça e camisa alguns números maiores que o correto e que só não caíam graças a um surrado cinto de couro para munição –, sua imagem seria completamente cômica não fossem sua postura ereta e o olhar em seus suaves olhos castanhos que desafiavam o menosprezo. Desprovida de expectativa, sua expressão era, no entanto, inteligente e até curiosa. O olhar – Jacyra rapidamente lembrou – era o de quem, vivendo em constante isolamento, adorava ouvir as histórias de seus semelhantes.

Consciente de que, assim que viam suas acomodações, os visitantes normalmente alteravam seus planos para partirem no mesmo dia, Jairo Jatobá chegou com um barco preparado para aproveitar o pouco de tempo que restava naquele dia.

— Ótimo – disse Jacyra –, porque eu gostaria de ver tudo o que der antes de escurecer.

— Então a senhora vai pousar aqui?

— Ah, sim, vários dias, se necessário.

— Mas acho que o único lugar que temos para dormir aqui são as redes.

— Tudo bem, estou acostumada a dormir em rede, comer charque e todo o resto... Eu sou daqui, entende?

Um amplo sorriso de identificação partiu seu rosto encouraçado ao dizer:

— Então é *por isso* que eu pensei que a conhecia.

Dali em diante, Jacyra Tavares e Jairo Jatobá não precisaram de qualquer outro pretexto. Viajando por um cenário do qual ambos eram parte, eles conversavam animada, avidamente como se houvessem recebido uma chance única de comparar tudo aquilo que conheciam. Se alguém os escutasse, poderia imaginar tratar-se de uma descrição poética da Criação, numa língua que só Deus conhecia.

De peixes e aves, gado e árvores,
Curicacas e baguaris,
Piraputanga e surubim,
Tamanduá e guará-mirim,
Jararacas e sucuris...

E então gradualmente, como que de um pantaneiro para outro, seu Jairo Jatobá começou a desenrolar sua narrativa. Começou a descrever como fora Anhumas quando era uma fazenda.

— Imagine – iniciou ele, nostálgico, enquanto Jacyra forçava a vista e visualizava facilmente o fluxo de gado e os homens a cavalo –, com milhares de hectares de capim bom o ano inteiro, dava para 30 000 vacas pastarem aqui tranquilamente, 17 – 18 000 bezerros por ano. É por esse motivo que não consigo me acostumar com isto. Todo este pasto e nada de gado. É um crime.

— Mas o senhor deve lembrar, seu Jairo, que isto não é mais uma fazenda, mas um parque.

— Um parque, isto? – ele recostou-se no barco com um suspiro de desolação. – Talvez seja, mas para estar vivo, um lugar precisa ter vida e trabalho para ser feito, não é assim? Quando aqui era uma fazenda, havia pessoas indo e vindo, trabalhando o gado e os cavalos, fazendo algo de útil. Daí retiraram todo o gado, mandaram o pessoal embora e colocaram essas placas metidas a besta dizendo "Parque Nacional, Entrada Proibida". E que ninguém se atreva a tentar entrar – riu-se sardonicamente. – A menos que seja um bando de coureiros armados para assustar o guarda-florestal. Esse sou eu. – Com um orgulho debochado ele apontou para o próprio peito com o dedão. – Um homem em 400 000 hectares. É uma piada. A única razão pela qual não me matam é porque não precisam. Eu sou valente, mas não sou bobo de mexer com *eles*. Eu tenho família.

– Por que o senhor não vai embora?

Um par de olhos como que um par de carvões afundados encontrou os dela com um sorriso de ironia e logo tornou-se tristemente sério:

– Eu poderia ir para a cidade, mas o que eu poderia fazer lá? Eu não gosto da cidade, e não tento me enganar. Aqui é meu lugar, é tudo o que sei. A senhora entende?

– Sim – respondeu ela –, eu entendo. E concentrando-se em seus próprios pensamentos, ela silenciou quando Jairo Jatobá cortou o motor e agora, com auxílio de um remo, deixava o barco flutuar enquanto ele instintivamente cavava um caminho entre um labirinto de ilhas e camalotes.

Ziguezagueando por entre emaranhados de vegetação que mais lembravam uma tapeçaria viva, ocorreu a Jacyra que, quando criança, ela se deleitava sem nem pensar. Agora, adulta, ela olhava imaginando como podia haver coisa tão bela quanto a configuração azul e negra das asas dos anambés, ou as delicadas nuanças aveludadas de um minúsculo caneleiro.

Assistindo a uma família de lontras deslizando uma ribanceira despreocupadas com sua proximidade, o perigo a que Jairo Jatobá se referia era difícil de ser acreditado até ele recitar a lista de preços de plumas azuis, penachos roxos, asas de borboletas, pelicas malhadas e couro da barriga de jacarés. E Ciro, pescando na proa, lembrou-lhe que muitas pessoas jamais viram tais coisas a não ser em tapetes e cintos ou envidraçadas.

O piloto logo se arrependeria do que dissera. Porque, como se suas palavras fossem um estímulo, ela decidiu que gostaria de sobrevoar o parque mais uma vez.

– O parque todo? – ele olhou para ela, pesaroso.

– Como eu posso escrever sobre os acampamentos de coureiros se eu mesma não contá-los?

Ele era um piloto experiente, Ciro. No dia anterior, com uma bem-humorada luz em seus olhos e um amplo sorriso sob seu bigode ilusoriamente militar, ele regalara-a com histórias de aviador durante todo o trajeto, desde Cuiabá. Sua especialidade, contara-lhe, fora aterrissar de tudo – de bombas de ar e picaretas a ansiosas prostitutas – nas ínfimas pistas de pouso dos garimpos clandestinos. Um trabalho perigoso pelo qual ele era remunerado com o ouro lavado das margens dos rios com bombas e mangueiras.

Ele fizera um bocado de dinheiro, mas agora queria assegurar seu desfrute realizando tais missões mundanas, como transportar políticos em campanha para assentamentos na Amazônia e ecologistas para visitar parques. Pessoas a quem um idílico passeio de barco em torno das ilhas era o suficiente para satisfazer suas necessidades.

– Foi por isso que aceitei transportar *você*. – Ciro brincou, mórbido, enquanto despencava sobre mais uma clareira onde, ao lado de um hangar abandonado, uma pilha de cadáveres de jacarés com a pele das barrigas extirpada servia de banquete a urubus negros que levantavam vôo aos bandos enquanto Jacyra batia suas fotos.

Os urubus, ameaças aladas às hélices dos aviões, por si só eram perigosos o bastante. Mas quando uma fumaça subiu avisando que um acampamento estava ativo, Ciro decidiu dizer:

– Muitas pessoas já morreram por bem menos que isso.

– Só mais uma foto. Você não está com medo, está?

– Eu? – ele se endireitou virilmente. – Não, é só que este é o meu avião e o seguro não cobre esse tipo de sinistro. Mas para que tudo isso, afinal? O que é que você está querendo provar?

– Aquilo que seu Jairo disse – respondeu ela –, para estar vivo um lugar precisa de vida, movimento.

— E isso aí embaixo já não é vida e movimento suficiente?

— Pode rir à vontade – seus olhos se iluminaram, desafiadores. Mas por que este parque não deveria ser como qualquer outro parque do mundo?

À medida que iam aproximando-se e fotografando, ela ia falando, descrevendo um parque vivo com biólogos, botânicos, zoólogos – os planos se formando em sua mente ao descrevê-los. Fazia um bom tempo – desde que se mudara para o Rio, talvez – que idéias não a empolgavam tanto, não pareciam tão possíveis.

— Mas é claro – disse ela quando desviaram de uma ameaçadora coluna de fumaça e se dirigiram de volta para a pista de pouso –, nada disso merece sequer ser imaginado enquanto não houver ninguém aqui além de Jairo Jatobá. É por isso que estou pensando, Ciro, que outro lugar seria melhor para um acampamento de formação de guardas-florestais? O que você acha?

Por algum tempo, com o olhar fixo na Serra de Amolar diante de si como que para assegurar-se de seus próprios objetivos de vida, Ciro não respondeu. Mas quando ela acabava de decidir que ele não estava escutando, ele disse:

— De onde você disse que é mesmo?

— Ora, de Sta. Inácia. Eu já não lhe disse? Minha família tem uma fazenda lá.

— E você quer saber o que eu acho? – Pela primeira vez o piloto pareceu sério, até um pouco ofendido. – Levando em conta tudo o que vimos esta tarde e todas as razões por detrás? – Ele balançou a cabeça. – Eu não preciso nem pensar, eu já sei. Se *eu* tivesse uma fazenda, eu estaria em casa, cuidando do que é meu.

Palavras honestas. Ela imaginou se ele percebera como elas a afetaram, fazendo-a prender a respiração e não ter mais o que dizer.

Capítulo 46

Naquela noite, o abrigo foi um antigo rancho de pesca de tábua cujo andar superior consistia principalmente de varandas protegidas por telas e redes penduradas, parecendo um galinheiro à beira de um colapso. No andar de baixo havia vários cômodos e uma sala ampla, aberta, ocupada por uma longa mesa de refeitório toda engordurada de tanto descaso.

– Nem sempre foi assim – seu Jairo contou a Jacyra num tom quase que defensivo enquanto se sentavam nos degraus da entrada para ficarem longe da mesa engordurada –, não quando minha mulher estava aqui o tempo inteiro. Mas quando mandaram todos embora, eles fecharam a escola e minha família teve que descer o rio e se mudar para Poconé. E eu? Eu não sei fazer serviço de mulher – jogou as mãos para o ar em desespero – e a mulher que vem aqui fazer também não sabe.

Mesmo sem vê-la, Jacyra entendia o que ele estava querendo dizer. Podia imaginar que a mulher ribeirinha que vinha ajudar era uma pobre criatura sem orgulho. Isso era visível nos assoalhos que pareciam encharcados, mas não esfregados, e nas panelas que haviam perdido seu brilho. Até o uniforme de seu Jairo, fora o fato da numeração maior, tinha uma aparência de eternamente encardido, ela percebeu observando-o enquanto, num verdadeiro desespero, Jairo Jatobá concluiu:

– Sem uma mulher, uma casa não é nada.

Foi o suficiente para fazer Jacyra responder indiretamente:

– O que o senhor acha, seu Jairo, de cozinharmos o peixe lá fora?

Na praia arenosa à beira do lago, seu Jairo alegremente acendeu uma fogueira, limpou o peixe pescado por Ciro, enrolou-o em folhas de bananeira e depositou-o na areia sob o carvão enquanto Jacyra, usando a mesma areia para arear algumas panelas até elas brilharem, realizava o serviço de mulher de fazer arroz com alho e o palmito de um bacurizeiro.

Enquanto esperavam o peixe assar, eles se sentaram com as costas apoiadas no barco de ponta-cabeça de seu Jairo, com uma garrafa de cachaça na mão, e contemplaram o lago tornando-se amarelo-incandescente e depois prata-reluzente enquanto um sol em chamas dava lugar a uma lua minguante.

Enquanto os homens conversavam, Jacyra sentou-se afastada, ouvindo os sons da noite. Sons inesquecíveis, cada um relembrando um momento específico, do gorgolejo das garças voltando para casa ao entardecer até o admoestador "pong" dos sapos-ferreiros nos bambuzais à beira d'água após o escurecer. Os pensamentos desapareciam enquanto ela escutava com um tipo de sede que prendeu toda sua atenção até Jairo Jatobá chegar cambaleando pela areia para anunciar que o peixe estava pronto.

Tio Juca estava certo, ela pensou enquanto saboreava cada pedaço do curimbatá — macio e suculento, alimentado com frutas que caem das árvores na água. Deliciando-se a cada mordida como se estivesse com um desejo, ela mal havia notado quão bêbado seu Jairo estava até seu rosto surgir indistintamente por sobre a fogueira para dirigir-se a ela pessoalmente numa salmodia inconstante:

— Eu lhe pergunto: para que um homem tem uma mulher se ela não pode estar na cozinha dele, hein? Ou na cama dele, que é o seu lugar? Para que ele faz filhos se não for para ver eles crescendo?

Enquanto ela pensava consigo mesma "é a mulher quem deve controlar o mata-bicho", ele prosseguia, sombrio:

— Um homem não trabalha para nada. É pela família que ele trabalha. E quando não se tem uma família para ver, primeiro você começa a apodrecer e depois tudo apodrece à sua volta...

Mais uma vez ela se viu incapaz de responder. O que se poderia dizer quando tudo era tão óbvio e mesmo assim parecia não ter solução? Mais tarde, ao deitar-se desconfortavelmente só na rede de casal, ela não conseguia pensar em quase nada além das palavras deste estranho. Destes dois estranhos, melhor dizendo, cujos fragmentos de conversa vinham-lhe à mente como peças espalhadas de um quebra-cabeça que não lhe dariam paz até ela colocá-las todas no lugar.

"Para estar vivo, um lugar precisa ter vida."... "Um homem não trabalha para nada"... "Eu não preciso nem pensar" ... "Se eu tivesse uma fazenda..."

Apertando as mãos sobre os ouvidos, ela se afundou ainda mais na rede, mas as palavras não iam embora. Tampouco se organizavam numa seqüência lógica. Ao contrário, como numa melodia inconclusiva, elas se repetiram monotonamente até que os tranqüilizantes sons da noite levaram-na aonde, por muito tempo, ela não tivera a coragem de ir.

Lá estava ela, criança, refrescando-se nos baixios do Pataguás onde o rio formava um cotovelo criando uma praia arenosa. Estavam todos lá, em algum lugar. Tio Juca, fazendo uma fogueira com a lenha que cataram aqui e ali; seu Caco, limpando o pacu que pescaram. Ouvindo sua conversa distante, murmurante, ela se sentia segura ali, com os meninos distantes, procurando jacarés para importunar, provavelmente.

Ela não quis ir importunar os jacarés ou procurar tartarugas para virá-las de cabeça para baixo e assisti-las lutando para se desvirar. Ou jogar pedras em ninhos de formigas nos galhos altos de paus-de-novato carregados de flores vermelhas. Ou voar baixo sobre campos de coureiros tirando fotos.

Ela estava cansada de ter sempre que provar não ser maricas e não se importava com o que iam pensar. Estava tão bom ficar ali deitada, só com a cabeça para fora d'água contemplando um céu intensamente azul com o calor do meio-dia. Em sua volta, as águas límpidas, translúcidas, absorviam as cores do céu – escurecendo, quase roxas onde o rio ficava mais fundo. Capturando o amarelo dos raios de sol onde ela estava deitada na areia. Ela fechou os olhos, satisfeita pelo calor do sol em seu rosto, pelo frio da água fluindo pelo seu corpo de menina, quase nu em seu inútil biquíni.

E então, plop! Algo aterrissou em sua barriga. Uma tartaruga!

– Tomaz, seu filho da puta! – deixando a tartaruga cair de seu colo, ela pôs-se de pé num salto e correu atrás de seu opressor, espirrando água em todas as direções enquanto se atracava com ele e derrubava-o para esmurrá-lo até que, segurando seus braços, ele rolou para cima dela.

Mas em algum lugar no meio do caminho, eles se transformaram em homem e mulher. Tomazio, sólido e poderoso como uma árvore, pressionando-a para baixo como que para enraizá-la na areia, despertando-a na rede com o som de seu próprio choro angustiado.

Capítulo 47

Sob o amplo telhado do alpendre que liga a cozinha à Sede, aqueles que sofriam da necessidade de levantar antes do dia raiar haviam-se reunido para passar o primeiro chimarrão do dia. Fátima, tendo acendido o fogão uma hora antes, enchera o bucho de mate e fora ocupar-se da farta refeição matinal enquanto, apoiados na mesa de madeira polida, Juca, Tarciso e Caco olhavam fixamente para o fogo do fogão a lenha como se dele fossem obter a inspiração para os planos do dia.

Felizmente, as nuvens que haviam se reunido no lado da chuva durante a tarde foram dispersas por um súbito vento sul, concedendo-lhes pelo menos um ou dois dias de graça para finalizarem a tarefa de resgatar as últimas reses errantes do brejo. A essa altura, com o Paraguai subindo e seus afluentes começando a engrossar, grande parte do rebanho de 25 000 cabeças, entre grandes e pequenas, fora conduzida para os retiros nos campos. O que sobrara foram reses não-marcadas ou vacas deixadas para trás com seus bezerros desgarrados durante as grandes conduções.

Assim como com velhos bois, espantar esses animais semixucros dos outeiros florestados e mantê-los juntos e em movimento – grande parte do tempo na água – exigia não só agilidade e uma certa valentia irrefletida, mas uma boa dose de bom senso para contrabalancear. Com isso em mente, enquanto Tarciso e Juca davam goles longos, pensativos, do chá estimulante, eles escolhiam o pessoal, dentre uma turma de talentos variados, com mais cuidado que o normal. Brás, com seu berrante, nunca podia faltar, claro; e depois Jezu, pela coragem de enfiar-se onde ninguém mais ousava...

– Não podemos ir sem bons laçadores – considerou Tarciso –, então vamos levar Olímpio e Marcos.

— E Bento para manter todos na linha. Eu juro que um dia esse garoto vai acabar deixando você sem emprego – Juca, com uma risadinha marota, apontou com a cabeça para Tarciso a seu lado. Mas em seguida, com sua expressão modificando-se rapidamente, silenciou-se como se tivesse se perdido em pensamentos.

O silêncio – sem falar na expressão de preocupação que o acompanhava – fez Tarciso olhar para suas enormes mãos calejadas e tamborilar os dedos na mesa enquanto Caco, abaixando a cabeça, fitou seu velho companheiro de sob suas sobrancelhas salientes.

Não prestes a participar da expedição, Caco, o observador, o ouvidor, raramente participava sequer das conversas. Ao contrário, observando as estranhas mudanças de humor de Juca, ocorreu-lhe que elas estavam ficando mais e mais freqüentes ultimamente, como se houvesse algo em sua mente que Juca não conseguisse externar, nem para esse seu melhor amigo.

Que uma tristeza interior nunca mais o deixara desde que retornara do Rio, não era novidade.

— Ela não mente. Se ela diz que está feliz, é porque está – disse a Caco, ao mesmo tempo balançando a cabeça em sinal de incredulidade. – Eu lhe disse que era isso o que eu queria descobrir, e descobri.

Mas quando Juca retornou com sua resposta negativa, a matriarca recebeu-a com um enigmático dar de ombros e um "não lhe disse?". Um sinal que, conhecendo-a como ele conhecia, convenceu Caco que ela tinha uma carta na manga que ainda lhe dava esperança. Algo que, no que considerasse o momento certo, ela revelaria. Não antes.

Não. Era Juca quem o preocupava. Mesmo depois de Rafa ter voltado com uma nova oferta pela fazenda toda e de Dona Veridiana tê-la rejeitado veementemente, Juca continuou distante. Caco ainda não sabia explicar como, mas em suas conversas noturnas regadas a cachaça, ao invés de animado, o humor de Juca acabava sempre desolado. Caco aconselhava-o a ser paciente.

— E o que mais dá pra ser? – Juca encolhia os ombros. – Quem é que quer ir embora? Contendas é minha vida. Mas ah, Caco, me desculpe se não consigo parar de pensar no futuro...

– Quando não há mais o que se dizer, o futuro tem que se resolver por si só, não é? No final, a única coisa que podemos fazer é deixar as coisas da melhor maneira que pudermos. Ouça, Juca, você deveria se considerar um sortudo. Quantas pessoas conseguem, como você, passar a vida inteira fazendo o que gostam?

– Ah...o que seria de nós sem nosso filósofo? Har! Har! – Juca rugiu e bateu-lhe amigavelmente na corcova. Era o início daquela tagarelice exagerada, seguida de súbitos, estranhos silêncios. Para Caco, com quem Juca dividira tanto de sua vida, a ponto de eles poderem conversar um com o outro com a mesma facilidade com que conversavam consigo mesmos, pela primeira vez o comportamento de Juca era um mistério.

Hoje ele encerrou seu bizarro transe forçando-se a levantar-se abruptamente:

– Tenho que selar os cavalos. – E parecendo estranhamente zeloso, continuou: – você vai cuidar bem das coisas, não vai, Caco?

– Como se eu não cuidasse sempre – respondeu Caco, franzindo a testa. – Vai com Deus – desejou ele, também incidindo sobre a despedida um zelo maior do que o normal. E ficou ali, vendo-os partir, até não conseguir mais enxergá-los tragados pela distância sem horizonte.

Foi então a vez de Tarciso imaginar por que é que hoje, ao invés de suas habituais discussões que mais pareciam um prazeroso "desafio", não havia qualquer som acompanhando a viagem além do rangido da sela de couro, a batida oca dos cascos na terra ou a ondulação das águas por horas a fio. O silêncio gerou uma aura tão espessa que até os peões cavalgaram mudos até chegarem à Baía das Antas, onde Dona Aparecida preparara-lhes uma suculenta paca abatida por Odair no dia anterior e assada no espeto exatamente como Juca adorava.

Ele comeu espaçadamente, tentando não desapontá-la, ela se lembraria. Então após uma curta sesta na rede que ela pendurara para ele, ele disse a Tarciso:

— Você não precisa de mim de verdade, com esse seu filho maravilhoso para ajudar. Então, se você não se importa, eu estou um pouco indisposto, acho que vou esperar por vocês aqui.

— Pois não, seu Juca — respondeu Tarciso, cabreiro, pois seu Juca nunca agira assim desde que o conhecera. — É o senhor que sabe.

Ao partirem, marchando em direção ao brejo, Tarciso olhou para trás e viu seu Juca caminhando em torno do lago até seu lugar favorito no meio das árvores. E ali, de fato, ele ficou por um tempo no local à beira da água onde um dia sonhou construir uma casa que nunca se materializou. Então, levantando-se, retornou ao curral, selou seu cavalo e partiu.

Capítulo 48

O que o incomodava, lá no fundo, quase como uma doença que ele se recusava a admitir, era o fato de ele não poder mais rejeitar a idéia de que o desespero de Rafa em vender a fazenda tinha outras razões além dos motivos que ele alegava. Deus sabia que havia motivos suficientes, uma vez que essa empresa paraguaia estava oferecendo três milhões pela fazenda. Toda vez que pensava nisso, a cabeça de Juca migrava para o dia em que Rafa retornara com a oferta. Ele podia vê-lo andando de um lado para outro na varanda e parando em frente à avó para dizer:

— Quem, além da senhora, quer Contendas? A Jacyra?

— Ainda preciso ter a oportunidade de perguntar para ela.

Rafa ergueu as mãos em súplica:

— Então eu clamo a Deus que a senhora pergunte, só para ver como ela adoraria ter a parte dela em dinheiro.

— Não faria diferença. — A convicção da matriarca só parecia crescer à proporção que o desespero de Rafa aumentava. — Eu pretendo morrer aqui. Você só tem que esperar um pouco, Rafael. Outras oportunidades surgirão.

Parecendo literalmente à beira de uma crise nervosa, Rafa partiu sem responder, irado, retornando mais tarde — já recomposto —

para mais uma tentativa. Mas não havia a menor chance. Será que ele não enxergava?

Finalmente, não conseguindo agüentar mais, Juca criou coragem e, ao encontrar Rafa selando o cavalo para descarregar sua fúria numa cavalgada, disse a ele:

— Um conselho, Rafa. Acho que você não deveria mais incomodar Dona Veridiana com esse assunto. Uma senhora de idade tem o direito de tomar suas decisões. Além do mais, ela não vai mudar de idéia.

— Sorte sua, né tio? — mas o sarcasmo de Rafa só aumentou a coragem de Juca dizer:

— Afinal, quem são as *pessoas* que compraram as terras do outro lado do rio?

Ele lembrou como Rafa se enrijecera com uma expressão semelhante à que revelara quando garoto ao ser repreendido por Juca — um olhar de ódio por ter sido pego em algo que imaginara que passaria despercebido.

— E eu que sei? Eu já disse, foi uma empresa paraguaia.

— Só estava curioso, Rafa. Primeiro eles queriam a mata, agora querem a fazenda. Pela minha experiência, sociedades anônimas paraguaias sempre mexem com alguma coisa ilegal.

— Ah, tio, que bobagem — Rafa deu uma risadinha depreciativa que não escondeu muito bem seu nervosismo. — O senhor virou detetive depois de velho? Olha, deixa isso pra lá, tá legal? Afinal, que diferença faz já que, como o senhor diz, ninguém vai vender nada mesmo?

Mesmo assim, na próxima vez em que Tomazio voou até Contendas para examinar algumas vacas velhas, Juca pediu-lhe que o levasse à Fazenda Promissora do outro lado do rio.

— Para quê?

— Não sei — Juca encolheu os ombros e ergueu as calças — é só um palpite. Algo que não me cheira bem.

— Olha, tio, eu prefiro não me meter com essa gente — Tomazio olhou para ele atribulado. — E o senhor deveria ficar feliz por não precisar.

— Eu quase nunca lhe peço nada, Tomazio.

Sabendo ser verdade, Tomazio pareceu ainda mais atribulado.

— Está bem, se o senhor insiste.

O que encontraram foi basicamente o que esperavam. Uma casa caindo aos pedaços, deserta, cuidada por um administrador carrancudo e de poucas palavras. Tomazio apresentou-se como comprador de gado e foi informado de que no momento não havia gado à venda.

— Então quem é o responsável? Por quem devo procurar? Eles não vão lançar rebentos novos?

O homem deu de ombros e cuspiu.

— É uma companhia lá do Paraguai — ele apontou com o queixo. Se eles quiserem comprar gado, *eles* é que vão atrás de você. No momento, eles só estão vindo para caçar.

— Aqui?! — indagou Juca lançando um olhar duvidoso para a casa abandonada.

— Vamos, tio. — Tomazio pôs fim à conversa olhando gravemente para Juca.

— Não gostei daquilo — disse Juca assim que levantaram vôo.

— Eu também não — respondeu Tomazio. E apelou numa voz cheia de anseio: — Mas já que não há nada que o senhor possa fazer, ainda que soubesse o que é que eles estão tramando — ironicamente ele ecoou as palavras de Rafa —, daria para o senhor deixar isso pra lá?

— Acho que é o que devo fazer — respondeu Juca. — Embora me incomode que Rafa queira fazer negócio...

Tomazio deu de ombros e virou-se para frente.

Mas, àquela altura, a coisa já tinha virado uma obsessão, uma espécie de cruzada secreta de um homem só, que o fazia contornar a Mata sempre que surgia uma oportunidade. Ele cavalgava um pouquinho para dentro, e depois mais um pouquinho, como se uma terrível e mórbida curiosidade lhe desse a coragem de penetrar a densidade proibitiva da Mata.

Como homem do campo, aberto e direto, ao longo das estreitas picadas abertas pelos caçadores e pelas caças, ele só temia o que estava acima da cabeça ou abaixo do pé. Algo na frieza e palidez da luz sob a cornija embaraçada de árvores e trepadeiras que causava-lhe uma sensação de aprisionamento e falta de ar. Quatro ou cinco vezes na vida ele adentrara este tipo de floresta junto com um bando à procura de um jaguar encurralado por cães no topo de uma árvore. Mas todas as vezes foram uma agonia, já que não possuía a menor inclinação para a caça.

Mas, ultimamente, era uma terrível mistura de desconfiança incontrolável e um sentimento de dever compulsivo que o atraia. Até o surgimento desse negócio da venda, ele tentara controlar os sentimentos, apesar da arrogância e desprezo com que Rafa mentia e roubava como se fosse seu direito.

Talvez se ele não tivesse sido supermimado, se não tivesse tido tudo o que quis…. – Juca dizia para si mesmo. Mas cada ação de Rafa como homem apenas contribuíra para a convicção de Juca de que, não importa como fosse criado, ele acabaria do mesmo jeito – como aquelas mulas arredias que não se consertam nem com surra nem com amor. Embora as tentativas pudessem causar muitos estragos.

Ainda que não conseguisse falar abertamente, era isso que queria dizer quando disse a Caco que não conseguia parar de pensar no futuro. Era muito fácil continuar "fazendo o que se gostava" quando não se sabia que isso estava levando a uma tragédia. Quando se não estava convencido de que, ainda que Rafa não tivesse conseguido vender agora, ele acabaria sugando a vida de Contendas, tragando-a como areia movediça a algo inescapável.

E isso tudo tinha a ver com aquelas pessoas e com a Mata do Jaguar. Juca não conseguia evitar, ele tinha que saber…

Ele não contara a ninguém sobre suas desajeitadas excursões à floresta. Tampouco havia encontrado, em suas jornadas, nada além de um emaranhado contínuo e sufocante. Mas como não era muito bom em ser furtivo, ele é quem acabou sendo encontrado.

O menino que o encontrou era desconhecido. Ele aparecera a Juca quando ele cavalgava de volta para a Baía das Antas ao anoitecer, com a floresta já escura e fria atrás de si. De entre a névoa noturna que seguia um dia de calor mormacento, ele surgiu como uma aparição – embora roto e emaciado sobre uma mula mirrada –, que respondeu ao questionamento de Juca dizendo ser da fazenda do outro lado do rio.

– Então o que é que você quer aqui? – Enquanto Juca procurava fazer contato com os olhos debaixo do surrado chapéu de palha, o menino abaixou a cabeça ainda mais:

– O senhor está procurando algo na mata? Acho que sei o que é. Um rancho, né?

– Eu é que pergunto, moleque – redargüiu Juca, nervoso e impaciente. – O que é que você está fazendo aqui?

– Eu achei que podia mostrar para o senhor onde fica o rancho. – O menino falou tão baixinho que Juca quase não ouviu.

– Coureiros?

– Não, senhor. Outra coisa, não sei o que é, só sei que fica num rancho. – O menino se ajeitou na sela, como se estivesse ansioso para ir embora. – O senhor nunca conseguiria achar sozinho. Mas eu posso mostrar...

– Por que você quer me mostrar? – Juca o cortou, incomodado pelo chapéu afundado. – E olhe pra mim quando fala, moleque.

Com isso o chapéu escorregou para trás para revelar um rosto ainda mais jovem do que Juca esperava, os grossos lábios tremendo, os olhos escuros puxados cheios de temor:

– Minha família é que me mandou, senhor. Nós somos vaqueiros lá na fazenda. – Suas palavras numa corredeira como se ele quisesse terminar de recitá-las antes de esquecê-las. – Mas a gente não gosta deles. Eles são gente ruim. A gente quer ir embora.

– E por que não vão?

– Psst! – o menino indicou com a mão um coldre imaginário sobre a coxa. Eles não deixam a gente ir. Não deixam ninguém. Mas se o senhor visse, lá na mata, o senhor contaria para a polícia?

– Só se eu visse algo que precisasse ser contado – respondeu Juca, sentindo tanto medo quanto o menino, pensaria mais tarde, percebendo que teria que decidir *naquela hora*. E então, vendo que o menino parecia poder desaparecer tão subitamente quanto aparecera, ele disse:

— Tudo bem. Semana que vem no mesmo dia, uma hora após a sesta. Mas se alguém souber disso, a polícia vem, mas é atrás de *você*. Entendeu?

A partir de então, Juca não conseguiu pensar em mais nada. Quando dizia para si que não havia a necessidade de ir, ouvia-se questionando:

— Então por que é que foi lá fuçar? — E respondia para si: — A história do menino pode ser verdade. Afinal de contas, não seria a primeira vez que pessoas são impedidas de sair da fazenda sem ter que fugir no meio da noite deixando todas as posses para trás. Mas por outro lado...

— Então leve seu pessoal — ele prosseguia dialogando consigo mesmo.

— Mas suponha que *haja* mesmo alguma coisa. Se houver, até eu poder confrontar Rafa, ninguém deve saber.

Algumas pessoas amavam o perigo. Achavam-no excitante. Rafa, por exemplo. Mas não Juca. Em nenhuma circunstância ele jamais se colocara em seu caminho sem necessidade. Mas quanto mais seu temor aumentava, mais ele entendia por que estava indo encontrar o garoto. Porque o dia todo, em tudo o que fazia, ele a via... Descansando a seu lado naquela noite no brejo, laçando, curando e ajudando — dando o melhor de si desde pequena. O elo, como Tomazio, entre tudo o que fora feito e tudo o que precisava ser.

E agora, sentado em seu bosque de árvores enormes, ele dizia a si mesmo:

— Você vê, seu problema é que mesmo agora você não consegue acreditar que ela não vai mais voltar. Ela nem pode, porque é do tipo que precisa pertencer a algum lugar. Mas a menos que esta situação seja resolvida, ela pode não ter para onde voltar. Então como é que você pode deixar o futuro resolver-se por si só?

Como estava bonito o bosque, este lugar onde ele e Olga poderiam ter vivido, assistindo todas as tardes aos raios de sol sendo partidos pelas árvores e se reunindo novamente com o reflexo delas nas águas turvas, imóveis da baía. Como era difícil levantar e ir preparar seu cavalo, o sucessor de Guaicuru – que pelos cálculos de Juca, jamais poderia ser substituído. Mas sendo impossível também não ir, ele foi.

Antes de chegar à elevação da qual surgia a Mata do Jaguar havia uma ampla depressão no brejo que precisava ser atravessada com cuidado mesmo na seca. Desde a última vez que viera aqui, alimentada por um rio que ora engrossava, ora drenava suas águas pantanosas, a depressão estava cheia de água lamacenta de forma que, seguindo uma trilha que conhecia, Juca ainda teve que montar inclinado para trás com os estribos levantados, enquanto o cavalo testava passo a passo o caminho à sua frente, com água até a altura da sela.

Uma instintiva sensação de perigo tomou-o mesmo antes de ele divisar, através da cerração, os homens se aproximando de rifles em punho. Antes que ele pudesse sequer pensar em, inutilmente, tentar a qualquer custo agarrar seu próprio revólver, o laço caiu sobre si prendendo seus braços junto ao corpo.

Mais tarde eles ririam, para encher um ao outro de coragem, enquanto contavam sobre como fora fácil derrubá-lo sob a água, montando-o como a um touro espernante até estarem certos de não haver mais vida. Sobre como eles o içaram de volta sob seu cavalo, conduziram o bicho para dentro d'água e soltaram-no à deriva.

Capítulo 49

Jacyra estava só quando recebeu a notícia. Havia horas ela trabalhava no Projeto Anhumas que, se ela pudesse pôr em ação, poderia transformar seu viver, parecia numa carreira digna. O problema era, como sempre, fazê-lo parecer aceitável àqueles que podiam usar o dinheiro, mas que não queriam ser incomodados sobre *como* fazê-lo.

Quando mostrara o plano ao doutor Deusdará dos Santos, assessor de projetos ambientais, ele fora cautelosamente entusiástico até ela trazer à tona o que considerava ser sua *piéce de résistance*: as fotos. Então, com as sobrancelhas movendo-se rapidamente sob os óculos, enquanto as via, alarmado, ele disse:

— Você tem idéia de que algumas pessoas foram acusadas de espionagem por muito menos que isto? Você precisa lembrar, senhorita Jacyra, que o Pantanal faz fronteira com a Amazônia e que a Amazônia faz fronteira com nada menos que sete países!

Ela lutou para não rir nem gritar:

— Eu só queria ressaltar algo importante.

— Algo óbvio – suspirou mister Renshaw quando ela reportou a ele. – Provavelmente agora você acredita no que eu disse no primeiro dia em que você entrou neste escritório. "Deusdará" – o diretor da UNPF afundou a cabeça mais ainda, sofridamente –, nome perfeito para um burocrata que acredita ter recebido de Deus o suficiente e agora não quer mexer em casa de marimbondo. Mas não desista, Jacyra. Há vinte anos não existia qualquer serviço florestal. Agora há um que não funciona. Embora não pareça, já é um grande passo. O negócio é se concentrar no que será aceito e trabalhar dali em diante.

Então ali ela se sentou, concentrando sua formidável força de vontade em "pontos vendáveis", mesmo quando mantinha em xeque os sentimentos que seu encontro com Anhumas trouxeram perto demais da superfície. Estava tão absorta que perdera a noção do tempo, até o telefone tocar trazendo-a à surpreendente realidade de que eram duas horas da manhã. E também apavorando-a, como faziam as ligações no meio da noite pelo temor pelas pessoas amadas. Temor este justificado quando, através de uma conexão eternamente oscilante, a voz do pai chegou sufocada de emoção:

— Seu tio Juca, Jacy. Acharam-no no brejo. Ninguém estava lá quando aconteceu. A única explicação que podemos imaginar é um ataque cardíaco.

Houve aquele momento em que sua mente se recusou a acreditar, e depois aquele em que todos os objetos sobre a mesa diante de si desapareceram num enorme buraco negro, sem fundo, enquanto todo o restante entrava em perspectiva. *Seu imortal tio Juca*, grave, gentil e paciente além dos limites – sempre a seu lado, mesmo aqui onde não estava. Não podia ser, e no entanto era. Ele tinha partido, mas como?

Quão longa cada hora pareceu – recheadas de sonhos e visões de tirar o sono, até a manhã seguinte quando Adrien, apressando-se em ajudá-la de todas as formas, colocou-a no avião que rompia não só os mil quilômetros de distância, mas a incomensurável distância entre dois mundos. Mesmo assim essa distância se dissolveu rápido demais, uma vez que ela estava no ar, e agora ela não conseguia evitar o terror de caminhar adiante e encarar Rafa, que viera encontrá-la.

Ele caminhou em sua direção, a linha maleável de sua boca formando uma expressão de preocupação ansiosa, aqueles belos olhos – ao mesmo tempo inquisidores e evasivos – calculando o que deveria ser dito.

– Pobre Jacy – sua voz era profunda e terna, mas havia uma rigidez nervosa em seu abraço. – Só isso? – Ela não conseguiu deixar de imaginar o alívio dele ao apanhar sua única mala.

Ele não disse mais nada até estarem sentados no carro com as janelas fechadas contra o calor sufocante do verão tropical e, com o fluxo do ar-condicionado como único fundo para suas palavras, indagou:

– Você quer ouvir?

– Claro que sim.

– Está bem – ele engoliu e começou. – Pelo que Bento contou, eles tinham ido arrebanhar desgarrados. Mas quando chegaram à Baía das Antas, tio Juca decidiu não acompanhá-los. Então, naturalmente, eles o deixaram ficar por lá. Só que quando voltaram, eles encontraram seu cavalo com o estribo quebrado... Foi Tomazio quem o achou, boiando de rosto para baixo num bambuzal.

– Ai... – por um momento ela sentiu como se não fosse mais conseguir respirar, mas quando ele cobriu a mão dela com a sua, algo instintivo fê-la recolher a sua. E insistir:

– Mas por que sozinho, justo lá na vazante onde ele não permitia que ninguém fosse?

– Por quê? Você quer dizer, por culpa de quem? Alguma vez alguém, além de vovó Veridiana, conseguiu ditar a ele o que fazer? E mesmo ela... Ele já vinha agindo de maneira estranha, parecia ter subitamente envelhecido, embora ninguém quisesse acreditar. Talvez você tivesse acreditado... Fazia um bom tempo que você não o via.

O lembrete, com um toque de acusação tão tênue a ponto de parecer desintencionado, não passou despercebido. Com a coragem de dizer o que não fora dito escapando-lhe, ela ficou quieta e passou o resto do caminho fazendo o melhor para acreditar no que com certeza tinha que ser verdade.

Nas horas de aflição, lembramo-nos de quem amamos. Como ela ficou feliz de, no momento da dor, poder atirar-se nos braços dos pais, sentir o abraço quebradiço da avó. Foi um choque ver o quanto a matriarca parecia ter encolhido e encurvado, mas sua voz ainda era da mesma forma atraente quando sussurrou:

— Preciso falar com você, Jacyra. Está ouvindo?

— Foi uma pena você não ter podido vê-lo, parecia tão natural. Nem um pouco inchado pela água... Não sei como conseguiram — tia Tatinha teve que dizer e, pela primeira vez, Jacyra teve que sorrir. Mas, por algum motivo, ela estava feliz por terem fechado o caixão. Ela fora forçada a ver o rosto de mortos, antes. Eles só confirmavam a viagem do espírito. E agora, após a insossa missa celebrada pelo inócuo Padre Emílio, ela ficou feliz porque as honras seriam feitas por seu Caco.

Ao lado do austero sepulcro de mármore negro, italiano, da família, o maior amigo de Juca falou com amor sobre o bom homem nascido para viver uma boa vida no Pantanal, onde nascera. Por um instante, pelo menos, suas palavras neutralizaram o clima de cemitério a que Jacyra sempre fora avessa. Um lugar horrendo onde, sob a lúgubre pretensão de compor mausoléus e tumbas, estátuas de santos e anjos erguiam os braços em direção ao céu, como que numa eterna súplica por misericórdia sob um impiedoso sol perene. Se existia um inferno, ela sempre pensava, certamente devia ser sob essas passagens, de cujas rachaduras emanava agora o enjoativo odor adocicado de morte aprisionada por concreto e pedra.

Finalmente, a despeito do discurso de seu Caco, quanto mais a multidão se apertava para prestar suas homenagens, mais ela se certificava do terrível erro que era encerrar tio Juca, que nascera para viver livre, naquela prisão de mármore preto. Sufocada e um pouco zonza, tentou concentrar-se na imagem da avó, que continuava a encarar seu Vasco por sobre o sepulcro.

Mesmo agora, embora sua expressão fosse respeitosamente vaga, era impossível não imaginar a mente da Matriarca trabalhando, se não matutando sobre a causa do falecimento de seu grande aliado, e então se adiantando sobre qualquer nova estratégia que precisasse ser adotada para manter tudo sob controle.

— O que será que ela quer me dizer — temporariamente, uma incontrolável sensação de curiosidade e anseio tomou conta de Jacyra e a deixou tão rápido quanto ela percebera que vovó Veridiana estava liderando a ladainha, sua voz mais autoritária do que comovida, incentivando os presentes a cantarem com um fervor que até então desconheciam possuir.

À medida que lentamente o cortejo se desfazia, os trabalhadores começavam a lacrar o túmulo com argamassa. Não suportando a idéia, Jacyra virou-se de costas rapidamente e acabou dando de cara com a única pessoa que inutilmente conseguira evitar até agora.

Sólido como uma rocha, Tomazio bloqueou seu caminho — seu rosto forte e quadrado como uma máscara disciplinada até aqueles firmes olhos azuis encontrarem os dela. Ali não restou nada a fazer a não ser ela entregar-se em seus braços, permitindo que o amor, a dor e as lembranças invadissem seu ser até que, incapaz de suportar aquele peso ou de dizer qualquer coisa, ela se desvencilhasse do abraço e corresse em direção ao único lugar onde sabia que poderia refugiar-se.

Capítulo 50

A alta, estreita porta de entrada do Sobrado dava para o Pátio da Velha Matriz; a porta dos fundos para um antigo bosque de mangueiras – paisagens conectadas por um longo corredor que, quando ambas as portas estavam abertas, lembrava um gigante telescópio focalizado na infinita vegetação. Era através desse telescópio que, quando criança, Jacyra fugia, com freqüência, para um mundo só seu.

Descendo sombras adentro, seu caminho conduziu-a pelo bosque de mangas a um outro de cítricos cobertos de líquen, goiabeiras, jaboticabeiras de galhos suaves e uma caramboleira centenária que sombreava um quarto do pomar em seu fundo. Carregada de frutos amarelos que lembravam a forma de lanternas chinesas, era uma árvore enorme porém delicada, cujos galhos afilados e folhas pálidas formavam uma cúpula filigranada que, em certos pontos, chegava a tocar o solo. Além dos contornos da cúpula, as raízes da caramboleira terminavam num aterro, sob o qual as terras chãs ao longo do rio eram inundadas todos os anos.

Para a criança, o melhor deste lugar era que não podia ser ouvida de lá da casa. E como poucos se davam ao trabalho de aventurar-se pelo emaranhado de vegetação rasteira que os separava, quando chegava aqui ela sabia que podia passar horas observando os passarinhos construindo seus ninhos e contemplando o céu de mosaico através da cúpula de folhas sem ser perturbada. Ou, entronada numa espécie de caramanchão onde as maciças raízes da árvore eram desnudadas pelas enchentes, ela podia sentar-se de costas para o Sobrado, a Igreja e o Colégio de Freiras – tudo o que abominava – e fitar além do rio, sonhando com o mundo do outro lado.

Hoje, já que Juca fora lacrado como um estrangeiro numa tumba estranha, como filha do chefe da família, ela deveria juntar-se às demais mulheres para receber os visitantes mais importantes que vinham apresentar seus cumprimentos especiais. Mas chegando em cima da hora, ao contrário, ela correu através do telescópio e desceu para além das árvores. Ali ela se acomodou entre as raízes da caramboleira como se elas formassem uma embarcação que estivera esperando para levá-la por uma inevitável viagem: da criança que sonhara em fugir para o outro lado do rio, para a mulher que escolhera ir embora e criar uma vida própria. Que se ausentara por tempo suficiente para não poder voltar a ser a pessoa que fora antes, e sequer sabia se poderia entender a linguagem desse povo, que um dia fora seu, da maneira como entendia antes.

No caramanchão de raízes, ela ficou sentada ouvindo a água correr e, enquanto os raios de sol se enfraqueciam, ela assistiu a um bando de aves retornando a seu local de repouso.

— Batuíra, maritaca — recitava ela sem qualquer dificuldade, pelo menos nisso. — Saracura, jaburu.

Ao mesmo tempo, no Sobrado, acima e além do bosque de mangueiras, enquanto as mulheres alvoroçavam-se imaginando onde Jacyra havia se metido, Dona Veridiana disse:

— Deixem-na em paz. Lembrem-se, era ela quem mais amava Juca.

Então a matriarca subiu as escadas que levavam ao quarto que também tinha vista para o rio e, enquanto o céu assumia um tom amarelo-claro e a floresta ao longo do rio um ar escuro e impenetrável, iniciou sua própria viagem. Ela também partiu sob a forma da criança que, à sombra de uma grande borboleta negra, não sabia para onde ia. Só sabia que nada em sua jornada faria verdadeiramente sentido até ela vir para o lugar do outro lado do rio Pataguás e ficar ao lado de Cândido Tavares em terra firme.

Dali em diante, tudo o que fizera tinha um único propósito. Na paixão e na alegria, na morte e na tragédia, nas lutas e tentativas, até que, enquanto aguardava, na iminência do desespero, a batida veio à porta:

— Pois não? — ela virou-se lenta, desconfiadamente na cadeira.

— A senhora queria falar comigo?

Quão rapidamente ela se recompôs! Como se não tivesse acabado de duvidar que Jacyra iria aparecer, suas mãos magras, cheias de veias, apontaram imperiosamente para a cadeira em frente.

— Venha, sente-se, Jacyra, minha menina.

Quando ela o fez, virando sua cadeira para que ficassem totalmente frente a frente, Dona Veridiana viu que "menina" não era bem o termo adequado. O olhar infantil, vulnerável e desafiante havia ido embora e, com ele, a inocência de uma virgem. Em seu lugar, o olhar de maturidade feminina adquirido com o amor era facilmente reconhecível por Dona Veridiana. Porém, a despeito da aspereza de sua própria vida, independência era algo que a matriarca nunca experimentara. Ela conferia a Jacyra um ar de sofisticação e até de mistério, que a tornava não apenas uma mulher, mas uma estranha com quem, pela primeira vez, Dona Veridiana tinha que imaginar como lidar.

De sua parte, parecia para Jacyra que a fragilidade da idade tornara aqueles olhos de coruja ao mesmo tempo mais ocultos e mais penetrantes do que nunca. Mesmo assim, bastou um relance da avó para ela reconhecer a imensa tristeza pela perda de uma pessoa em quem, apesar de sua eterna tirania sobre ele, ela sabia que podia sempre confiar. Em vista disso, pelo menos neste momento, a divergência que até então as separara se dissolvera. Que alívio livrar-se dela, sentar-se com as lágrimas, há tanto guardadas, deslizando pelo rosto, sabendo que, afinal de contas, ninguém poderia entender o sentimento que confessara melhor do que esta velha teimosa a quem disse:

– Eu deveria ter vindo, eu deveria ter imaginado...

– Que ele poderia morrer a qualquer momento? Quem não poderia, minha querida? Acredite, eu sei. Mas eu aprendi há muito tempo que não dá para guiar sua vida por algo assim.

– Não. – Vendo que, em sua aflição, a moça se tornara novamente a menininha de Juca, Dona Veridiana aproveitou este momento de intimidade para reaproximar-se, para assegurá-la. – Seu tio Juca era forte, mas não tão jovem, você sabe. Sair por aí cavalgando em águas em ascensão, principalmente na idade dele, ia contra todas as regras que ele mesmo estabelecera. Tarciso ainda está passado, mas eu digo a ele o mesmo que estou lhe dizendo: se for começar a se culpar pelas escolhas dos outros, não vai mais conseguir parar. Quanto a mim, Deus sabe o quanto eu gostaria de ter dito a ele o que vou lhe dizer agora. O que me leva, Jacyra querida, ao outro motivo pelo qual eu queria falar com você. Desde que, é claro, você acredite que alguém tão velha como eu ainda seja capaz de aprender.

A condição, ao mesmo tempo um desafio e uma súplica, era como se abrisse uma porta e fechasse outra, de forma que Jacyra não conseguiu deixar de sorrir ao responder:

– Como eu poderia não acreditar nisso vindo da senhora, vovó?

– Muito bem, então vou começar com o momento em que soubemos que você iria ficar no Rio.

Mais tarde Jacyra pensaria que não poderia ter havido uma maneira melhor, mais envolvente de a matriarca ter prosseguido, como se estivesse contando mais uma daquelas fábulas de moral pelo bem da sabedoria transmitida de geração em geração, reclinando-se em sua cadeira com o olhar voltado para dentro de si em busca de detalhes.

– Sem dúvida Tatinha vai se esbaldar o resto da vida sobre a idéia de que eu os abandonei lá. Mas depois que você foi embora, eu sabia que se ficasse no Sobrado, eu acabaria os abandonando, de qualquer maneira, ao morrer de tédio. Então eu disse a eles que poderiam vir comigo, se quisessem, ou poderiam ficar. Então eu embalei o que precisava e fiz o que sempre quis: vim para Contendas de vez. E de certa forma, foi como começar uma vida nova.

– E como está sendo?

– Sozinha a maior parte do tempo – Dona Veridiana agradecidamente aproveitou a deixa. – E sem ter de me incomodar com os incontáveis detalhes minuciosos de administrar duas casas, eu tenho tido muito mais tempo para pensar. Privilégios de ser velha, você pode dizer. E eu, como posso descrever? Talvez como também a responsabilidade de ver, antes que seja tarde demais, as coisas como elas são e não como gostaria que elas fossem.

Novamente, em sua imaginação, Jacyra sentiu-se transportada a caminhar à beira da salina, tomar seu lugar no tronco da árvore caída – envelhecida e cheia de vida –, verdadeiramente dando uma nova vida às palavras de d. Veridiana.

– Por exemplo, eu sempre disse a mim mesma que era pela família que eu lutava para manter Contendas intacta. Para que todos tivessem um patrimônio que dividir. Mas se eu realmente tivesse me permitido enxergar as coisas como eram, eu já teria percebido anos atrás que não era pela família que me apeguei à fazenda. A maioria de vocês, na verdade, teria sido mais feliz sem ela.

Era por mim mesma. Porque Contendas e o Pantanal eram tudo o que dava sentido e direção à minha vida. Sem eles eu não seria nada, eu já teria perecido. Mas agora – seus ombros magros se encolheram, expressivos –, eu *estou* perecendo. Isto é, chegando ao fim da vida. Então certamente você consegue me entender quando digo que o que me importa, a esta altura, é a continuidade. De novo, Jacyra, embora um tanto quanto egoísta da minha parte, admito, a continuidade de Contendas. Não pela família, uma vez que a maioria não está nem aí para ela e na verdade só quer livrar-se dela assim que eu morrer.

Não. Pela minha própria paz de espírito, enquanto eu estiver viva, quero ver a fazenda ser assumida de onde Juca e eu a deixamos e continuar a prosperar e evoluir. Mesmo, como você verá, se eu tiver que abrir mão de meu domínio sobre ela para consegui-lo. – Aqui ela fez uma pausa, dramática, antes de concluir com um ar de quem profere um decreto:

– Para isso, há alguns meses, eu comecei a elaborar alguns documentos. Agora eles estão prontos e só precisam ser assinados e testemunhados para que minha parte de Contendas seja doada a você.

Foi aí que, no silêncio que se sucedeu provocado pelo choque, dentro da mulher sofisticada diante de si, a matriarca encontrou a Jacyra que sempre conhecera. Ela a encontrou nos olhos escuros, vivos, que um dia se fixaram atentamente de sob as cobertas enquanto ela, sentada à cabeceira da cama da criança, contava-lhe uma história reparadora, só para no final ouvir a resposta abafada: "Justo nada!"... E desta vez, diante dessa generosidade súbita e arbitrária, a reação de Jacyra foi a mesma.

– Agora?

Tendo pronunciado a palavra que por si só dizia tudo, Jacyra continuou de olhos fixos, esperando a resposta da avó. Mas Dona Veridiana se preparara também para isto, aparentemente.

– Sim, agora! – disse ela, e, rebatendo o olhar incrédulo, indignado da neta com um olhar desafiador, prosseguiu:

– Afinal, não foi este o principal motivo de você ter ido embora? Não era uma escolha que você queria?

PARTE IV

Capítulo 51

Fazia um frio mortal. O vento proveniente do sul trazendo suas esparsas chuvas de inverno havia mudado de direção deixando um ar gélido, amargo, que se adensava sob a forma de neblina ao amanhecer. Agora, nas primeiras horas do dia, a friagem se infiltrava pelos vãos das paredes de tábua do barracão onde Jacyra, sentada, pensava no paraguaio amarrado à árvore. Havia quem morresse num frio desses, embora não fosse o caso dele. Ele era duro demais, índio demais. Mas à medida que a friagem e a neblina penetravam suas roupas finas até os ossos, ela podia imaginá-lo aquecendo-se com pensamentos mortais.

Assim mesmo, ela teve que mandar amarrá-lo. Mesmo que isso pudesse significar perder toda a equipe de construtores de cercas, mais o capataz que estivera a seu lado – não importa quão relutantemente – até agora. Não havia mais nada que ela pudesse ter feito.

Retornando de Laranja Doce com a comitiva, ao entardecer, ela encontrara o homem esparramado nos degraus do alpendre, bêbado feito um gambá. Ainda estavam todos montados quando ele se levantou e cambaleou na direção deles, abrindo os braços e berrando animadamente:

– Bem-vindos, bem-vinda, meu amor, minha mãe, mãe de todos.

Ali mesmo, naquele momento, o instinto lhe dissera o que fazer:

– Lacem ele.

E certamente foi também o instinto que, por sua vez, disse para Bento fazer um laço com a corda para jogá-lo sobre os ombros do paraguaio, apertando-o fortemente e desequilibrando-o antes que ele pudesse entender o que estava acontecendo.

– Agora o amarrem – ela ouviu-se prosseguindo, numa voz baixa, deliberada. Às suas palavras, uma bem-vinda necessidade de obedecer fez com que os outros agissem instantaneamente, aproveitando-se da corda ensinada.

Mas àquela altura, o incoerente, semi-selvagem homem do mato tornara-se – mordendo, unhando, chutando e esbravejando – algo que parecia um cruzamento de jaguar com mula. Foram necessárias a força física e a fúria de quatro homens para dominá-lo, amarrando-lhe mãos e pés. E foi somente quando terminaram de realizar a proeza e se levantaram arfando e bufando sobre sua vítima imobilizada, que eles verdadeiramente se deram conta do que haviam feito.

– E agora? – indagaram seus olhares duvidosos em uníssono enquanto a fitavam meio que acusadores.

Ela também se questionava. Mas movida pela mesma força que parecia não ser dela, ela determinou:

– Amarrem-no naquele loureiro com os braços para baixo, para que não possa fugir.

Tendo chegado àquele ponto, amarrá-lo parecia-lhes também a melhor solução, pelo menos temporariamente. Então eles o arrastaram até o loureiro diante do barracão e o amarraram a seu tronco, deixando-o sentar-se, pasmo, entre suas raízes, um prisioneiro à espera de sua sentença.

Durante todo o episódio ela não tirou as mãos das rédeas para tocar o revólver na cintura, deduzindo que tal atitude poderia, por si só, colocar a situação num nível perigosamente diferente. Não. Como se estivesse simplesmente dando ordens para seus homens dominarem uma fera recalcitrante. Ela distribuiu as instruções até que, terminada a missão, esperando demonstrar satisfação com o resultado, ela voltou seu cavalo para os vaqueiros que a realizaram e disse:

– Bom. É aí que ele vai ficar até amanhã de manhã, quando estiver sóbrio e tratável.

Mas foi no momento em que, para dar maior ênfase ela acrescentou: "Entendido?", que Zeza, um rapaz baixo, de tórax em forma de barril, ainda se recuperando do chute levado do paraguaio no plexo solar, decidiu pensar diferente. Apertando a virilha, ele olhou de lado para os companheiros, depois para o chão e balbuciou:

– Já ouviram falar em soltar cachorro louco? Eu nunca. – E para enfatizar, num risinho debochado para os companheiros completou: – Puta que pariu, Deus me livre!

Com o coração disparado, ela se forçou a olhar um por um dos homens que ainda se encontravam hesitantes e indolentes diante de si.

– Se ele fosse um cachorro louco, eu teria atirado nele – disse. – E se vocês o amarraram, sabem muito bem como desamarrá-lo. Amanhã, quando eu mandar. Esta são minhas ordens. Quem não concordar pode vir retirar seu pagamento.

Em seguida, com as pernas parecendo se desmancharem, ela apeou e, entregando as rédeas a Bento, acenou-lhe confiante, com a cabeça. E então dirigiu-se ao barracão.

Só depois de fechar a porta e de mergulhar na cadeira atrás da mesa da cozinha é que ela mergulhou também em si, tremendo de frio e de pensar no que havia feito. Ali ela ficou sentada, com os cotovelos na mesa e a cabeça nas mãos até que o frio e uma sede de doer fizeram-na levantar-se e caminhar até o fogão a lenha.

Adicionando alguns gravetos às cinzas vivas à sua boca, ela os assoprou até se acenderem para esquentar a água de um chimarrão. Tendo fervido, o simples ritual de socar o mate ricamente perfumado na guampa e despejar a água borbulhante teve um efeito magicamente tranqüilizador. De volta à mesa, dando lentos goles de mate através da bomba de prata, sentindo o calor fluir através de seu ser, ela se obrigou a repassar todos os detalhes de sua ação quase instintiva e, como não raro ultimamente, indagou-se como pudera ter tal atitude.

Porque – a resposta veio-lhe facilmente – há mais nessa história do que um simples peão bêbado. Como um ultimato me avisando que as coisas já foram longe o bastante. Está na hora de eles perceberem que eu não vou me deixar intimidar por qualquer um, deste lado da cerca ou daquele. Isto não é só uma espécie de jogo ao fim do qual – tendo em vista tudo o que vivenciaram e aprenderam – eu recuarei e tudo continuará como antes. Enquanto eu estiver aqui, não haverá autoridade maior do que eu a quem apelar. E eu cheguei para ficar.

Era irônico pensar que, alguns meses atrás, quando decidira voltar, o único que realmente acreditara que ela realmente o faria fora Adrien.

– Chantagem – foi como ela descrevera a oferta da avó. Mas foi ele quem disse:

– Não. Para variar eu diria que sua avó estava sendo direta.

Eles se sentaram com os pés numa piscina natural escavada na rocha do outro lado da ilha – seu esconderijo secreto, a praia onde, amando-a, ele lhe ensinara a amar o mar. Mas não o suficiente. Nunca o bastante para fazê-la dizer: "Vou ficar". Assim, era o lugar perfeito para ele dizer também:

– É isto – seu braço descreveu uma parábola que de certa forma o incluía – ou aquilo, não é, Jacy? E é *você* quem precisa ser honesta *consigo mesma*. Agora que, como disse sua avó, você tem uma escolha.

Dali em diante, embora de uma maneira em que ambos pareciam torcer por um milagre, ela foi sentindo o distanciamento aumentar. Como as águas de um rio, que descansavam nas baías onde encontravam sossego e refúgio, mas não conseguiam ficar, ela percebeu estar abstraindo-se, como que puxada por algo que dizia: "Esta não é você, aqui não é seu lugar. Aqui você não é nada nem ninguém".

Quão árduo fora admitir para si mesma e depois para ele que isso era verdade. Que pedir a ele para acompanhá-la era inviável, e ficar com ele não era o bastante. Era melhor deixá-lo enquanto partir fosse uma dor do que ficar até um dia ser um anseio.

Adrien não estipulou prazos. Dona Veridiana deu-lhe um mês, sabendo o que sabia e dizendo:

– Se eu não assinar logo, os papéis podem se invalidar.

Mas foi Rafa quem, em meio a tudo isso, levou-a a uma decisão imediata.

Olhando para trás, agora, desta cabana que ela chamava de casa perto dos currais de Contendas, parecia-lhe que, desde menina, ela tentava falar com Rafa, dizer-lhe que ela não queria debochar dele ou feri-lo; apenas fazê-lo enxergar o ponto de vista dela. Mas naquela noite, ao se confrontarem na sombria elegância do salão de festas do Iate Clube, um outro elemento, assombrado e fatigado, em sua aparência – mesmo quando ele falava e agia com uma energia terrivelmente artificial – tornara as coisas ainda mais difíceis.

— Pensei que morar sozinha a tivesse transformado em gente grande, Praga – de início ele fez o melhor que pôde para amenizar o clima.

— Maior do que eu era, espero. E você?

— Eu sei que você não acredita em política, mas o fato de estarmos jantando no Iate Clube não lhe diz nada?

Ela correu os olhos pelas mesas cercadas de uma "gente bonita" – toda bronzeada, penteada, aspirada e esculpida. Ninguém de quem jamais sentiria falta alguma. Assim, ergueu sua taça:

— Cada um na sua, Rafa.

— Dentro do possível – seus olhos brilharam de impaciência. – Vamos falar de bom senso. Se eu fechar o negócio, você recebe o suficiente para fazer o que quiser. Casar com seu francês, comprar um *chateau* e uma vinha, ou até uma fazenda em algum lugar civilizado. Não lhe parece mais sensato que um pedaço de nada, esquecido por Deus, afogado em dívidas, no fim do mundo?

— Se é um nada, por que você está tão ansioso para que eu não o tenha?

— Se você não consegue entender, vou repetir. A companhia quer comprar Contendas toda agora, Jacy. Mas só se a parte da vovó Veridiana estiver incluída. Não é justo, está ouvindo, você estragar o negócio de todos os outros.

— Se você fosse eu, não pensaria assim, Rafa. Você sabe que eu vejo aquele "pedaço de nada" do mesmo jeito que a vovó Veridiana.

— Então você é tão louca quanto ela.

– Por um acaso o fato de sabermos o que queremos significa que somos loucas? – enfim o ressentimento, que ela prometera a si mesma controlar, efervesceu e transbordou. Todos se viraram para olhar enquanto ela sibilava como o apito de uma chaleira.

– Não é você quem sempre soube o que queria e sempre o conseguiu? Você já não arrancou de Contendas o suficiente? E agora você me chama de louca só porque eu quero manter o que é meu por direito?

– Seu por direito? – ele sibilou de volta. – Você pensa que eu vou deixar aquela velha senil ir em frente com isso?

– Senil é algo que ela não é. E para sua informação, Rafa, você me convenceu. Acabei de me decidir: eu vou apoiá-la nessa decisão!

– Ótimo! – Ela nunca se esqueceria do olhar de frio desespero naqueles olhos verdes ao se darem conta do que ela dissera. E assim mesmo, quão rapidamente aquele olhar se tornara sorridentemente cínico, a sua voz a princípio admoestando: – Muito bem. Se é isso que você quer, vá em frente e veja até onde você consegue chegar sendo mulher num lugar como o Pantanal. Jogue seu emprego fora, tudo o que você tem aqui.

Nem de como, em seguida, ele desviara o olhar e reduzira o tom de voz a um sussurro:

– Só não me venha dizer depois que eu não lhe ofereci o mundo. E já que somos ambos civilizados e está todo mundo olhando para nós, que tal mais um drink?

Nos dias que se seguiram, ela fez uma descoberta surpreendente: uma decisão é como uma dívida, assim que a toma você está subitamente em débito com todo mundo. Mister Renshaw era mister Renshaw – honesto, reservado e completamente justo.

– Sim, é claro que entendo. A terra é sua para fazer dela o que bem entender. É isso que significa possuir, não é? E talvez por isso você possa nos ser de grande utilidade um dia. Então promete não perder o contato?

– Ah, sim, prometo – ela respondeu enfaticamente, torcendo para que ele soubesse, quão grata, quão tocada ela estava, mesmo quando imaginava como algum dia ela poderia ser-lhe útil.

Se tio Estácio não estava aliviado, ele fingiu estar.

– Eu deveria saber no que estava me metendo quando *você* veio morar comigo. Bem, nem a Isabel pode dizer que eu não tentei. Mas ouça aqui – por algum motivo ele não conseguiu resistir a dar um último conselho sério. – Não deixe sua mão fazê-la sentir-se culpada. No meu entender, você é daquela espécie rara que chamam de pantaneira. – E beijando o ar ao lado de sua bochecha, ele abençoou-a. – Portanto, que sua avó a receba de braços abertos.

Capítulo 52

Rafael Tavares não veria a irmã novamente, até eles se sentarem lado a lado, a uma enorme mesa de madeira de cabreúva, repleta de entalhes ornamentais, esperando para assinar a partilha de seu patrimônio. Nesse ínterim, quão freqüentemente ele pensaria nela e se amaldiçoaria por tê-la subestimado!

No enterro, ela estivera tão distante, como que envolta por um casulo invisível que a protegeria durante aquelas horas até ela poder escapar. E quão rapidamente ela o fizera – movida, parecera-lhe, pela dor da perda de tio Juca. Sem ele, Rafa pensara, que outro elo poderia retê-la, separá-la, da boa vida que estava tendo, do homem por quem, sempre que os via no Rio, ela parecia estar tão profundamente apaixonada.

Mesmo quando soube do que a matriarca fizera, ele se deu ao luxo de imaginar que ela recusaria a proposta da avó. Principalmente levando em conta o que ele tinha para oferecer no lugar: uma pequena fortuna para cada um deles começar uma vida nova. Mas ele deveria ter sabido que ela era tão esquisita quanto a velha. Obstinada, cabeça-dura. Poderiam existir outras mentes mais egoístas e distorcidas do que aquelas duas?

Então, no fim, não lhe restara outra opção além de recorrer ao pai – algo que ele detestava tanto quanto antes quando, ainda menino, era convocado para conversas particulares naquele quartinho mofado acima do Pátio. Porque, estranhamente, de todas as pessoas que conhecia era somente o pai que conseguia fazê-lo sentir-se culpado. Era aquele senso de justiça de Manoel, embora ele jamais o fizesse, que fazia Rafa se sentir como "réu", mesmo quando ele mesmo disse, reprovadoramente:

– Só o fato de vovó Veridiana insistir em morar sozinha em Contendas, com ninguém, *ninguém* para cuidar dela além de um faz-tudo e um monte de índios, já é sinal de demência para mim. Ela pode morrer a qualquer momento. O senhor não vê que ela precisa de cuidados?

Manoel não fez qualquer comentário, mas esperou, forçando-o a dizer tudo o que tinha para falar.

– Não é só em mim que estou pensando, é em todos. E em Jacyra tanto quanto nos outros. Não só quebraria o coração da mamãe vê-la jogar tudo para o alto, mas, pense nela, voltar para cá para fazer o quê?

Por fim, aparentemente presumindo que Rafael tivesse chegado ao fim de seus pretextos, Manoel respondeu:

– Eu não gosto nem de imaginar o quê, Rafael, mas tem uma coisa que tudo isso me ensinou. E eu gostaria de tê-lo aprendido antes de Jacyra ter ido embora. Eu arriscaria até chamá-lo de nosso maior dom, o fato de cada um de nós ser realmente único e, portanto, só conseguirmos saber de verdade o que é o melhor para nós mesmos.

– Dom! – era tudo o que Rafa podia suportar. – Está certo, então ninguém pode dizer a Jacyra o que fazer. Mas a vovó Veridiana? Papai, não use isso como...

– Como desculpa? Não, Rafa, eu bem que gostaria de ter uma. Mas eu creio que convicção é uma palavra melhor. Por anos eu tentei persuadir sua avó, mas desta vez – como que para demonstrar sua nova filosofia, Manoel disse – eu resolvi ouvir. Eu lhe contei tudo o que ela me disse. Podemos não concordar, mas é uma idéia coerente. E tendo-a escutado, eu só posso concluir que ela está completamente no comando de suas faculdades mentais. Sendo assim – balançou a cabeça com uma familiar intransigência acrescida à dor de sua expressão –, você deve entender como, independentemente do que você ou eu sintamos, é impossível para mim assinar um documento declarando que, devido à sua idade avançada, sua avó não é capaz de tomar uma decisão legal.

Rafa entendia. E viu que não tinha jeito. Ele queria rir, gritar, de tão potente a impotência do pai diante da honestidade e da razão. Qualquer outro teria assinado e encerrado o assunto. Mas este senhor suave, passivo, que pouco queria da vida além de paz – que de fato transferira a diretoria da fazenda a Rafa por não querer mais ser incomodado – não conseguia fazê-lo.

Ao sair e fechar a porta atrás de si, Rafa levou consigo a imagem do pai congelado atrás da escrivaninha em seu minúsculo refúgio, incapaz de pensar, agir, dar um passo no mundo real. Ele teve que se esforçar para evitar o ruído estatelado de seus passos furiosos nos degraus. E ao adentrar ele próprio o "mundo real", torceu para não encontrar nenhum conhecido, certo de que perceberiam facilmente sua expressão de total angústia e derrota.

Mas não demorou muito até a própria perspectiva da derrota começar a recuperá-lo. Era incrível, também, pensou, como num mundo onde a manipulação era a regra, a lei tinha uma maneira de prevalecer justamente quando menos se desejava que ela o fizesse. Mas que se danasse. Se não podia usar a lei para seu benefício, ele encontraria outro jeito. As chances eram grandes. Ele tinha que conseguir.

Deve ter sido aí que a guerra de desgaste começou. Embora considerando como a terra fora dividida no final, Jacyra não conseguia encontrar uma justificativa para sua existência putrefata, erosiva.

Porque da mesma forma que Manoel, uma vez proferida a última palavra, ele não conseguia descansar até equilibrar a balança da justiça em sua mente.

Portanto, alguns dias depois de ter-se recusado a declarar a senilidade da mãe, ele assinou um outro documento cedendo sua parte e a de Isabel para o filho, sob a condição de receberem metade dos lucros enquanto vivessem. A assinatura desse documento e a transferência da parte de Contendas para Jacyra foram realizadas no tribunal que, a maioria das decisões sendo tomadas sem o auxílio da Justiça, Manoel tão raramente tinha a oportunidade de usar.

Vasco Cabrera fora convidado por Dona Veridiana para testemunhar e, obviamente, não havia nada que pudesse fazer senão vir. Era a primeira vez que vira os Tavares reunidos desde o funeral de Juca e, embora fosse-lhe doloroso por vários motivos, ele estava agradecido pela oportunidade de assistir.

Sentado de frente para ela à mesa de cabreúva com entalhes ornamentais, onde os papéis foram depositados, seu velho amigo e sócio de tantos anos não conseguia livrar-se da sensação de que, para a matriarca, deveria estar sendo como assistir em vida à leitura de seu próprio testamento. Muito viva, aliás, ela enxergava muito bem onde estava. E, ao invés de triunfante, sua expressão poderia ser descrita como uma cara amarrada. E talvez um pouco assombrada?

Isabel tinha a aparência de quem vinha chorando muito. Pobre coitada, agora mais apaixonada por aquele marquês da França do que Jacyra, parecia. Como se as olheiras profundas sob seus olhos não fossem o suficiente, ela dramatizara seus sentimentos vestindo-se toda de preto. Além dela, Tatinha, que sempre andava de preto, da mesma forma parecia hoje, mais do que nunca, como se estivesse empenhando-se em competir com Inácia, "a Santa", pelo papel de martírio eterno.

E quanto a Rafa? Era aqui que Vasco tinha que lutar contra as próprias emoções, ao observar aquele rosto moreno, formoso, que não fazia o menor esforço para esconder – na verdade parecia determinado a exibir – seu amargurado descontentamento. Por mais que tentasse, vendo aquele rosto, era impossível não pensar nos sentimentos de Juca e nas ações que levaram à sua morte. Não se lembrar nas palavras de Juca, intimamente confessadas a ele e Tomazio.

— Rafa é um idiota fraco. Eu não consigo tirar da cabeça que ele se meteu em algum tipo de encrenca.

Tampouco conseguiam Vasco e Tomazio, e, para sua própria paz de espírito, decidiram descobrir exatamente o que estava havendo. Nesse meio tempo, porém, Dona Veridiana tomara essa atitude, criara esse redemoinho com a neta ao centro. E lá estava Jacyra, conseguindo com uma habilidade da qual nunca lhe imaginara capaz, manter seu rosto uma máscara. Assim mesmo, ela procurava não olhar para ele com muita freqüência. Ele podia sentir o carinho quando seus olhares se cruzavam. Todo o carinho dos anos que ela passou sob a cuidadosa vigilância, sua e de Juca, que tornava impossível uma centena de imagens complicadas não encherem sua mente agora ao vê-la.

Tamanha era a força de seus pensamentos naquele momento que seus olhos se encontraram novamente. Vasco sorriu de uma forma que esperava ser encorajadora e rapidamente desviou o olhar, feliz pela atenção de todos ter sido atraída pela chegada de outras três testemunhas.

Eram os advogados – de Dona Veridiana e de Rafa – e Doutor Euclides, que durante anos juntara-se a Manoel todas as noites para um aperitivo intelectual numa mesa em frente ao bar do Salim no Pátio. Quando finalmente todos se assentaram, Manoel levantou-se e, de verdade, pareceu a Vasco jamais tê-lo visto atuar com tanta dignidade como quando, tendo colocado sua assinatura na presença dos interessados, ele falou no tom moderado de um juiz:

— Isto torna a divisão de nosso patrimônio igualitária. Portanto, embora não seja exatamente como eu ou meu pai, Cândido Tavares, gostaríamos que fosse, considerando o que Contendas significa para cada um de nós, creio ser o mais justo.

Foi um discurso breve, graças a Deus, e conciso. Para Vasco, dizia tudo. Houve um silêncio sugerindo ser inútil discordar. E então um certo burburinho enquanto cada um se levantava para assinar. Vasco foi o último, e enquanto assinava escrevendo seu nome por extenso em letras quadradas, escutou Rafa murmurar:

— Que assim seja. Um milagre da multiplicação dos pães.

O comentário fora direcionado à irmã, que respondeu encolhendo os ombros e dizendo com um olhar de total irritação:
– Que assim seja, Rafa.

Mais do que nunca, o gesto dela fez Vasco imaginar e importar-se com o que *ela*, dentre todos os presentes, estaria pensando. Agora obcecado e incapaz de retirar os olhos de sobre ela, assistiu-a voltar-se para o pai e, com uma profunda sensação de alívio, viu Manoel recebê-la calorosamente em seus braços...como que acolhendo-a de volta.

Capítulo 53

Pelo menos o papai – pensou Jacyra, em retrospectiva, recordando a bênção de tio Eustácio – ficou feliz por eu ter voltado independentemente de qualquer coisa.

– Bem-vinda de volta, filha. Nós todos sentimos muito a sua falta! – ela viu seu queixo alongar-se na sombra projetada contra a parede de taboa sob o lampião a querosene enquanto tombava a cabeça para trás numa risada silenciosa. Até eu chegar aqui e começar a viver de acordo com minhas próprias regras, pensou. Porque a última pessoa a cumprimentá-la de braços abertos por seu retorno seria a avó.

Vasco estava certo. No dia da assinatura dos papéis, a matriarca estava chateada e assombrada por diversas razões, entre elas o fato de ter-se dado conta verdadeiramente do que acabara de fazer: dividir Contendas sem o conselho de seu amado mentor.

Não que ela não o tivesse buscado. Ao voltar para Contendas de vez, ela fez um propósito de explicar-lhe tudo o que, pelo temor de aborrecê-lo, ela não contara antes. Mas ao invés de aborrecido, ela o deixou exausto, incapaz de suportar o mundo que ela descreveu, onde não era mais obrigatoriamente o dever de um rapaz assumir e administrar bens e negócios, quer tivesse vocação para a coisa ou não. Ou onde uma jovem podia ir e vir a seu bel-prazer, casar-se ou não com quem quisesses, sem o consentimento do pai.

Reconhecimentos que antes o teriam deixado perigosamente apopléptico agora apenas o levavam a dizer vagamente:

— Vocação, o que isso tem a ver com a terra? Pensei que isso fosse coisa de freiras e padres.

Quanto mais ela tentava explicar, mais confuso ele ficava, mais cansado e mais cansativo. Sem admiti-lo, ela começou a detestar essas sessões em que ela se sentia no dever de pedir seu conselho e ele cada vez menos inclinado a dá-lo.

E o tempo todo ele encolhia em sua cadeira, sua imagem efêmera não apenas encurvando-se como a dela, mas, de uma certa forma, fazendo com que sua cabeça pendesse e seus olhos vagassem enquanto ele falava, como que à procura de um outro tempo. Encontrando-o, ele se deixava levar por devaneios, suscitando outros espíritos para assombrá-la. De modo que ela tinha que dizer:

— Não, não, meu amor. Não, Candinho, é de *agora* que eu estou falando, de Rafael.

— Ahh — ele dizia, e desaparecia enquanto ela, esgotada, desfalecia entre os travesseiros.

Gradualmente, ela percebeu — em determinado momento, talvez quando Jacyra fora embora a primeira vez — que as coisas começaram a mudar. Ele começou a envelhecer mais rapidamente do que ela. Era horrível ver esta presença vital, poderosa — sempre no comando, tão envolvida —, perder o interesse, ficar senil diante de seus olhos.

Finalmente, sem que admitisse sequer a si mesma, mais do que sua desaparição, ela passou a temer também suas aparições. Mesmo assim, sua obsessão pela necessidade de contar-lhe do que havia feito a fazia "rezar" com muito mais fervor para que ele viesse. Até que uma noite ela resolveu simplesmente dizer:

— Cândido, você precisa me ouvir. Mesmo se não puder me entender, eu preciso dizer uma coisa.

Era uma noite clara, uma dessas em que a lua cheia era tão brilhante que ofuscava as estrelas. Na luz refletida nas paredes brancas de seu quarto, seu vulto encolhido, envergado, com suas roupas fora de moda, seu rosto cercado de cabelos escorridos e bigodes pendentes continham um ar de fadiga e nostalgia. Como as estrelas, seus olhos pareciam ofuscados, uma expressão geral de concentração em algo de que ela não estava falando.

– Você ouviu? – indagou ela. – Eu preciso tomar uma decisão.

– Uma decisão? – erguendo os olhos ele lhe sorriu, um dos sorrisos mais doces que ela vira em anos. – Então tome-a – disse, e fazendo com a mão um gesto impaciente de consentimento, continuou: – Faça o que quiser, Vedi. Você pode tomar suas próprias decisões. Afinal de contas, não foi isso o que você sempre fez?

Então, recostando-se com a boca se entreabrindo, ele pareceu cair num sono profundo.

– Não, Cândido – respondeu ela. – Nunca sem pedir seu...

Desesperada, ela viu que não conseguiria acordá-lo. E então quando ele desapareceu desta vez, de alguma forma ela sabia que ele não apareceria novamente.

Por um tempo ela ficou arrasada, como se ele tivesse morrido e ela enviuvado outra vez. Principalmente porque – como geralmente faz a morte – ele a deixou falando sozinha, tentando refutar suas últimas palavras: "Não foi isso o que você sempre fez?"

– Foi? – ela se perguntou.

E assim mesmo ele ficara, ouvira e aconselhara... Esses anos todos. Foi isso o que a assombrou nos dias que seguiram, o que fora tão convencionalmente – e, agora ela percebia, tão coerentemente – chamado de sua "desaparição". Isso, e o fato de ela não ter conseguido contar-lhe o que fizera – mesmo quando imaginara de que maneira abordar Jacyra, uma vez tomada a decisão.

Então, de repente foi Juca que morreu. De sofrimento? De ser subalterno de Rafael? De enxergar, como ela enxergava agora, quão sem sentido as coisas estavam ficando? Ao recordar seu estranho comportamento nos últimos dias, ela não conseguia deixar de pensar que ele morrera voluntariamente para trazer Jacyra de volta.

Qualquer que fosse o caso, sua morte detonara uma série de acontecimentos que levaram ao regresso de Jacyra. E após um período de júbilo e alívio por ela ter aceito a proposta, aquele momento final no tribunal, com uma expressão grave que nem ela mesma conseguia disfarçar, Veridiana Tavares de Muniz apercebeu-se por completo que havia aberto mão do domínio sobre suas terras.

Cem mil hectares nos quais, a despeito das manobras do homem com quem os compartilhara, nem um animal, nem uma árvore, nem uma folha de capim foram alterados sem um aceno seu em concordância. E agora, na caminhonete – leve como a de um cigano sob o peso de seus pertences pessoais – chegou a beneficiária da terra.

Assim que apareceu, na mente desconfiada da matriarca, Jacyra fora novamente reduzida a uma menina. Uma "menina" de 23 anos, independente e de personalidade forte que, durante sua curta permanência numa cidade cosmopolita, não aprendera nada que pudesse ser aproveitado aqui. Uma menina que, Dona Veridiana logo veria, esquecera como era sua própria terra e como eram aqueles que a habitavam.

Para recepcioná-la, ela encomendara um de seus pratos favoritos: carneiro assado com arroz de pequi. Mas à altura de que chegaram à sua sobremesa favorita – doce de mangaba –, a apreensão da matriarca havia atingido proporções catastróficas.

– *Você*, morar naquela tapera velha perto dos currais como se eu não a quisesse aqui? O que as pessoas irão dizer?

– Vó, não foi a *senhora* quem disse, minha vida toda, que não importa o que os outros digam contanto que não ousem dizer para nós?

– Não estou falando de boatos, Jacyra. Estou falando de confusão. Eu deveria ter dito "o que eles irão pensar?" e depois essa idéia de não querer contratar um administrador. Pense bem no nosso povo, pessoas nascidas e criadas nas leis do Pantanal. Leis estas que tornaram quase impossível receber ordens diretamente de uma mulher. Estou falando do respeito deles por *si mesmos* tanto quanto por você.

Atrás dela, pendurado no cabideiro ao lado da porta, ainda ostentando o formato de seus ombros sólidos, estóicos, o poncho de

Juca parecia testemunhar suas palavras. Não passara ele a vida toda mantendo a distância mágica entre Dona Veridiana e a ratificação de suas ordens? Como peças de um quebra-cabeça, a matriarca, Manoel, Juca, Tarciso e os vaqueiros tinham vivido inalteravelmente em seus lugares.

— Para que mudar algo que sempre funcionou?

— Porque a menos que se tente, não dá para saber se algo poderia funcionar melhor ou não. E, se me lembro bem, foi a senhora quem disse — Jacyra a citou novamente — "quero ver a fazenda continuar a prosperar e evoluir". Então cá estamos nós. Eu não vejo qualquer sentido em contratar alguém para fazer algo que eu acredito poder fazer melhor. Se eu estiver correta, as pessoas acabarão acostumando. A senhora consegue aceitar isso?

— O que mais posso fazer, Jacyra? Contendas é sua para você fazer dela o que quiser. — E nem bem tendo acabado de dizer essas palavras, completou em tom de advertência: — Embora eu não consiga deixar de pensar que quanto mais cedo você e Rafael dividirem o gado, melhor.

No domingo anterior à partilha, sentindo-se ainda encarregada das questões religiosas, Dona Veridiana encomendou uma missa a ser realizada no terreiro diante da sede para abençoar a divisão da terra. E durante os monótonos encantamentos de Padre Emílio, ela mesma proferiu sua oração de agradecimento a Deus por ter-lhe provido a visão da Igreja de Santa Inácia, tempos atrás.

Da mesma forma, ela agradeceu ao Todo-Poderoso pelo fato de, uma vez recuperada dos efeitos de sua "visão", versada na sovinice relativa à herança, ela mandou avaliarem a terra e dividi-la entre si e seus descendentes de acordo com as leis da Terra. Sendo tal o caso, na segunda-feira, quando Rafael voou para Contendas, não havia qualquer dúvida quanto, uma vez dividido, aonde o gado deveria ir.

Assistir àquela cena nos currais era uma lembrança por si só triste de tudo o que levara a este dia. Era a primeira vez que alguém apartava gado sem Juca. Mas, como que para enfatizar o vazio que poderia ser irremediável, Rafael rejeitou que o fiel e confiável Vasco presidisse a apartação. Ao contrário, um comprador de gado desconhecido, proveniente de Miranda, fora contratado para que, como Jacyra zombeteiramente observara, "nós tivéssemos alguém de quem todos desconfiassem igualmente para fazer os serviço".

– Não se preocupe, minha querida. Tenho certeza de que Vasco está feliz por passar sem essa – comentou a matriarca. – Além do mais, como ninguém está vendendo nada, é bem provável mesmo.

Ao mesmo tempo, uma estranha e incômoda curiosidade fizera Dona Veridiana não querer perder a partilha, então uma espreguiçadeira fora colocada para ela na plataforma ao lado do tronco. De fato, com o coração e a mente consternados, a observar o movimento do gado ela preferiu observar os netos que, mal se falando, sentaram-se um de frente para o outro no topo da cerca como fizeram por tantos anos – por diversos outros motivos.

Como Vasco, ela estava orgulhosa da atitude de Manoel na assinatura da partilha, ao contrário da de Rafael. Ela pensara que o filho havia chegado a uma decisão decente e generosa – principalmente levando em conta que à primeira oportunidade eles iriam, sem dúvida, alegremente concordar em vender. Afinal, se Rafael não conseguisse vender Contendas toda a essa lenda paraguaia, certamente alguém apareceria agora para comprar sua parte. Quem sabe – estrapolou sua imaginação, de maneira otimista – talvez até alguém como os Cabrera?

Em seguida, ela prosseguiu visualizando Rafael e Manoel investindo em apartamentos no Rio, que lhes trariam um retorno muito maior do que poderiam sonhar em ter de Contendas. Astuta e durona como era, Veridiana Tavares não era vingativa. Doía-lhe ver seu neto magoado e furioso. E também lhe preocupava. Rafael era uma pessoa imediatista, então realmente ele precisava ver que as palavras de Manoel eram verdade. Que a decisão era boa para todos. Então, o que mais Rafa poderia querer que o estivesse amargurando tanto?.

Jacyra, encarando-o por sobre o tronco, imaginou o mesmo e decidiu que deveria ter de haver, como sempre com aquele orgulho estranho, autodestrutivo. Próximos quando crianças, ela conhecera essa ilógica sensação de vergonha que, invariavelmente, o fazia acreditar que alguém quis prejudicá-lo. Vendo-o agora, ela podia quase sentir a dor excruciante que ele deveria estar sentindo enquanto a passagem de cada vaca e bezerro reiterava sua humilhação. Como sempre, seu sofrimento fê-la desejar poder conversar com ele, dizer: "Olha, Rafa, quando discutimos sua oferta, nós dois estávamos irritados. Mas você deve saber que não é por isso que eu estou aqui". Mas ela sabia ser inútil. Ele ia pensar o que quisesse e talvez até armasse uma conta – como ele tão freqüentemente fazia quando eram pequenos – para ser acertada mais tarde. Como bater com a língua nos dentes sobre as abelhas.

Levou uma semana para passarem 1 500 cabeças de gado pelo tronco, remarcando-as com suas próprias iniciais. Uma semana de refeições silenciosas ou de conversas sobre nada mais profundo que a absurda politicagem que infestava o país. Nada sobre planos, embora Jacyra acreditasse que a cabeça de Rafa devesse estar tão cheia deles quanto a dela.

Vez ou outra, flagrando um olhar febril nos olhos do irmão que sugeria mais que ressentimento, ela sentiu o sangue gelar. Mesmo conhecendo Rafa, ela também sabia que se ele estivesse envolvido em algum tipo de encrenca, ele só diria a ela no momento em que julgasse correto. Então, ao invés de tentar puxar conversa, ela partiu para seu quarto e só o veria novamente ao amanhecer na varanda, antes de iniciar a partilha do dia seguinte.

Quando finalmente terminaram, ele deu-lhe um sorriso irreal e disse:

– Bem, Praga, espero que seja divertido sermos vizinhos. – E com um beijo que não chegou a tocar seu rosto, ele se virou e partiu de imediato para a pista de pouso.

Assim que ele se foi, ela e a avó caminharam por um tempo à beira da salina, ambas inquietas e silenciosas até Jacyra romper o silêncio com uma confissão:

– Não consigo evitar, vó, eu sinto como se a família estivesse sendo destroçada.

— Bem, não sinta – disse a matriarca com uma súbita severidade. – Cabe à família resistir a uma divisão honesta. Se não conseguirmos, não somos uma família. Quando a poeira assentar nós veremos.

Capítulo 54

Em meio à poeira lá estava Contendas como sempre esteve e como há muito ela ansiava por ver: a Sede sólida e segura, erguendo-se sobre as terras altas, dando vista para o outro lado da plácida e cintilante salina em direção do rio abaixo. Atrás da casa, a baía, como de costume, contrastava a salina com sua vida prolífera – aves espreitando, saltitando, dardejando, decolando, planando, mergulhando, emergindo com suas presas prata-reluzente. Ah, como ela havia esperado para ver esses pássaros.

De manhã, acordava-se, como sempre, ao som de vozes na cerração, o resfolegar e sapatear de cavalos, o couro rangendo enquanto os homens selavam os cavalos e se preparavam para partir. Mas sem tio Juca e Tarciso cavalgando com eles, a água do sereno pingando despercebida sob seus chapéus e escorregando para seus ponchos enquanto eles discutiam sobre o tempo, capim e vacas – tudo era diferente. Como se tudo passasse a ser visto através de estranhas lentes que irrevogavelmente modificavam as imagens.

Não se percebe a partida de alguém até se retornar à fonte de sua existência, ela percebeu agora. Até o caixão sendo jogado naquele sepulcro medonho não tornara sua morte real. Só aqui, onde crescera suportando o frio da manhã, as longas e duras cavalgadas, consciente dos perigos à sua volta, embora os enxergasse todos como aventuras – certa de que nenhum mal iria lhe ocorrer. Contanto que ele estivesse ali, contanto que tudo estivesse a seu encargo. Mas agora que ele partira tudo estava ao encargo dela.

No primeiro dia após sua volta, ela foi ver Tarciso e encontrou-o sentado no banco em frente a seu rancho, envelhecido e encolhido como vovó Veridiana advertira: "Como uma sombra sem um corpo, Jacyra, definhando como você sabe que só um índio faria".

E, é claro, com o olhar fixo adiante, enxergando o que ninguém mais via, em sua voz suave, tornada mais aguda e fina, ele teve que contar a ela como o cavalo retornara sem um estribo, e como ele encontrara seu Juca com o pé preso no estribo, e rosto para baixo entre o bambuzal. E mesmo antes de perguntar-lhe, ela sabia o que ele diria com solene convicção, embora ele falasse ainda como que a uma criança.

– Eu não pude, não consegui trabalhar sem ele. Um completava o outro como os bois de um carro. Você consegue entender isso, não consegue Jacy? Não dava.

– Então não dava – disse vovó Veridiana. – Mesmo se ele não tivesse decidido envelhecer e morrer. Não dá para ensinar truques novos a cavalos velhos. Fique feliz que Bento concordou em ficar – e ela não resistiu completar, dubiamente –, pelo menos até você ter certeza do que está fazendo.

– É claro que estou feliz por Bento – respondeu Jacyra, ignorando a gozação. Embora sem Dona Veridiana precisar dizê-lo, ela também sabia que não seria fácil para nenhum deles, que cresceram juntos, aprenderam juntos e chamavam-se de "Bento" e "Jacyra". Ela sabia como a palavra "dona" devia tropeçar em sua garganta toda vez que ele se dirigia a ela. Principalmente porque essa "dona" não morava na Sede e não se sentava na varanda filtrando as ordens através de um administrador. Era como se recebê-las diretamente causasse-lhe o mal-do-moral.

Para ela também era um sofrimento que ela de certa forma previra, mas nunca imaginou que seria tão duro cavalgar em silêncio, imaginando se a cabeça de Bento não estava cheia como a dela de suas próprias memórias da conversa fácil que existia entre Juca e seu pai, mas uma conversa recheada de pensamentos e percepções. – um dá-cá-toma-lá que no final fazia as coisas funcionarem.

Alguns dias após tal tortura, ela decidiu usar de bom senso e dizer:

– Não adianta tentar me chamar de "dona", que não combina. Isso não vai significar que você me respeita menos.

Mas chamá-la como sempre a chamou, na verdade não tornava as coisas mais fáceis. Porque ela sabia que no fundo Bento estava esperando-a desistir. Enquanto esperava – junto com os homens que permaneceram ali, por sua vez esperando para ver o que ele realmente faria –, Bento era e não era seu capataz. Ele ficava numa espécie de margem ao lado dela, na qual ela sabia que o respeito de que falara ainda precisava ser conquistado por ela.

Não importa a situação, ela deveria permanecer firme. A hesitação era um pecado; uma demonstração de raiva, um pecado capital. Enquanto brandura e compaixão não poderiam ser demonstradas de sua parte, o orgulho deveria ser sempre levado em consideração. O orgulho *deles* – irritadiço, irracional, aquela irreparável fonte de defesa mútua. O tipo de orgulho que podia fazer um homem jogar seu laço de lado e ir embora desempregado. Isto é, supondo que por um instante você tenha perdido o controle e permitido que os sentimentos dos quais é feito aparecessem em seus olhos, escapassem por sua voz.

Em outras palavras, apesar de eles quererem e saberem como testar sua pretensão, você tinha que fingir ser infalível. Às vezes pela manhã ela treinava uma cara infalível no espelho e ria. Às vezes, após um dia inteiro delas, ela se deitava na cama do barracão, afundava a cabeça no travesseiro para abafar a voz e gritava.

Quando terminava, ela ia para a mesa com seu chimarrão e pensava cuidadosamente no que iria dizer a Bento no dia seguinte, sabendo que mudar de idéia era um gratificante sinal de fraqueza. Ela só estava ali havia poucos dias quando disse a ele:

– A primeira coisa que devemos fazer é encontrar alguém para tomar conta da Baía das Antas. Tem, alguma idéia?

– Não vai ser fácil – respondeu ele, previsivelmente, com suas feições suaves, bonitas onde as do pai eram feias, formando uma expressão de dúvida teimosa. – Ninguém morre de amores por aquele lugar.

– Então quanto mais cedo encontrarmos o homem, melhor. Certo?

– Ai... certo

– Bem, sendo assim – ela começou a sentir como se estivesse falando consigo mesma – eu devo querer dar uma olhada no brejo durante a tarde, então a gente não vai parar até chegar lá. Vou deixar a seu critério escolher os homens e avisá-los para estarem preparados para passar a noite. Está bem?

— É você que sabe, Jacyra — Bento concordou com o queixo e partiu de onde estavam, diante da selaria, enquanto Jacyra se dirigiu à sua nova moradia, pensando: "Bom o suficiente por ora".

Bom o suficiente porque ela sabia que ele tinha aceito mais uma ordem. E o que precisava dali em diante, ela provavelmente não conseguiria fazer sem ele.

Eles encontraram o brejo transformado por uma seca adiantada de um pântano alagado, repugnante, num mar de capim brotando do aluvião deixado pela última elevação das águas. As baías e lagoas se estendiam, profundas, com suas bacias ladeadas de massas de flores selvagens: malvas amarelas de miolo vermelho e comelináceas de um azul vibrante emergindo dos carpetes de mimosas verde-esmeralda. As correntezas entre eles fluíam rasas e límpidas nos reflexos de seus leitos arenosos. O rio Pataguás, que alimentava as vazantes, minguara até desaparecer por entre taboas e íris amarelas para dentro do charco sugante de seu fundo. Com o capim se curvando diante do vento frio do entardecer, o brejo à beira da Mata parecia inocente.

— Foi em algum lugar por aqui — disse Bento, e os homens permaneceram silenciosos enquanto ela fazia o que lhe era esperado: benzeu-se e abaixou a cabeça. Quanto mais próximo ela chegava em distância e tempo, mais grata ela ficava por ter visitado Tarciso, porque sua sombria mas completa explicação permitira-lhe pensar no assunto, dizer a si mesma o que precisava dizer aos homens. Não importa se, por causa do acontecido, Tarciso decidira "envelhecer e morrer" ou se o velho Odair, que passara metade da vida vivendo à margem da Mata do Jaguar, recusou-se a passar uma noite sequer ali e fugira com Aparecida na garupa de sua mula.

Ao erguer a cabeça, ela viu os homens a assisti-lhe por debaixo de seus chapéus, seus olhos puxados observando-a atentamente esperando pelo que ela iria dizer para contornar aquilo que sempre foram ensinados, aquilo que sabiam por instinto e aquilo em que seus corações acreditavam.

– Eu sei que alguns pensam que devido ao que aconteceu aqui, o espírito de seu Juca não está em paz – disse ela. – Mas ouçam, apesar de que ele não estava bem, seu Juca veio aqui porque amava seu trabalho. Ele morreu trabalhando. Seu corpo foi enterrado como deveria, ao lado do de Dona Olga. Pelo que sabemos, de acordo com o costume em que acreditamos aqui, seu espírito deve estar descansando.

Nesse ponto, como uma criança desobediente na igreja, Jezu segurou uma risada de escárnio, que foi respondida com um olhar severo de Brás, enquanto Bento, com os dentes cerrados, olhava firmemente para frente. Somente o novo homem, Tenório, ergueu um pouco o chapéu para ver melhor, como uma platéia curiosa, imaginando o que viria a seguir.

– Mas imaginem – ela o presenteou – quão atribulado seu Juca ficaria ao ver a Baía das Antas deserta, o brejo desprotegido, vazio de gado porque ninguém teve coragem de morar no retiro. Isto é algo que ele não poderia aceitar. Nem eu. Eu preciso de um retireiro para morar na Baía das Antas. Alguém que irá ganhar bem para fazer um bom serviço, aqui na boca do brejo. E eu preciso desse alguém agora – completou ela, com uma determinação que intensionava assegurá-los de que não havia mais nada a dizer. – Pensem nisso esta noite. Quem se interessar procure-me pela manhã.

Capítulo 55

De maneira estranha, bem mais real do que aquele lugar lavado e renovado pelas enchentes em retrocesso, estava a visão do abandono da Baía das Antas. Parte do telhado do rancho caíra, provocando alagamento do chão de terra batida do alpendre onde porcos selvagens vieram fossar e um ninho de cupim se instalara em torno de uma pilastra do alpendre. Onde as panelas de Dona Cida ficavam penduradas sob seu imaculado pano de prato, uma película de limo cobria a parede. O fogão a lenha estava descascado, suas bocas enferrujadas pelos dejetos de aves e sariguês.

A visão de tamanha ruína incitou nela um saudável desafio que a fez dizer a Bento, pela primeira vez em dias, sem precisar premeditar:

— Não suporto ver este lugar assim. Assim que voltarmos mandarei seu Caco e quem quer que ele precise para ajudá-lo a consertar tudo. E se ninguém quiser vir ficar aqui, eu mesma virei e ficarei até achar alguém.

Bento não disse nada, mas estirou seu lábio inferior e inclinou o queixo para baixo. Num gesto tão involuntário quanto o discurso dela — de certa forma que a fez perceber quão faminta ela estava.

Horas antes, ao invés de confrontar o fogão, Anísio — o cozinheiro do acampamento — montara seu tripé e posicionara uma panela sobre um lento fogo de angico. No puchero preparado com mandioca e charque, não fora couve da horta, pisoteada até sua total desintegração. Assim mesmo, seu efeito fora sentido pelo retinido das colheres batendo nos pratos de lata, o mais alto som na quietude da noite, enquanto todos comiam em silêncio como que hipnotizados — os pensamentos concentrados no calor que descia e se espalhava.

— O suficiente para fazer-nos entender o sentido da palavra gratidão — tio Juca sempre dizia. E ao recordar seu rosto sulcado, rude na luz da fogueira, Jacyra levantou-se enrolada no poncho e partiu em direção a suas antigas e veneradas árvores.

Assim que ela partiu, teve início um zunzunzum regado a chimarrão em volta da fogueira morrendo. Sem querer tomar parte, Bento pendurou sua rede mais além. Estava cansado, mas não o suficiente para dormir. Ele teria gostado de caminhar, mas se o fizesse, sabia o que os outros iriam pensar e dizer.

Que Jacyra fora embora porque queria que ele a seguisse, porque o queria em sua rede. Era por isso que morava na casa do lado dos currais e cavalgava com os peões ao invés de colocar um homem em seu lugar. Afinal, ela já não tinha morado fora de casa sozinha? Uma mulher dessas não era confiável.

Ele sabia que era isso que falavam porque fora o que as mulheres contavam a sua esposa, Severina, até ela enlouquecer e ele ter que estapeá-la para fazê-la calar e ouvir. Logo ele, que não era bruto assim nem com uma vaca... que tinha tamanho desejo por Severina que não sobrava mais nada para qualquer outra – pelo menos na maior parte do tempo. E com certeza nada para Jacyra.

– Você não sabe disso, sua bobinha? Sussurrou alisando-a para fazê-la parar com o berreiro e satisfazer seu amor. E depois de se amarem e se aquietarem, ele disse:

– Olha aqui, que homem iria querer uma mulher como aquela? Uma chata que quer fazer papel de homem, dar ordens, dizer aos homens o que fazer ao invés de cuidar de seu homem, sendo doce e meiga como você.

– Se ela é tão chata, por que aceita as ordens dela? Por que não vamos embora?

– Ainda não.

– Por que não?

– Não sei porque não. Talvez por causa de seu Juca, ou meu pai, talvez porque eu nasci aqui e aqui é meu lugar tanto quanto o dela... Quem sabe?

Que merda... ele queria conseguir dormir, mas o sono não vinha. Então, puxando um quadrado de palha de milho e um chumaço de fumo do bolso, aplicou-se na tarefa de cortar e enrolar um cigarrinho. Um processo tranqüilizante que, contanto que nele se concentrasse, proporcionava-lhe paz. Mas assim que acendeu o cigarro, foi como se o falatório que ele não queria ouvir se infiltrasse em sua mente a cada tragada. Putz!, como estava demorando para pararem de falar, suas vozes rugindo, lamentando, entretendo – desafiando uns aos outros com a imaginação da qual surgiam todos os boatos.

– Viram para onde ela foi? Ela tá louca!

— E daí? Cê acha que seu Juca vai pegá-la?

— Eu? Imagine! Mas cê acabou de me dizer que seu Juca morreu tranqüilo. Alguém apagou ele, pode crer.

— Como?

— Como é que eu vou saber? Ser apagado no brejo é a coisa mais fácil do mundo, não é?

— Tudo bem, mas para quê? Quem ia querer apagar aquele velho caduco...

— Vai ver que ele sabia de alguma coisa que não deveria. Você viu ele, não viu, fuçando na mata?

— É mesmo. Ele... e Rafa.

— O que é que eles estavam procurando?

— E eu que sei? Os ossos do Jaguar é que não eram, com certeza.

— Mesmo assim, daquele lugar não sai nada de bom. Só estou dizendo que talvez alguém queria ele morto. Só isso. Você acha que algum dia eles vão dividir a fazenda?

Conversa à toa, fofoca. O tipo de história que as pessoas teciam para manter o fluxo da conversa, para não ficarem solitárias num lugar ermo como este. Muitas vezes Bento participara delas – o suficiente para saber que na maior parte das vezes elas se dissolviam como fumaça da fogueira, transformando-se num mito errante, inofensivo.

Mas ele também sabia que havia momentos – como agora, em que o ar já estava carregado de ciúmes, desconfiança, ressentimento – em que os boatos faziam uma curva e entravam na cabeça de pessoas que podiam torná-los perigosos. Como o estranho que Jacyra contratara para assumir o lugar de Anselmo, que fora embora trabalhar para Rafa, dizendo:

— Não aceito ordem de mulher.

Ele veio do outro lado do rio, um homem estranho com um estrabismo que nunca deixava saber para quem ele estava olhando. De qualquer forma, ele parecia sempre estar olhando para alguém. Não, Bento não queria conversar aquela noite. Ele estava enjoado do assunto da morte de seu Juca. De que adiantava falar disso agora? Mas não dava para não ouvir...

— Só estou dizendo que se seu Juca estava tão tranqüilo, por que o velho Odair deu no pé, um cabra corajoso como ele? E por que seu Tarci...

— Pssssiu!

Enquanto Bento se aproximava para juntar-se à roda de homens sentados no chão, movidos por suas fantasias, seus rostos se tornando ansiosos e vorazes – tomou conta do ambiente um silêncio parecido com aquele que acontece quando crianças são pegas falando mal dos adultos. Silenciosamente ele se sentou e, olhando em volta, esperou para ver se teriam coragem de prosseguir. Mas como ninguém disse uma só palavra, com a estranha autoridade que passara a fazer parte de si, mesmo sem ele querer, ele se pegou dizendo:

— Pensei ter ouvido alguém falando do seu Juca e do seu Tarciso. Algum motivo para terem parado? Alguém tem alguma coisa para dizer sobre meu pai que eu não possa ouvir?

Em resposta, até o fogo pareceu prender a respiração, mas só para ter certeza, Bento continuou:

— Então, para nós aqui em Contendas, eu diria que este assunto está encerrado. Tá certo?

As cabeças se afundaram, ninguém parecia inclinado a falar. Somente o estranho, como sempre, olhava para todos e para ninguém. Então o silêncio deu lugar a uma inquietação geral enquanto, no fio da meada de sua falação quebrado, a roda – meio embaraçada, meio de má vontade – se dispersou. Por algum tempo depois, Bento sentou-se sozinho, mais acordado do que nunca, e incomodamente consciente de que Jacyra não retornara de sua caminhada sob as árvores.

Capítulo 56

Peroba, angico, piúva, sucupira... Quando pequena ela se sentava ao lado de tio Juca enquanto ele apontava cada árvore. Elas não eram altas à toa, dizia ele. Elas eram altas porque eram superiores às demais, por terem passado séculos mourejando para o alto para conseguir um lugar ao sol. Então ele falava sob a infinita harmonia que mantinha tudo – o sol, a lua, a Terra, e todas as coisas sobre ela – em seu devido lugar.

– Nós somos os perturbadores – ele costumava dizer. – Não é nossa culpa, nascemos assim. Mas é por isso que devemos ser tão cuidadosos, Jacy, entende?

Quão freqüentemente ele conversava com ela, como um pai que queria transmitir ao filho tudo o que sabia e que achava valer a pena saber. Como o significado da gratidão.

Grande parte do que ele dizia era difícil de entender na época, mas agora, sentada aqui no velho banco que seu Odair talhara num tronco caído, tudo fazia muito mais sentido. Não era o centro de gravidade *dela*, embora soubesse o que ele quis dizer quando disse que era o dele. E ela sentiu-se grata por ele ter-lhe ensinado sobre a supremacia das árvores.

Olhando para as estrelas através de suas copas, ela pegou-se imaginando quanto do que dissera aos homens naquela tarde não era verdade para si. Era aqui que tio Juca e tia Olga deveriam ter sido enterrados, onde viveram os dias mais felizes de suas vidas. Estariam melhor enrolados em suas redes e deitados na terra. O que, por sua vez, fê-la pensar nas hipocrisias cometidas em nome das tradições, mesmo pelos que diziam: "Deixem-nos pensar o que quiserem".

Poderia ter sido essa também uma das razões de vovó Veridiana – ficando estranhamente cada dia mais aberta – ter-lhe contado uma história que jamais esperara ouvir?

Alguns dias antes de chegar aqui, como que para fazer as pazes, Jacyra convidara a matriarca para jantar no barracão. Em resposta, ela marchara vigorosamente até lá, com Fátima e suas filhas logo atrás carregando diversas oferendas de paz: uma moringa de barro para guardar e refrescar a água, uma rede de cânhamo, o poncho de Juca.

Então mandou as serviçais embora e, juntas, elas se sentaram no pequeno alpendre assistindo às araras azuis-royal congregar-se

– como faziam todos os dias ao entardecer – nos galhos nus de uma árvore morta perto do curral.

– Para fazer o quê – Jacyra especulou –, para fazer a contagem antes de se empoleirarem para dormir?

– Quem sabe? – respondeu d. Veridiana. Mas Juca nunca deixou aquela velha árvore morta ser cortada, nem mesmo quando uma cobra fez um ninho debaixo de suas raízes. Ah, Juca... – disse afetuosamente. – Eu trouxe o poncho porque você me pediu. Embora eu não tenha a menor idéia do que você possa querer fazer com ele. É muito grande para você. – E como se isso tivesse-lhe trazido algo à mente, prosseguiu:

– Não deixo de desejar que você não fosse à Baía das Antas assim, do jeito que está abandonada. Quantas vezes já fui para lá antes? – Jacyra tentou não soar impaciente.

– Mas sempre com ele – respondeu Dona Veridiana acenando para o poncho sob a cadeira para o lado delas. Sejamos honestas, Jacyra, o milagre ainda não aconteceu. Os homens ainda não se acostumaram com você e estão com um humor muito estranho, como cavalos prontos para disparar de susto na primeira mudança do vento.

– O que torna minha ida ainda mais necessária, como a senhora deve saber, para livrá-los desse fantasma. Se eu não for *lá*, é melhor que eu não vá a lugar nenhum

– Sim, ela finalmente teve que concordar – se você insiste nesse modo de vida que escolheu para si, obviamente você está certa. Indo, você pode mostrar para os homens que não está com medo. Mas quanto a você? – ela pausou por um instante, como que para as últimas considerações antes de dizer: – Eu a aconselharia a não descartar de todo a hipótese de fantasmas existirem. Mas se existem, somos nós quem os traz à vida. E quando precisam de conforto, é muito mais fácil eles aparecerem do que você imagina. Eu sei porque é o que aconteceu comigo.

De repente, sem maiores explanações iniciais, a matriarca contou a Jacyra sob suas noites com o Coronel no quarto do andar de cima. Na cabeça de Jacyra, a impaciência transformou-se em fascínio, ela podia claramente enxergar a figura ereta, de olhos ardentes do daguerreótipo sentado naquela cadeira cuidadosamente conservada, religiosamente evitada, que ficava sempre bem do lado da cama. Podia ouvir os murmúrios darem lugar às palavras enquanto eles discutiam todos os assuntos até o momento em que – algum tempo após a partida de Jacyra – o Coronel começou a enfraquecer e finalmente desapareceu de vez.

Era incrível como Jacyra podia ver o velho encolhendo e afundando em senilidade enquanto, deslumbrada, ela perguntou:

– Então foi quando a senhora deixou de pedir seus conselhos que ele começou a desaparecer?

Sem responder diretamente, Dona Veridiana disse:

– Sabe, outra coisa que a gente aprende sobre os fantasmas é que eles não são nem deste mundo, nem do outro, são apenas espíritos presos em algum lugar entre os dois. Algum lugar congelado no tempo. E se deixarmos podemos acabar presos junto com eles.

– E a senhora está tentando me dizer que...? – indagou Jacyra ansiosamente. Mas balançando a cabeça em negação, Dona Veridiana respondeu:

– Só isso, Jacyra, minha querida. É muito sofrido para eles estarem conosco, e somente nós podemos deixá-los ir.

Então, como que exausta por tudo o que já dissera, a matriarca mergulhou num silêncio assistindo às araras-azuis se tornarem sombras e levantarem vôo na luz esmorecente para voar, aos guinchos, em busca de buracos em árvores. Tampouco retomou o assunto posteriormente – a não ser de uma maneira que fez Jacyra sentir que ele estava encerrado para sempre –, mas partiu para outros assuntos, mais práticos, que tinham a ver com os dias que se seguiriam.

– Você viu a carne que eu pendurei no rancho para secar? Deve estar perfeita na quinta-feira. E tem um queijo fresquinho na cozinha, ótimo para você começar seu dia. Não tem por que passar fome. Ah sim, e uma coisa que Tarciso sempre fazia, se é que você lembra, era inspecionar o equipamento antes de os homens partirem: cordas, maneias, laços, alforjes, chicotes... só estou lembrando você disso porque se adquirir um bom hábito no começo...

Foi um bom conselho, simples, o qual, consciente da apreensão da matriarca quanto a sua vinda, Jacyra aceitou de bom grado como a uma espécie de bênção. E só agora, desimpedida dos fardos da tarde, é que ela teve tempo de refletir sobre a história da avó.

Será que a matriarca se arrependera de todos aqueles anos de murmúrios íntimos? Será que ela realmente pensara que a neta iria querer invocar um fantasma, ainda que conseguisse? No momento, só de pensar em tio Juca tomando forma sobre o banco a seu lado ela já sentia vir à tona uma sensação de histeria cômica que vinha rondando-a a tarde toda. Desde que ela falara com os vaqueiros como se fosse uma espécie de mística.

– Essa é a diferença entre a senhora e eu, vó – pensou. E então continuou a pensar em todas as coisas que gostaria de dizer, mas muito provavelmente jamais teria a oportunidade de fazê-lo, como:

– Eu não tenho a mesma imaginação que a senhora. Eu não sou, como dizem no ensino moderno, abstrata o suficiente.

Na verdade, se havia algo que ela queria – ocorreu-lhe agora – era eliminar o mistério que parecia encobrir Contendas toda, enxergar as coisas como realmente eram, a si mesma como era. E se havia um lugar por onde começar, seria aqui na Baía das Antas, onde a Mata do Jaguar, selvagem, quase impenetrável, margeava as pastagens e o campo dava lugar ao brejo.

– Até hoje – lembrara-a vovó Veridiana em tom de advertência, um pouco antes de ela vir para cá – você nunca fez nada lá além de brincar.

E agora, sentada no centro de gravidade de tio Juca, pelo menos ela se dava conta exatamente do que aquilo significava para ela. Ele se fora. Não tinha volta. Ele viveria em sua memória, que jamais esqueceria tudo aquilo que ele lhe ensinara. Mas ela estava só, e tendo ela mesma optado por assumir seu lugar, era ela quem deveria se preocupar se alguém se voluntariaria no dia seguinte para tomar conta deste portal no coração de Contendas. E se ninguém se oferecesse, o que ela deveria fazer?

Capítulo 57

Não foi de surpreender, portanto, que quando Jacyra apareceu na Sede na noite seguinte, suas notícias pareceram ser, enfim, um motivo de comemoração. Enquanto esperava pela chegada de Jacyra, Dona Veridiana encontrou-se num alvoroço que não lhe era peculiar. Fátima olhou para ela estranhando, enquanto mais uma vez ela cutucava o cupim com um garfo para ver se estava suculento. Estava. Como a corcova – onde as últimas reservas de energias do Zebu eram armazenadas, poupadas do rigor dos exercícios – poderia não estar? Temperado com alecrim e manjericão, seu aroma flutuava agradavelmente pelo ar enquanto ela verificava se a mesa estava devidamente posta, pensando, como sempre, em quão importante era ter um ambiente civilizado para onde emergir do campo.

Era o que ensinara aos filhos e netos. Mas não era apenas o prazer do conforto e de uma verdadeira refeição preparada com o carinho e o tempero tradicional que faziam a diferença. Era – Dona Veridiana sabia – ter alguém civilizado com quem conversar. Alguém de seu próprio nível que entendesse o que se falasse. Alguém que, sem viver só de memórias, tivesse, da mesma forma, uma vastidão de experiências para pôr em prática.

Embora, neste momento, quanto mais Jacyra demorava para aparecer, menos ela conseguia evitar de pensar se, da última vez que estiveram juntas, não falara demais. Foi sua preocupação com a Baía das Antas que a fizera tocar no assunto. Uma sensação que, mais que qualquer outra coisa, tinha a ver com o fato de ela estar longe de ter certeza do espírito de Juca estar em paz. Sendo assim, sua compulsão em contar-lhe sua própria história fora tamanha que ela teria achado errado resistir. Estranhamente, fora reconfortante, quase como a confissão de um pecado, mas desde então, consciente como ela só do poder de auto-sugestão das pessoas, ela passou a padecer de uma tremenda dúvida. E agora, enquanto esperava Jacyra, ela percebeu que era a ansiedade sob o efeito da sua história que a impossibilitava de ficar parada. Tendo conferido a mesa, retirou do armarinho uma garrafa de cachaça e um copo, com uma expressão de censura a um costume que Jacyra adquirira, onde quer que tivesse estado, que as mulheres bebiam como homens. Trazendo-os para fora na varanda, ela depositouos sobre a mesa entre as cadeiras de vime e, não tendo enfim absolutamente nada o que fazer, sentou-se e contemplou a salina até o outro lado, na direção dos currais. Ela vira os peões chegando em seus cavalos há uma hora. O que essa menina poderia estar fazendo? Mas é claro! Assim que chegou, provavelmente, ela deve ter ido aquecer água para seu banho, enquanto aqui a água que enchia a serpentina do fogão a lenha estava fervendo havia horas. Era mais uma razão para desaprovar a inusitada idéia de Jacyra morar sozinha. Não só era impróprio, mas impraticável, pensou.

A Sede é seu domínio, vó, eu preciso ter o meu – ela podia ouvir Jacyra dizer. Quanta besteira, repetia a si mesma, recusando-se a reconhecer que muito da atual voracidade dela era graças a seus encontros serem sempre uma questão de escolha.

Mas finalmente, com seus olhos turvos imaginando o pôr-do-sol carregado de poeira formando uma aura, ela avistou Jacyra contornado a salina em direção à Sede. Quando ela subiu os degraus, os ânimos da matriarca foram reanimados pelo fato de ela estar finamente trajada com uma blusa de seda verde, suas melhores botas e bombachas – elegante e feminina, como convinha a uma jovem em qualquer situação.

Beijando a avó, ela precipitou-se numa das cadeiras, recostou-se e se estirou exuberante:

– Êta! Como é bom estar aqui, vó!

– É para isso que a Sede serve – respondeu intencionalmente. E então, incapaz de conter sua ansiedade, continuou: – E então, como foi lá?

– Não foi exatamente como eu esperava, mas enfim... – Prendendo a respiração, a matriarca assistiu à explosão da neta tornar-se introspectiva enquanto tentava descrever a inocência do brejo desbastado, a visão do retiro que servira como uma saudável aguilhoada.

– Ao anoitecer – prosseguiu – a senhora pode imaginar que eu já tinha agüentado a comitiva tudo o que eu podia. Então, simplesmente querendo ficar sozinha e pensar comigo mesma, fui sentar-me um pouco sob as árvores de tio Juca. Pensei que iria encontrar paz lá, mas acho que eu deveria ter imaginado... Ao contrário, como posso explicar? – vendo o olhar da avó se agravando, ela se apressou em encontrar as palavras que, estranhamente, até agora lhe escaparam. – Para mim, era como se até então eu tivesse estado sonhando, e ali no lugar de tio Juca eu tivesse finalmente acordado para perceber onde eu estava.

—- E você sentiu... – Dona Veridiana inclinou-se para a frente, parecendo procurar um sintoma familiar.

– Totalmente murcha. – Um tanto quanto anticlimático, embora Jacyra não pudesse deixar de notar as enigmáticas feições da matriarca, moldadas por anos de prática, relaxarem num olhar de alívio profundo. Mas num ímpeto de encobrir suas emoções, Dona Veridiana disse rapidamente:

– Mas não derrotada, eu espero. Você atingiu os objetivos de sua viagem?

– Se a senhora estiver perguntando se eu encontrei um novo retireiro para a Baía, a resposta é sim. – Agora era a vez de Jacyra parecer aliviada. – É o peão novo do outro lado do rio. A senhora lembra dele? Um cara magrelo, torto como se tivesse se curvado demais sobre o laço quando estava em crescimento, sabe? Mas é um bom laçador do mesmo jeito. Um desses que sobrevivem pela persistência, a senhora conhece o tipo.

Em resposta ao cognitivo "humm" de Dona Veridiana, Jacyra continuou a descrever o vaqueiro Tenório. Contou como, o tempo todo em que conversaram, um olho dele olhava diretamente para a frente enquanto o outro encarava o chão, tornando impossível prender seu olhar. Mas não importava, pois suas respostas faziam sentido.

Do outro lado do rio, ele lhe contara, ninguém tinha permissão para plantar. Mas na Baía das Antas ele ouviu dizer que poderia plantar milho, feijão e mandioca, o que fazia toda a diferença para quem tinha cinco filhos para alimentar.

– Nada mal para um começo, né, vó?

– Um-hum.

— Mas isso não é tudo. Quando eu lhe perguntei se sua família não se importava em morar tão longe da Sede, sabe o que ele respondeu? "Companhia traz confusão. Nós gostamos de viver sozinhos." Bem, considerando o número de pessoas que prefeririam passar fome a ficar solitárias, isso para mim resolveu a questão. Eu disse a ele que podia se mudar imediatamente e ajudar seu Caco com os consertos.

Vendo o olhar ainda meditativo da avó, Jacyra deu de ombros impacientemente e então, erguendo as mãos entusiasticamente, exclamou:

— Isto significa que agora eu posso ir adiante. Não é algo que merece ser comemorado?

— Sim, claro que é. Claro. — Dona Veridiana sabia que havia mais a ser dito, mas não podia contar a Jacyra que o alívio que sentira minutos atrás havia rapidamente a deixado enquanto Jacyra contava sobre o homem do outro lado do rio que não conseguia olhar nos olhos das pessoas. Começou a sentir como se ela também estivesse acordando de um sonho para enxergar, integralmente pela primeira vez, a realidade que trouxera à tona. Assim como uma vez na sala do Sobrado essa realidade fora expressa pela palavra "Agora?", desta vez, aqui na varanda da Sede, a palavra fora "eu".

— Eu tenho tudo para fazer ao mesmo tempo — dizia Jacyra animadamente. – Mas eu só tenho que lembrar que eu não conseguia fazer nada antes para perceber que progresso já é *isso*. Entende o que eu digo?

— Na verdade, eu entendo muito bem. – Enquanto o dizia, Dona Veridiana pensava quão radiante ela estava, cheia de motivação e determinação como se, subitamente, ela tivesse certeza de que poderia agüentar qualquer coisa. Assim, de uma hora para outra? Estimulada pelo pensamento, ela se lembrou da garrafa sobre a mesa e serviu uma dose a si e outra para Jacyra. Ela podia contar nos dedos as ocasiões em que bebera a vida toda: por seu casamento, pela Sede, pela volta de Rafael ao lar.

— Por um novo começo — sua garganta doía e seu coração parecia em brasas quando ergueu o copo. — Para você, para Contendas, para todos nós.

Capítulo 58

Àquela noite no jantar, diante da presença sábia e tranqüilizadora de seu Caco, elas conversaram sobre "tudo o que precisava ser feito", como a construção de uma cerca para dividir os dois territórios que até então só existiam num mapa.

— O que significa — Jacyra tentou dizer casualmente — uma reunião com Rafa.

Mas tão importante quanto, e ainda mais urgente, antes que qualquer cabeça de gado fosse transferida para o brejo, deveria haver a vacinação, a apalpação das vacas e a apartação dos novilhos de um ano para venda. O que significaria outra reunião com a única pessoa a quem jamais pedira conselho em sua vida.

A pessoa a quem sussurrou:

— O que eu faço agora? — E quem lhe respondeu:

— Feche a boca e fique na sua até passar. — E disse também: — Você está com medo?

— Nem um pingo.

— Então pára de tremer, você está me deixando nervoso. Você não vai chorar agora, vai? — advertiu ele, enquanto, sem dar nas vistas, posicionava-se só um pouco mais à frente e pronto para defendê-la de tudo.

Até que, quando ele pensou que ela crescera o suficiente para ele poder lhe dar tudo o que tinha a oferecer, ela disse: "Agora não", virou as costas e foi-se embora.

A última vez que a vira fora no funeral, quando eles se abraçaram numa dor que ninguém mais poderia compartilhar. Tendo então muito ou nada para dizer, ele recuou e se retirou.

Eu tive que ir e pronto, disse ela a si mesma. Ainda assim ela não podia negar o enorme vazio dentro de si. Às vezes parecia até palpável, como se ela pudesse segurá-lo e examiná-lo. No final, esse vazio foi parte do que a trouxera de volta. Não pelo que esperava encontrar *aqui*, mas porque *lá* faltava alguma coisa.

Bem, não fora assim para Tomazio, ela podia ver. Logo ele estaria casado, alegremente assentado com alguém que, como vovó Veridiana definia, de forma fustigante, "podia ser ela mesma sem precisar provar nada para ninguém".

– Sorte dela – Jacyra encerrara o assunto tentando demonstrar indiferença e ao mesmo tempo tendo pensamentos mortais só de pensar em alguém mais possuindo-o, de pensar nele desejando outra pessoa. Uma idéia que fê-la desejá-lo como nunca antes. Era mais um elemento a ser confrontado e expelido de seu sistema como parte do jogo, ela sabia. Embora desejasse não precisar fazê-lo agora.

Teria ela percebido a ponta de deleite na voz da avó ao dizer:

– Agora além de todo o resto, ainda sobrou para Tomazio fazer sozinho todas as compras. Tão sobrecarregado, coitado, que Deus o abençoe.

– Talvez sobrecarregado demais para fazer um bom trabalho. A senhora nunca fez negócios com outras pessoas, já fez, vó?

– Para quê? Não foi você quem disse antes da partilha que "os Cabrera nunca nos desapontaram"? Mas é claro que se você não confia em Tomazio...

Bem colocado. Foi Dona Veridiana dessa vez quem encerrou o assunto, demonstrando quão absurda era a idéia. Principalmente quando parecia que, um por um, todos com quem pensara poder contar estavam indo embora, como se Contendas não tivesse sido tudo o que conheceram da vida até então. Outro dia foi Tonico quem, num tom pouco à vontade porém inflexível, disse:

– Acho que estou velho demais. Simplesmente eu não consigo acostumar...

E depois foi Jezu, justo quando iam trazer o gado de Angico Branco.

– É lá na Baía das Antas – disse Bento –, tão dizendo que a senhora chamou nós tudo de covarde.

— Se quem disse isso não tem coragem de vir aqui e dizer na minha cara, então ele é que é um covarde. — Ela encolheu os ombros para parecer indiferente. — Para onde ele vai?

— Pra fazenda de Rafa... — Bento abaixou a cabeça e franziu a testa.

— Sei — ela sentiu o estômago revirar enquanto uma nova forma de ira surgia dentro de si. Um tipo do qual não se consegue livrar, pensou, mas que se mantém como brasas de uma fogueira. — Bem, está no direito dele, não está? Mas ir correndo assim, sem me dar tempo para pensar, isso não está. Aconteça o que acontecer, não quero eles de volta aqui. E isso serve para qualquer outro que fizer o mesmo, está bem?

— Tá bem. — Para seu assombro, quando seus olhos se encontraram, ela pensou pela primeira vez ter visto um relance de aprovação.

Sem Tonico ou Jezu — versados nas mesmas tarefas desde que nasceram —, eles trabalharam o gado de qualquer maneira, porque era isso que tinham que fazer, pegando Brasílio, menino de 13 anos, filho de Brás, para ajudar.

— Ele ajuda tanto quanto um filhotinho de perdigueiro numa caça a porcos! — suspirou ela, exasperada após seu primeiro dia. — Sempre no lugar certo na hora errada.

Ao que a matriarca respondeu, de modo admoestador:

— Paciência, isso vai ajudá-la a aprender a controlar a língua. E se ele agüentar, ficará com você para sempre. Se não, Brás vai embora com ele. Lembre-se disso.

Do nascer do sol até o entardecer, seis dias seguidos, a maior parte do tempo ela assumiu o lugar de Jezu na manipulação da pistola de vacinas em cima do tronco — algo que nunca fizera antes. Ao subir até a plataforma paralela ao tronco, ouviu de novo vovó Veridiana dizer:

— Não consigo imaginar o que os homens irão pensar. — E respondeu:

— Então o que é que eu devo fazer?

Mas uma vez lá em cima, ela não tinha tempo de se preocupar, só de carregar sua pistola, mirar e espetar uma excêntrica fila de criaturas que, de tão apavoradas, escoiceavam, debatiam-se e defecavam. De vez em quando a fila transbordava pelas laterais enquanto as reses mergulhavam em qualquer espaço livre que encontrassem diante de si.

Na manhã do segundo dia de estica daqui, puxa dali, seu corpo inteiro doía tão intensamente que ela teve que agarrar-se ao pilar da cama para poder se levantar. Ao fim desse dia, sentada nos degraus da Sede, ela reconheceu que precisava de cuidados.

Foi aí que Dona Veridiana ordenou que ela fosse para sua antiquada banheira de pés-de-leão cheia de água quente, direto do fogão a lenha, temperada com alecrim. Após uma hora mergulhada, a matriarca mandou que se deitasse na macia cama entalhada a mão, até então jamais compartilhada com ninguém que não o Coronel, e, utilizando uma penetrante infusão de raiz de arruda, ela foi ao trabalho.

Tão bom quanto a sensação daquelas mãos ásperas, fortes e seguras massageando suas costas e ombros, era o amor e carinho que fluíam por entre seus dedos, sentimentos que uma austera senhora de idade jamais conseguiria expressar por palavras. Sentimentos raramente expressos de maneira alguma, desde que aquelas mãos foram incapazes de, anos atrás, salvar da morte três crianças febris. Mais do que qualquer papel que já haviam assinado ou quaisquer palavras que tinham trocado até hoje, aquele momento era como uma aliança entre elas que simplesmente não poderia ser rescindida.

– Está melhor? – indagou a matriarca.
– Melhor do que estive minha vida toda – respondeu Jacyra.
– Então pense bem no que quer – cutucou-a – e vá em frente.

CAPÍTULO 58

No terceiro dia, mil vacas e bezerros estavam prontos para a partilha e, ao ser informado disso por rádio no dia anterior, Tomazio

Cabrera voou a noroeste guiado pelos rios e pelo sol. Chegando à grande curva do Pataguás onde jazia a Mata do Jaguar, ele voou ainda mais para oeste para sobrevoar a Fazenda Promissora, que ficava do outro lado.

Não era a primeira vez que fazia isso ultimamente, e a cada vez imaginava que tal desvio ficava muito mais perigoso. Mas o que o fazia voltar da mesma forma era o fato de, cada vez que inspecionava o terreno abaixo, perceber que havia menos a ser visto. De uma fazenda onde, durante anos, ele e o pai compraram milhares de cabeças de gado, Promissora tornara-se um lugar onde no máximo mil cabeças perambulavam e procriavam sem qualquer finalidade aparente. A menos que fosse para serem reunidas de vez em quando como prova do propósito da fazenda.

Obviamente o verdadeiro propósito era outro. Uma reserva florestal? Se fosse, não estava registrada na Secretaria do Meio Ambiente. Tomazio já verificara.

Um rancho de caça clandestino? Num ermo onde a caça era sumariamente proibida por lei, Tomazio sabia que "clandestinidade" era um resultado natural. Mas além de uma pista de pouso de aparência precária, as acomodações dificilmente pareciam condizentes com o fim de semana de um entusiasta do esporte.

Estranho como são necessários alguns acontecimentos novos para se enxergar o cenário em volta de uma maneira diferente. A Mata do Jaguar, por exemplo, que, preenchendo a grande curva do rio, penetrava Promissora em quilômetros no lado oposto. Até a morte do tio, a Mata do Jaguar fora menos para ele que um pedaço de terra entre duas fazendas no qual se rezava para não cair ao sobrevoar. Abandonada por Contendas desde a morte do Coronel, tampouco fora de algum interesse para os antigos proprietários da Promissora.

Muito dela ficava alagada a maior parte do ano, era quase que inacessível a qualquer um, exceto àqueles familiares com os cursos d'água que serpenteavam entre infindáveis florestas pantanosas. Um porto seguro para a vida selvagem, um paraíso para os contrabandistas – e o que se podia fazer? Sem o respaldo de Contendas, mesmo se um guarda florestal tivesse a coragem, não teria o combustível ou a munição para fazer qualquer coisa que não dar de ombros, impotente. Sendo assim, os acampamentos de coureiros quase podiam ser usados como chamariz para algo mais lucrativo, e, portanto, mais perigoso que o costumeiro contrabando de aves e peles de crocodilo.

Quanto mais pensava no assunto – especialmente nos momentos de insônia, quando sua imaginação levava-o a pensar no destino de tio Juca –, mais ele via estas circunstâncias bizarras como a única razão pelo ávido desejo dos atuais proprietários da Promissora em possuir a Mata do Jaguar a qualquer custo. Mesmo se fosse preciso comprar Contendas inteira para tê-la.

Era uma conclusão tornada mais provável pelo fato de, desde que fora vendida, ninguém poder dizer ao certo quem eram os proprietários da Fazenda Promissora.

Vasco e Tomazio Cabrera sabiam disso porque há muito vinham tentando descobrir. Que fora vendida a uma empresa no Paraguai eles sabiam. Mas a busca deles por nomes em meio à confusão deliberada de arquivos oficiais só levara ao que era comumente conhecido como "laranjas". Primeiro se depararam com um nome: Rogério da Silva. Mas uma busca mais profunda acabou encontrando uma lápide com a inscrição "1860-1915". Ainda assim não conseguiam desistir porque a quanto mais becos sem saída chegavam, mais se convenciam de que Juca Cabrera morrera de qualquer coisa, menos de um ataque cardíaco. Uma convicção que só era fortalecida pela lembrança de como Juca andara misterioso em seus últimos dias.

O que não lhe era comum. Se algo o preocupava, ele sempre dizia. No entanto, após aquela viagem ao outro lado do rio com Tomazio, ele não tocou mais no assunto da Promissora. Por quê? Porque como seu irmão e seu sobrinho agora, pelo bem de todos aqueles com quem se importava, ele queria estar absolutamente certo.

Quão intricado era o emaranhado de sentimentalismo e desconfiança que os manteve quietos – ironicamente seguindo o velho adágio de Dona Veridiana – até que, no final, as únicas que talvez ainda continuavam a acreditar piamente que Juca morrera do coração eram ela própria e Jacyra.

E agora Jacyra estava no meio disso tudo, levando Tomazio a continuar sua busca naquele que, para ele, havia se transformado num mundo praticamente de cabeça para baixo. Ele não conseguia deixar de sorrir para si mesmo ao relembrar o dia, não muito depois do enterro de Juca, em que seu pai fez sua primeira visita a Dona Veridiana depois de ela instalar-se definitivamente em Contendas. O principal propósito era o de persuadir a matriarca de que era inconcebível ela continuar sozinha na fazenda. Mas ele já deveria saber que não iria funcionar.

– Está certo, seu Vasco – disse ela –, eu estou velha. Então eu não me importo de morrer, contanto que seja aqui. É verdade, sim, que eu não gosto de ficar sozinha o tempo todo. Por isso pedi a seu Caco para ficar aqui permanentemente. Alguém esperto o suficiente para tomar decisões quando estas se fazem necessárias, e também para ser uma companhia interessante. Além do mais – ela inclinou-se na direção dele com um brilho confidente nos olhos –, logo Jacyra estará assumindo a fazenda. Mas por enquanto isso fica somente entre nós.

Seu pai regressara pálido da visita, e obviamente o segredo da matriarca fora igualmente guardado por Tomazio até se tornar público com a divisão de Contendas.

Até aquele momento, ele apostava consigo mesmo que ela não viria. Mas ele deveria ter imaginado o contrário. Algo dentro de si, mais forte que a racionalidade, dissera-lhe que ela tinha que vir. E quanto mais profundamente entrincheirada ela ficava em sua própria terra, mais urgente se tornava a necessidade de contar-lhe sobre as desconfianças, suas e de Vasco.

Ele não precisava se perguntar por que evitara vir a Contendas até agora, por mais importante que fosse. Porque no momento em que a vira no funeral, ele soube que sempre esteve certo. Não havia ninguém como ela. Muito embora – que droga – não adiantasse pensar nisso agora. Para quê, para machucar alguém a quem ele só queria bem?

Toda vez que pensava nisso, ele não conseguia evitar de contar os meses. Ainda faltava um ano para Anália completar seu enxoval, decorar e equipar a casa na parte nova da cidade. Assim que ficaram noivos, o pai dela deu-lhes a casa de presente para que pudessem morar nela ao invés de na fazenda. Por essa razão, sempre que olhava para a casa, ela o fazia lembrar de uma prisão.

A fazenda deixava Anália triste em poucos dias, ela dissera. A maioria das mulheres era assim. Mas talvez ela mudasse de idéia quando se visse no comando e com mais coisas para fazer. O negócio era ser paciente, envolvê-la na cura do gado e de pessoas. Atraí-la para assistir ao sol se levantar e se pôr, cavalgar o dia todo, dormir sob as estrelas avistadas por entre frondes de palmeiras.

Quantas vezes dissera isto a si mesmo? Mas desta vez, enquanto a pista de pouso de Contendas podia ser avistada na distância, ele sabia que tal exercício só poderia intensificar seu sentimento de culpa, para não dizer seu desejo.

Capítulo 60

Como ela estava maravilhosa ao cavalgar em sua direção, ereta e bem-cuidada como se fosse ela mesma uma "coronelzinha", sentada no topo de uma bela égua, alta, provavelmente descendente do controverso Relâmpago. Enquanto ela apeava e caminhava em sua direção, ele não resisitiu a provocá-la:

— Aposto que suas botas não ficam molhadas quando você monta esse cavalo.

— Faz parte da minha imagem marcante – ela brincou de volta. Aproximando-se dele com seu chapéu posicionado num ângulo jovial, sua aparência encheu-o ainda mais intensamente de desejo por causa de seu próprio ciúme. A aparência da mulher que ele ainda não conhecia, embora os olhos fossem exatamente como ele se lembrava.

— Olá – rigidamente ela o cumprimentou com um beijo que não chegou a tocar-lhe o rosto. – Já estava na hora de aparecer.

— Desculpe, eu bem que quis, mas tenho andado muito ocupado. E aí, como vão as coisas?

— Vão bem. Também estamos bem ocupados. Estamos com falta de mão-de-obra, Jezu e Tenório me deram um fora.

— Jezu?! Para onde ele foi?

— Para a fazenda do Rafa – ela sacudiu os ombros sem tirar as mãos do bolso. – Mas tudo bem. Eu só tive que assumir o lugar dele por uns dias. A gente deu um jeito.

— E com não daria? – exatamente o que ele diria, ela pensou, aqueles olhos fixados diretamente sobre ela como se não pudesse esperar menos.

Então veio um doloroso silêncio ao qual seguiu-se a pergunta:

— Vamos ver esses novilhos que você está preparando para vender?

Assim, de repente e finalmente, lá estavam eles montados no tronco onde sempre estiveram Juca e Vasco. Ela, de caderno em punho, com um ar sério e solene; ele, com os olhos determinando cada destino enquanto Bento trabalhava as portas:

— Vai, não vai, em frente! Em frente!

— Epa, pera lá!

— Desculpa, Jacy, mas você sabe que aquele saco de ossos nunca vai se encher de carne.

— Então você não precisa de um saco para pôr a carne dentro?

— Você está falando de gado ou girafa?

— Você é que é o comprador!

— Então você que ponha carne naquele saco – contrapôs ele, teimosamente. – Não vai!

Quão bem eles se encaixavam em seus papéis quando não havia tempo para pensar em qualquer outra coisa se não no que estavam fazendo... Quão seguros e confiantes, enquanto o dia prosseguia no mesmo passo da lenta correnteza de gado que convergia, divergia, empacava e disparava através do tronco em direção aos paddocks que os levariam ao brejo ou aos pastos de engorda do sul. Até Bento, com sua mão na alavanca, assistia como se nunca tivesse havido dúvidas sobre quem deveria herdar a posição de capataz.

Único sobrevivente original, Dona Veridiana ia e vinha do mesmo jeito, seguida por Fátima, que vinha carregada de garrafas térmicas de tereré.

— Tão bom vê-lo depois de tanto tempo, Tomazio.

— Bom ver a senhora também, Dona Veridiana.

— Como está indo com Jacyra aí em cima?

— Bem.

— Só bem?

— Deve estar indo melhor que muitos, visto que ela acabou de me vender novecentos novilhos e cem vacas velhas.

— Ora, você é um troçador! — Dona Veridiana quase girou a sombrinha. — É claro que você pousa aqui esta noite. Estamos com seu prato favorito esperando por você: cupim assado com tutu, não é isso?

— Bem que eu gostaria, Dona Veridiana, mas preciso voltar. Obrigado assim mesmo. Eu virei me despedir antes de ir embora.

— Que pena, estou desolada — a matriarca sorriu e voltou-se graciosamente, um pouco rígida, para partir. De volta à Sede, ela deixou-se cair sobre o banco debaixo do pé de maracujá, apoiou os cotovelos na mesa onde o governador brindara Rafa com um discurso e dirigiu-se desgostosa a seu Caco:

— (Fique Tranqüilo) - disse ela. Eu até pus uma infusão de tiririca no tereré... eu deveria era ter-lhe dado láudano, para ele não poder voar. Embora eu ache que não teria valido a pena...

Incapaz de conter-se, Caco ergueu seu ombro de trás e deixou um "fiuu!" escapar pelo canto da boca como se estivesse se divertindo. E então, em defesa de Tomazio, ergueu a sobrancelha oposta e deu à matriarca olhar idôneo.

— Paciência, Dona Veridiana, no meu entender Tomazio é um homem de honra.

— E isso é razão para ele ser infeliz pelo resto da vida? — questionou ela, pragmática. — Todo mundo sabe que aquela outra criatura não serve para ele.

— Eu só disse parar você ter paciência — respondeu Caco. — Depois de uma catástrofe, sempre leva algum tempo até a poeira assentar. E felizmente – sem perceber, ele não apenas ecoou mas completou a idéia do próprio Tomazio – Anália Xavier é uma menina sensível que gosta de ter tudo certinho com bastante antecedência. Então ainda temos bastante tempo.

– Para quê? – ela jogou as mãos para o alto, incrédula. – Para Anália resolver que ele não é a pessoa certa para pôr em sua casinha de bonecas na cidade? Pela minha experiência, eu tenho visto que quanto mais laços atados a um compromisso, mais eles vão ficando difíceis de desatar...

– Dificilmente daria para ter mais laços do que já se tem agora – disse Caco. E então, o sábio a quem sempre recorria quando todos os outros conselhos não lhe serviam pausou pensativo por um instante e continuou, sugestivo: – O que quero dizer com "tempo" é que quanto mais ele vier aqui, mais difícil será recusar ficar para o jantar. A senhora conhece o velho ditado, "deixar rolar para ver o que acontece"?

– Ah, seu Caco – a matriarca emitiu um doloroso suspiro. – Quanto mais eu ainda vou durar?

– Enquanto tiver esperança, se eu bem a conheço.

Ela se endireitou na cadeira, concordando com um inclinar de queixo.

– O senhor me conhece bem, seu Caco, mas hoje foi um dia exaustivo, então que tal um bom chimarrão para nos revigorar? Mas sem tiririca, se não se importa.

Caco levantou para ir buscar as garrafas térmicas, feliz pelo pretexto para evitar os olhos afiados da velha enquanto pensava nas outras razões para se preocupar que ela ainda desconhecia. Razões que, tendo acabado de retornar de sua temporada na Baía das Antas, pareciam-lhe mais reais que nunca, levando ele próprio a imaginar o que fazer. E a imaginar também o que Tomazio teria pedido para conversar com Jacyra enquanto se desempoleiravam do tronco e se distanciavam dos currais.

Enquanto os dois jovens se sentavam nos degraus do pequeno alpendre do barracão, Jacyra imaginou se estaria condenada pelo resto da vida a sentir-se assim toda vez que o visse: constrangida, nervosa, artificial – como alguém que estivesse interpretando um papel ridículo para o qual não conseguia decorar suas falas.

Nesse aspecto, Tomazio também parecia ter esquecido suas falas, sentado de cotovelos nos joelhos e queixo apoiado nos nós dos dedos – um queixo teimoso que destoaria dos traços arredondados logo acima não fossem pelos olhos claros observadores e pela linha reta da boca que sabia rir com a mesma facilidade com que sabia depreciar. Meio que despercebidamente, ela deixou o olhar prosseguir em sua trajetória, assimilando a imagem sólida, compacta, que assombrava seus sonhos – mesmo quando ela viera a conhecer outro, esbelto, bonito, com a intimidade de amantes...

– Andei pensando... – a voz dele sobressaltou-a. – Se você concordasse, eu poderia voltar e ir para a Baía das Antas com o gado amanhã em seu lugar.

Ela olhou para ele pasma, confusa, e imensamente desapontada.

– Para quê?

– Porque eu acho que lá é perigoso. – Ele finalmente voltou-se para ela, seus olhos perturbadoramente sérios. – Jacy, eu esperava poder guardar isto comigo até ter certeza, mas parece que, como sempre, eu vou ter que ser franco com você.

Se ele havia ensaiado algumas falas com antecedência, ela percebeu que ele as jogara fora assim que começou a falar do homem que eles dois amaram como o companheiro e mentor de suas infâncias. Das suspeitas de Juca e da visita deles à Fazenda Promissora, não muito antes de sua morte.

Ele receara contar-lhe essas coisas, mas quanto mais ele falava, mas a expressão dela – atenta e ao mesmo tempo triste – dizia-lhe que os mesmos pensamentos já haviam se manifestado dentro de si, esperando um chamado para virem à superfície. Quão mais fácil poderia ter sido se ele tivesse podido tocá-la, virar o rosto dela para o seu. Mas, ao contrário, ele ficou ali sentado, ainda de cotovelos sobre os joelhos, com o punho cerrado socando a palma da mão.

— A caminho daqui – disse ele –, eu vim pensando. É engraçado como as pessoas ignoram as coisas quando não são diretamente afetadas por elas. Em qualquer outra época, nós teríamos simplesmente deixado para lá e dito: "É, é assim que as coisas funcionam por aqui. Se a lei não existe, o que devemos fazer? O que *podemos* fazer?" Mas agora foi com a gente. E eu ainda não sei o que podemos fazer. Só sei que temos que tentar. — Embora não a tocasse, ele não pôde impedir que sua voz a penetrasse ao dizer: — Você entende, né?

— Sim, sim, claro. — Ela continuou olhando para a frente, mas ele não precisava vê-la para saber quão enojada ela estava se sentindo ao pensar em Rafa, nas coisas que não adiantavam ser ditas.

— Então o que a gente faz?

— Quisera eu saber. Continuamos como estamos, tentando descobrir sozinhos, ou colocamos nas mãos de alguém de autoridade? Mas se fizermos isso... É um círculo vicioso, não é? Somente por ora, Jacy, eu queria que você me prometesse uma coisa.

Jacy. Por favor pare de me chamar assim, ela pensou, e disse:

— O quê?

— Só isso, que você não vai tentar fazer nada por sua conta, do jeito que eu acho que tio Juca fez.

— Isso é muito vago...

— Tudo bem, então pelo menos no que diz respeito a ir à Baía das Antas...

— Não. — Ela se levantou e o encarou, toda a resolução que vinha juntando agora estava em ação por detrás do que ele viria a chamar de "olhar do Coronel". — Não tem cabimento eu chamar você toda vez que tiver que ir até lá. Não, eu posso muito bem cuidar disso com Bento. Obrigada assim mesmo, Tomazio.

Capítulo 61

Depois de ele ir embora, ela ficou sentada assistindo ao sol poente formar sua senda através da salina até a Sede – realmente agradecida por ter seu próprio espaço, onde ficar só com os pensamentos que não se tinha permitido ter até Tomazio forçá-los a emergir. Pensamentos tristes, confusos e amedrontadores, intensificados por uma nova solidão gerada pela reaproximação e partida de Tomazio. Como se ele tivesse tido que exercer seu novo papel para torná-la real.

Ela ficou ali sentada, revirando na cabeça as coisas que ele lhe dissera, enquanto a luz se esvaía dando lugar a estrelas reluzentes numa noite fria, sem nuvens. Finalmente, incapaz de esboçar qualquer outro pensamento coerente, deitada no severo quartinho que escolhera como seu, seus pensamentos a importunaram até fazê-la dormir.

Acordar na manhã seguinte foi como acordar de um pesadelo para descobrir que ele não tinha acabado. Embora ali, deitada em silêncio enquanto a luz do sol era filtrada pelos galhos do loureiro, ela foi capaz de dizer para si mesma:

– Tomazio tem razão. Por enquanto não há nada realmente que eu possa fazer. – E, seguindo um antigo costume da avó, ela desviou a mente do que não podia para o que podia ser feito.

Na noite seguinte, os condutores montados nas mulas vermelhas surgiram em meio a uma nuvem de poeira cor de labaredas para unir o gado de Contendas ao rebanho recolhido ao longo do caminho, que agora descansava no pasto acima da salina antes de se dirigir para o sul no próximo raiar do dia. Aí teve início o trabalho de remoção do gado para o brejo.

Mas primeiro houve um detalhe que ela evitara até agora. Os "registros". Antes de o gado poder ser arrebanhado de quatro retiros nas terras altas para os dois nas terras baixas, as reses deveriam primeiramente ser ordenadas no papel de acordo com a idade: vacas mais velhas com touros mais velhos e assim por diante até as novilhas a serem cobertas pelos touros novos – última aquisição de Juca para Contendas.

Foi aí que, pela primeira vez, ela pensou poder entender um pouco da depressão maníaca do pai enquanto revirava, encafifada, os papéis de Juca até que, jogando as mãos para o alto, correu para a Sede para gritar:

– Eu não consigo entender bulhufas!

– Xiu, você acha que algum dia eu já me incomodei com isso? – disse Dona Veridiana jogando de lado as folhas pretejadas, cheias de orelhas, e continuando, impaciente:

—Se você tivesse me perguntado eu a teria poupado da agonia. Eu tenho tudo isso registrado na minha cabeça. Posso presumir que você confia na minha memória?

O que mais se podia fazer? Virando as folhas, Jacyra retirou a caneta de detrás da orelha e foi tomando nota enquanto a matriarca ditava touro por touro, rebanho por rebanho.

Por mais exaustivo e desafiante que fosse a tarefa, ainda era entusiasmante e divertido ver que ela realmente era capaz do que afirmara. A cada dia – enquanto seu corpo ficava mais à vontade sobre a sela, sua mente à vontade no comando –, ela sentia mais motivação para retornar ao entardecer para sentar-se relaxada numa cadeira perto da matriarca e exclamar exultante:

– Mais uma etapa, vó! – até finalmente todo o gado ter sido acomodado até a época das enchentes.

Então chegou o momento de iniciar a construção das cercas e a terrível necessidade de cruzar as novas fronteiras para falar com o homem de Rafa. Seu nome era Antônio Abrantes, disseram-lhe. Um homem enxuto, de pele dourada, de feições estranhamente felinas e pálidos olhos inexpressivos recebeu ela e Bento, em pé no quintal, sem convidá-los para o alpendre – aqueles olhos parecendo mais olhar através dela do que para ela enquanto dizia:

– A cerca?

– O senhor deve saber que sou da Fazenda das Contendas.

– Ah, é? – ele fingiu estar confuso. – Pensei que *aqui* fosse Contendas.

– Pode chamar do que quiser – disse Jacyra. – A questão é: nós somos vizinhos.

– Ah, me desculpe – sua pose tornou-se ao mesmo tempo servil e arrogante. – Eu só a conhecia por "Fazenda das Mulheres", porque dizem que é administrada por uma mulher... Você sabe como o povo fala... Mas a senhora estava dizendo o que mesmo sobre a cerca?

– O senhor também deve saber que é costume dividir as despesas e o trabalho dos consertos.

– Sinto muito, dona, mas sem ordens do dr. Rafael... – ele gesticulou para demonstrar sua pretensa impotência.

– Então quando ele vem?

– Difícil dizer. Ele não é muito de vir para cá, mas quando vem, vem sem avisar.

– Então eu terei que entrar em contato com ele em outro lugar. Mas nesse meio tempo eu vou contratar o pessoal, iniciar os reparos por minha conta e depois mando cobrar a parte dele. Entendeu?

– É a senhora que sabe – pela primeira vez os olhos frios se iluminaram com um raio de prazer perverso –, já que é a irmã dele, estou certo?

E assim ele deu-lhes as costas e entrou na casa.

Sim, como era a irmã dele, pensou saber. Mas foi em frente assim mesmo, com a ajuda de seu Caco e sua bem cultivada videira, procurando mestre Sanchez, cuja familiaridade com os limites de Contendas era íntima e de longa data. Como a maioria em seu ramo, ele era um paraguaio com uma predileção pela independência, talvez enraizada na velha guerra. Um homem baixo, musculoso, pés grandes e chatos de quem caminha incessantemente pelo mato, sua testa protuberante chegava quase a esconder os olhos esparsos e tornava sua aparência tenebrosa até que, com um sorriso escancarado, esses olhos encontrassem os de outrem. Aí, como seu Caco podia confirmar por experiência própria, podia-se ter certeza de que ele iria cumprir sua parte do trato contanto que você cumprisse a sua. Ele também podia assegurar Jacyra de que mestre Sanchez faria o serviço corretamente. Porque sabia quais eram as melhores árvores – braúna, aroeira, pau-ferro – e quem eram os melhores homens para procurá-las, andando na floresta até encontrarem troncos robustos para as estacas das extremidades e outros mais finos, de árvores novas, para as estacas do meio.

Era uma tarefa árdua, essa de construir cercas com os troncos da floresta, acampando aqui, depois ali, vivendo da terra enquanto derrubavam as árvores, rachavam seus troncos e os arrastavam até onde seriam fincados no solo enrijecido pelas pisadas do gado. Mesmo assim, para aqueles que se orgulhavam desse ofício tanto quanto deveriam, era uma tarefa também gratificante, apesar das frustrações envolvidas.

Por volta de uma semana depois, no entanto, começou a ficar claro que a maioria das frustrações estavam um tanto quanto aquém do normal – estacas desapareceram da pilha onde haviam sido colocadas, outras foram arrancadas e seus arames estourados e retorcidos como que arrebentados por um touro enfurecido, um incêndio repentino surgiu durante a tarde, seca, varrida pela brisa... E agora esse bêbado aí fora, amarrado à árvore. Uma invasão petulante, um teste óbvio para verificar até onde poderiam chegar.

Capítulo 62

Foi quando Jacyra estava aquecendo a sopa deixada no fogão pela menina Jurema que o paraguaio começou a bradar em espanhol e guarani, xingando, cantando e invocando os espíritos para amaldiçoar a mulher que ordenara que fosse amarrado, aquela que não era mais sua "mãe", mas uma puta que havia parido todas as outras putas do planeta. E logo em seguida já era ela a "dona" a quem suplicava que o soltasse para que pudesse voltar para sua esposa e filhos, que deveriam estar pensando que ele morrera abatido por uma cobra ou abraçado até a morte por um tamanduá.

– Eu não vou matar a senhora, dona, eu juro por todos os santos e pela Virgem Maria! – o nome da santa ele deixou escapar num lamento agudo, suplicante, antes de deixar-se cair num silêncio abençoado. Estaria exausto, derrotado, ou apenas esperando? Qualquer que fosse o caso, o alívio proporcionado era tal que, ao invés de ir para a janela dar uma olhada, ela encheu a tigela de sopa, voltou para a cadeira e, tirando o revólver do coldre, depositou-o sobre a mesa enquanto apanhava a colher.

A sopa que, com seu rico aroma de caldo e quiabo, deixara-a faminta só de olhar há um minuto, agora parecia entalar-se em seu peito. Assim mesmo ela forçou-se a comer, recordando uma lição de calma ensinada pela avó:

– Quando nervosa, coma bem devagar e pense.

Quantas vezes essa represão não a tentara, quando criança, a arremessar seu prato contra a parede... Mas não agora. Agora, engolindo a sopa com uma lenta determinação, ela perguntou-se:

– E se ele conseguir se soltar? – E ela mesma respondeu: – Ainda que conseguisse, ele não viria ao meu encontro. Ele fugiria correndo, não? A menos que seja louco...

"Já ouviram falar em soltar cachorro louco?" Ao elevar sua colher mais uma vez, ela viu o jovem Zeza buscando seu apoio com o olhar, sua postura toda dando a impressão de que preferiria perder o emprego a desamarrar o paraguaio pela manhã. E isso, ela sabia, não era somente devido ao mau comportamento do homem naquele momento, mas pelo fato de o construtor da cerca *ser* paraguaio e, portanto, uma criatura de outra casta – tão diferente quanto o sangue espanhol que, ao contrário do português, combinava-se com o sangue índio dentro das veias. De certa forma a mistura era conhecida não apenas por deixar seus portadores mais independentes, mas também mais orgulhosos, obtusos e impulsivos. Todas qualidades por si só más o suficiente, mas pioradas milhares de vezes pela falta de humor para equilibrá-las. Era isso – ensinaram-lhe desde pequena – que tornava possível a um paraguaio furioso agir como um cachorro louco.

– Ah, mas tudo isso é bobagem – disse a si mesma. Como se toda uma raça pudesse não ter senso de humor. E na pequena trégua em forma de silêncio que perdurava, ela pensou, com um pouco de pena, que tudo o que ele fizera fora embriagar-se, o mesmo que metade da população do mundo faz todas as noites. Além disso, as cordas tinham sido amarradas por Bento, o que significava que só Deus poderia desamarrá-las.

Mas ao mergulhar a colher na tigela novamente, ela escutou um barulho que a fez perder toda a comiseração. Um som como o grunhido de um bezerro derrubado e esperneando, que a deixou sem respiração e petrificada, incapaz de qualquer outra atitude que não ouvir, esperando em Deus que não se repetisse.

Mas o som se repetiu, e arfando. Ela sempre se lembraria, depois, de como, surpreendentemente, seu efeito fora o de chocá-la tanto a ponto de arrancá-la de sua paralisia de forma que, num jorro de adrenalina, ela passou a mão no revólver e dirigiu-se até a janela de onde, escondida pelo teto inclinado do alpendre, ela podia olhar na direção da árvore. Num céu limpo, varrido pelo vento, a luz do luar dirigia a sombra das árvores para um terreno distante e iluminava o tronco de maneira tal que ela podia enxergar o paraguaio como se ele estivesse num palco.

Ele estava de fato lutando, os olhos fixos – desta vez em concentração – enquanto, usando de toda sua força e um ritmo masturbatório, ele movia seu corpo de um lado para outro. Com o tronco sólido e impassível atrás de si, era óbvio que se ele estava conseguindo se mover aquele tanto era porque as cordas já haviam cedido em resposta ao esforço de um homem extremamente forte e desesperado. Indiferente à dor que devia estar sentindo, ele continuava a aplicar-se cada vez mais, como uma criatura selvagem que comeria a própria pata se necessário para se ver livre. Era uma visão pavorosamente convincente, que disse a ela, mais uma vez instintivamente, o que deveria fazer em seguida.

Armando o revólver, ela foi até a porta e, abrindo-a num solavanco, encarou o homem de frente:

– Pare com isso! – ordenou. E quando ele paralisou, os olhos arregalados, a voz dela soou em seus próprios ouvidos como o rosnar de advertência de um gato: – Eu não quero atirar, mas vou ter que fazê-lo se você não parar com isso agora mesmo. Entendeu?

Ele não disse nada em resposta, simplesmente ficou lá, com o olhar fixo, numa mistura de choque, medo e ódio, difícil de se definir. Só parecia que, diante daquele olhar e do que acabara de fazer, ela não podia mais deixá-lo sair de vista. Ele estava rígido e ela tinha que impedi-lo sequer de pensar em estar de outra forma. Ao impedi-lo de tentar libertar-se, ela colocara a si própria numa armadilha. Não havia nada o que pudesse ser feito, ela via, além de descer o degrau do alpendre e retomar sua vigília, a mão no revólver na altura do joelho.

Enquanto o vigiava, ela apercebeu-se uma vez mais do frio cortante que estava fazendo. O pungente vento sul cessara de soprar, mas o frio deixado em seu rastro começara a intensificar-se e tornar-se penetrante à medida que a névoa começava a se formar preparando-se para a aurora. O instinto não chegara ao ponto de avisá-la para apanhar um casaco, e agora, sentada aqui, imóvel, ela sentia seu peito contrair-se de frio.

Ela forçou uma respiração profunda e isso ajudou-a a parar de tremer enquanto, mais uma vez, voltava sua atenção para o paraguaio. Ele não estava mais olhando para ela, mas com o olhar preso no nada – sua testa baixa, seu nariz longo e fino e seu queixo recuado criando o perfil de um rato. Não havia qualquer sinal visível de força em tal perfil, exceto pelo pescoço musculoso e pela rígida estrutura que lhe dava sustentação, a qual na última hora dera tanto trabalho aos peões e agora dava às cordas, decididamente menos seguras contra o tórax de barril e as coxas estreitas.

Dava para imaginar uma criatura assim, desprezada por seus companheiros, bebendo para trabalhar e trabalhando para beber. Do tipo que depelava jacarés para coureiros, carregava ribanceira acima a terra explodida à procura de ouro, ou fincava estacas de cerca no chão duro e voltava à cidade para gastar sua pitança em cachaça, bater na mulher, copular e desaparecer de novo. Uma imagem que mais uma vez inspirou pena e medo, além de afugentar qualquer desejo de conversa. Mesmo assim, sabendo que tinha de falar com ele, disse:

– Nós não permitimos bebida em nossos acampamentos. Onde você conseguiu?

Sem desviar o olhar fixo à frente, ele deu de ombros. Ela insistiu:

– É melhor você responder porque não será desamarrado até falar.

— Eles deixaram lá.
— "Eles" quem?
— Os caras do outro lado, os mesmos que ateiam fogo... Nós nunca vemos eles. Nós achamos as coisas quando voltamos.
— Sei. — Jacyra sentiu uma amarga punhalada ao visualizar os homens de Rafa, talvez até Jezu, aliados numa guerra idiota. — Seu Sanchez sabe?
— Ele tinha ido buscar suprimentos. Eles não vêm quando ele está por perto... — Uma certa doçura forçada substituiu o mau-humor na voz do paraguaio: — A senhora vai contar pra ele?
— O que você acha? Ele é o responsável.

Mais uma vez ele começou a se lamuriar sobre a pobreza, a esposa, os onze filhos.
— Se o seu Sanchez souber ele vai me mandar embora...
— Não, ele não vai. *Eu* vou. Não posso esperar até ele voltar.

Mais tarde, também, ela imaginaria de onde lhe vieram as palavras e pensaria, surpresa, que elas simplesmente lhe ocorreram:
— Se eu o conhecesse, talvez lhe desse uma nova chance. Mas não conheço. A gente só pode confiar em estranhos enquanto houver respeito. Se o respeito acaba, não sobra nada. Quando meus homens chegarem eles vão te desamarrar e te colocar pra fora de Contendas. Nesse ínterim você deve permanecer como está. Você pode ser mais forte que eu, mas eu estou armada. Por isso se você tentar se soltar eu terei que fazer uso do revólver.

Mais uma vez o paraguaio não respondeu, como se o que quer que tivesse para dizer ficasse melhor guardado consigo. Afundado contra a árvore, sua expressão severa não demonstrava nada além de energia conservada. Quanto menos se mexia, mais ela percebia sua atenção voltada a cada movimento, cada ruído que ela fazia.

O frio e a sonolência tornavam mais e mais difícil para ela concentrar sua atenção nele. Por mais que tentasse se concentrar no trabalho, mais sua mente divagava... Para o outro lado da salina, para a Sede, onde vovó Veridiana em seu quarto no andar de cima e seu Caco no cubículo embaixo dormiam imersos na escuridão, sem saber de nada. Não era tanto pelo conhecimento e proteção deles que ela se flagrou ansiando, mas por sua ignorância, consolo e paz. Ansiou por ser eles e poder dormir, estar em qualquer lugar menos aqui encurralada pelo homem que vigiava.

Sob tais circunstâncias, ela não podia deixar de se arrepender de não ter mandado Bento, ou até Brás, ficar de guarda nas redondezas, porém mesmo arrependida, ela enxergou o motivo por que não o fizera, que lhe ocorreu claro como uma revelação. Ela podia vê-lo nos duvidosos olhares de soslaio do vaqueiro Tenório, no contido olhar zeloso de Bento. Era o mesmo motivo pelo qual dissera o que disse antes de mandar todos embora. Se não quisessem desamarrá-lo pela manhã, podiam vir apanhar o pagamento.

Ela sabia que esses bugres, tão domesticados que, contanto que trabalhassem para você, jamais lhes ocorreria desobedecer a uma ordem, eram ao mesmo tempo tão selvagens que uma vez que decidissem partir não havia conversa que os fizesse ficar. Até agora, ela sabia, eles não tinham decidido, estavam esperando. Mas esta noite ela percebera que não só *ela* estava cansada de esperar, mas eles também: cansados de esperá-la desistir e ela de esperá-los se acostumarem. Então o que ela quis dizer esta noite era basicamente "é pegar ou largar".

Havia sempre um ponto de virada, e parecia que toda a tensão e ansiedade dos últimos meses – no que dizia respeito a Rafa também – culminara com o homem amarrado na árvore. O que aconteceria em seguida iria depender de quem aparecesse para desamarrá-lo, se é que alguém iria fazê-lo. Mas o que quer que acontecesse, as coisas jamais continuariam como antes.

A despeito de sua gravidade, o fato conferiu-lhe uma sensação de paz e segurança que há muito ela não sentia. E também uma sensação de estar no lugar certo, enquanto, sob a neblina que antecedia a aurora para depois gotejar de cima das árvores, o gado leiteiro se deslocava para o curral. Ela não podia vê-los, mas podia ouvi-los trotando adiante de seu ordenhador, Aníbal, para onde os bezerros haviam sido confinados ao entardecer.

Ali ele havia feito uma fogueira e, depois que os bezerros tivessem mamado para estimular o leite, eles se deitariam em seu calor enquanto as vacas enterrariam seus narizes num coxo de ração e Aníbal manquejaria até elas para ordenhá-las uma por uma. Aqui, neste lugar onde, independentemente das circunstâncias, não poderia ser outra coisa se não dela. Com esses pensamentos, num momento ela lutou contra o sono, no outro acordou de sobressalto.

– Dormiu? – Ela endireitou a postura rapidamente levando a mão ao revólver, com medo de olhar para o lado. – Sou eu – a voz era de Bento. – Você não dormiu muito, só um segundo...

– Como você sabe?

– Eu estava li... Debaixo do rancho – ele apontou com a cabeça em direção aos currais.

– Ali? Mas eu disse para...

– Não parecia certo ir embora.

Enquanto se punha de pé pensando se deveria ficar brava, agradecida ou simplesmente envergonhada da própria incapacidade de manter a guarda, um sorriso iluminou o rosto de Bento. Mais tarde ela se daria conta de que tal sorriso só poderia ser interpretado como um compromisso.

– Vamos lá soltar o homem?

Capítulo 63

Foi naquela manhã que Bento tornou-se de fato seu capataz. Se fosse porque se convencera de que ela podia tocar as coisas como um homem, ou não, ela pouco se importava. O que importou foi a diferença que isso fez – como a diferença entre pisar num charco e num chão firme. As decisões, no final, eram dela. Mas não havia dúvida de que tinham ficado bem mais fáceis de tomar, porque, agora que ela pedia sua opinião, ele dava e, às vezes, até a oferecia voluntariamente.

A maior parte do tempo, na verdade, ele falava como se ela fosse homem – fitando-a diretamente com seus inteligentes olhos escuros, sem qualquer receio aparente de ela interpretá-lo mal. Tudo isso tinha seu efeito benéfico sobre os demais, que pareciam ter se enfastiado de assistir a tudo sob seus chapéus, como se a qualquer momento ela pudesse explodir e sumir no ar como jacu que havia levado chumbo.

— É como se eu precisasse tomar alguma atitude dramática para fazer com que acreditassem — disse a Tomazio.

— Um pouco dramático demais, se quiser saber a minha opinião — ele respondera. — É meio como tentar ser mais macho que os machos, não acha? Você não ia querer fazer disso uma norma, ia?

— É claro que não. — Ela devia saber que ele não ia ficar impressionado. Mas ela precisou lutar para esconder sua decepção.

E então, alguns dias depois, ela precisou lutar para esconder sua alegria e um monte de outras coisas quando, de repente, ele apareceu com o cachorrinho.

Ele pegou no assento traseiro do avião uma grande caixa de papelão que revelou conter um filhotinho de dois meses, uma cruza entre pointer e sabujo, e então, lembrando-se de Juruna, sentiu um aperto no coração.

— Gente que amarra homens a árvores, para ter companhia, devia pelo menos ter por perto alguém capaz de latir — ele brincou.

E, cheia de felicidade, passou os braços em torno dele e beijou-o no rosto. Uma ação espontânea que não teria expressado nada além de puro prazer, se Tomazio fosse outra pessoa. Mas o toque, o gosto e o cheiro dele trouxeram à tona todos os sentimentos que, ela garantira a si mesma, estavam sob controle, lembrando-lhes as incontáveis vezes que ela teve vontade de estender a mão e tocar aquele cabelo descorado pelo sol, o rosto abrasado pelo vento. A sensação de eletricidade entre eles, que ainda estava presente, clamando para ser descarregada, era tal que ela tinha certeza de que ele a sentia também. A pessoa não se engana quanto a essas coisas. Se ele não sentia, por que se afastara tão constrangido? Tal como ela se deparou, pensando: "Ele que se dane, ora, o que ele quer de mim?"

A coisa toda dava a impressão de papéis sendo interpretados, ainda mais com eles sentados nos degraus da varanda, observando o filhotinho farejar seu novo território, especialmente a árvore, como se lá ainda houvesse um restante de cheiro humano. Mas, pelo menos, essas brincadeiras foram como um conveniente estímulo, que ajudou Tomazio a dizer:

— Eu não tive a intenção de ser tão leviano, outro dia. O que você fez foi uma coisa perigosa. E eu, às vezes, não consigo deixar de me preocupar com você aqui, sozinha. Foi por isso que eu trouxe este sujeitinho...

— Eu agradeço muito – disse ela, ainda constragidamente –, estava mesmo sentindo falta de ter o meu próprio cachorro.

— Oh, e a propósito, eu lhe trouxe um pouco de correspondência.

— Correspondência, para mim? Você é cheio de surpresas.

Abruptamente, ele se levantou para ir embora e, ao se levantar, remexeu meio desajeitadamente no bolso, sacando de lá um envelope.

— Foi a Anália que mandou. Um desses chás-de-panela, eu acho.

Ela não se lembrava realmente de como pegou-o da mão dele, ou se dissera obrigada. Ela só se lembrava de, subitamente, ter sentido muito frio, no momento mesmo em que ele disse, com uma falsa animação, que parecia nada ter a ver com Tomazio Cabrera.

— Bem, é melhor eu ir andando. Cuide do cachorrinho. Vai chamá-lo de que, Juruna?

— Não – ela se ouviu dizendo –, Juruna é coisa do passado.

Depois disso, também, ela não se lembrara do que mais dissera. Somente que, assim que se viu sozinha, disse em voz alta: "Aposto que aquela vaca da Anália não gosta de cachorros!" – e deu no filhote um chute que o mandou voando. E então, sentindo-se péssima, recolheu-o nos braços e disse, chorando:

— Juruna, oh, ooh, Juruna!

Quando, finalmente, ela conseguiu se forçar a abrir o convite, viu que o chá-de-panela para Anália seria na casa de Sueli Maria Sampaio, uma colega de escola de quem ela se lembrava como tendo sido a líder mandona de algum tipo de comitê. Pelo convite, designando o tipo de presente, onde comprá-lo e como deveria ser embrulhado, ficou claro que essa inclinação da moça permanecera intacta. O presente deveria ser um conjunto de cafezinho com a marca dos Cabrera (um brasão de armas entre criadores de gado), em cores que combinavam com a sala de estar de Anália.

– Deus nos ajude, Vó, – empurrou o problema para cima da avó. – Isso faz com que eu me sinta como uma irremediável débil mental.

– Ssshhh, não tome isso pessoalmente. Você não é diferente dos demais. É só um sinal dos tempos. As idéias absurdas são sempre as primeiras a pegar. Como o divórcio, por exemplo. Mas é claro que você vai. Seria impossível para uma Tavares não ir a algo que envolve os Cabrera...

E é claro que, no final, ela sabia que era verdade. E além disso, por que dar a ele a satisfação de saber que ela se importava o bastante para se afastar?

Capítulo 64

Foi a necessidade da reunião com Rafa que, de qualquer maneira, tornou imperativo ir a Sta. Inácia. E, então, como que por um golpe do destino, mais um convite chegou para Jacyra, desta vez pelo rádio. Veio do Dr. Humberto Ferreira, presidente da Pró-Pantanal, convidando-a para falar de suas experiências trabalhando com uma organização ambiental no Rio.

– Escolha o seu tema, Jacyra – disse ele, como estímulo, depois que ela aceitou, um tanto estupefata. – Qualquer coisa que você disser será interessante para nós. Oh, e a propósito, como nosso representante na legislatura estadual, pedimos a Rafael para falar também.

No dia de sua partida, Dona Veridiana levantou-se antes do amanhecer, para despedir-se dela, tendo passado muitas noites acordada, matutando. Em sua imaginação fértil ela imaginara Anália Xavier, voluptuosamente bonita, enganosamente meiga, decididamente resoluta. Viu-a preparando uma casa que, a cada compra de mobília pseudocolonial, tornava-se um embuste mais cuidadosamente calculado. Durante um longo tempo, observando Tomazio, por trás de seu olhar enigmático, ela pensara "ninguém pode amar alguém assim e persistir em tamanha idiotice". Mas esta última parte e seu efeito sobre Jacyra, moldando-lhe o maxilar feito ferro, finalmente a fizera duvidar, e até começar a perder o respeito pelo herói que ela havia escolhido desde que ele nascera.

Afinal de contas, havia outros homens nesse mundo, embora nenhum tão certo como ele. E não era bom para Jacyra isolar-se dessa maneira. Mas aí, também, se ela e Rafael queriam acertar suas diferenças, talvez o melhor modo de começar fosse em público. Extraordinariamente, neste caso, ela realmente guardou sua opinião, pressentindo, pelas poucas palavras determinadas de Jacyra, que agulhadas eram a última coisa de que ela precisava.

Foi por isso que, durante um desjejum digno de uma viagem de dez horas, o último conselho da matriarca – que era conhecida por fazer milagres sempre que a necessidade pedia – foi: "Seja você mesma, só isso, e tudo estará muito bem".

Era o melhor que ela podia ter dado. Com esse conselho e com as garantias de seu Caco e de Bento, de que tudo seria cuidado em sua ausência, Jacyra pensou: "Pelo menos, posso me sentir segura de que sigo na direção certa". E, juntando as mãos como sempre fizera quando criança, disse em voz alta.

– Sua bênção, Vó. – E foi embora.

Levando Brás como um velho e confiável auxiliar, ela partiu antes do amanhecer, os gemidos da suspensão do Toyota enfatizando o silêncio entre eles, conforme iam aos solavancos e às guinadas pela trilha de relva castanha, sulcada em valões, ressequida e endurecida pela seca. Às vezes eles falavam – sobre um brejo seco demais até para os porcos conseguirem fossar a terra, ou sobre a escassez da relva onde as aves pernaltas costumavam esconder seus ovos dos falcões. Mas, na maior parte do tempo, ela guardava seus pensamentos consigo mesma, desfrutando do mundo à sua volta como não fazia, talvez, desde que era criança.

Enquanto guiava a caminhonete por instinto e memória, ocorreu-lhe que a seca, que se prolongara até novembro, se era uma catástrofe para as plantações das vastas terras em torno, ali, no

Pantanal, a falta de chuva tinha sido, até agora, um benefício. Porque, se por um lado as terras altas ficavam esperando que a terra verdejasse, a seca significava mais tempo para o gado pastar a relva opulenta do brejo.

E mais ainda, diziam alguns, enquanto os brejos secavam e o gado compactava a terra com suas pisadas, significava também chão novo para o gado pastar, nos anos vindouros. "Mais um benefício", era como os veteranos iam encarar. Embora fosse uma daquelas coisas sobre as quais ela se mantivesse em dúvida, tal como a idéia de que queimar o velho capim "carona" para forçar a brotação do novo.

Quando criança, como ela odiava aquelas queimadas, sua imaginação cheia do horror de criaturas em chamas e em fuga.

– Tem que ser – diria o tio Juca, abraçando-a bem apertado. Mas ela ainda não se convencera de que valia a pena. Nem mesmo agora que, de uma terra eternamente úmida sob a superfície, relva nova já estava brotando, as árvores enegrecidas germinavam seus brotos timidamente em nuanças incontáveis de bronze pálido e verde musgo.

Em meio a essa verdura esparsa, as criaturas convergiam em busca de esconderijo e de água. Era mais fácil ver as famílias de quatis que atravessavam a trilha em disparada e pulavam nas árvores do cerrado, ainda não carregadas com as trepadeiras novas; os clãs de capivaras em busca de relva fresca ao longo das margens das baías minguantes. Desfilando majestosas por essas margens, as aves eram miríades – grandes bandos de ajajás de um rosa berrante; garças brancas, graciosas, e exércitos de tuiuiús, suas papadas rubras se sacudindo enquanto eles se banqueteavam com a abundância de peixes presos nas águas estagnadas pela seca.

Quanto mais ela avançava com o carro, como que por algum encanto, a criança dentro dela assumia o controle e, com ela, o encantamento das terras bravias ao largo da trilha. Estavam todos lá de novo, tio Juca ao volante, seu Caco co-pilotando...

– Está lembrado, Brás, de como eles costumavam fazer? – E eles três, Rafa, Tomazio e ela própria – agarrando-se aos anteparos, inclinando-se nas guinadas, evitando os galhos das árvores, lançando risos e gritos ao vento. Juntos, aparentemente inseparáveis. Até chegarem, finalmente, à ponte que cruzava o Aquidauana, dando acesso à cidade, a liberdade e a alegria que ela sentira alguns momentos atrás foram sobrepujadas por um temor que crescia quanto mais ela se aproximava do Sobrado.

Enquanto a caminhonete chocalhava sobre as pedras arredondadas do calçamento de ruas quase vazias, ela imaginou Tatinha tal como a tinha visto no dia em que ela voltara do Rio; viu-a parada no portal alto e estreito, sua figura emaciada realçada pela profusão de verdura e de céu no final do longo corredor.

– Esse foi um golpe terrível – disse ela a Jacyra, numa espécie de saudação acusadora, e em seguida: – Sua mãe perdeu todo o interesse por qualquer coisa, ela não está bem, não está nada bem.

No mesmo dia, da obscuridade de sua alcova, onde ela dera para se esconder a maior parte do tempo, os olhos de Isabel se iluminaram, tristonhos e martirizados.

– Eu tinha tanta fé em você. Preferia que virasse freira. É como se enterrar viva.

– Por que a senhora não presta atenção, mamãe, em vez de estar sempre me dizendo qual deveria ser a minha felicidade? Se prestasse atenção, veria que isso não é nenhum sacrifício.

E agora, enquanto estacionava o Toyota na frente do Sobrado, lá estava Tatinha, emoldurada no portal mais uma vez.

– Meu Deus, o que lhe aconteceu? Você parece uma "selvagem" – ela disse numa lamúria.

De todos eles, Tatinha era a única que parecia não ter mudado. Criticando, queixando-se, sempre sobrevivendo em sua indumentária – a peruca, a máscara de pó de arroz, o luto – parecendo ou já ter morrido ou como se nunca fosse morrer.

Até os traços indomitamente lisos e plácidos de Mercedes pareciam ter dado vez à idade, de forma que, de repente, Jacyra entendeu exatamente o que sua avó pretendia quando disse: "Eu sabia que, se tivesse ficado, logo teria morrido de tédio".

Afinal de contas, obstinada e plácida como ela era, não era Mercedes que tinha resistido a todas as idas e vindas entre a Sede e o Sobrado, à morte de tia Olga, às transformações na organização da casa e a tudo que viera a lhe acontecer? E agora, aqui estava ela, queixando-se.

— Então, como está Dona Veridiana? Parece que ela pensa que as pessoas não existem mais.

— Oh, não, imagine se ela ia esquecê-la! Por que não volta comigo e fica um pouquinho?

— São muitas dores e incômodos para uma viagem dessas, Jacy.

— Ora, vamos, eu nunca ouvi uma queixa dessas vinda de você.

— Mas agora sou eu que estou ficando velha. E, além disso, quem é que vai tomar conta deles? Dona Veridiana devia ter pensado — disse a velha empregada, em tom de reprovação —, antes de ter me largado aqui.

À hora do jantar, imaculadamente arrumada e penteada como sempre e, no entanto, dando a impressão de que poderia desaparecer debaixo da maquilagem, Isabel disse, animada:

— Com que então, finalmente, você se decidiu. Maravilhoso — estendeu o braço até o outro canto da mesa, para apertar a mão de Jacyra. — Estou tão orgulhosa de você, minha querida.

Jacyra engoliu em seco e tentou não fitá-la:

— Ora, obrigada, mamãe...

— Isto é, eu sabia que você ia se cansar daquele deserto. Está tudo muito bem, não é mesmo? Mas uma vez que você provou um gostinho do mundo... — sua voz se esvaiu, arrastando-se com aquele tom de quem sabe das coisas, para logo voltar, empolgada: — E aí, quando é que vai voltar ao Rio? Recebemos tantas chamadas perguntando onde é, afinal, que você estava.

— Chamadas? — Jacyra ficou com um ar surpreso, até que o pai interceptou-lhe o olhar.

— O Sr. Renshaw — disse Manoel, bem depressa. — Ele telefonou uma vez para perguntar como você estava, não foi o que quis dizer, Isabel?

— Oh, então foi ele? Achei que fosse aquele rapaz ótimo, o Adrien. Hoje em dia, eu às vezes fico tão atrapalhada... Mas você em breve estará partindo. Não pode querer que ele espere a vida inteira, você compreende.

— Eu não vou voltar. Tenho certeza de que já lhe disse isso.

— Oh, mas você não achou que eu acreditei — o ar de entusiasmo transformou-se numa expressão de alarme. — Não vê que, se não voltar logo, vai perder todos os contatos? As pessoas vão se esquecer de você. É isso que acontece... — Conforme Isabel olhava em direção à janela já fechada contra a noite, seu belo olhar parecia literalmente recuar até não sobrar nada além do rímel. — Após algum tempo, você simplesmente deixa de existir.

Sentada ao lado dela, Tatinha cutucou Jacyra nas costelas e murmurou entredentes:

— Vê só o que está acontecendo com ela?

Antes de Isabel se retirar — desaparecer em sua alcova — Jacyra cerrou os braços em torno de sua mãe magra e frágil e acariciou-lhe os cabelos. Queria tanto poder reconfortá-la, fazê-la compreender, mas só o que conseguiu dizer foi:

— Por favor, mamãe, por favor.

Mais tarde, vendo-se sozinha na sala, retirou as barras que trancavam os postigos e abriu as janelas, uma por uma. E então sentou-se na velha cadeira de balanço austríaca e reclinou-se, olhando para fora, enquanto as lágrimas lhe escorriam pelo rosto.

De costas para a porta, não percebeu seu pai entrando. Ele ficou um instante parado, observando a figura na cadeira — tão parecida com sua mãe quando Veridiana era moça. Antes, ele já havia observado que a semelhança não se limitava mais a sua aparência magra e ereta, mas que seu porte ganhara um bocado de autoridade, como acontecera com Veridiana a partir do momento em que entendeu que precisaria dessa autoridade.

Sabia Deus que Jacyra precisaria de autoridade também, mas isso não teria vindo à tona se, só para começar, já não existisse dentro dela. Autoridade acompanhada da vontade. De fato, ele sabia com bastante certeza que eram as mesmas qualidades, nessas duas mulheres, que vinham mantendo Contendas no mapa até agora.

E, no entanto, ninguém poderia dizer que elas eram iguais em outros sentidos. Uma tão manhosa que não conseguia nem dizer uma verdade, a outra tão franca e direta que era-lhe impossível fingir sobre qualquer coisa, até para evitar magoar os sentimentos da mãe. Mas, e aí, de que adiantava fingir? Foi fingimento que colocou Rafael na posição errada à testa de Contendas, só para começar, e levou-os a acreditar que, uma vez que chegasse lá, Jacyra ficaria no Rio. Sonho deles, não dela – porque eles fingiram para si próprios que a conheciam melhor do que ela conhecia a si mesma.

Era exatamente sobre essas coisas que ele vinha escrevendo como a história que ele agora chamava de narrativa, e que havia começado a tomar um rumo diferente. E dando-se conta disso, ele ficara convencido de que, uma vez que Jacyra se decidisse a voltar, ela ficaria. Foi por isso que havia garantido a terra legalmente para ela. Era o mínimo que ele podia fazer.

Agora, estava nas mãos dela. E, no momento, atormentava-o pensar que ele só podia esperar pelo melhor, lembrando-se, como se lembrava, de que, na época em que Veridiana chegou à idade de Jacyra, havia sofrido tanto que suas lágrimas tinham secado permanentemente.

– Jacy...

Ela assustou-se e sentou-se ereta, rígida, como que chocada tanto por sua entrada quanto pelo seu tom de voz. Em sua experiência, só uma topada no dedão até hoje havia trazido tanta suavidade à superfície. E no entanto, ali estava ele, nessa sala onde eles nunca haviam realmente conversado, vindo sentar-se em frente a ela, no nicho mais profundo da janela, e dizendo gentilmente:

– Não se sinta envergonhada, esperemos que você sempre seja capaz de chorar. – Para, então, prosseguir, com urgência: – E, por favor, não pense, como Tatinha deixa implícito, que a culpa é sua, está ouvindo? Sua mãe sempre viveu em sonhos, eles são sua única defesa.

– Contra a realidade, papai? – ela perguntou, cheia de aflição. – Por que ela insiste, como se não soubesse?

– É mais um sonho. Enquanto ela estiver aqui, o Rio para ela é um paraíso de que se lembra de quando era menina e ainda tinha que enfrentar a vida.

— Mas talvez pudesse ser de novo, se vocês estivessem juntos — agora, quem falava com urgência era Jacyra —, você podia ajudá-la. Ela podia consultar um médico.

— Sim — disse ele. — Sim, talvez o Rio ainda fosse um paraíso para sua mãe — se eu fosse com ela. Não pense que eu não pensei nisso todos os dias, mas neste exato momento é impossível. Há coisas que precisam ser ajeitadas primeiro.

Ele afastou o olhar dela e, por um longo tempo, ficou sentado, fitando as próprias mãos, com tanta intensidade, que atraiu a atenção da filha para elas também. Mãos longas e delicadas, ela pensou, que, tal como seus ombros caídos e sua fisionomia reticente, pertenciam a um homem de quem nunca se esperava que manejasse uma corda, segurasse rédeas ou talvez até desse ordens.

Porque ela nunca as encarara assim antes, não sabia dizer. Talvez fosse porque ele até agora tampouco houvesse falado com ela assim.

Aos poucos, resolvendo que nada do que ele acabara de saber sobre o irmão dela poderia ajudá-la de alguma forma amanhã, ergueu os olhos da contemplação hipnótica das próprias mãos para dizer ansiosamente.

— Quanto a essa reunião amanhã, Jacy. Tem certeza de que é o que quer?

E, então, foi a vez de ela dizer, já tendo pesado as palavras:

— Quer dizer, se quero enfrentar a multidão com Rafa? Sim, papai. Oh, sim, pode estar certo que sim.

Capítulo 65

O salão de reuniões da Prefeitura, construído no estilo Il Duce da era Vargas, era um lugar que Tomazio em geral evitava a qualquer preço. Homens ativos, que gostavam de ver o resultado do que estavam fazendo, ele e Vasco eram inclinados a se tornar insuportavelmente inquietos e claustrofóbicos em reuniões que raramente pareciam chegar a algo que não fosse a decisão de voltarem a se reunir. As do Pró-Pantanal não eram exceção, ainda mais hoje, que ele estava mais certo do que nunca de que o comparecimento extraordinário pouco tinha a ver com alguma coisa de útil.

Ao contrário, pelo aspecto da multidão que lotava essa reunião habitualmente esparsa, surpreendeu-o o fato de que o que se esperava era algo mais parecido com um capítulo ao vivo da novela das oito. Todos deviam ter sua própria versão do script que havia começado com o primeiro capítulo: o desaparecimento de Jacyra Tavares, filha da família mais importante da cidade, para levar uma vida escandalosa no Rio. E em seguida o segundo capítulo: a volta de Jacyra para cuidar da terra subitamente jogada em suas costas pela avó senil. Seguido pelo capítulo 3: a incessante disputa pela Fazenda das Contendas conforme representada hoje por Jacyra e seu irmão, Rafael. Tudo isso cercado por subtramas tratando de morte e política, dos dias da Viúva Inácia, do Jaguar e do Coronel, até o misterioso desaparecimento de tio Juca na enchente do Pataguás.

Pelo motivo mesmo de que ele já estava mais do que cheio de seu papel no drama verídico, Tomazio não queria ter nada a ver com a cena de hoje. Mas, pelo mesmo motivo, por mais inutilmente que ele tentasse escorregar despercebido para uma poltrona no fundo do salão, ele entendeu que não poderia estar em outro lugar.

Podia ouvir o murmúrio de uma pessoa dizendo para a outra "olhe só quem acabou de chegar"; podia sentir os pescoços se esticando para conseguir uma boa visão. Resolvendo ignorá-los todos, olhou para o palco onde, com vários dignitários estrategicamente colocados entre eles, Rafa e Jacyra estavam sentados esperando a hora de seu desempenho.

Ninguém do palco precisava de apresentação, havia tão poucos que não conheciam um ao outro naquele mundo, onde recém-chegados eram uma raridade tão grande que nunca deixavam de despertar suspeitas. Até o tema, o meio ambiente e a posição do orador em relação a ele, pareciam destinados a não oferecer nada de novo, quando Rafa se levantou, com um ar de segurança e convicção, para dizer sua parte.

Lembrando-se da primeira vez em que havia falado sobre esse tema, Tomazio não pôde deixar de notar um definido ar de desencanto por parte da platéia, quando ele voltou a falar do progresso na legislação ambiental que, cinco anos antes, não teria sido sequer considerado.

– Quem teria sonhado, então – estava ele dizendo –, que a caça ilegal poderia resultar em prisão inafiançável? Que poderíamos conseguir isenção de impostos transformando nossos alagados inúteis em reservas de vida silvestre? Que nossa área inteira – 400 km² – podiam e, o mais importante, seriam monitorados via satélite?

Era surpreendente, Tomazio achava, como Rafa conseguia continuar tranqüilamente, como se não percebesse os olhos úmidos, os bocejos, o movimento inquieto nas poltronas de gente que, definitivamente, não tinha vindo para ouvir aquilo tudo de novo. Ele quase se sentiu envergonhado por ele. Teria ele se desconectado completamente da realidade do Pantanal? Aos poucos, incapaz de concentrar sua atenção em toda aquela repetição, quando sua própria realidade estava em semelhante estado de caos, Tomazio já nem tentava mais.

Em vez disso, ele deixou que sua mente ficasse absorta pelo motivo de sua presença ali e pela série de eventos que levara à sua vinda – começando com o momento em que Anália lhe entregara o convite para o chá-de-panela. Uma recordação que nunca deixava de evocar uma imagem totalmente depressiva.

No Baile do Havaí, dado pelo Clube Esportivo, Anália sentou-se à mesa deles, ao lado da piscina, bonita como sempre, seu *lei*, o tradicional colar de flores de papel, tombando sobre seios encantadoramente realçados por seu fino corpete de alças. Enquanto ele, usando uma camisa do mesmo tecido floral da fantasia dela, sentou-se em frente, sentindo-se inteiramente ridículo. Num momento, ele entendeu que teria que aprender a hula-hula. Conforme diria Dona Veridiana: "É sempre o ridículo que pega primeiro". Ao brilho pulsante da iluminação sincopada e acima do clamor das guitarras elétricas, ele se esforçou para, a um só tempo, ler o que Anália lhe entregara e ouvir o que ela estava dizendo.

— Não é inteligente da parte da Sueli? Trabalhamos nessa lista durante semanas. Depois deste chá-de-panela, a casa estará completa. E, então, estranha do jeito que ela é, Jacyra provavelmente não irá. Mas eu não posso deixar de convidá-la, posso?

Irritantemente, como uma letra de música que você gostaria de nunca ter ouvido, aquelas palavras e aquela cena ficaram entaladas em sua mente, forçando-o a ver a si mesmo e a Anália sob uma luz que ele até agora dera o máximo de si para evitar. Tentando-o, igualmente, a pensar o impensável, até que, saindo de avião com o cachorrinho na caixa e o convite no bolso, ele sentira-se também tentado a abrir a janela e deixar o convite ser carregado para o esquecimento. Mas não o fez. Como poderia? Agora que, conforme Anália expressou com tanta alegria, com a conclusão da lista, cada peça de mobília, cada xícara de cafezinho, estaria no seu devido lugar?

E então ele presenteara Jacyra com o filhotinho – nesse processo desnudando seus sentimentos de um modo que, dissera a si mesmo, não tinha o direito de fazer. E aí ele se saía com o convite, como um carimbo aplicado no destino deles. Só que ele fizera vir à tona tantas dúvidas e verdades que não conseguiu mais afastar o impensável de sua mente, nem por um instante, desde então. E, de fato, naquele momento, isso tomava o espaço de tudo, à medida que ele foi cedendo ao que era o atualmente desimpedido prazer de ser a platéia de Jacyra. Usando suas melhores botas e bombachas e uma blusa de linho verde-oliva, trazendo ao pescoço um fino cordão de ouro que dava mais realce ao lustroso de sua pele, ela estava sentada muito quieta, ao que parecia a única pessoa completamente atenta ao que Rafa tinha a dizer.

Conforme os olhares dos demais passavam de Rafa para ela, Tomazio podia imaginar as perguntas em suas mentes. Por que ela estava lá? Rafa não era o porta-voz político da família? Mas eles não estavam brigados por causa das terras? Portanto, ela viera aqui para desafiá-lo, ou para dar-lhe seu apoio? Consumar, ou liqüidar, o racha entre eles?

Composta e silenciosa, totalmente concentrada, o efeito de sua presença era tal que, quando finalmente chegou a sua vez de falar, foi como se a atenção que Rafa pretendia atrair para si próprio se juntasse e se concentrasse por meio dela, conforme ela foi dizendo:

– Antes de vir para cá, eu não tinha realmente certeza sobre o que iria falar, mas, felizmente, Rafa deu-me o tema. E, sendo assim, minha primeira pergunta tem que ser: existe alguém aqui que não conheça o ditado batido, segundo o qual, "sendo a lei como é, é mais seguro atirar num guarda florestal do que num bicho da floresta?"

Sob um murmúrio de riso irreverente, ela continuou:

– E todos nós sabemos por que é assim. Porque a lei, sendo como é, só pode favorecer bandidos, e não caçadores, que pensam no que fazem, com consciência. Não é assim? – Mais um murmúrio, sério e todo correto, encheu o salão, aparentemente levando Jacyra a continuar e perguntar: – Nesse mesmo sentido, eu pergunto quantos aqui conseguiriam uma anistia fiscal por transformar suas chamadas "terras incultas" em reservas legais de vida silvestre?

Diante da movimentação nas cadeiras e da agitação de mãos levantadas, ela assentiu com a cabeça.

– Pergunto isso porque, como a maioria de vocês sabe, eu possuo uma área chamada de Mata do Jaguar. – Se o que ela queria era atenção intensa, com certeza agora tinha conseguido. – São cerca de cinco mil hectares com os quais eu gostaria de fazer exatamente isso. Uma reserva imensa, protegida contra intrusos, segura como parte de um esquema inteiro que é necessário ao nosso modo de vida pantaneiro.

E, no entanto, do jeito como as coisas estão no momento, embora eu reconheça o valor da monitoração por satélite, de que isso pode servir a mim, na minha reserva? – Ela fez uma pausa e olhou em torno do salão. – Ou a qualquer um de nós, na medida em que não houver ninguém em terra para utilizá-lo?

Meus amigos – o olhar de Jacyra agora passava suplicante de um para o outro, – acabo de chegar do Parque Anhumas, em Mato Grosso, onde há um guarda florestal para cuidar de 400.000 mil hectares de reserva de vida silvestre. E se esse é o caso lá, deveríamos poder fazer o mesmo com os 400 quilômetros quadrados do

Pantanal a que Rafa se referiu, e não precisaria haver mais do que dez infelizes desses.

E se eles forem como o bom sujeito que eu conheci em Anhumas – um ex-capataz de nossas terras –, nem mesmo esses têm o treinamento, nem os salários, nem a indumentária, nem o equipamento de que precisam para fazer um serviço decente. – Sob os gritos agora, inclusive de Tomazio, de "Apoiada! Aprovada, aprovada!, ela disse, finalmente: – Mas estou lhes dizendo alguma novidade?

– Não, não!

– E queremos que as coisas fiquem como estão?

– Não, não! Claro que não!

– E Rafa não é o nosso representante junto à legislatura?

– Hummm, hummm, hummm.

– Então, enquanto ele estiver aqui, entre nós, em vez de ficar ouvindo mais uma vez aquilo que todos nós já sabemos, por que não nos unimos para discutir o que pode ser feito antes que destruamos nosso Pantanal com a nossa indiferença? Obrigada.

Como ela fizera aquilo? Observando-a curvar-se levemente em resposta à ovação de pé, Tomazio pensou, com um toque de alarme, – essa poderia ter sido A Matriarca quando ela disse "sigam-me".

Exceto que, naquele exato momento, Rafa não estava "entre nós", após aceitar o abraço sincero do Presidente ao seu lado, o objeto dos aplausos virou-se para esgueirar-se pela porta do palco e desaparecer.

O que vem agora?, pensou Tomazio, o impensável inundando seu cérebro no momento mesmo em que ele ponderava, com horror, onde o engajamento dela, naquela tarde, a levaria.

Capítulo 66

Fugindo para evitar um dilúvio de perguntas para o qual não estava de modo algum preparado, Rafa refugiou-se em seu escritório, que alugara logo depois que seu pai lhe cedera a "diretoria" de Contendas.

Uma sala única, num edifício sem graça, do outro lado da Prefeitura, na praça, mal havia sido ocupado, até agora, para merecer uma folhinha na parede. Alugara-o como uma medida temporária, mas o fato de que sua ocupação geral agora se arrastava já para o seu quinto ano, era suficiente para fazê-lo, quando estava na cidade, dividir com Tomazio uma sensação de aprisionamento iminente. Especialmente hoje que, após seu fracassado discurso, a sala mesma parecia um confinamento solitário num mundo que parecia não querer mais a sua presença e no entanto era, de certa forma, inescapável.

Não que ele precisasse de apoio daquele punhado de reacionários antiquados que deixara na Prefeitura. Oooh, ele podia chegar a Brasília sem nem dar uma olhada para trás, para vê-los. E, no entanto, enquanto esse escritório e tudo que ele implicava existissem, ele não tinha como fugir.

– Fale, meu filho, você conhece o tipo – dissera seu pai, um pouco mais cedo, quando estavam sentados na sala bolorenta logo acima do pátio. Quando o disse, Rafa vira, em sua expressão cansada, o quanto ele sofrera, embora soubesse que Manoel só podia imaginar metade do que os outros estavam dizendo. Ainda assim, o fato de que ele soubesse o suficiente para imaginar alguma coisa parecia um sinal do quanto os Tavares se haviam enfraquecido aos olhos dessa gente que eles conheceriam durante suas vidas inteiras. Famílias enraizadas há séculos em um Pantanal que, pela própria aspereza de sua natureza, criara costumes de extrema abertura, gentileza e solidariedade diante de perpétua dificuldade; extrema estreiteza, crueldade e falta de escrúpulos quando o que entrava em questão era o poder.

Bem, ele os enfrentara todos naquela manhã. E eles tinham ficado ali, sentados, os olhos erguidos para ele, como se esperassem algo mais. Então Jacyra soltara sua tirada.

Ele sabia que ela não ia recusar o convite, tal como nunca se furtara a uma briga quando era pequena, mesmo sabendo que iria peder. Embora hoje, obviamente, ela não houvesse perdido. Mas o que ela tinha tentado fazer! Na melhor das hipóteses, fazê-lo passar por tolo. Na pior, algo muito mais perigoso.

Por que ela trouxera à baila a mata? Ou ela sabia tudo, ou nada. Com Abrantes do outro lado da maldita cerca, podia facilmente ser uma coisa ou outra.

A Mata, parte de Contendas – a parte que era dela. Sentado à sua escrivaninha, esperando que ela aparecesse, ele tomou esse trem de pensamentos com uma monotonia que parecia ter se tornado a força crucial de sua vida. Enquanto existisse alguma parte daquela eternidade de terras alagadas, inúteis, reclamada por um Tavares, enquanto existisse Antonio Abrantes, lá, no coração delas.

– Se ela não quiser vender, o que há a fazer é tornar o lugar impossível de se dirigir – dissera Caracará. E, é claro, ele tinha razão. Era o que o próprio Rafa vinha planejando, embora não lhe tivesse ocorrido contratar Caracará para fazê-lo.

A essa altura, eles tinham se acostumado a se reunir na Caverna das Estrelas, onde, entre quatro paredes sem janelas, à luz de uma lâmpada de 20 watts, as pessoas faziam coisas bem safadas. E era uma luz, recordou Rafa, que fazia aqueles olhos inexpressivos refletir, pelo menos, uma mente bem safadinha.

– Vou arranjar o meu próprio capanga – disse Rafa.

Mas o chantagista sacudira a cabeça, em desaprovação.

– Não ia servir. Você teria que ficar em cima dele o tempo todo. Precisa de alguém que ligue para os seus interesses. Alguém que saiba o que eu sei.

E Rafa, sentindo-se frio e nauseado, entendeu que era obrigado a concordar.

E agora, por causa do assédio do chantagista, Jacyra estava vindo encontrá-lo no escritório da praça.

– Olhe, Rafa – disse ela, pelo rádio –, tenho que falar com você. Câmbio.

– Sobre o que? Câmbio.

– Um monte de coisas – ela disse, tornando impossível para ele estar preparado para qualquer coisa. – Por favor, não deixe de estar lá. Câmbio.

E no entanto, apesar de ser ele que costumava chegar atrasado, onde estava ela? Se esta era uma guerra de atrito, ela hoje estava, com certeza, usando uma boa estratégia. Depois daquela cena na Prefeitura, ela deve saber que ele quer ir embora antes de escurecer. Antes de ele ficar preso mais uma noite ali – preso entre o olhar emotivo da mãe e a camaradagem exageradamente animada do bar. Obcecado por esse horror e na ânsia de ir embora, ficou sentado olhando para a porta, como se esta estivesse presa ao seu cordão umbilical. E de fato, por um instante, o moralismo assumiu as rédeas quando, sem tocar a campainha, ela abriu a porta, fazendo-o saltar de pé, quase derrubando a cadeira para trás.

Ela postou-se diante dele, usando um conjunto muito chique de algodão bege que o fazia lembrar do Rio.

– Uma roupa diferente para cada ocasião – ele fingiu um sorriso acolhedor. – Está concorrendo a deputada, ou algo assim?

– Não eu, Rafa. Acho que me deixei levar um pouco – retribuiu com um sorriso que não pedia desculpas. – Mas eu falei sério, hoje de manhã. Aquilo simplesmente me veio, de forma muito natural. E se você tivesse ficado, eu teria ficado também.

– Mas acho que você sabe que estou aqui a negócios. Eu posso? – Enquanto ela se sentava na outra cadeira, ele não pôde deixar de pensar em como ela parecia estranha – sua expressão impassível, seu discurso carregado de uma exatidão monótona, tipo advogado que, em qualquer outra hora, o teria feito rir, mas que agora o fazia ficar imaginando para onde ela se fora. Onde estava a Jacyra que ele havia esperado e que, quando criança, tentava bater nele, quando ele a provocava além do limite que ela agüentava?

– É sobre a cerca entre as nossas propriedades. Tenho certeza de que você conhece as regras. Meio a meio em tudo. Mas, uma vez que não pude entrar em contato com você, resolvi que era bastante justo eu começar sozinha. Por isso cheguei um pouco atrasada – ela assentiu com a cabeça com um jeito meio de quem se desculpa. – Porque eu tinha que encomendar arame e queria mostrar-lhe as notas. Tenho feito uma contabilidade... –

Ele viu que Jacyra trouxera uma pasta pequena e elegante que ela, agora, começava a abrir. De certa forma, essa ação, como se fosse o auge da arrogância, de repente foi mais do que Rafa podia suportar.

— Você, minha irmã, me apresentando notas de uma cerca?
Espere um pouco, ela pensou, e disse em voz alta:
— Não só pelo arame, mas por danos havidos.
— Danos? — por trás do olhar incrédulo e insultado, Jacyra detectou uma súbita expressão de alarme.
— Pastos queimados ao longo de nossa divisa, paus de cerca roubados. O hábito de dar bebidas à turma de cerca do mestre Sanchez.
— Você está maluca?
— Eu? — o tom tipo advogado, tênue como o ar, cedeu. — Ora, vamos, Rafa, que tipo de sujeito é esse Abrantes, afinal? Não venha me dizer que não sabe o que ele anda aprontando. Não venha me dizer que não tem controle sobre o que o seu pessoal faz.

Ele não respondeu, como se o que ela via não tivesse mais importância. Seus ombros largos descaíram e uma expressão de enjôo e cansaço tão grande toldou-lhe o rosto, que a amedrontou. Isso a fez ver também o quanto ele havia emagrecido e o quanto havia se ensombrecido a expressão luminosa e febril em seus olhos, feito fogo num matagal, fora de controle, ardendo latente sob a superfície, esperando...

— Rafa — subitamente era Jacyra, a irmã, que falava ansiosamente, com uma ternura inesperada, instintiva, que ela não tinha como conter —, você está encrencado, não está? Não sei que tipo de encrenca. Mas sou sua irmã — se puder me contar, talvez eu pudesse ajudar. Já não ajudei antes?

Por um momento ele hesitou, fazendo-a realmente lembrar do menino impulsivo, que ela conhecera tão bem, e que havia se recolhido fundo demais, e cujo único recurso era apelar, com freqüência, a uma mentira, em sua defesa. Mas a hesitação só durou aquele instante, antes de dar lugar à fúria — desta vez, do lado dele, de uma criatura acuada, o irmão que ela também conhecera criança, olhando feroz, imitando-a sarcasticamente, enquanto lançava a culpa.

— Quem sabe eu podia ajudar, sou sua irmã. — Isso é certo. Praga, minha irmã — sempre atrapalhando, sempre no caminho. E que tal tentar sair um pouco do caminho, só para variar?

Posto isso, chegando seu rosto mais perto do dela e falando com o máximo de virtuosidade que conseguia reunir, ele concluiu:

— Se não pode fazer isso, então, o melhor que pode fazer, no que me diz respeito, é deixar-me em paz e ir cuidar de sua própria vida.

— Eu topo! — Consumida pela mesma raiva que a trouxera à cidade, a pena instintiva que ela sentira um momento atrás recuou — o que me surpreende é que foi sobre isso que eu vim falar com você. Portanto, se quer que eu cuide da minha vida, cuide você da sua, e trate de manter aquele tal de Antonio Abrantes longe da minha terra e do meu pessoal. Porque, se não fizer isso, pode ter certeza de que eu consigo contratar pistoleiros tão facilmente quanto você!

Não tendo mais nada a dizer, e antes que ele conseguisse pensar numa resposta, ela se levantou e saiu, batendo a porta, deixando-o, mais uma vez, sentado olhando para as paredes.

Assim que chegou à rua, ela deu graças a Deus por contar com a caminhonete para nela se enfiar. Dentro da cabina, com o cheiro familiar de diesel e suor azedo, ela ficou sentada de olhos fechados, a cabeça reclinada e apoiada no couro rígido do banco, deixando que uma sensação irreprimível de fracasso tomasse conta dela.

Ela não só não conseguira descobrir o que precisava saber. Mas, conforme sua raiva foi passando, não conseguia se livrar da sensação de que, não chegando a alcançar Rafa, ela estava fracassando com ele. Era uma velha sensação que se repetia, tal como acontecera incontáveis vezes, desde que ela conseguia se lembrar. Uma sensação, de forma igualmente impulsiva, a fazia querer saltar da caminhonete, voltar e dizer: "Olhe, Rafa, você sabe que eu não quis dizer..."

Mas ela não podia. Não porque suas últimas palavras tivessem saído como uma aberta declaração de guerra. Mas porque cada palavra que eles haviam trocado só a deixava ainda mais em dúvida.

Se ela fosse uma garotinha, teria corrido e, esgueirando-se pelo corredor, ido até o pé de carambola, para ficar escondida sob sua sombra, até tudo haver passado. Porém, como mais uma prova de que a magia do pé de carambola tinha se acabado, ela percebeu que, naquele exato momento já não havia mais tempo, sequer para pensar. Não havia mais nada a fazer senão engatar a marcha da caminhonete a fim de ir para a próxima provação da gincana surrealista desse dia: o chá-de-panela de Anália Xavier.

Capítulo 67

De acordo com o jornal local, *O Independente*, o chá de Anália foi um absoluto sucesso. Graças à infalível coordenação por parte de Sueli Sampaio, os presentes foram tais que a noiva e o noivo não só se deitariam em um jardim de rosas que cobria as paredes e tetos, e também as cobertas da cama, os lençóis e as fronhas. Quanto à sala de estar, o motivo masculino dominava, por meio dos brasões entrelaçados que eram levados a tudo, desde as cúpulas dos abajures até o serviço de cafezinho, que, por um momento agitado, Sueli que contara com esse presente como a *piéce de resistence* da tarde, temeu que pudesse, afinal de contas, não aparecer.

Jacyra não havia planejado conseguir uma grande entrada chegando atrasada. Foi só que levou um pouco de tempo para parar de tremer e preparar-se para a absoluta necessidade de ir com a cabeça bem alta, caminhar reto e parecer confiante aos olhos de quem quer que a sorte decidisse pôr-lhe no caminho.

Mas quando ela efetivamente chegou, elegante em seu conjunto bege pálido, com toques de ouro nos pulsos e no pescoço, Dona Veridiana, com seu instinto para visuais adequados, teria sentido orgulho do efeito. Pelo menos para os que ainda se lembravam da menina com ar de moleque e a blusa para fora do uniforme do colégio, a aparição de Jacyra foi surpreendente.

— Ora, Jacyra, você parece uma modelo! — Se a surpresa de Sueli foi um pouquinho autêntica demais, sugerindo que ela estava esperando uma vaqueira numa armadura de couro suada, da mesma forma deu ao ego de Jacyra o *tchan* de que ele precisava para ultrapassar o primeiro momento e se dar conta de que estava entre seres humanos – tal como vovó Veridiana previra – iguais a ela própria.

Alguns dos quais lembravam-se de Jacyra com afeição; outros, não. Todos avidamente curiosos, embora não exatamente do modo como Tomazio havia imaginado. Sobre uma mesa repleta de chás herbais importados, em vez de mate, quindins de coco, doces de pastelaria e bolos untuosos em camadas, a atmosfera, de repente, pareceu reminiscente dos arremessos e bicadas de beija-flores.

– Diga-nos o que estão usando no Rio. O bege é *a* cor?

– Rio? Não piso lá há seis meses. Não, é só que eu gosto de bege, feito o tronco de uma árvore, combina com tudo, estão me entendendo?

– Aahh, Jacyra, você é uma original!

– E corajosa, indo para o Rio tanto assim...

– Corajosa? Como a Dona Rima sempre diz, "qualquer um pode fazer isso".

– Dona Rima? Chiii, você sabe que não é disso que estamos falando. Deve ter sido tão romântico morar lá.

– Um dos lugares mais bonitos e românticos do mundo.

– Nesse caso, como é que poderia voltar? – Sueli, a diretora de atividades beija-florais, ficara impaciente. Sua pergunta, como uma lança destinada a acertar no cerne das coisas, representou um estranho alívio. Deu a Jacyra a oportunidade de dizer:

– Quer mesmo saber?

– Ooh... – o zumbido e os arremessos cessaram; os beija-flores pararam, suspensos em silêncio expectante.

– É claro, porque tio Juca morreu de repente e vovó Veridiana e Contendas foram deixados sem ninguém. Mas... – se quiserem saber, ela pensou impulsivamente, por que não ir em frente e dizer-lhes – não seria honesto dizer que vim só por causa disso...

– Ahh?

– Mais do que qualquer outra coisa, achei que o Rio não era o meu lugar, eu não estava fazendo nada que me interessasse. Enquanto aqui...

— Oh?... Ohh. – Não era a resposta que elas estavam esperando. O suspense e a animação pareceram ceder com um sopro de esvaziamento, como se os beija-flores pudessem realmente tombar num vácuo de insatisfação desorientada.

— Então você voltou a viver no mato? – Era Anália que, sentindo-se entediada e esquecida no meio da sua pilha de papel de embrulho recomendadamente escuro com grandes *pois* brancos, dispensou o assunto como inútil. – Cada um tem o seu gosto!

E, vendo a expressão mal humorada de Anália, foi Sueli que veio correndo para preencher o vácuo.

— De qualquer forma, Anália, o que nós todas queremos saber é de onde você tirou idéia para os padrões... tão cativantes!

— Só lendo – Anália deu um sorriso maroto de quem havia entendido tudo que havia para entender. – Compatibilidade na Decoração = Compatibilidade no Casamento. Foi na *Casa & Jardim*? Sobre o meio ambiente e como fazer os homens se sentirem em casa e à vontade na sua própria sala de estar. Você deve ter visto essa?

Ora, praticamente todo mundo tinha visto. O vácuo preenchido, os zumbidos e o bater de asas retomados em segurança. No meio delas, Jacyra movia-se sentindo-se agora, felizmente, como um zumbi e, tal como se sentira durante a maior parte de sua vida, familiarmente deslocada.

Naquela noite ela teve um sonho. Nele, Tomazio estava sentado, não em sua poltrona estampada na sala de estar "ambientalmente sociável", mas num bar da praça. Lá ele estava sentado um pouco afastado da mesa, porque de sua figura sólida brotava uma pança prenhe da falta de qualquer atividade, exceto a de tomar cerveja.

— Como é que você consegue andar ou cavalgar? – ela perguntou-lhe.

— Não preciso, tenho quem faça isso para mim.

— Mesmo quando vai à fazenda?

— Qual fazenda? –, disse ele, e ficou sentado, fitando-a obtusamente até ele se apagar do campo de visão.

Quando ela acordou, de manhã, ainda tinha o sonho vívido na mente. Ficou deitada ainda um tempinho pensando em Anália e nas mulheres com seu bate-papo de mulherzinhas. Em Tomazio e nos homens que não iam à fazenda e não ficavam em casa, mas ficavam sentados nos bares com seu bate-papo masculino. Nos homens e mulheres que raramente falavam uns com os outros sobre todas as coisas que tinham a dizer.

Daí, ela continuou, pensando nas pessoas dentro da casa a quem teria que encarar se esperasse para o café da manhã. Nenhuma das quais aprovava o que ela vinha fazendo. Todas as quais gostariam, acima de tudo, que ela desistisse, para que pudessem ficar livres de uma vez por todas. E então, deitada, olhando pela janela para um céu que a madrugada ia deixando amarelo pálido, perguntou-se:

— Livres, de quê?

Em resposta, subitamente alegre, despedira-se delas, na noite anterior, levantou-se depressa e foi se vestir.

Descendo silenciosamente as escadas e seguindo pelo corredor, ela levantou a barra de ferro que se atravessava sobre a porta e, sem um único olhar para trás, saiu para a rua vazia, onde Brás estava sentado na caminhonete, já esperando para ir embora.

Capítulo 68

A seca estava durando demais. Mesmo nas mentes dos veteranos que garantiam seus bons efeitos, as vantagens diminuíam a cada dia. Poucos conseguiam se lembrar de um tempo com o clima tão esquisito. Oh, sim, todos os anos a estação das chuvas vinha chegando cada vez mais tarde, deixando os rios rasos entre as margens mesmo até o final de outubro. Mas já estavam em meados de novembro, e os peixes que deveriam estar nadando corrente acima, para desovar nas cabeceiras d'água, ficavam indolentes no fundo dos rios, enquanto os que deveriam ter enchido a corrente à medida que a maré enchente se misturava com as águas das baías ficavam sujeitos à rapina das aves e dos bichos que descem com a vazante, como que se concedendo um banquete antes da escassez e da penúria.

Sob um sol causticante de verão, os brotos verdes que haviam aparecido após a queimada murchavam numa terra que um dia foi úmida, transformada em poeira enquanto, lá no alto, o mesmo drama se repetia dia após dia. No denso calor do meio-dia, apareciam nuvens no horizonte carregado de fumaça e poeira e isso continuava durante vários dias, até parecer certo que a abóbada do céu não podia conter mais um pingo de umidade. Mas aí, como que mandados pelo diabo, ventos violentos sopravam, dispersando as nuvens, deixando o sol a arder rubro, contra a bruma cinzenta que, em breve, obscureceria o brilho das estrelas.

— É uma batalha entre as estações como eu não vejo desde a grande cheia de 42 — dissera Dona Veridiana, em tom de reminiscência e de agouro. — A única coisa a fazer á aturar.

A observação serviu com uma provocação para Jacyra, que, após voltar de Sta. Inácia, estava menos do que nunca com humor para, simplesmente, aturar alguma coisa. Tal como a freira que sua mãe dissera-lhe preferir que ela fosse, resolvera deixar para trás as preocupações que a haviam posto constantemente em dúvida. Agora somos todos adultos. Esta é a vida que quero ter. Se não conseguem saber qual é a deles, quem consegue?

E como o bugre que, espiritualmente, fechou o corpo contra os males, ela resolveu fechar uma porta sobre seus sentimentos por Tomazio. Até agora, sabia que, embora houvesse dito a si mesma que não poderia existir nada entre eles, sempre teve a sensação de que havia. Mas justo quando ela estava segura disso, o que ele fizera? O convite tinha sido como que um castigo por seus maus pensamentos.

— Uma dúzia de xícaras de cafezinho e os pires, uma jarra e um açucareiro — tinha sido a penitência determinada pela Irmã Sueli. Jacyra riu consigo mesma, amargamente. — Assim seja.

Era uma litania que ela guardava no fundo da mente, para usar sempre que precisasse se lembrar de que, se você queria sobreviver num lugar como este, uma vez tomada a decisão, era melhor seguir em frente, o mais rápido possível.

Para prová-lo, ela juntou todas as vacas já velhas e todas as novilhas não prenhes que conseguiu encontrar e vendeu-as ao preço baixo que os pastos minguantes impunham. E, como que para se defender duplamente da tentação, vendeu-as ao mais forte concorrente de Tomazio, Antenor da Silva, um jovem ambicioso que abrira caminho trabalhando como vaqueiro para poder comprá-las.

Já magoada com a idéia de vendê-las a alguém, Dona Veridiana, a notória recolhedora de novilhas sem cria, ao menos dessa vez ficou do lado das novilhas.

— Não devia ter sido tão apressada, afinal de contas não é fácil se criar nesse clima. Assim que chover, tudo vai mudar. E você sabe tão bem quanto eu que, uma vez que a grama comece a crescer, os preços vão disparar!

— A essa altura, um monte de gado terá morrido de fome — contrapôs Jacyra. — Além disso, eu preciso do dinheiro. Se há alguma coisa sobre a qual Rafa tem razão é que, agora, em vez de 100.000 hectares, nós temos 50.000. Portanto, se queremos que funcionem, temos que fazer algo diferente.

E daí ela continuou, imediatamente, falando dos planos que esperava botar em prática, assim que a seca cedesse. De arar o campo aberto e plantar capim, que daria para sustentar o dobro do número de reses; e de criar reprodutores, para vender como touros, em vez de comprá-los pelo dobro do preço dos animais de abate.

Dona Veridiana ficou ouvindo, resolvendo que era inútil mencionar como esses planos eram tão parecidos com as conversas que ela ouvira durante almoços com Tomazio — seus rostos corados, os olhos brilhando de empolgação enquanto falavam.

Mesmo assim, embora ela visse o seu próprio fantasma nos dias da febre pairando sobre sua ceia para dois, a matriarca confidenciou a seu Caco:

— Não gosto do que está acontecendo com ela. Parece uma fanática. Existem outras coisas na vida. Não foi isso que eu planejei, de jeito nenhum.

Em resposta, seu Caco ergueu um sobrolho crítico:

— O que importa, agora, são os planos dela. A senhora pode imaginar como seria se ela não tivesse nenhum?

— Sim, sim, é claro.

Como seu Caco sempre dizia as coisas de forma tão simples e eloqüente – com poucas palavras, lembrando-a claramente de quem Jacyra era e por que havia voltado. E como, em última análise, na sua mente, a neta voltara a crescer, de uma mera garota para a mulher que retornara ao lar a fim de cuidar da terra delas.

– Nossa terra – disse Jacyra, sabendo, de um modo que só elas podiam entender, que essa terra sempre pertenceria a elas duas. E, no entanto, gradualmente, embora elas discutissem a respeito de cada passo que fosse dado, Dona Veridiana perdera o desejo de estar no comando. E, estranhamente, em seu lugar surgira uma necessidade de fazer confidências; falar de coisas que tinha guardadas dentro de si, por falta do momento certo, e da pessoa certa, para dizê-las.

A primeira vez que sentira esse impulso fora naquela noite, na casa ao lado dos currais, em que viu-se falando de fantasmas. A segunda vez fora quando, conforme a seca foi se abatendo sobre eles, tornando os dias longos e vazios, Jacyra cedeu, mais do que de costume, à tentação de ir caminhando do seu "reino" para o da matriarca, a fim de sentar-se na varanda e conversar. Foi num fim de tarde assim que a matriarca sentiu a compulsão de dizer:

– Lembra-se da antiga lei da família, "não importa o que os outros digam de um Tavares, contanto que não ousem dizê-lo a nós"?

– A lei tácita – Jacyra sorriu e acrescentou em provocação –, embora eu tenha que admitir que, para mim, ela nunca fez sentido.

– Se Deus quiser, não fará mais. Mas ela me foi passada por sua bisavó, Inácia – disse Dona Veridiana –, e se você prestar atenção talvez compreenda.

Com isso, enquanto observavam, sentadas, o crepúsculo carregado de poeira, a história que ela nunca, até então, abrira inteiramente a si mesma, gradualmente revelou-se para elas duas.

Começava com a casa em Corumbá, com suas cortinas de veludo, seus quadros lascivos, suas harpas e flautas. E continuava descrevendo, com uma intensidade de amor e ódio há muito contidos, os personagens e vidas de Dona Inácia, Zé Valente e coronel Cândido, direto até o trágico final deles no tempo da febre.

Conforme a matriarca foi tecendo a sua história ao seu habitual modo cativante, Jacyra viu a exuberante Inácia se metamorfosear na borboleta escura que nunca enganava ninguém, mesmo, mas nunca era abertamente desafiada. Vislumbrando a vida estranha da "viúva", ela viu o esguio felino Zé Valente transformar-se, de cafetão de madame, no Jaguar, encarregado de vastas extensões de terras, com ninguém para desafiá-lo, salvo o Coronel.

Era isso, e algo mais, que só ele e Inácia realmente sabiam, o que dava a Zé Valente o seu poder. E, no entanto, ele nunca estava satisfeito com tudo o que ela lhe dera e assim, no final, o Jaguar passou dos limites. Mas só descobri isso quando voltei para ouvir a história de Milagre e entendi a transformação de minha mãe.

— Desta vez, numa santa?

Como tantas vezes, recentemente, o olhar da matriarca pareceu voltar-se para dentro.

— Oh, eu sei, Inácia dificilmente se encaixaria nessa descrição. Mas se milagres existem, é que as pessoas realmente mudam. E, então, quem sabe? Milagre disse que era remorso. E tinha sido Milagre que vivera com ela, vira o que aconteceu durante a febre, quando Inácia descia sozinha até os bordéis.

— O que eu lembro melhor foi o súbito conhecimento de que todo mundo de quem eu dependia tinha morrido. E isso numa época em que propriedade, poder e status eram tão indissoluvelmente ligados que a perda de um podia desfazer o todo. Portanto, lá estava eu, com dois filhos, e nada, a não ser aquele pedaço de papel.

— Até o momento da visão? — Jacyra insistiu com a avó para que falasse do milagre em que ela própria havia deixado de acreditar — sabe Deus quanto tempo atrás.

— Sim — a matriarca continuou, em seu humor contemplativo —, essa é outra coisa sobre a qual eu ultimamente venho me perguntando, Jacyra. O que é uma visão: tudo que eu sei é que elas ocorrem às pessoas em momentos de profunda aflição. E se o que eu vi então não era uma resposta às minhas preces, o que seria? Porque depois daquele dia, sabe, ninguém podia abertamente duvidar de nós. Nem usar o que mais Zé Valente tivesse contra nós.

O que mais. Nem verdade, nem mentira, porém mais. Dona Veridiana ficou sentada, calada, deixando que a idéia fosse absorvida, levando Jacyra a sentir seu fôlego sendo posto para fora; a ouvir seu coração batendo também como se fosse em sua mente, a história inteira convergindo sobre uma figura, sombria e ameaçadora, mais mítica do que real, mas sempre presente. Onde? Ora, em algum lugar, por trás de tudo.

Embora Jacyra nunca o tivesse visto, quão claramente ela lhe aparecia, um sorriso vindicativo em seu rosto esguio, felino. Ela pretendia falar com firmeza, mas seu alento saiu num sussurro:

— Então a senhora quer dizer que Zé Valente...?

— Podia ser meu pai? — A calma com que Dona Veridiana reagiu deixou Jacyra segura de que o tempo todo era aí mesmo que ela pretendia chegar com sua história. Permitindo-lhe no próximo alento dizer com orgulho súbito e agressivo:

— E daí, diga-me agora. Saber faz de você uma pessoa diferente? Você de repente virou uma outra Jacyra?

— Eu? — retirada de seu transe pelo choque, a resposta de Jacyra foi igualmente orgulhosa e agressiva. — É claro que não! Como seria possível?

— Exatamente — disse Dona Veridiana, agora cortantemente. — Mesmo agora não sei dizer ao certo quem foi meu pai, porque ninguém — nem mesmo o Coronel, jamais me disse. E, no entanto, você deve saber como a possibilidade me atormentou durante anos — como se eu tivesse veneno nas veias. Até que um dia fiz a mim própria a mesma pergunta que você acaba de me fazer.

— Como seria possível? Como o conhecimento de minha origem poderia fazer de mim uma pessoa diferente?

Inclinando-se para a frente, ela contemplou as palmeiras de canindé contra o céu flamejante até que, como que encontrando finalmente sua resposta em meio a suas frondes imóveis, ela disse:

— Não é possível. Porque, muito mais que qualquer outra coisa, é o desconhecido em todas as almas que faz com que sejamos quem somos. Essa, minha querida, foi a resposta que me veio e que ficou, depois. A que eu queria que ficasse com você.

Só depois, refletindo sobre isso sem parar, é que a surpreendente verdade que lhe foi contada por sua avó ardilosa tornar-se-ia sempre mais simples, servindo de esteio a Jacyra em tudo que ela fez. No momento, as palavras simplesmente ficaram presas em sua mente, como a própria força, enquanto a matriarca concluía, dizendo:

— Embora agora você deve ver também por que eu quis lhe contar a minha versão da história, enquanto ainda estou aqui para contar.

E uma vez que a história foi contada, como que aliviada de um peso enorme, Dona Veridiana parecia não ter nenhuma vontade de voltar a ela. Em vez disso, entregou-se a reminiscências, como raramente havia feito antes, em voz alta. Falou de uma vida carregada de dureza e perigo, que fez com que as experiências da própria Jacyra, em comparação, parecessem insignificantes. E essas ela compensou com lembranças de momentos ternos e risonhos com seus filhos, que facilmente trouxeram lágrimas aos olhos dessas duas mulheres que geralmente não ousavam chorar.

Mas, principalmente, como que devido a uma necessidade há muito reprimida, ela falou de sua vida com o Coronel.

— Nós compartilhávamos de tudo — disse ela —, até fica difícil dizer onde as idéias de um terminavam e começavam as do outro. As decisões eram sempre dele, é claro. Mas que importância tinha isso, quando lá no fundo eu sabia o quanto ele contava comigo? Eu ficava feliz de tê-lo tomando as decisões eternamente. Ahh, Jacyra, eu me pergunto se você consegue fazer alguma idéia da solidão. Durante toda a minha vida, a única coisa com a qual eu nunca realmente me acostumei foi viver sem ele.

E assim ela conversou com Jacyra, como com outra mulher e amiga. Para ela, foi um alívio que lhe permitiu ponderar suas piores lembranças e botá-las de lado. Para Jacyra, foi a descoberta — no interior daquela mulher velha, enigmática e ardilosa que ela sempre conhecera — de uma outra, capaz de paixão e de um amor que, às vezes, parecia dolorosamente invejável.

Só depois, quando a dor tornou-se quase insuportável, ocorreria a Jacyra que, na descrição daquele amor, havia, caracteristicamente, um propósito. Por enquanto, era tudo uma fascinante distração, que preenchia as horas vazias entre o crepúsculo e a aurora, quando era novamente hora de cavalgar sobre a terra sofrida e ressecada.

Capítulo 69

Lá fora, a visão de tudo que ela teria que fazer, assim que chovesse, deu lugar a um panorama de campinas relvadas que se transformavam em poeira que o sopro do vento levantava tão densa que eles não conseguiam ver os cavalos à sua frente. Na bruma sufocante, os urubus negros voando em círculos e o cheiro enjoadamente doce da morte preveniam-nos que mais uma vitela havia morrido de fome, por falta de leite. Enquanto eles atravessavam os brejos a cavalo, a visão patética do cadáver de um crocodilo aprisionado e seco na terra rachada era um sinal de como a beira d'água ainda estava longe. A essa altura, as únicas criaturas que ainda pareciam se beneficiar eram os mosquitos, cujas larvas brancas, cobrindo os brejos estagnados, geravam nuvens tão espessas que era preciso que se tapassem os ouvidos e o nariz com algodão para protegê-los.

E no entanto, mais do que nunca, os vaqueiros sentiam-se obrigados a vigiar o gado – ver se as reses estavam perto d'água. Impedi-las de se perder em sua fuga dos incêndios que, numa seca como essa, aconteciam sem nenhuma necessidade humana de serem ateados.

Só era preciso que o calor inflamasse a massa apodrecida por baixo das árvores, o que se transformava em estalidos e, logo em seguida, em um ronco feroz, conforme o calor criava seu próprio vento e as chamas saltavam, correndo as trepadeiras, de galho em galho. Chamas que lambiam a vegetação rasteira e fluíam através da grama, lançando virtuais foguetes quando um feixe de bambu aqui e uma palmeira rica em óleo ali, literalmente explodiam. Um fogo que se desenrolava numa floresta de árvores nuas e ressecadas e de uma macega que ardia latente em meio a um campo de mato crescido e empretecido.

– É o jeito de a natureza afinar as coisas quando elas ficam densas demais – diria tio Juca com um dar de ombros.

E no entanto, impotentes como estavam, o elo natural entre vaqueiros e suas reses levava os homens a sentir instintivamente que sua proximidade impedia o gado de morrer. Ao mesmo tempo em que os impedia de enlouquecer de tédio em um mundo no qual, sem chuva, nada mudava e não havia nada para se fazer.

Conforme a terra, a cada dia, ficava mais seca e cavar se tornava mais difícil, a construção da cerca foi ficando mais lenta até que, certa tarde, mestre Sanchez apareceu, para sacudir a cabeça e dizer:

– Não adianta, dona. Os buracos simplesmente desabam para dentro. É melhor esperar até chover.

– O senhor é quem sabe – ela assentiu com a cabeça, inexpressiva, enquanto eles olhavam juntos para um horizonte cinzento onde as nuvens eram feitas de fumaça.

No entanto, ela continuava a examinar a cerca, apesar do fato de que, desde o incidente com o paraguaio, não tinha havido nenhum problema visível. Por ordens de Rafa? De fato, daquela sua discussão com Rafa no escritório dele, o que ficara mais firme na memória de Jacyra fora a expressão do rosto dele quando ela lhe perguntou se ele não tinha nenhum controle sobre o seu pessoal. Uma expressão de infelicidade que veio e se foi tão depressa que ela podia ter pensado ser coisa de sua imaginação, não fosse pela sensação que lhe vinha sempre que Abrantes aparecia.

Ela não o encontrava com freqüência, mas quando isso acontecia, ao longo da trilha que servia às duas fazendas, a impressão era sempre a mesma. Era como se, apesar da falta de expressão nos olhos daquele homem, passasse entre eles uma estranha corrente de ódio que não tinha nada a ver com ordens. Dava-lhe a sensação enjoativa de que, à parte qualquer plano de Rafa, Abrantes viera fazer um mal que era coisa só dele. Como se mal e disputa fossem uma parte da longa história de Contendas, que se recusava a se deixar ser enterrada.

Por isso, sempre que cavalgavam ao longo da faixa aberta pelos construtores da cerca, ela experimentava uma inegável sensação de alívio ao ver os mourões no lugar, o arame inteiro. Queira Deus que ela jamais tenha que cumprir a ameaça feita a Rafa e se veja reduzida a ter que alugar pistoleiros para proteger sua terra. Seria como regredir aos dias de Zé Valente e tudo que seu mundo devia deixar para trás.

– Os tempos mudam, mas as pessoas não. – Era isso que vovó Veridiana tinha querido dizer?

– Amém – ela murmurava entre dentes, olhando para a cerca intacta. E, no entanto, ela sabia que a presença de Abrantes não era senão parte de um mistério que ainda tinha que ser resolvido; que fazia com que ela própria se sentisse mal e fria sempre que pensava nisso.

Era nisso que ela estava pensando justo no momento em que, virando para voltar ao longo do arame em direção à Sede, ela viu o homem de novo. Na bruma, ele parecia ter-se cristalizado do nada, como se tivesse estado sentado no seu cavalo, em silêncio, observando-a, há um bom tempo.

– Boa tarde – quando ela manifestou estar diante de sua presença, ele não respondeu em voz alta, mas simplesmente assentiu com a cabeça. Um sorriso estranho atravessando-lhe o rosto. E, então, permaneceu imóvel, de forma que, quando ela seguiu em frente, podia sentir o olhar dele em suas costas, observando-a bater em retirada, como se ele estivesse aguardando um momento oportuno, como uma ave de rapina.

Capítulo 70

E, então, choveu. Um dia de quietude sufocante, claustrofóbica, na bacia do Pantanal deu lugar, no crepúsculo, a um desencadear furioso que atirou telhas e membros mortos pelo campo. Conforme o vento foi minguando, como um grande suspiro de alívio, a batida constante da chuva no telhado fazia um pano de fundo de agouro e trazia à superfície um otimismo só compreensível àqueles que vivem da terra. Não era muita chuva, sessenta milímetros em três dias, mas foi suficiente para deixar o campo verde e a terra macia o necessário para mais uma vez receber uma cavadeira de buracos para mourões e a maquinaria para preparar o pasto dos sonhos de Jacyra.

– O que a leva a pensar que essa grama imaginária sobreviverá na terra pobre do nosso campo? – Dona Veridiana retomou onde havia parado antes da seca deixá-la apática sobre o assunto.

– Outras pessoas o estão fazendo com excelentes resultados.

– Que outras pessoas, posso perguntar?

– Não me venha dizer que a senhora não sabe tão bem quanto eu.

– Hmm... com que então você está, pelo menos às vezes, disposta a receber conselhos. Bem, esperemos que nosso velho e avariado equipamento não tenha apodrecido desde a última vez que o usamos.

Não tinha, pois ninguém poderia ter se entusiasmado mais pelo projeto do que seu Caco. E tendo feito todos os consertos que precisavam ser feitos nas casas e currais, ele passava horas, todos os dias, limpando e botando óleo no arado, no disco e na semeadeira, testando o guincho e o guindaste hidráulicos no trator antigo geralmente usado para tirar veículos da lama. Tudo, só para prevenir.

– Menos de um dia, até chover – ouviram-no dizer com uma monotonia cada vez mais irritante, durante os últimos cinco meses. E agora que havia chovido, ele, com sublime confiança, partiu para o estirão de terra em questão, a fim de começar a arar.

O trabalho de arar era para ser feito por Nestor Hemmler, um lavrador jovem, louro e ossudo, de ascendência alemã, vindo do sul, que resolvera tentar a sorte naquela imensidão agreste. Mas como Juca teria previsto, o Pantanal arruinara a sua soja e o deixou na maior dificuldade.

– Ora, se ele mal consegue se segurar na sela! – dissera Dona Veridiana, desaprovadoramente, da primeira vez que o viu montar.

— Se ele pode receber ordens de uma mulher, então pode aprender a montar — retorquiu Jacyra. Ele nunca realmente aprendera, mas agora, em seu elemento diante de um arado, ele parecia uma dádiva dos céus. E mesmo assim...

— Vamos ver como o campo recebe isso — disse Dona Veridiana, como se fosse uma questão de honra. E pedindo a Fátima que empacotasse seus sanduíches e uma garrafa térmica de tereré, ela foi de caminhonete com Jacyra ver o solo ser trabalhado.

Como Juca teria previsto também, o solo parecia decidido a expelir o arado como um corpo estranho em sua corrente sangüínea. Suas defesas consistiam de raízes de touceiras fortes como ferro, lodaçais transformados em cimento pela seca, bolsões de areia movediça grandes o bastante para engolir um trator e seu arado.

— Cinqüenta hectares em cinqüenta mil, duvido que isso vá mudar o mundo — Dona Veridiana murmurou num dúbio aparte a seu Caco.

Mas de repente, em tais circunstâncias, ela iria descobrir que o real significado de meros cinqüenta hectares poderia ser melhor calculado pelo número de vezes que Nestor teve que pedir cavalos para puxar o trator de um pântano ou voltou mancando, com mais uma peça quebrada. E então seu Caco passava o dia atrás de seu precioso aparelho de soldar. Ou quando isso não resolvia, levava três dias numa peregrinação à única mecânica de Sta. Inácia, para procurar, numa montanha de peças usadas, por aquela que seria a salvação.

— Vamos chamar Tomazio pelo rádio — Dona Veridiana aproveita a ocasião — talvez ele pudesse trazer...

— Não, a gente se vira — respondia Jacyra, seu queixo lembrando o da matriarca, em sua projeção monumental.

O que ela não disse foi com que freqüência, quando isso acontecia, ela sentia vontade de jogar a toalha. Mas não ousava. Em vez disso, ela tirava coragem do estoicismo de seu Caco, que, inabalável, dizia simplesmente:

— Olhem aqui, trabalhar com máquinas é assim. Ou você se acostuma, ou desiste.

E assim eles foram agüentando, de um modo como a matriarca nunca tivera que agüentar, enquanto ela observava – com uma mistura de descrédito, pessimismo e fé – mais quebras, peregrinações à cidade, dias de conserto e um fluir de óleo diesel que, em suas próprias palavras, superava o Paraguai no tempo da enchente.

– Quem poderia imaginar que um pedacinho de terra daqueles poderia custar tanto tempo e dinheiro? Quem tenta ganhar a vida fazendo lavoura deve ser louco! – ela resmungava todo dia até que, após um mês disso, Jacyra pegou a cachaça para anunciar, cheia de júbilo, que as sementes já estavam no solo.

– Se elas vão nascer, ou não, já é outra história. Não adianta ficar decepcionada, se não nascer – preveniu Dona Veridiana, enquanto pousavam os copos. – Esse calor basta para cozinhá-las vivas.

E, no entanto, apesar de todo seu ceticismo, quase sem se dar conta, a matriarca viu-se pega pelo sonho de Jacyra. De uma grama que podia ser pastada sem a queimada que destruíra tantas vidas ao mesmo tempo em que, a cada estação, deixava o solo mais ácido e mais pobre. Que crescia, densa e verde, até na estação da seca, de forma que, quando o gado descia até o brejo, era com as costelas bem forradas, e não espetadas contra o couro. Cinqüenta hectares este ano e, se as coisas funcionassem, quinhentos no próximo...?

– Podemos tornar nosso campo tão produtivo quanto o brejo, Vó. A senhora acredita?

– Quando eu vir – disse ela, teimosa. Mas, secretamente, ela rezava como não fazia desde o tempo da febre, quando dissera a Ele: "O que fazer, o que fazer?".

Pois parecia-lhe que, se isso funcionasse, se a grama brotasse e crescesse, isso seria como um ponto decisivo a partir do qual tudo poderia seguir em frente. Talvez não como ela havia imaginado nos dias em que ficava sentada, acima do nível das árvores, olhando-os todos cavalgar pela manhã. Mas, pelo menos, nas mãos de alguém cujo maior desejo era, tal como ela mesma, fazer de Contendas sua própria vida. Alguém em quem, além do Coronel, ela estava finalmente começando a confiar.

Era por isso que, se as sementes realmente brotassem, ela resolvera ver nisso um sinal.

Capítulo 71

Quanto a Jacyra, uma vez que a terra estava semeada, ela se comprometera a não chegar perto dos cinqüenta hectares durante um mês.

— Não adianta ir para lá ficar olhando as ervas daninhas e se preocupando – disse ela umas poucas noites após a comemoração. – Além disso, há outra coisa que quero fazer antes que a verdadeira chuva venha. – E então, ela revelou seu outro sonho que, na mente de Dona Veridiana, só precisava ser mencionado para plantar as sementes de um pesadelo.

Em sua própria mente, a idéia viera à tona pela primeira vez naquele salão de assembléia lotado quando, se não comparável à visão miraculosa que havia "santificado" Inácia, da mesma forma um súbito ímpeto de inspiração lhe salvara o dia. Depois, quando houve tempo para refletir em tudo, ela se atormentara com a lembrança daqueles rostos levantados, curiosos e dúbios. E, como se Deus ou o Diabo estivessem cobrando seu pagamento, cada vez que ela pensava nisso, crescia a certeza em sua mente de que a Mata do Jaguar não podia continuar a ser ignorada. Mas o que fazer?

Alguns chamariam isso de milagre, outros de maldição. Caco diria, mais tarde:

— Como uma coisa sempre leva a outra, o modo como veio a resposta foi simplesmente natural.

Qualquer que fosse o caso, aconteceu que um dia, enquanto se esforçava para pôr alguma ordem no "escritório" e totalmente entediada com o esforço, Jacyra deu com uma caixa cheia de rolos de papel cuidadosamente amarrados com fitas. Desenrolando o primeiro, achou um mapa amarelado e apagado que descrevia pura e simplesmente um vazio, até que ela abriu os outros rolos para descobrir que cada um continha um título numa caligrafia nítida e elegante, "Notas sobre A Mata do Jaguar".

Esquecendo-se de tudo, ela abriu os papéis sobre a mesa de Juca e começou a ler. E, conforme foi lendo, pareceu-lhe haver encontrado, além do patriarca tirânico e romântico das histórias de sua avó, um outro Coronel Cândido Tavares.

Este descrevia, em surpreendente nível de detalhes, os brejos e pântanos, lagos, cursos d'água e margens cobertas de florestas que havia encontrado em excursões de caça mata adentro. Havia mapas e desenhos menores de área a que se podia chegar na estação seca, e umas poucas que estavam marcadas como "ilhas seguras" durante as cheias.

Dos grandes detalhes, ele passava aos pequenos, descrevendo não somente as árvores que se erguiam sobre os outeiros férteis, mas as trepadeiras que as cercavam, os fungos que se agarravam a sua madeira e as plantas indefinidas que cresciam em meio a suas raízes. Havia páginas sobre pássaros e insetos com rudes desenhos e descrições do que ele os vira fazer. E, em tudo, nomes e explicações fornecidos por aqueles que o acompanhavam no que pareciam ser excursões cada vez mais profundas mata adentro; "Anacleto, o mateiro; Generoso, o zagaieiro; ela leu e, para sua alegria, "o filho de Generoso, Odair".

Não havia nada nessa arca do tesouro que não houvesse conquistado sua curiosidade, mas foi o conjunto de notas intitulado "Apologia da Cabana de Caça, Mata do Jaguar" que lhe deu uma estranha sensação de ter topado com algo que era dirigido a ela própria.

"'Não serve para nada', muita gente fala assim da Mata", começava assim o texto, "e portanto a ignoram, encarando o que nela existe como supérfluo. E no entanto quando a enchente escorre aqueles mesmos que afirmam que essa vastidão não tem nenhum valor, vão para lá com seus cães, em busca de cervos, javalis dos grandes, felinos da floresta, de aves e das criaturas das águas, como se toda essa 'superfluidade' tivesse sido criada simplesmente para atender a suas vontades.

"Nem parece ocorrer a ninguém que essa 'terra inútil', como eles a chamam querendo diminuí-la, tenha algum outro propósito que não seja fornecer-lhes carne, peles e penas. E no entanto será que eles podem não saber, ou simplesmente ignoram o fato de que, entre os grandes rios e os campos, a Mata é como um imenso filtro que mantém tudo no lugar? Ninguém vê o que é tão óbvio, que quando recolhemos água fresca de uma baía, é à Mata que temos que agradecer? Ou, em tudo isso, será que ninguém simplesmente pára para levar em conta a intricada beleza que existe a toda a volta?

"De uma vida inteira de experiência no campo, cheguei à triste conclusão de que poucos ao menos param para considerar alguma dessas coisas. Até mesmo os índios, cuja própria religião se fundava na natureza, parecem ter perdido seu senso de respeito quando seus campos de caça, que eram o mundo inteiro – tornaram-se limitados. Até eles foram intimidados e engabelados a acreditar que a destruição da natureza, em nome do 'progresso' é inevitável e, portanto, é melhor 'tirar vantagem', enquanto ainda resta alguma coisa.

"Por causa disso, vivo no temor de que, pouco a pouco, esses predadores desatentos caçarão pelas matas até realmente não restar nada no mundo, senão animais empalhados. Ou irão drenar e inundar esta vastidão inestimável, sem se dar conta de que, muito provavelmente, sem a mata, os campos não podem sobreviver.

"Mas se eu me limitar a ficar sentado, lamentando o meu temor, e deixando minha preciosa mata entregue à própria sorte, serei mais culpado do que qualquer um deles. Daí, as cabanas de caça que pretendo construir onde quer que for possível na Mata. Uma vez construídas, estarão constantemente ocupadas e disponíveis para gente como eu, que quer caçar de um modo decente, esportivo, ou simplesmente observar e estudar tudo que estiver à mão.

"Enquanto não houver leis sensatas, nem os homens certos para impô-las, este parece ser o único modo de cuidar de uma vastidão que, como o campo e o brejo, é igualmente parte do mundo que está em minha posse.

Cândido Tavares, 15 de abril de 1920"

Quando terminou de ler, Jacyra ficou sentada por um momento, sem conseguir se mexer, como numa imaginação exatamente tão fértil quanto a da matriarca, ela sentiu, literalmente, a presença do Coronel. Não distante, no quarto do andar de cima, desta vez, mas em algum lugar bem mais próximo – como se, de fato, pudesse encontrá-lo – caso ela se virasse – às suas costas, lendo com ela por sobre o seu ombro, e pronto para dizer:

– É claro, Jacy. Se você não puder realizar seus sonhos em seus próprios domínios, onde poderá?

A princípio, conforme a idéia inteira foi ganhando vida, sua empolgação foi tanta que ela teve vontade de sair correndo e mostrar sua descoberta a todo mundo – gritando:

– Olhem, olhem o que eu encontrei!

Mas então ela pensou no rosto de sua avó, como ele sempre ficava – frio e inexpressivo – à menção da Mata, e fazia-a voltar a afundar em sua poltrona.

E então foi assim que, durante os longos dias da seca, com uma habilidade também igual à da matriarca, ela começara seu plano. Ou, antes, a recriar o plano que ficara em sua mente desde os dias do Rio e o de Anhumas.

Impraticável? Irrealista? Se ela nunca houvesse lido a apologia do Coronel, talvez essas palavras tivessem ficado com ela. Mas, como seu Caco costumava dizer:

– Quando há algo que se quer fazer, sempre se pode encontrar alguém para lhe dar força.

– Ele pensava como eu – disse consigo mesma, como se o Coronel estivesse a seu lado. – E se ele pôde pensar em tentar isso naquele tempo, por que eu não poderia agora? – mesmo quando o Sr. Renshaw tomou seu lugar ao lado do Coronel em sua mente, e cabanas de caça se transformaram em estações de pesquisa sob os olhos zelosos de alguém como Jairo Jatobá e uma equipe de guardas florestais bem treinados.

Mas ela só precisava imaginar uma cena assim para ver a Mata tal como ela era ou – nunca tendo estado lá pessoalmente – como deveria ser. Uma imensidão deserta onde, nas águas sempre cambiantes da planície inundada, os fiapos de fumaça dos acampamentos dos caçadores clandestinos eram, sem dúvida, melhores indicadores do que os apagados traços de caneta que marcavam as terras altas no velho mapa que estava diante dela.

Encarar dessa forma era só o de que ela precisava para ver o imenso abismo que havia entre seus planos e os do Coronel. E para se dar conta também, com uma súbita humildade, que era a única pessoa sem cuja ajuda ela não podia fazer nada.

– A Mata? – os traços lisos de Bento se franziram fortemente, como se ele esperasse não ter ouvido direito.

– Sim, eu sei, ninguém chegou perto de lá nos últimos cinqüenta anos. Mas é por isso que queria lhe mostrar isso aqui – ela acrescentou, de forma persuasiva – para que você veja que não é só idéia minha.

E um Bento quase analfabeto ficou piscando diante dos desenhos do Coronel, do mapa virtualmente sem significado, e voltou a franzir o cenho, quando ela descreveu seu plano. Parecia coisa para um outro mundo. Não para o mundo que ele conhecia. E ainda assim... Conforme Bento foi se esforçando mais, ela continuou, apressada.

– Mas para fazer qualquer coisa precisaremos de um estudo oficial, entende? E para isso teremos que provar que é possível ir de um lugar ao outro. Portanto, olhe aqui – ela apontou para um símbolo borrado pelo tempo. – Isto deve ser a cabana de caça de que seu Odair sempre falava, em uma subida na curva do Pataguás. E, por este mapa, parece que ela fica numa linha quase direta, da Baía das Antas rumo a oeste. Eu suponho que se possa chegar à cabana de barco, mas o único modo de saber o que fica no meio seria reformar a velha trilha entre os dois pontos, não seria?

– Agora?

– Eu sei, com todo o trabalho que temos para fazer. Mas calculo que isso não nos tomaria mais de uma semana e, se não começarmos antes das chuvas, vamos ter que esperar mais um ano.

— Não seria possível usar só os nossos próprios homens, eles não servem para esse tipo de coisa. Precisaríamos de mateiros, homens que trabalham de pé, com machetes – continuou Bento, o cavaleiro, com um ar de pouco caso pela coisa toda. Mas, conhecendo-o, isso só a fez continuar a pressionar seu argumento.

— Sei, eu própria não gosto da idéia tanto assim. Mas você nunca teve a impressão de que não ia conseguir se sentir bem com relação a alguma coisa enquanto ela não fosse feita?

O consciencioso Bento sorriu pesarosamente.

— Portanto, comigo é assim – Jacyra aproveitou a vantagem. – Do modo como eu vejo, na medida em que a Mata é uma terra de ninguém, não é parte de Contendas, entende o que eu quero dizer? Mesmo assim, se você preferir que eu arranje outra pessoa para cuidar do serviço...

Falando assim, quem poderia recusar? No entanto, ela fez o máximo para ignorar um definido agouro em seu tom de voz, quando ele disse:

— Você é quem sabe. Mesmo assim, se temos que começar, então quanto mais cedo melhor.

Bento convencido, chegara a hora de contar à matriarca. Ela sabia muito bem por que o havia adiado, e ainda assim não podia saber plenamente como era perigoso o terreno em que estava pisando quando, com reverência, colocou as notas sobre a mesa entre elas.

Se soubesse, teria visto alguém, que a matriarca há muito preferia esquecer. Não a fiel companheira que sempre descrevera para si mesma e para todos os demais. Mas uma criatura mal-humorada, cheia de emoções reprimidas, que cuidava de seus assuntos falando com afetação e com rodeios – dizendo apenas coisas como:

— Vá. Que diferença faz o que eu acho?

Uma Veridiana que, nunca tendo penetrado a misteriosa cortina verdejante da Mata, sempre a encarara como apenas um vazio grande e ameaçador dentro do qual, de vez em quando, incapaz de resistir a seu fascínio, Cândido Tavares desaparecia. Um lugar onde, durante dias seguidos, ele permanecia – caçando e sendo caçado;

matando para não ser morto. Enquanto ela, sem nenhum conhecimento de como encontrá-lo, ficara esperando, tentando dominar seu terror. Exceto por aquela única vez em que pedira para ir com ele, e ele dissera "não".

— É claro que eu as li — Jacyra ficou olhando-a agarrar as notas como se o próprio toque delas transmitisse dor. — Mas se elas ficaram enterradas esses anos todos, você deve saber por quê.

— Eu não as trouxe para magoá-la. A senhora deve saber disso. Mas porque elas são maravilhosas, essas anotações. As idéias, elas podem ser executadas. Os tempos mudam. Você mesma disse que somos nós que os fazemos mudar, para nossa própria sobrevivência. — E avançando mais, Jacyra contou a ela tudo que havia contado a Bento sobre seus planos. Terminando com: — Se o que ele escreveu era verdade na época, ainda mais hoje em dia. E se a Mata é nossa, somos nós que devemos fazer alguma coisa com ela. Está vendo?

— Sim, entendo — disse a matriarca baixinho — à distância, fumaça num vasto vazio de quem nem você, nem eu, sabemos nada dizendo-nos que lá está alguém que não deveria estar. Dizendo-me que a Mata do Jaguar continua a mesma que era naquele tempo. Dizendo-me também, Jacyra, que muitas coisas não são aceitas hoje em dia como costumavam ser. E ainda assim acontecem. Alguma vez já pensou por quê? Bem, eu já — disse ela, amargamente. — É porque, embora os tempos mudem, a natureza humana não muda. Ambição, rancor, o desejo de vingança. Tudo isso continua presente, esperando pela pessoa certa pelo momento certo. — Empurrando os papéis para o lado, voltou-se para encarar Jacyra.

— É por isso que eu digo, esqueça essa idéia insana, Jacyra. Ao menos uma vez, faça o que eu peço! — disse ela com uma veemência que, de certa forma, era mais eficaz do que teria sido seu habitual tom pacífico de aviso sereno. Embora não eficaz o bastante, porque:

— Desculpe, Vó — veio a resposta —, eu já havia combinado com o Bento. Não posso recuar. E mesmo que eu pudesse, para a senhora pode ser uma idéia insana, mas para mim faz tanto sentido quanto fazia para o Coronel.

— Então, só me resta dar-lhe a minha bênção, como de costume, suponho. — Experimentando de repente a velha sensação de ciúme e exclusão – como se Ele estivesse ali e os dois tivessem tomado partido contra ela –, a matriarca ouviu-se acrescentar um absurdo martirizado: — Ainda que isso pudesse vir a ser a minha morte.

— Não será – disse Jacyra, já sem qualquer sentimento de pena. — E a senhora sabe disso tão bem quanto eu.

Capítulo 72

Era verdade. Apesar de toda a sua aparente aflição no momento, a ameaça não funcionou, porque a matriarca sabia tão bem quanto Jacyra que ela não era do tipo de sucumbir.

Tal como havia prometido, pressentindo que recuar essa bênção poderia equivaler a uma maldição, Dona Veridiana segurou as mãos da neta entre as suas e lhe deu sua bênção. E então, no momento em que viu a comitiva se dissolver entre as árvores retorcidas do cerrado, ela, como sempre fizera para preservar sua sanidade, mergulhou a casa num redemoinho de atividade.

— Está na hora de fazer um pouco de limpeza – disse ela, e pôs todas as meninas de Fátima para trabalhar com baldes e vassouras, assustando morcegos e gambás no forro do telhado, desmanchando o intricado trabalho das aranhas, enquanto varriam e esfregavam a Casa Grande, do teto até o chão.

Isso tudo feito, ela resolveu pegar no pé de seu Aníbal, o praieiro, que cuidava dos serviços mais masculinos da casa, da ordenha do leite até a horta e supervisionou a plantação, para a estação, da horta atrás da casa. Sob sua supervisão, Aníbal ficou com as costas doendo, seus dedos rijos e inchados de tanto dividir e plantar as mudas; a semeadura de rúcula, berinjela, pimentões, tomates e diversos tipos de couve, na vasta área coberta com uma rede para manter afastados os pássaros e os bichos.

E então, ao final do segundo dia de plantio, como que para desafiar ainda mais sua sanidade, conforme ela caminhava, da horta até a Sede, o homem dourado apareceu à luz do crepúsculo.

Como os filhos de Zé Valente, ele não desmontou, mas permaneceu sobre a sela, olhando para baixo com arrogância, enquanto dizia:

— Vim para ver a dona Jacyra.

Tal como a Veridiana de antigamente, ela se aprumou:

— No momento, ela não está. E o senhor é?

— Sou Abrantes, homem do doutor Rafael.

— Entendo. E o que quer com ela?

— Preciso falar com ela – disse ele, naquela voz macia insinuante que fazia com que cada palavra, por poucas que fossem, parecesse ter um outro sentido. – A senhora com certeza sabe me dizer onde ela está – ele a encarou daquele jeito insolente e íntimo, como se ambos soubessem de algo que os outros não sabiam.

— Não – disse ela, devolvendo o olhar. – Não porque eu não saiba, mas porque se o doutor Rafael quer alguma coisa conosco, deveria vir pessoalmente. Teríamos prazer em recebê-lo. – Ela não sabia de onde tinha tirado essas palavras, mas antes de ela ter acabado ele já tinha virado o cavalo e ido embora.

Quando Caco chegou, vindo do barracão das máquinas encontrou-a sentada na varanda, fitando a escuridão, com tal intensidade que ele se virou para ver por si próprio e, não enxergando nada, disse:

— O que foi, Dona Veridiana, um cachorro do mato? Quer que eu atire nele?

— Aquele homem, Abrantes – sua voz saiu num sussurro –, o senhor o conhece?

— E a senhora, não? – Caco ficou pensando, curioso.

— Ele nunca tinha estado aqui na casa, talvez porque temia que eu o reconhecesse. – Sempre olhando, ela parecia mais estar falando consigo mesma do que com Caco. – Não foi só a luz amarela – disse ela –, aquela aura, eu a reconheceria em qualquer lugar. Seu Caco, aquilo fez com que eu me sentisse como não sinto há anos, o perigo que sempre senti, que só podia sentir, quando Zé Valente estava por perto.

— Mas Zé Valente, Dona Veridiana – o olhar de Caco ainda vagava, admirado –, isso tudo foi há tanto tempo. O que ele tem a ver?

— Não sei, só sei que Jacyra está na Mata. E de repente sinto-me como se estivesse vivendo no passado. Ao menos uma vez, seu Caco – ela virou-se do nada que estava fitando para olhá-lo suplicantemente –, não tente argumentar comigo. Basta pegar Tomazio no rádio.

Ao menos dessa vez, embora ele não sabia dizer exatamente por que, não tentou argumentar. Talvez porque – apesar de todas as invenções e esquemas com que ela o havia confrontado em todos os anos de seus derradeiros apelos – agora as palavras dela pareciam trazer à superfície suspeitas que ela não sentia há muito tempo. Isso o fez ter vontade de haver expressado suas dúvidas da primeira vez em que voltou de consertos no rancho de Baía das Antas. Mas uma vez que não o havia feito, agora com certeza parecia não haver de fato nada a fazer, a não ser apelar para Tomazio Cabrera.

Alcançá-lo pelo rádio pareceu levar uma eternidade. Mas quando ele conseguiu, foi para sentir quase como se Tomazio esperasse a sua chamada.

— Há quanto tempo eles partiram?

— Dois dias.

— Então, com sorte, ainda estarão acampados na Baía das Antas. Irei assim que houver luz suficiente para voar. Você pode deixar o Toyota pronto? Se eu pudesse pousar lá, bem que eu pousava, mas as árvores do tio Juca... Olhe aqui, seu Caco. Diga a Dona Veridiana que não há necessidade de se preocupar. Eu ia, de qualquer forma, para discutir uma coisa com Jacyra. – Sua tentativa de riso tranqüilizador não foi de todo convincente. – Eu só não quero ter que caçá-la no mato, para isso.

Capítulo 73

De todos que passaram aquela noite sem dormir, Tomazio não foi o menos insone, seu espírito vacilando entre a raiva, o medo e a auto-acusação – seus pensamentos sempre terminando com a mesma pergunta inútil, por que eu esperei tanto tempo?

Um dos motivos, é claro, era o quebra-cabeças que ele e seu pai vinham tentando montar desde a morte de seu tio Juca. Um mundo onde as leis eram feitas não para serem obedecidas, mas para serem usadas como instrumentos; onde companhias e contas bancárias fantasmas podiam ser feitas e desmanchadas de um momento para o outro, a maior parte do esforço deles tinha sido horrivelmente chata e frustrante. Havia também, gradualmente, se tornado tão perigosa que, não fosse pela memória de Juca Cabrera, e pelas coisas que, para sua própria paz de espírito, eles tinham que saber, podiam muito bem ter abandonado a busca.

Mas eles persistiram, até que um investigador especializado nesses tipos de fantasmas terminara sua busca em um escritório de fachada em Formosa, Paraguai, onde a companhia que eles procuravam acabara revelando ser parte do vasto império do latifundiário Inocêncio Salvador.

Era o que eles precisavam saber antes de poder seguir as antigas suspeitas de Tomazio. Como as dos freqüentes vôos a uma fazenda que só arrebanhava o gado uma vez por ano. E, coincidindo com esses vôos, a estranha movimentação de pequenas chalanas entrando e saindo de canais fluviais da imensa mata que existia entre Contendas e a Fazenda Promissora.

Para descobrir o que as chalanas estavam aprontando era preciso apenas apoiar a empobrecida polícia florestal com combustível e munição bastante para tornar uma perseguição viável. Até aí era simples. Já se havia feito isso antes, para ficar livre dos coureiros, não fazendo perguntas sobre onde eles se enfurnavam. O que tornou tudo mais difícil era a necessidade de capturar alguém e levá-lo para interrogatório.

Isso tornou a coisa razoavelmente perigosa, mesmo que não houvesse certos detalhes que haviam sido descobertos no meio de suas buscas. Um desses foi o conhecimento de que, através de uma conta fantasma, grandes somas em dinheiro haviam sido transferidas para Rafa pela mesma Companhia Paraguaia, durante sua campanha eleitoral. E embora Rafa nunca houvesse tratado diretamente com essa companhia, em seu esforço para vender Contendas, a pessoa que servira como seu agente era agora seu capataz. Alguém tão chegado a arranjar encrenca e a tirar vantagem disso, que era profissionalmente conhecido como o chantagista Caracará.

Era esse conhecimento e onde ele poderia levar que fazia com que tanto o pai quanto o filho se sentissem mal quando pensavam a respeito. E era o motivo por que, após meses de abstinência, Tomazio já tinha a intenção de ir a Contendas, sentindo-se obrigado a contar a ela o que sabia. Embora isso fosse apenas parte da coisa.

De resto, era bem como seu Caco havia sugerido a Dona Veridiana no começo. Tomazio sendo não apenas um homem honrado, mas teimoso como uma mula, ele havia se esforçado com firmeza no sentido de seu casamento, até se deparar com a verdade terrível porém redentora de que, embora ele houvesse dado sua palavra, nada podia ser pior do que cumpri-la.

Isso começara a ficar claro para ele pouco depois de ter passado por Contendas com aquele maldito convite para o chá-de-panela. O cachorrinho, sabia disso, ele trouxera como uma espécie de salvo-conduto. Mas aí Jacyra dissera que Juruna era coisa do passado, pegou o filhote e virou as costas para ele. E tinha sido como se o passado o houvesse envolvido, para fazê-lo tornar a viver, e subitamente, aquela outra vez em que, de repente e sem aviso, ela simplesmente tinha ido embora.

Quando isso aconteceu, pareceu que ela levara consigo tudo que dava à vida calor e riso, fechando uma porta sobre tudo que eles, imaginava-se, deveriam compartilhar. Depois, ele ficara tão zangado e magoado que sentiu vontade de magoá-la também – fazê-la ver. Mas ela se recusou a ver as coisas como ele as via e ficava longe. E então, como que para dar ênfase, ela se enrabichara por aquele francês.

Fora mais ou menos então que ele começara a pensar em Anália de um modo diferente. Todo homem precisava de uma esposa, para organizar a casa, dar-lhe filhos, dar à sua vida sentido e direção. Com seu jeito organizado, imperturbável, ela com certeza serviria para o papel. Além disso, era bonitinha, com aquele tipo de viço que se manteria quando ela chegasse à confortável maturidade da meia-idade. E como uma boa novilha, com aqueles quadris e os peitos bem no lugar certo, ela com certeza produziria bem.

Sem dúvida, a conquista daquele amplo corpo virginal tinha sido uma enorme atração. Sonhara com ele até a noite em que conseguiu atraí-la a seus espartanos aposentos de solteiro, adjacentes a seu escritório na cidade. E, mesmo depois, ficou obcecado por algum tempo, tentando excitá-la de novo, até chegar à conclusão nada lisonjeira de que a base dela para o ato de amor era mais acomodação do que paixão.

Pelo menos por enquanto, ela estava se acomodando com relação a tudo. De ânimo brincalhão, aturou a obsessão dele pela terra e pelo gado que mantinha a cabeça dele em revistas de toda parte do mundo, e às vezes tornava sua conversa cansativa para quem não partilhava seu entusiasmo. Nem ela parecia se importar com o trabalho que o mantinha afastado durante semanas, os dias se escoando enquanto ele vagava de avião e montado numa mula por toda aquela vastidão.

— Por conta da arrumação da casa, o tempo voa — ela dizia.

Mas quando ela o dizia, estaria ele errado em pensar, conforme o sorriso dela deixava implícito, que a existência da casa era em troca de tudo que ela havia suportado até então? Como se, desde o princípio, ele não tivesse feito tudo que podia para deixar claro que, uma vez casado, ele esperava viver na fazenda.

— Você deve entender, Anália, eu realmente não gosto de passar na cidade um momento mais do que o necessário.

Mas, gradualmente, a casa na cidade começara a se tornar algo substancial demais para ser uma mera segunda casa. E, ao mesmo tempo, suas tentativas de ligá-la à fazenda haviam todas terminado em absoluto fracasso. Cavalgar pelo campo enchia-a com uma mistura de ansiedade e tédio que parecia envolvê-los numa nuvem sufocante.

Um passeio para pescar virava um exercício em cremes hidratantes e inseticidas. Nadar em águas "infestadas" de jacarés e capivaras, não valia nem a pena mencionar. As noites eram mais longas porque parecia não haver nada a dizer.

– Caso você me desculpe, estou exausta. E os ruídos à noite, aqui, Tomazio... francamente. Pode examinar o quarto mais uma vez para ver se não há nada lá dentro, antes de eu me deitar?

E, de qualquer maneira, a respeito de que eles costumavam falar? Quando ele pensara nisso – as cerâmicas do piso, a piscina olímpica, onde botar a antena parabólica. E quando tudo isso estivesse pronto?

Conforme o desinteresse de Anália pela fazenda foi se transformando em repulsa, ele começou a achar mais difícil passar com ela qualquer tempo que fosse, sem ter pelo menos uma cerveja e, preferivelmente, a companhia de outras pessoas. Aí, então, as mulheres conversavam assuntos femininos, e os homen assuntos masculinos, até que, cansados disso também, encontravam um meio de se esgueirar até os bordéis, à margem do rio. Mas Tomazio, nunca tendo achado prazer nos bordéis, só podia sentir-se grato porque, na manhã seguinte, iria embora.

Ele sabia muito bem onde ficava o seu prazer. Nunca sequer tentara negá-lo. E no entanto, tolamente fingira para si mesmo que podia viver sem ela, mesmo ela tendo voltado para ficar. Estava sempre presente, onde podia encontrá-la. Até que, afinal, não muito tempo após a *débâcle* do convite, ele simplesmente entendeu que o impensável era a única coisa possível a fazer.

A revelação ocorreu-lhe um dia, quando Anália lhe disse:

– O couro para os móveis da sala, precisamos saber que é o tipo certo. Está me ouvindo, Tomazio? Porque, se for marcado a fogo...

– Foi surpreendente como essas palavras tiveram o efeito do ferro em brasa chiando, despertando-o de sua letargia para de repente dizer, com todo o ardor de uma inversão de proposta:

– Anália, tenho algo muito mais sério a lhe dizer. Você não acha que talvez nós não devêssemos nos casar?

Sentado em frente a ele, em sua cozinha nova, à mesinha de tampo de vinil, destinada a fazer as contas domésticas, ela se deixara recostar na cadeira e ficou fitando-o, com os olhos arregalados e magoados, como se ele, na verdade, houvesse lhe aplicado um golpe físico.

– Não estou entendendo. Tomazio, você bebeu?

– Nunca estive tão sóbrio na vida – ele insistiu. – Acho que um dos motivos pelos quais as pessoas ficam noivas é para se conhecer melhor, só por precaução. E agora que estamos nos conhecendo, sinto que não estamos nem um pouco mais próximos, você não acha?

– Mais próximos, como assim? Se eu não achasse que você me amava, acha que eu teria deixado que você... Ufff. Quando as pessoas ficam noivas, é isso. Significa que elas se sentem seguras para... – de branca, ela ficou rubra, baixou os olhos e em seguida reergueu-os, para dizer, serenamente: – Fazer planos.

Por um momento ele permaneceu sentado, calado, incapaz de pensar no que responder. Mas sentindo que devia ir em frente, ele disse, por fim:

– Sei que é minha culpa, e mereço ficar com a responsabilidade. Mas acredite, você vai ficar feliz, algum dia, quando encontrar alguém que pense como você.

Se a intenção disso era consolá-la, não conseguiu.

– E quanto a esta casa, a todas estas coisas? – Os olhos dela relampejaram em torno de um aposento cheio de toalhas, lençóis, xícaras e pires, com uma paixão inteiramente nova, para ele, e que um momento em seguida tornou-se levemente ameaçadora, quando ela disse:

– E quanto à honra? Em algum momento você pensou em meu pai, ou na posição em que isso vai deixá-lo?

Neste momento não existia mais nada a fazer senão projetar o rosto para a frente a fim de enfrentar o olhar dela.

– Vou lhe dizer uma coisa – disse ele. – Ultimamente tenho pensado um bocado a respeito de honra. E ela me fez fazer um monte de coisas pelas quais eu poderia ser morto, mas eu as fiz assim mesmo.

É claro que vou conversar com seu pai. E acho que vou ter que esperar que ele pense, tal como eu, que, não importa o que houver, é melhor ser honesto. Sinto muito, Anália, sinto mesmo. Mas sei que não vou mudar de idéia outra vez.

E ele então deixou-a, saindo da casa nova em folha, cheia de padrões que passaram a representar uma prisão, sabendo que, mesmo que levasse um tiro no meio das costas quando chegasse ao degrau de baixo, há anos não se sentia tão bem.

E então chegara pelo rádio a voz de seu Caco, estranhamente agitada para um homem de tal serenidade. A madrugada ainda estava cor de prata quando ele levantou vôo, e o céu dourado quando pousou na pista de aterrissagem em Contendas. Ele não ficou nem para um cafezinho. Em resposta à expressão severa e contida da matriarca, pegou-lhe ambas as mãos na sua e disse:

— Confie em mim. Vou pegá-la porque preciso dela ainda mais do que a senhora.

E agora, chocalhando de forma pouco costumeira na pequena caminhonete, na trilha de Caco para a Baía, ele não tinha como sentir-se mais desesperado. As coisas que sabia, combinadas com o comportamento estranho e temeroso de Dona Veridiana, encheram sua mente em geral pragmática com uma fúria desregrada, fatal, ora contra Jacyra, ora contra si próprio. E ela não sabia que aquele lugar era perigoso, mesmo sem tudo que ele sabia que tinha acontecido? Como ela poderia ter arquitetado essa expedição sem pelo menos consultar "alguém"?

Mas aí, é claro, ela não sabia tanto quanto ele. Era sua culpa, ele devia ter-lhe contado, tê-la feito ver. Na verdade, ele deveria ter ido atrás dela desde o dia em que ela voltara para casa. Disse:

— Olhe aqui, a única coisa que mudou para mim é que agora eu entendo por que você foi embora. Sendo você quem é, tinha que fazê-lo, e essa é ainda mais uma razão pela qual eu a amo tanto. Mas todo o resto é o mesmo. Estou enraizado nesta vida. É muito importante para mim. Só não quero vivê-la sem você.

E no entanto, no momento mesmo em que pensava isso, o rosto agourento de Dona Veridiana agigantou-se diante dele, lembrando-o, com um senso súbito e subjugante de superstição, que essa não seria a primeira vez que ele chegaria tarde demais.

Capítulo 74

Mas lá estava ela, sentada sozinha sob as árvores do tio Juca, tão concentrada no que quer em que estivesse pensando, que nem ouviu a chegada do Toyota.

Em uma palavra, estava desanimada. Não pela excursão à Mata, que estava indo muito bem, considerando... mas pelo estado da Baía das Antas, que, a essa altura, ela tinha de reconhecer, não podia continuar do jeito que estava.

– Temos de dar ao novo empregado algum tempo –, dissera ela a Bento. – Pense em como isso estava quando ele chegou. Mas, mesmo quando a seca cedeu, nenhuma cultura de verdade havia sido plantada junto ao rio. Nada de milho, nem aipim, nem abóbora, nem batatas-doces, vagens de feijão ou arroz que podiam muito bem sustentar uma família e mais alguém. O que foi que esse homem fez?

E quanto à mulher dele? A casa, apesar dos consertos cuidadosos de seu Caco, começara a parecer do tipo que Dona Veridiana teria dado de ombros à mera idéia de inspecioná-la.

– Pobre criatura infeliz – teria dito a matriarca se a visse –, pode-se ver pelo aspecto das crianças.

Como era verdade! Podia-se ver pelo aspecto famélico dos filhos de pessoas que deveriam ser capazes de viver bem de seu meio ambiente, mas não eram. O garoto mais velho tinha 12 anos, idade em que um bom menino já começa a dar mostras de estar testando sua aptidão para a responsável profissão de cuidar do gado. Mas seu olhar era tão evasivo quanto o de seu pai, embora ele não tivesse um olho paralisado como desculpa. Não era o olhar de alguém em quem se podia confiar com os animais.

Oh, não. A princípio ela lamentou por eles, considerando-se de onde tinham vindo. Mas agora ela via que era inútil. Não importa de onde eles vinham, não estava neles mudar as suas próprias vidas. Conforme disse Bento, "não se pode confiar nada a um retireiro que não é capaz de manter uma boa roça".

É claro que ele tinha razão, o que significava que, assim que essa "missão" estivesse acabada, ela ia ter que procurar outra pessoa, embora nem mesmo Bento conseguisse imaginar onde.

Mas as coisas eram assim mesmo. Se você tivesse um ou dois sujeitos como Bento, com quem pudesse contar, ela estava aprendendo, podia se considerar privilegiado. E quanto ao resto?

– Você não pode deixar essa gente ver quanto a deixam em falta – insistia a matriarca. – Você tem que confrontá-las, mostrar-lhes que esse contratempo não fará a menor diferença, nem vai fazê-la mudar seus objetivos.

Como isso é verdade, Vó, pensou Jacyra, especialmente neste momento – estranhamente reminiscente de sua fuga para o Rio, anos atrás –, quando voltar só podia ser pior do que seguir em frente. E assim, ainda que o fracasso do retireiro lhe tivesse parecido um augúrio, ela não podia deixar que nada disso aparecesse, enquanto dizia o que se esperava que ela dissesse.

– Você tem razão, Bento, existe sempre mais alguém, e para o serviço de agora não precisamos desse Tenório, de qualquer maneira, nem mesmo da mulher dele para cozinhar.

E com isso eles prosseguiram com o serviço de agora. No primeiro dia, os mateiros avançaram com suas machetes e machados, abrindo uma trilha de forma que, no segundo, ela e Bento já podiam cavalgar um pouco pela densa floresta adentro, na orla da Mata. A entrada deles foi laboriosa e nem um pouco claustrofóbica no túnel úmido e frio de arbustos e árvores amarradas de trepadeiras. Isso lhe lembrara muito como o homem do campo podia sentir-se desajeitado e incapaz na floresta. E no entanto, a própria profundidade e variedade da floresta sugeriam riquezas infinitas, no que dizia respeito a todos os seus sonhos e seus planos.

Portanto, agora, sentada ali, refrescada por seu banho nas águas da corixa, ela devia estar se sentindo exultante. Mas, em vez disso, o que ela sentiu foi uma insalubre mistura de autopiedade e solidão. Era como uma aflição, que vinha piorando desde o dia em que ela voltara a Contendas.

— Se o que você quer dizer é fazer o que eu gosto de fazer, da melhor maneira possível – dissera ela ao pai –, oh, sim, oh, sim. — E não houve necessidade de acrescentar: — Aqui, onde é o meu lugar.

E no entanto, a cada realização, a sensação havia piorado, exasperando o espaço vazio dentro dela, como uma doença crônica que não queria curar.

"Fechar seu corpo", ela começara a entender, não tinha sido uma cura, especialmente nos dias da seca, quando as confidências de vovó Veridiana a haviam arrastado para aquela outra vida que ela, não tendo nenhuma experiência, só podia imaginar. E no entanto, com que facilidade ela entendera as palavras maquinadoras da matriarca, quando finalmente esta disse:

— A única coisa a que nunca me acostumei foi a ter que viver sem ele.

Foi ficando claro para Jacyra que ela estava falando da diferença entre uma vida que podia ser de infinita doação e riqueza e uma vida que podia se tornar autocentrada, seca e difícil. Uma diferença que se resumiu, no momento em que – cansada e solitária, temendo o amanhã – ela ficou sentada pensado, cheia de autopiedade, "No final, que diferença faz tudo isso, na medida em que não se tem ninguém com quem compartilhar?".

Capítulo 75

Observando-a a distância, Tomazio não sentia nenhuma urgência de ser visto. Ficou saboreando seu alívio por encontrá-la em segurança; sua emoção ao vê-la fresquinha do banho, a pele castanha luzindo, o cabelo preto faiscando, seu corpo flexível sob a blusa molhada. Só Deus sabia quantas vezes ele a vira assim, sem poder expressar plenamente o que sentia. Desde o tempo em que era menino, sob a constante vigilância, estilo governanta, de tio Juca, até a época em que ela foi se fechando cada vez mais, já não lhe contando mais sequer as coisas que pensava. Até que ela se foi e um outro homem ensinou-lhe o conhecimento do amor.

Como odiara esse homem que ele sequer conhecera. Odiara-a, também, por amá-lo, no momento mesmo em que ele corria atrás de Anália, como se sua masculinidade dependesse disso. E no entanto, como tudo isso teve pouca importância uma vez que ele a vira outra vez, sentindo a mesma exultação à visão dela. A mesma eletricidade entre eles, quando se tocaram. Quando se tratou do que havia existido entre eles, ele aprendera, mediante um bocado de sofrimento, como eram menores as coisas que os haviam mantido separados.

E ainda assim, nesse momento, lá estava ele de pé, sentindo-se ridiculamente sem graça, feito alguém pensando em como tirar uma garota por quem estava apaixonado para dançar pela primeira vez. Até que, subitamente cônscia de que alguém a observava, ela voltou-se – os olhos escancarados – assustada feito um bicho do mato preso por sua própria imprudência na beira d'água.

Absurda e naturalmente, a reação dela foi de uma fúria sem sentido.

– Qual é o problema? – ela só faltou arreganhar os dentes, feito um gambá acuado.

– Talvez eu devesse lhe perguntar isso – ele contra-atacou, feito um macho cuja fêmea houvesse se desgarrado –, que tipo de idéia maluca é essa, de se enfiar sozinha na Mata?

Conforme a acusação, falada baixinho e em legítima defesa, foi se transformando em gritos estentóricos, bichos deslizaram para dentro d'água, entre os aguapés e os caniços. No rancho, o chimarrão parou enquanto circulava, conforme cada homem avidamente apurava os ouvidos.

– Se você acha que ir com Bento e dez homens é sozinha...

– Você sabe muitíssimo bem o que eu quis dizer com sozinha. Eu não lhe disse para não se meter...?

– E eu não lhe disse para cuidar da sua vida? – E então seus olhos se apertaram, as mãos apoiadas nos quadris: – A Vó mandou você vir atrás de mim?

— Ouça aqui, se ela não tivesse mandado, eu teria vindo por minha própria conta!

— Bem, pode voltar por sua própria conta, isso é mais do que certo, porque eu não vou com você!

— Talvez não. Mas não vai, tampouco, para aquela Mata... sem mim. Está me ouvindo?

Como foi que aconteceu dessas últimas palavras terem sido sussurradas, com calor e avidez, contra os cabelos dela, Tomazio não conseguia se lembrar exatamente. Ele só relembrava que, de repente, sentiu vontade de rir e, logo em seguida, nem sequer o aparecimento de tio Juca poderia tê-los separado enquanto, de acordo com aquela expressão bíblica escolhida com requinte, eles se entravam. Feito animais nas garras de um forte cio. Feito gente cuja ânsia houvesse sobrevivido a todas as besteiras atravessadas em seu caminho.

Capítulo 76

E assim foi que um lugar, durante muito tempo considerado um inferno, tornou-se um paraíso conforme, nas câmaras cortinadas de trepadeiras da floresta, eles passaram a se conhecer como nunca tinham se conhecido antes. Ao menos dessa vez, o inquieto, sempre deliberadamente ativo Tomazio, o lento progresso deles mata adentro parecia uma bênção que permitia a ele considerar – em vislumbres infinitos e pacíficos – a curva suave de um queixo levando a uma orelha delicada acima da qual o espesso cabelo preto era puxado para trás severamente, numa trança feito uma flecha que apontava para baixo o vigoroso vale de uma espinha. Ou os ossos elegantes que, feito asas, abanavam para cima, até os ombros ao mesmo tempo delicados e largos, a partir dos quais braços e mãos, esguios e fortes, erguiam-se suavemente em controle das rédeas. O mesmo vale vigoroso dividia nádegas firmes, pernas fortes – ora levemente retesadas para cima, a fim de evitar a água, ora pisando firme, para manter o equilíbrio.

Apesar de ele ter observado esses aspectos com sofrimento, antes, só agora conseguia vê-los e senti-los como – corpo e alma – partes inseparáveis de uma única criatura, ao mesmo tempo impulsiva, impenitente, implacável, apaixonada, amorosa e vulnerável. Essa criatura cuja essência brotava e mudava, aumentava e diminuía nas profundezas de um olhar arregalado, sombrio e insondável. Ahhh, como aquelas mesmas mãos que apertavam as rédeas, aquelas mesmas coxas que apertavam a sela eram capazes de ternamente moldar e comover as partes dele que se encaixavam e penetravam para tornar-se uma parte dela. Oh, como ele a amava, embora estivesse só começando a aprender todos os modos.

Enquanto ela, à medida que seu vazio cru e em estado bruto era curado pelo toque dele, descobriria que não era a arte, mas a pessoa, que tornava o amor uma coisa real e sem comparação. Tomazio era tão diferente que não havia como comparar a boca forte e sensual, o pescoço e a mandíbula vigorosos e o bloco possante de um corpo que parecia capaz de resistir a tempestades, estouros de boiada, dilúvio e períodos de fome e escassez. As mãos rudes e sólidas que, no entanto, sabiam ser tão suaves quando seus olhos límpidos brilhavam com ternura e ânsia e a voz impiedosa pedia "venha cá".

Em resposta, ela descobria como sua paixão por Adrien Vaneaux, que havia minguado problematicamente, podia ser substituída, sem ser traída, por esse outro sentimento que, na verdade, nunca se soltara dela. Que, como uma árvore saindo de um período de dormência, crescia em toda sua pujança, até prorromper em floração. E no entanto, no momento mesmo em que florescia, ela entendeu instintivamente que essa florescência era apenas um momento – tão resoluto quanto imprudente – cujo objetivo era dar semente.

Deitada, doída de tanto fazer amor, olhando para o alto, através do dossel da floresta, achava surpreendente como podia sentir aquilo. Como um conhecimento de permanência que tornava possível, mais uma vez, contar a Tomazio tudo sobre os motivos para a sua vinda. Mas com um sentido de si própria e de convicção que levou-a a não sentir-se envergonhada de chorar, quando ele lhe disse tudo que tinha a dizer. Por tio Juca, Rafa – por todos que amava, ela chorou – dizendo, no final, como dissera tantas vezes quando era criança.

– Como você pôde, Rafa?

– Como é que ele pôde, sempre? – respondeu Tomazio. – Sempre pensando que podia sair-se bem de qualquer coisa que fizesse. E ele sempre conseguiu, não foi? Mas agora...

– Agora ficamos sentados aqui – disse ela, as lágrimas completamente secas –, quase feito uma isca. Oh, Tomaz como é que eu pude arrastá-lo para isto?

– Você? Se há uma pessoa que jamais me arrastou a lugar nenhum é você. Ou você não notou que cada um de nós veio por conta própria? Cada um de nós por seus próprios motivos. Certo ou errado?

– Certo.

– Pois então venha cá, Jacy. Vamos comemorar. O resto podemos ajeitar depois.

E, então, ela comemorou – feliz com seu desejo de voltar a fazer amor com ele, antes que o pálio de folhagem sob o qual estavam começasse a filtrar a luz da manhã.

Longe de seu refúgio noturno cortinado de folhas, os pensamentos a respeito deles que pudessem passar pelas mentes da comitiva foram literalmente engolidos com o aparecimento dos dois juntos para a primeira refeição de arroz-de-carreteiro e mandioca cozidos em panelões enormes sobre uma fogueira, antes do amanhecer. Somente na fala e nas ações de Bento havia mais do que uma sugestão de alegria.

Afinal de contas, todo homem tinha seu jeito de trazer a si sua mulher, era como Bento encarava a questão; toda mulher seu jeito de assumir o seu lugar. Embora, para ele, ainda não fizesse sentido por que ela se dera tanto trabalho e confusão. Não que ela não conseguisse sair-se bem, dirigindo as coisas. Ele via isso, agora. Mesmo que ela certamente parecesse aliviada por ter Tomazio ali. De volta a onde era seu lugar.

Bom, se havia mais alguém que estivesse aliviado, esse alguém era ele mesmo. Porque, afinal de contas, não era a função de um homem proteger sua própria mulher? Especialmente nessa mata, onde Bento nunca teria posto os pés, se não fosse por ela.

— Eu lhe pediria que não fosse, meu filho – dissera Tarciso, do mesmo modo que Dona Veridiana, despertando em sua mente todas as dúvidas que ele se recusara a permitir que fossem mencionadas, por ele próprio ou pelos outros. Não importa. Sendo homem, nada o teria detido – não mais do que aos outros, uma vez que ele lhes dissera que estava indo para lá.

No entanto, mais do que alívio pela vinda de Tomazio, seu sentimento era de uma alegria inexprimível, que se estendia muito além desse momento, até uma vida na qual as coisas seriam como ele achava que deveriam ser. Para Bento, de certa forma, era como uma recompensa por sua lealdade, que era especialmente importante nesse momento em que, na época errada do ano e, por uma idéia que ele duvidava que pudesse funcionar, eles seguiam rumo a uma terra de ninguém.

Capítulo 77

Caracará, o intermediário, o vigarista. Agora que Rafael resolvera matá-lo, era surpreendente como ele se sentia seguro. Seguro como não se sentia, talvez desde os tempos em que vovó Veridiana contara aquelas histórias sem fim do conselheiro dos deuses, cujos conselhos, em vez de simplificar, sempre propunham um desafio, para complicar e transformar a vida num tormento. Que eram, ao mesmo tempo, um perigo e, no entanto, digno de ser ouvidos, porque era ele que apaziguava decisões divinas com seu conhecimento do pior da natureza humana. Da preguiça, cobiça, infidelidade e ingratidão.

— Não entregue nada já pronto –, o cético caracará de vovó Veridiana sempre avisava. — Dê a semente, mas não a colheita, o algodão, mas não o fio – pois os preguiçosos precisam ter algo que fazer... Só se ganha ilusão, sem sofrimento. Os seres humanos não fazem nada a troco de nada.

Durante essas histórias, Caracará estava sempre presente, acocorado e escondido – pronto para mergulhar no momento certo para provar a eficácia de seus avisos.

Histórias de índios, cheias de malícia e suspeita, que a matriarca sempre compensara com outras, de virtude e piedade cristãs. – Por medo – ela dizia – de você crescer não confiando em ninguém.

No entanto, de certa forma, parecia a Rafa que, não por qualquer tipo de culpa dele, era isso que tinha lhe acontecido. Tinha sido assim desde que ele era um garotinho que só queria ser admirado. Na escola, ele sempre dera um jeito de ser o capitão do time e, de pura bravata, ganhara tudo que havia para ganhar. E no entanto, mais do que ser admirado, ele tinha sido invejado. Na fazenda – embora fosse Tomazio que sempre errou na pontaria e Jacyra quem perdeu as corridas e caiu do cavalo dentro d'água – era sempre de Rafa que os vaqueiros achavam um motivo para rir.

Embora apaixonado, invariavelmente, parecia que era a sua posição que as mulheres queriam, mais do que a ele próprio. A única mulher, além de sua mãe, que alguma vez realmente demonstrou-lhe algum calor foi a putinha Catucha, e, por isso, ele quase cometera o erro de "libertá-la". Até já ter dito a si mesmo, o número de vezes suficiente para ele próprio ouvir, o que eu ia querer de uma puta, que eu já não tenha?

De fato, se ao menos sua avó, de todas as mulheres, tivesse sido mais compreensiva, mais consciente do esforço dele, e da importância disso para todo mundo, ele não teria precisado ir buscar dinheiro por aí. Mas a matriarca pusera aquele maldito buraco do inferno, Contendas, acima de tudo e de todo mundo. Ela e Jacyra, as mulheres de Contendas – ao contrário de qualquer mulher normal com que se tivesse que lidar.

E assim, hoje era lá que ele estava, tendo que tratar, para sua sobrevivência, com Inocêncio Salvador, um dos homens mais poderosos e perigosos do Brasil.

— O Deus do Contrabando, se a senhora quiser, vovó. Embora, confessamente, tratando com ele de longe. Pois aquele sujeito gordo, que um dia considerara Rafa "material presidencial", parecia ter perdido interesse político por ele.

— Achei que você tinha entendido que não podem representar pantaneiros e gente progressista ao mesmo tempo – dissera Inocêncio, reprovadoramente, no mesmo dia em que Rafa lhe pedira que o aconselhasse sobre Caracará. — Eu investi muito em você, e ainda estou esperando por um retorno...

Essa foi a última vez que se encontraram, uma vez que daí em diante o único retorno em que o comerciante de ouro parecia interessado era Contendas. Se, de fato, como Rafa tinha certeza, Inocêncio e Interinvest Sociedade Anônima eram a mesma coisa.

— Deve haver um jeito – Caracará parecera quase indulgente –, vendo como isso resolveria todos os seus problemas.

E o que Rafa poderia ter feito, a não ser convencer-se de que isso era verdade? Se ele conseguisse descobrir um jeito, o que mais Inocêncio poderia querer dele? Parecera um desafio tão simples, que o pilantra tinha lhe proposto; e a recompensa tão grande para todo mundo, ninguém saindo perdedor.

Mas os esforços de Caracará como "administrador" de Rafa tinham servido apenas para fazer Jacyra persistir mais teimosamente. Enquanto, do seu lado da cerca, Caracará havia se apossado. Como a droga que Rafa havia experimentado pela primeira vez na universidade, como um desafio, para provar aos outros sua coragem; mais tarde, como algo para fazê-lo sentir-se como deveria – seguro, forte, admirado pelas pessoas que deveriam admirá-lo. Mas não, não como a droga que Rafa disse a si mesmo que poderia controlar e largar no momento em que quisesse. Não, porque já há algum tempo, Rafa tinha a crescente sensação de que Caracará não poderia ser largado. De que, não importa o que acontecesse, o pilantra ainda estaria lá e teria que tratar com ele.

— Porque esqueci de mencionar, você tem um problema de que a Companhia Paraguaia não tem conhecimento. O avião. Você pode ter se esquecido, porque as pessoas vivem fazendo isso nestas partes, levam pacotes na bagagem. Só que, em geral, fazem isso a troco de nada. Mas, evidentemente, um pacote desses, em um avião oficial. Dá para se entender, vale um bocado de dinheiro.

Em vez do aposento com a lâmpada de 20 watts, estavam sentados na casa forrada de ripas de madeira que era a casa grande da Contendas de Rafael, e a luz fria nos olhos do pilantra deixara Rafa sem fôlego, como se o houvessem mergulhado no rio em pleno inverno.

— Mas isso foi...
— Muito tempo atrás, eu sei.
— Então, por que agora?
— É sempre bom levar umas ferramentas extras, não acha?
— Mas se você encostar o dedo em mim, eles vão atrás de você também — raciocinara Rafael, tentando não parecer frenético.
— Então, talvez valha a pena para mim... conseguir de volta o que é devido.

Caracará dissera isso com uma convicção que, por sua vez, convencera Rafa de algo que ele há muito suspeitava, de que estava lidando com um louco — alguém cujo rancor irracional podia ser mais perigoso do que a ambição de qualquer um. Afinal, a Companhia Paraguaia queria alguma coisa concreta; ao mesmo tempo, a cada ato de loucura, ia ficando cada vez mais claro que o desejo de vingança de Caracará era um motivo que nunca tinha fim.

Em outras palavras, ele seria capaz de qualquer coisa — um pensamento que foi tornando cada vez mais impossível acreditar, como Rafa havia tentado até agora, que a morte de tio Juca fora causada por um ataque cardíaco. Toda a cadeia de eventos, desde o primeiro momento na Caverna das Estrelas parecia levar ao velho tolo tropeçando em algo de que Rafa, embora sem saber na época, já tinha sido parte integrante.

Essa idéia começou a perseguir Rafa cada vez mais, não só pelo seu próprio bem, mas também pelo de Jacyra. Ele de novo a viu tal como a vira pela última vez, naquele dia, em Sta. Inácia, zangada e birrenta como a menininha que costumava brigar com ele com unhas e dentes. Mas aí, então, como aquela menininha, também, quando ela percebia o verdadeiro problema em que ele se encontrava, ela havia se abrandado.

Nesse exato momento, ele deveria ter seguido seu instinto com ela. E feito como ele tantas vezes fizera quando menino – contado a ela a história toda, apelado a um coração que era, afinal de contas, bem mole.

Ela até dera a ele a oportunidade. Mas ele não conseguira aproveitar essa oportunidade. Em vez disso, só fizera aumentar a ruptura entre eles.

E agora ele estava convencido, pela primeira vez, de que a obstinação dela a pusera num real perigo. Foi há apenas uma hora que ele chegara a sua Contendas, para descobrir que Caracará fora embora.

No momento mesmo em que circundava a fazenda, para anunciar sua chegada, conseguiu sentir um estranho vazio na falta de movimento pelos ranchos – nada de crianças e cachorros correndo pelos caminhos entre a grama, para ver o avião; nenhum movimento de cavalos e homens nos currais.

Foi Jezu que veio recebê-lo na pista de pouso. De todo o pessoal que havia passado para o serviço de Rafa, ele era o único que restava. Mas foi um Jezu estranhamente sóbrio que Rafa encontrou, que quase já havia esquecido seus motivos para ter se passado, só para começar.

Naquela ocasião, Jezu teria explicado que Jacyra só faltara tê-lo chamado de covarde, na frente de todo mundo. E então, ainda por cima, ela contratara aquele tal de Tenório, de olhar esquivo, um perfeito estranho – dando-lhe uma confiança a que ele não tinha direito, não a tendo conquistado como os demais. Aquela tinha sido a última gota d'água para Jezu, que, de qualquer forma, nunca refletira direito a respeito, a subida de Jacyra ao poder.

A princípio, ele ficara satisfeitíssimo de ir para a outra Contendas, onde, dissera a si mesmo, era para Rafa que estava trabalhando. Pensando assim, ele até fora em frente com os pequenos expedientes – provocar incêndios, roubar mourões de cerca, embebedar o paraguaio, de forma que Jacyra teve que amarrá-lo a uma árvore.

De certa forma, era uma espécie de continuação das brincadeiras que Rafa costumava aprontar quando menino. Para ela, está muito bom, ele até riu, a princípio.

Mas aí, então, como os outros, Jezu começara a ver que as ordens não estavam vindo de Rafa, mas de Abrantes, que fazia o que bem queria. E o que ele queria não tinha nada a ver com cuidar da fazenda de Rafa.

Como era diferente, Jezu passara a ver, de trabalhar com seu Juca na velha Contendas, onde todo santo dia havia algo a que dedicar seu sentimento e sua atenção, ainda que ele estivesse limpando e consertando engrenagens e mecanismos. Onde, independentemente do tamanho do rebanho, cada animal era importante – tornando você importante também.

Na verdade, parecia-lhe com freqüência que Abrantes ficaria contente se o gado todo desaparecesse, e o pessoal desaparecesse com ele. Ora, vocês acham que durante a seca ele mandou alguém para verificar se o gado estava perto da água? Não senhor, era sempre o Abrantes que ia, totalmente sozinho. Como se ele estivesse cuidando de algo que não precisava de uma comitiva para juntar o rebanho.

Nesse meio tempo, na fazenda, o pessoal não tinha o que fazer. E qualquer pessoa que tenha vivido num lugar onde não há nada para fazer sabe o que vai acabar acontecendo. Bebedeira, brigas. Era raro passar uma semana sem que um homem fosse esfaqueado, ou uma mulher espancada. E, porque havia tantos problemas, as pessoas iam ficando muito nervosas e assustadas. Começavam a falar, dizendo até que Abrantes era um xamã possesso, condenado a espalhar o mal onde quer que estivesse.

Com essa idéia na cabeça, as pessoas começaram a ir embora – esgueirando-se à noite tal como fazem pessoas que devem alguma coisa e têm medo de ser seguidas. Até que, no final, só restou um casal de retireiros que viviam quase abandonados nos recantos mais remotos da fazenda.

Jezu teria ido embora também. Detestava não ter nada para fazer. Fazia com que ele próprio se sentisse um nada. Mas ele tivera a impressão que deveria ficar lá até pelo menos a próxima vinda de

Rafa, de forma a poder explicar as coisas para ele, e não simplesmente desaparecer como os outros.

E no entanto, quanto mais tempo ele ficava, mais inquieto se tornava e menos conseguia se impedir de ficar imaginando atrás de que Abrantes andaria. Jezu não dava muito crédito àquela história de "xamã". Parecia-lhe mais provável que Abrantes era só um pilantra que tinha alguma ligação com coureiros, motivo pelo qual estava sempre saindo em viagens rio acima. E isso, no entanto, não explicava o resto. O problema em fazer e ficar bisbilhotando no que passara a ser conhecido como a Fazenda das Mulheres.

Quanto mais tempo Jezu esperava que Rafa aparecesse, mais — em sua situação difícil, estranha e isolada — ele se via revivendo tudo desde a morte de seu Juca, que, certamente, havia mudado o mundo para todos. E em todas as imagens que enchiam sua mente de incêndios e paraguaios amarrados a árvores e corpos vindo à tona no pântano, a figura ameaçadora de Abrantes estava presente. De forma que ele, igualmente, cada vez mais tinha certeza de que esse "administrador-xamã" havia dado início a algo e estava decidido a ficar por ali, até ter terminado.

Eram essas coisas todas que Jezu estava pronto a dizer a Rafa quando este finalmente avisou pelo rádio que estaria chegando na sexta.

Mas acabou acontecendo que ele não teve a oportunidade, porque foi no meio de tudo isso que apareceu Tenório, o retireiro de Baía das Antas.

Não era a primeira vez que esse Tenório chegava e ficava parado, olhando para o chão e falando com Abrantes. O que eles tinham a dizer, ninguém parecia saber. Que não eram amigos que se abraçavam e davam tapinhas nas costas um do outro e tomavam tererê juntos, era fácil de se ver. Mas qualquer que fosse o assunto deles, os dois sempre se afastavam caminhando o suficiente para não serem ouvidos. E quem ousaria ir para perto deles?

Só que, nesse dia, foi diferente. Jezu estava desencilhando o cavalo amarrado em frente à casa, quando Tenório chegou trotando seu cavalo, que estava suado como se tivesse feito o percurso todo correndo. Tenório estava com tanta pressa que nem sequer esperou que Abrantes aparecesse, mas subiu correndo os degraus da varanda, gritando.

Abrantes apareceu imediatamente e nenhum dos dois, em sua agitação, ao que parecia, se deu conta de que Jezu estava perto. Este ficara imóvel atrás de seu cavalo, e ouviu um Tenório ainda sem fôlego dizer, arfante, algo a respeito de Jacyra ir acampar na baía e levar mateiros para abrir uma trilha mata adentro. Isso pareceu tão estranho que Jezu achou que tivesse ouvido errado e, por um momento, parece que Abrantes também, porque ele limitou-se a ficar encarando Tenório, como se não conseguisse entender o que ele estava dizendo, mas então, resolvendo que era melhor, perguntou-lhe, com aspereza:

– Onde?

– Uma trilha antiga qualquer, vai dar na cabana. Quando eles conversaram, à noite, eu fiquei ouvindo. Algo a respeito de arranjar gente do governo para fazer uma inspeção.

– Quanto tempo eles levaram?

– Três dias – Jezu ainda conseguia ouvir Tenório gemer feito um cachorro com medo do relho. – Eu não podia sair enquanto eles ainda estavam lá. Vim assim que foram embora.

– Então, agora, trate de ir depressa, de voltar para o lugar de onde veio, e fique por lá.

Abrantes disse isso baixinho, mas Jezu custaria a esquecer o modo como ele olhou para Tenório – como se todas as imagens na imaginação solitária de Jezu houvessem se fundido numa única e brutal figura.

– Sabe como é um bicho quando está pronto para matar? Era com isso que ele parecia, olhando direto através de Tenório, como se ele próprio tivesse virado um bicho e Tenório estivesse no caminho.

O ar de bicho era tão forte que Jezu, instintivamente, levou a mão à faca. Mas não a sacou porque, em vez de avançar, Abrantes virou-se de costas e entrou na casa.

Tenório já estava fora antes de Jezu poder sequer se virar. E sentindo um perigo real para si próprio, Jezu afastou-se mais, e o mais depressa que pôde, para tentar calcular qual o próximo passo a dar. Seu primeiro instinto foi voltar a montar seu cavalo e correr, mas isso só evocou uma visão de ser perseguido por Caracará. Além disso, ele só tinha que pensar em Rafa chegando, para entender que, simplesmente, não podia ir embora. E então, justo quando tudo isso girava em sua cabeça, ele ouviu o motor da chalana que Abrantes reservava para suas viagens rio acima, e entendeu que ele se fora.

Foi esse episódio final que Rafa ouviu de Jezu, por fim, quando eles se viram cara a cara, no meio da poeira do pouso do avião, que ainda assentava. Nem Jezu era o sabe-tudo fanfarrão, bancando o bobo, de nenhum dos modos a que Rafa estava acostumado. Em vez disso, um Jezu completamente sóbrio respondeu, com sua voz aguda e queixosa, ao "quando?" do próprio Rafa.

— Anteontem à noite, logo por volta do crepúsculo.

— E os outros, onde está todo mundo? — Rafa se perguntava se Jezu saberia dizer como se sentia frio, meio tonto, ali, parado, tentando parecer senhor de si, pensando, ele próprio, no que fazer em seguida. Mas ele, com certeza, não podia estar com um aspecto pior do que o de Jezu, cinzento por baixo do bronze gasto de sua pele, feito um aflito, ao voltar a responder:

— Foram embora, um por um. A Fazenda está abandonada, Rafa, o gado está uma bagunça. As pessoas foram embora porque não havia nada para fazer... E porque estavam com medo.

— Agora, você está tão amedrontado quanto o resto, não é? — Rafa, sentindo-se mais frio e enjoado do que nunca, disse, cortantemente: — Então, por que não vai embora também?

— É isso que você acha, Rafa? — aos olhos dessa pessoa, Rafa sempre foi conhecido como um palhaço, e a aflição deu lugar a um ar de indignação tão funda, que não havia como confundi-la. — Se eu era como o resto, já teria ido muito tempo atrás. E agora que está aqui, se você vai atrás dele, eu vou com você. Sou seu amigo. Achei que você sabia disso.

Como era estranho. Nunca em sua vida ocorrera a Rafa que essa pessoa que o havia provocado impiedosamente e que nunca conseguira tratá-lo com o respeito que sua posição exigia – esse vaqueiro, Jezu, pensasse em si mesmo como um amigo. Estranho, também, como isso o fazia sentir-se.

Por um momento Rafa não conseguiu pensar em nada para dizer. Mas quando efetivamente falava, seu tom era tão sério quanto o de Jezu e carregado de autêntico pesar, ao estender a mão e dizer:

– Obrigado, meu amigo, mas isso é algo que tenho que fazer sozinho.

Capítulo 78

Na Mata, uma vez o caminho aberto, o trabalho principal, lento e laborioso, era o dos mateiros. Para os demais, tratava-se de determinar onde deveria ser o acampamento e de garantir que os suprimentos, trazidos em lombos de mulas, chegassem no momento certo para que nada viesse a faltar a uma comitiva de homens sobrecarregados de trabalho e famintos ao final do dia.

Uma missão sagrada, esta, não obstante proporcionava mais tempo do que de costume para seus executantes aproveitarem um momento em que, conforme as florações e acasalamentos de setembro começavam em dezembro a dar frutos e levantar vôo, a Mata era um mundo infinito em movimento.

Especialmente nas copas das árvores onde, uma vez que as criaturas da noite já tinham batido asas para se alojar, ou se já tinham se abrigado em suas tocas, as do dia surgiam – grandes bandos de cegonhas, garças e garças de penacho erguendo-se, em nuvens brancas, de seus abrigos nas árvores, para pescar e caçar a céu aberto. Tucanos em busca de jenipapo, e dos ovos de passarinhos.

"Faça silêncio!", Jacyra murmurava, sua mão morena e miúda apoiada sobre a coxa dele. E Tomazio – há muito acostumado a estar sempre em movimento, sempre buscando um meio de estar fazendo alguma coisa – ficava sentado numa aflição de impaciência, até que ela dizia, "Olhe, oh, olhe!" e, apontando para o alto, guiava a visão dele rumo ao espetáculo cômico de uma família de macacos cuatá saindo de sua toca numa árvore, para urinar abundantemente, antes de se recolher para dormir. Ou, nos ramos de um jatobá à beira de um brejo, ela insistia para que ele observasse o espetáculo de um tuiuiú equilibrando-se na beira de um ninho grande o suficiente para conter um homem, e abrindo as asas para planar.

Dessa maneira, a visão dela do que poderia ser feito com um paraíso ficava mais clara para Tomazio, ao mesmo tempo em que a Mata, que ele sempre tivera como certo, assumia um significado que nunca antes sequer lhe ocorrera.

E no entanto, quanto mais eles penetravam, em seu lento seguir atrás dos mateiros, mais o antigo senso de equilíbrio entre paraíso e inferno parecia pesar. Aqui, nas histórias de caçadas e de mortes contadas pelos homens da floresta em torno das fogueiras, após o anoitecer. Lá, à visão de um acampamento de coureiros abandonado, sua pilha de carcaças estripadas sendo bicadas por abutres e caracarás. Por toda parte, em sua própria ponderação silenciosa das coisas sobre as quais eles não queriam falar, uma vez que já tinham dito o que havia para se dizer.

Duas vezes Tomazio sacudiu Jacyra, para arrancá-la de um sonho no qual ela via Rafa, as mãos estendidas brotando do meio de incontáveis outras mãos. Onde? Numa rua cheia de gente? De trás das barras de uma prisão? Com o sono leve, sempre pronto para saltar, mais do que uma vez, igualmente, ele vira-se saindo da barraca telada na direção do que, ele tinha certeza, era um som humano em meio à miríade de sons da noite.

A própria natureza da mata mudava quanto mais eles penetravam, distanciando-se dos campos abertos diariamente pisados pelo gado, por cavalos e homens. Eventualmente, o acampamento tinha que parar no ponto em que estava, os cavalos deixados amarrados, com alguém tomando conta, numa clareira gramada em torno de uma baía densa de caniços, enquanto a comitiva ia e vinha. Não era tão longe, talvez dez quilômetros de onde eles haviam começado. E, no entanto, desmontados, lutando contra as macegas sufocadas por trepadeiras, crescia a sensação de estarem fora de seu território e sendo engolidos.

O tempo, e não a distância, tornou-se o símbolo de avanço ou de recuo. Quanto tempo para estar de volta antes de escurecer; para voltar à Baía das Antas caso começasse a chover para valer. Com a trilha aberta atrás deles por todo o percurso, seria uma caminhada incessante de um dia, saindo do acampamento. E do acampamento até a cabana de caça?

No mapa do Coronel, envelhecido e coberto de mofo, ela estava assinalada naquele ponto em que o Pataguás fazia sua curva mais pronunciada para dentro da mata que orlava a Fazenda Promissora, em sua margem oposta. Supostamente ela ficava oculta pela floresta numa barranca onde, para aqueles que a haviam construído, no tempo de Cândido Tavares, nunca tinha se ouvido falar que o rio transbordasse.

Mas, é claro, após a morte dele, a cabana havia sido abandonada, assim como todo o resto, tal como Dona Veridiana literalmente bloqueou a Mata do Jaguar de sua cabeça.

– Se vocês têm que ir, por que não de barco? – disse Dona Veridiana, com mal-humorada ansiedade.

– Porque a idéia é descobrir um caminho entre lá e a Baía das Antas. – Jacyra respondeu, com impaciência.

Quanto a se a cabana ainda existia, ninguém parecia saber ao certo, mas o importante era provar que a ladeira podia ser alcançada por terra, saindo-se da Baía. Se pudesse, Jacyra argumentou com determinação, certamente seria possível estabelecer lá uma estação de pesquisa, para estudar tudo que ficasse a meio caminho. Às vezes, tudo isso era difícil visualizar, conforme eles avançavam aos tropeços. Mas entre os mateiros que mestre Sanchez havia conseguido para Bento, havia pelo menos um que lhe garantia que isso podia ser feito.

Um tipo atarracado, a pele feito um couro, descendente dos índios canoeiros guatós, Polinário havia passado a maior parte da vida na espessura selvagem. Um cavalo como meio de transporte deixava-o tão mal à vontade quanto um cavaleiro numa canoa. Os homens riam todas as vezes que o viam montado. Mas, uma vez privados de seus cavalos, seu respeito por ele crescia a cada passo com que seus pés enormes, espalhados, o levavam instintivamente por caminhos imperceptíveis sob as árvores. De fato, quando Bento buscou voluntários para esse particular esforço, foi a garantia de que contrataria Polinário que os convenceu a ir.

Ele conhecia a Mata, dizia, arreganhando um sorriso largo em que faltavam vários dentes. E embora ele nunca tenha dito que fora coureiro, ninguém duvidava que isso tinha feito parte da variada carreira de um homem que dispunha apenas, para viver, de seu conhecimento das trilhas sinuosas e dos canais navegáveis.

Como uma aranha, ele disparou para a frente, buscando os pequenos regatos que acabariam alimentando o rio, marcando os brejos e os lodaçais ao longo do caminho. Ninguém sabia quando ele ia desaparecer, ninguém se mexia enquanto ele não voltasse.

Perto do anoitecer do quinto dia, enfiando sua cara feia e bexiguenta através de uma densa orla franjada de trepadeiras, ele anunciou que mais meio dia de caminhada pela manhã deveria fazê-los chegar à beira do rio.

Sem querer perder tempo voltando ao acampamento, eles trouxeram sua carne de sol e a mandioca, bem como suas redes, para pendurar entre as árvores. E, na maior parte do dia, eles caminhavam em meio ao espesso matagal de leiteira e assa-peixe, sobre um terreno úmido e esponjoso que, às vezes, parecia estar ele próprio flutuando sobre algum vasto e misterioso mar de água doce. Uma caminhada desanimadora e cansativa que terminava, ao final da tarde, à margem de um amplo alagado além do qual, se o pequeno guató estivesse com a razão, a densa floresta que eles viam cobria a vista que eles esperavam encontrar acima da margem do rio.

O charco no meio era riscado por regatos que ligavam pequenas baías, suas verdes margens abarrancadas igualmente orladas por denso matagal onde se erguiam pés de pateiro e canjiqueiro, de folhas brilhantes que formavam um bendito refúgio para os passarinhos – cardeais de cristas vermelhas e japacanins de peitos amarelos e asas negras – que se escondiam no meio do emaranhado dos galhos superiores. Enquanto, nas moitas lá embaixo aninhavam-se patos de todos os tamanhos e cores – grandes patos-do-mato, negros, minúsculos caneleiros pardacentos e os irerês com suas máscaras brancas.

Conforme caía a escuridão e os patos pequeninos e tímidos emergiam para se banquetear com as sementes e os moluscos da relva ao longo da outra extremidade do lago, Jacyra sentou-se encostada em Tomazio, descansando. Foi um daqueles momentos em que, segura com a proximidade dele, ela entendia o luxo que era deixar sua mente vagar pelo cenário suave e multimatizado a seu redor, como se nenhum outro mundo existisse. Ela pensou no Coronel, imaginando-o num lugar como aquele, sua caderneta lisa sobre os joelhos e, subitamente, sentiu-se com mais afinidade com ele do que com qualquer outra pessoa. Estava tão absorta que mal notou a quietude agourenta que havia caído.

Maior ainda que a quietude da Mata, ela impregnou a atmosfera geralmente fresca sob as árvores com um calor úmido e sufocante, que parecia deixar tudo num estado frenético. Ali sentados, entre a floresta e a água, o pessoal acampado sentiu a mudança, primeiro, conforme os borrachudos e os pernilongos foram ficando furiosos, como que frenéticos pelas vidas de suas larvas nas águas estagnadas de poças paradas. Sentiram-na em seguida no modo como os passarinhos farfalhavam no meio da galhada e os patos subiam em bandos. Perto dali, aprumando um ouvido experiente em resposta ao grito selvagem das seriemas por chuva, Bento disse, ominosamente:

– Vai chover – ao que Jacyra retrucou:
– Com certeza, vamos conseguir chegar lá e voltar.

Em resposta ao que, conforme o silêncio pacífico foi sendo substituído por um silêncio de apreensão, Tomazio abaixou a cabeça e não disse nada.

Não havia nada a dizer, nada a ser feito, a não ser esperar até que a luz do dia, quente e úmida, enchesse a baía com cores flamejantes. E aí não havia nada para ele dizer, a não ser:

– Posso estar errado, Jacy, mas tenho a impressão de que esta vai ser das grandes.

E então chegou a vez de ela sentar-se, a cabeça baixa, tentando preparar-se para a resposta em que vinha pensando, conforme as estrelas iam surgindo e sumindo na noite quente, infestada de mosquitos.

Ela sabia que ele havia deliberadamente expressado uma opinião, deixando tácito o óbvio de que seria bobagem não economizar as horas que levariam para alcançar o rio. E no entanto, foi ela quem teve que dizê-lo.

Mas naquele espaço de um instante antes de ela virar-se para ele, do mato baixo diante deles, de repente prorrompeu uma figura que, com pés surpreendentemente firmes, margeando o charco, correu rápido em direção a eles.

Essa figura era de Apolinário, que, instigado pelos próprios instintos, havia se esgueirado dali bem quando o dia ia nascendo e rumara para a floresta além dos charcos. O que inspirou essa ação foi o fato de que, se por um lado os demais haviam ficado sentados, considerando o tempo, ele havia observado, no alto, um círculo de urubu que, para ele, foi ainda mais perturbador do que os sinais de chuva iminente.

Os urubus não estavam descendo, mas sim pairando, esperando. Quem podia saber? Talvez algum bicho tivesse sido atracado por outro e, quando este houvesse acabado de se banquetear, houvesse sobras.

Mas, tarimbado como ele era, algo dissera a Apolinário que o motivo podia ser humano. E, se fosse, sabendo muito bem como alguns humanos podiam ser ruins – achou melhor que a comitiva fosse avisada e desviada, em vez de topar, de surpresa, com um acampamento de coureiros.

Portanto, pelo olfato, pelo tato e pela audição, quase mais do que pela visão, ele seguira com aquela sua impressionante ligeireza, atravessando a terra encharcada e meio esponjosa, até chegar à ladeira em meio às árvores onde os mateiros teriam que voltar a abrir caminho. As estrelas ainda estavam sumindo contra a luz argêntea que por muito tempo antecede a aurora, quando ele foi penetrando na floresta. E ele ainda não tinha ido longe quando uma agitação e um bater de asas no alto das árvores lhe garantiu que, o que estivesse embaixo, estava ou protegido, ou vivo o suficiente para se proteger dessa mais covarde das aves.

Ao menos, ele pensava com alívio, não havia sinal de acampamento em parte alguma. Mas aí, conforme ele foi concentrando seus olhos aguçados e estreitos na escuridão à sua frente, um uivo de fazer gelar o sangue disse-lhe que o que estava à frente, assim mesmo, não era um bicho, mas um homem.

Capítulo 79

No barco de pesca, seguindo pelo rio, às vezes sob o vasto dossel da floresta, às vezes cercado pelo mato alto dos charcos, Rafa viu-se pensando no Coronel e no que o levara a ir sozinho em perseguição ao Jaguar.

E se não tivesse havido alguém como Jezu, que se oferecesse para acompanhá-lo? Para ajudá-lo em sua busca, testemunhar sua luta e verificar, em seu retorno triunfante, que se fizera justiça à ameaça? O que teria levado o Coronel a isso, a não ser que fosse a mesma coisa que levava Rafa agora a ir atrás de Caracará sem ninguém a seu lado?

Pois embora Jezu soubesse quem era a ameaça, ainda não sabia o que ele significava para Rafa. Ou por que a absurda expedição de Jacyra tinha levado Caracará a sair rio acima, feito um louco. Se Rafa, antes, tinha alguma dúvida quanto ao destino de Juca, agora não tinha mais, ela sumira, tal como a dúvida quanto a se Jacyra estaria em perigo. Foi isso, no fim, que o levou, com uma reparadora sensação de martírio e até de heroísmo, a ir atrás da criatura que se tornara não apenas a fonte de seus problemas, mas dos de todo mundo.

Pensando assim, Rafa sentiu novamente um calor súbito e sufocante à revelação de amizade de Jezu. Mas, ainda que ele tivesse ousado levar Jezu como testemunha do que ele pudesse encontrar na cabana, sabia que não poderia tê-lo envolvido. Numa caçada dessas, um companheiro de que cuidar podia ser mais perigoso do que nenhum. E se Jezu morresse, teria sido pelo quê?

Não, mas agora tudo que lhe vinha à mente suscitava uma reação negativa, exceto a fúria que só conseguiria encontrar alívio olhando Caracará direto em seus olhos frios e vazios e dando-lhe um tiro bem no meio da barriga.

Estranho como tudo convergia para a cabana de caça. Um lugar tão insignificante e, no entanto, considerando o que deve conter, bem vale a compra de uma fazenda. Irônico que Rafa não tenha pensado nela antes, sendo um dos poucos a saber que ela ainda existia.

Anos atrás – sendo a caça uma das poucas atividades de que ele realmente gostava na fazenda – ele se decidira a procurar a velha cabana, para ver se restava alguma coisa dela. Tinha sido um daqueles fins de semana prolongados em que ele levara amigos a Contendas. Ao anoitecer, saindo para caminhar e fumar, pela salina, eles haviam planejado uma expedição, continuando, conforme foram ficando mais animados, imaginando o que Rafa podia fazer com a cabana, se ela ainda existisse. "Que lugar para se dar festas de verdade!", eles continuaram a extrapolar.

Mesmo então, pelo caminho do rio, ele imaginava que não seria tão difícil encontrá-la. Para se orientar, ele contara com as recordações do velho zagaieiro Odair, para fazer idéia de onde entrar naquele labirinto de canais. De qualquer maneira, ele e seus amigos concordaram, era bem melhor desconhecer exatamente o necessário para fazer da expedição um esporte.

Carregando dois barcos e duas mochilas com tudo de que iriam precisar, os amigos partiram, numa busca que iria lhes tomar a maior parte de dois dias, caçando e pescando enquanto seguiam.

A cabana, de fato, ficava bem escondida – do alto pelo densamente trançado dossel da floresta alta e nobre, que só crescia em alguns trechos ao longo das margens dos rios, trechos onde o calcário que nutria a floresta produzira também estranhas escarpas, tal como aquela sobre a qual a cabana se erguia escondida no meio das árvores, tornando-a inacessível a partir do rio.

O acesso era por um igarapé raso que era, ele próprio, como um túnel aquático coberto por árvores cujos galhos se juntavam, e eram entretecidos lá no alto pelas trepadeiras. Não era tão difícil achar esse regato ao longo da busca da escarpa. Mas fora preciso o olho treinado de Rafa, o caçador, para encontrar sinais, na barranca arenosa, de um caminho que o homem mantivera aberto, subindo por cipós e pelos troncos de árvores pequenas, até chegarem ao topo.

Sinais que lhes disseram, antes mesmo de eles a virem, que a cabana não havia sido engolida por cima, pelas trepadeiras, e, por baixo, por cupins e formigas. Trepadeiras saíam de seu teto coberto de palha de folhas de palmeira, e as gavinhas envolventes de uma grande figueira sustentavam um canto da varanda larga. Mas ela ainda estava lá, com seus bancos de cabriúva maciça, quase indestrutível; uma cozinha numa meia-água e, do lado de fora, a privativa e primitiva ducha de balde, fechada por uma cortina de bambu...

Tinha sido tudo muito mal preservado e ocupado, mesmo recentemente. Ou assim parecia, pelas cinzas no fogão coberto de gordura: redes sujas empilhadas num canto, o cheiro misturado de latrina e do que sobrou depois que os caçadores ilegais e os urubus haviam tirado suas parte das presas. Uma visão sinistra e deprimente que fez com que Rafa e seus companheiros perdessem todo o entusiasmo de ficar onde estavam por mais tempo do que o necessário para voltarem a descer o caminho e se dirigir para o lugar de onde tinham vindo.

Isso fora anos atrás. Suas fantasias felizes assim trazidas de volta ao chão firme, Rafa tirara a Mata da cabeça até certa noite após a volta de Jacyra, quando Caracará lhe dissera:

— Você não sabe? Pode lhes oferecer o que quiser, mas não o deixarão em paz enquanto a Mata não fizer parte da oferta.

E então a lembrança da cabana, de sua proximidade com a casa grande da Fazenda Promissora, com sua pista de pouso, tudo fez sentido para ele, de uma forma arrepiante. Mas ele ainda não pensara que isso representasse algum perigo para Jacyra. Imaginando que fosse para ela tanto um tabu inútil quanto era para a maioria. Até agora.

E agora, seu natural instinto de bravata ampliado pelo conhecimento do perigo real, ele viajou incansavelmente noite adentro, o farol do barco fazendo brilhar os olhos saltados dos jacarés ao longo das margens; transformando a água numa tempestade domada e prateada de peixes reluzindo enquanto o barco abria caminho em meio a cardumes de dourados e pacus se esforçando irracionalmente corrente acima para a desova.

Parecia que fora eras atrás que ele e seus amigos haviam encontrado diversão, atirando aqui e ali – uma capivara imóvel "invisível" ao longo da margem, as redes de pegar papafigos pendendo sobre a água feito pequenas redes de dormir. Ou paravam para se divertir um pouco, espetando os crocodilos com arpões e esperando para ver as piranhas, que costumavam ser devoradas pelos répteis enormes, ao invés disso, os devorarem. Diversão irracional tinha sido aquilo – cuja lembrança era substituída agora por uma insana determinação conforme ele, sinistramente, recordava sua missão e sentia-se alternadamente invencível, valente, heróico e, por fim, mortalmente amedrontado.

Esse último sentimento – virtualmente novo para ele – começou a dominá-lo conforme, a lua ainda alta no céu, a grande curva do rio foi ficando visível: conforme o promontório assomou à sua frente, o domínio aumentou, tornando necessário ele se forçar a não voltar, mas desligar o motor e pegar primeiro o remo, e em seguida a vara, para impelir o barco para o túnel raso sob as árvores.

Uma vez dentro dele, não havia outro som além do de seus próprios movimentos, no tipo de silêncio que somente a floresta consegue impor quando, subitamente, sua inviolabilidade foi perturbada. Pior ainda, a luz da lua cheia, penetrando o suficiente para criar um fraco reflexo no córrego, só servia para intensificar ainda mais as sombras em torno.

Caracará podia estar em qualquer lugar. Na escuridão que a tudo envolvia, Rafa podia efetivamente visualizar seu inimigo como um falcão enorme, de olho dourado, camuflado em meio aos galhos, melhor escondido do que um jaguar, cuja respiração, ao menos, se podia ouvir. E, pensando assim, pela primeira vez na vida ele sentiu o medo literalmente engoli-lo, paralisando-o como no instante que antecede o despertar de um pesadelo. Foi nesse momento, lutando para recobrar o controle, que ele fez o que havia jurado a si mesmo – como prova de sua independência –, que não iria fazer.

O mero ato rompeu sua paralisia. E então, gradualmente, sob o efeito familiar da droga, sua mente clareou e, conforme a empolgação foi tomando conta dele, sentiu novamente um senso de determinação absolutamente esmagadora. Foi como se, de alguma forma, o destino determinasse que era exatamente ali que ele deveria estar; como se tudo mais em sua vida só tivesse acontecido para levá-lo àquele momento.

Nesse novo estado de exaltação, ele forçou-se para a frente, quase que tateando o caminho, ao longo dos ramos pendentes e dos obstáculos sob a água – seus olhos sempre procurando pela cor pálida de terra onde o local roçado devia estar e onde o caminho começava a levar para cima. E então, finalmente, lá estava ele, tal como antes.

Mas, é claro, o que ele encontrou só confirmou as possibilidades relutantemente consideradas e, depois, intencionalmente rejeitadas no começo. Obviamente, Caracará já tinha vindo, para avisar e desocupar o lugar. E, se ele não tinha enlouquecido, por que iria ficar? Com a sensação de ter sido tapeado por sua própria e absurda cruzada, Rafa viu as pegadas de alguém caminhando sobre a lama úmida e uma fenda onde um barco havia sido enfiado. E então algo, ele depois não conseguiu mais pensar o que – uma incapacidade de acreditar que tinha sido derrotado? – o fez pular para a barranca da margem e empurrar seu próprio bote para a fenda vazia e olhar para baixo, como faria um caçador, para estudar e examinar a pista.

Havia, de fato, um monte de pegadas seguindo em todas as direções. E no entanto, sobrepondo-se a essas marcas de pés descalços, havia um único par, feito de botinas do tipo simples que todo mundo usava para o trabalho diário na fazenda. Essas também sumiram conforme deixavam o solo úmido da barranca, mas sua direção tornou-se irresistível para Rafa agarrar um cipó que pendia para baixo e começar a se esforçar para subir.

Capítulo 80

Até então tudo isso era algo com que Caracará havia contado, mesmo que, parcialmente devido a uma falha estratégica do próprio vigarista, seu propósito houvesse mudado no meio do caminho. Ele podia e devia ter atirado em Jezu lá mesmo e, talvez ainda mais importante, afundado o outro barco.

Mas uma mistura de fúria insana e pressa de chegar à cabana a tempo virtualmente bloqueou qualquer outra coisa de sua mente, até mais tarde quando, subindo o rio, de repente ele viu que tivera tempo demais para pensar. A princípio, ele se maldissera por ser tão idiota. Mas, não sendo realmente idiota, eventualmente sua mente louca-esperta começou a dizer-lhe que as coisas estavam como deveriam ser. Que era bom que Jezu estivesse vivo para tagarelar com Rafa, e que o outro barco estivesse lá para Rafa – como o único que conhecia o objetivo de Caracará – seguir.

Pois agora, devido à comoção que Jacyra e seu amigo Tomazio tinham resolvido provocar na Mata, de que mais serviria sua vigilância? Em vez de tentar comprar Contendas, a Companhia Paraguaia provavelmente venderia a Promissora, retirando-se o mais sutil e rapidamente possível de um lugar que não tinha mais valor. Em resumo, lá não haveria mais nada para Caracará. Nem comissão, nem retorno da terra que um dia pertenceu muito brevemente aos herdeiros de Zé Valente. Nada.

O rancor, que fazia grande parte da disposição mental de Caracará, cresceu em seu peito, quando ele pensou no quanto havia sofrido. Quanto tempo vivera sozinho naquele lugar abandonado, onde seu principal papel como "administrador" tinha sido tentar vencer Jacyra Tavares pelo cansaço. E onde no meio tempo, em sua indolência, as pessoas não tinham nada melhor a fazer do que "inventar" que ele era um xamã do tipo maligno que mais matava do que curava. Tudo isso, mesmo ninguém sabendo melhor do que ele o quanto eles gostariam de ter tido uma oportunidade de acabar com ele, pessoalmente.

Mas o engraçado foi que, conforme o tempo se passou, com aquela gente – fazendo o pouco trabalho que havia mal humoradamente, sempre vigiando-o, com medo e ódio – ele começou a pensar que talvez o que eles diziam fosse verdade. Afinal de contas, todo mundo sabia que esse poder de xamã de fazer o bem ou o mal nascia com a pessoa e só se manifestava realmente quando outras pessoas o viam e falavam com dele.

A primeira pessoa a fazer isso fora sua avó, Iracema, a viúva de Zé Valente, que, em tons agourentos, contara-lhe a história de seu avô. De como, em troca de anos cuidando de suas terras, a viúva Inácia dera a Zé Valente uma parte.

Como, além disso, da maneira habitual com que sua família e suas necessidades foram crescendo, Zé Valente decidiu tomar a viúva como sua segunda mulher, com isso juntando as famílias e suas posses. Com que freqüência, conforme os meses se passaram nessa situação angustiante, ele visualizara como teria sido se esse casamento houvesse ocorrido. Até imaginou Rafael em seu lugar como o parente pobre, o "humilde administrador".

Mas, evidentemente, em vez disso, Cândido Tavares, o caçador, saíra para combater o Jaguar em seu próprio território, e a batalha fora o fim de ambos.

– Tivemos que fugir, e perdemos tudo. Mas nada jamais é esquecido enquanto não tiver sido pago –, dissera sua avó, Iracema, e então, fitando-o com aqueles olhos fundos que pareciam ver coisas que os outros não conseguiam ver: – Sabe, meu neto, acho que você tem uma vocação.

Era uma coisa assustadora de uma criança ouvir, e ele tentou, conforme foi crescendo, esquecê-la. Mas o pensamento ficou enterrado e cresceu dentro dele, assim parecia, esperando ser convocado. Até que, matutando todos esses meses, ele efetivamente começara a sentir seus poderes aumentando, deprimindo-o e enchendo-o de uma raiva sempre crescente contra a dificuldade em que vivia, até que, conforme avançava rio acima, o todo finalmente ficara claro.

Evidentemente, não havia nada mais. Para isso ele tinha sido criado. Para um acerto de contas. Se não, por que ele estaria ali, na Mata, esperando pelo neto de Cândido Tavares?

Acabou acontecendo que houve bastante tempo para os ocupantes da cabana serem alertados, e removidos todos os vestígios de seu vil laboratório com seu inestimável produto. Depois disso, não houve motivo para ele ficar. Ele poderia ter desaparecido ali e na hora, escapando através de qualquer uma das fronteiras. Era tão fácil, para uma pessoa como ele, desaparecer.

Para assegurar os agora ex-ocupantes da cabana de que essa era a sua intenção, Caracará chegou até a segui-los à foz do igarapé e fingiu estar partindo corrente abaixo. Mas, uma vez que eles já estavam a uma distância segura, ele voltou, escondeu seu próprio bote um pouco mais acima no rio e voltou a subir a cabana, a fim de esperar pelo que agora lhe parecia inevitável.

Quanto mais ele esperava obcecado e empolgado demais para pensar em comer ou beber, mais a "vocação" vinha à superfície, inundando seu cérebro, afogando qualquer outro pensamento – deixando apenas uma inebriante sensação de poder que era a coisa mais próxima de alegria que ele já conseguira experimentar em sua vida infeliz.

Passaram-se uma noite e um dia com ele sentado ao pé de uma grande cambará, cujos galhos densamente cobertos de folhas estendiam-se sobre o caminho. Em sua mente, surgiam visões das histórias de sua avó sobre os braços esqueléticos de espíritos sem repouso descendo do firmamento para pegá-lo. E esses misturavam-se com pensamentos das maldições que lançava, de seu posto de observação escondido, contra o neto do Coronel, antes de ele o botar para baixo.

E então, conforme a noite recolheu-se de novo no silêncio da floresta, onde a vantagem ficava do lado de quem esperava, ao som de um barco sendo impelido com vara nas águas do igarapé, ele subiu na árvore. Acocorado na forquilha da árvore, ouvindo a aproximação de Rafa, preparando-se para proferir suas palavras de condenação da obscuridade em meio às folhas, teve a impressão de que tudo estava como devia ser. Mas foi quando procurou arrumar posição para poder mirar melhor uma vez dita as palavras, que ocorreu uma dessas maravilhosas coincidências da natureza.

Absolutamente despercebido, um bicho serrador – aquele inseto que serra galhos e põe seus ovos nos tocos – mal havia completado sua missão hercúlea e incompreensível, quando Caracará subiu na árvore. E então, julgando que o objeto da industriosidade do inseto estivesse vivo e sólido, foi sobre esse galho, grosso como seu braço e livre de empecilhos para sua mira, que ele escolheu pousar todo o seu peso. Com um gemido estalado, o galho cedeu e Caracará caiu estrepitosamente. Leve e ágil, ele rapidamente se pôs de pé. Com a mesma rapidez, e com a reação instintiva de um caçador de criaturas que saltam das árvores, Rafa girou e atirou. Mas sua mira apressada errou o alvo, dando a Caracará um instante para se proteger.

Assim, na névoa da manhã, que se erguia e pendia presa sob a abóbada da floresta, seguiu-se o tipo de caça e perseguição que Rafa havia imaginado em pesadelos. Só que agora, na realidade, os dois se caçavam sem ter mais qualquer pensamento de heroísmo, ou de vingança ou de qualquer coisa que não fosse a simples e doce sobrevivência.

Era uma disputa também de força de vontade e paciência, sem qualquer possibilidade da confiança de poder dizer: "Tudo bem, saia, vou deixá-lo livre". E, em semelhante disputa, Caracará tinha certeza de que ele, que tinha a força de vontade de abrir mão da bebida e da droga, também tinha a maior paciência. Agachado no meio do emaranhado de raízes de uma figueira centenária, como o predador ancestral do qual recebera o nome, ele ficou sentado, sem jamais tirar os olhos da floresta onde Rafa havia desaparecido.

Embora para ambos parecesse uma eternidade, ele não ia realmente precisar esperar muito tempo, pois a paciência de Rafa era algo quase inexistente. Consciente de que Caracará estava em algum lugar entre ele próprio e o igarapé, sabia que o melhor que tinha a fazer era ficar quieto e saber esperar mais do que ele, na esperança de que seu inimigo arriscasse fugir. Mas uma outra voz o lembrara de que, se Caracará escapasse, ele o perseguiria enquanto um dos dois estivesse vivo. E essa voz foi ficando mais firme, conforme o efeito da droga foi passando, até que a própria idéia de permanecer escondido e imóvel durante horas encheu-o com um impulso exasperante de se mexer.

Houve um tempo em que ele poderia ter controlado isso, mas agora era como se seus membros tivessem mentalidade própria. E sua mente, todo o seu ser, eram mantidos por aquela absurda e debilitante mistura sem a qual ele virtualmente não tinha qualquer comando sobre suas ações.

Era como se ele estivesse fora de si mesmo, observando seu corpo se mexer por vontade própria, mais desesperadamente e com menos cautela conforme ele lutava para abrir caminho através do legendário inferno da Mata. No qual trepadeiras enraizadas no chão da floresta se arrastavam e subiam para os topos das árvores, descendo de novo em grandes lianas feito cordas, que prendiam e impediam as velhas árvores de cair, até se enraizarem no solo para alimentar as novas. E estas brotando de incontáveis sementes, como árvores novas, espinhosas e de casca lisa, crescendo apinhadas rumo ao lugar ao sol duramente conquistado pelas árvores velhas. Na névoa densa que subia e pingava das árvores, ele logo estava ensopado e, enquanto passava, agachado, de esconderijo a esconderijo, as trepadeiras o faziam tropeçar e os espinhos rasgavam suas mãos e roupas, constantemente estorvando-o.

Ele perdera o senso de tempo e de distância e, pior ainda, de direção. Ele estava agora entre Caracará e o igarapé? Oh, Deus, onde estava aquele demônio? Quando fez uma pausa, agachado atrás de uma árvore tombada, seu tronco enorme mumificado por trepadeiras, de repente ele não conseguiu resistir a mais um ímpeto desesperado – o de ficar em pé e acabar com aquilo.

Tendo ele viajado talvez não mais de trinta metros, e Caracará, com os olhos e ouvidos de um falcão, tendo rapidamente captado o movimento em meio à vegetação baixa, o resultado imediato foi o segundo tiro. Imediato demais, pois a mira foi apressada e, errando de novo, só o que fez foi pôr tudo em movimento. Agora estavam ambos em fuga, pulando de esconderijo em esconderijo, atirando nervosa e irracionalmente num constante estado de defesa e recuo, até que Rafa, literalmente correndo ao encontro da bala, desabou no chão.

Tonto com o choque, ele ficou deitado inconsciente até que a dor o despertou, para ficar deitado num tormento de dor, sem conseguir se mexer, os ouvidos atentos à aproximação do caçador vindo para se certificar de que tinha acertado. Mas, em vez disso, ouviu o som de algo correndo e, no meio do que parecia um silêncio crescente e aterrador, o ronco de um motor. E, então, o silêncio o envolveu.

Durante quanto tempo ele jazeu inconsciente, não sabia dizer. Somente o aspecto dos raios de sol, filtrando-se pela folhagem acima dele, dizia-lhe que devia ser perto do meio-dia. A frente de sua camisa era uma massa grudenta de sangue coagulado, e suas costas, logo abaixo da omoplata, pulsava com uma dor que parecia projetar-se em todas as direções. Havia também uma umidade pegajosa, sugerindo que a bala poderia tê-lo atravessado. Mas não havia como estender o braço para sentir com a mão e, desnecessário dizer, não havia espelho para ver. A dor tornava seu braço esquerdo inútil, mas, lentamente, testando o braço direito, ele conseguiu pôr-se de pé e andar.

Mesmo antes de percorrer o caminho até o topo da ladeira e baixar os olhos para a água, ele sabia que Caracará tinha caído fora e, com ele, os barcos. Relembrando o som do motor, ele só pôde pensar que ou Caracará achou que ele tinha morrido, ou a bala que ele atirara fora a última. Mas isso não tinha a menor importância.

O que tinha importância agora era que Rafa estava sozinho. Ele sabia que a Baía das Antas – de onde, segundo Jezu, Jacyra partira em sua busca maluca – ficava a leste do rio, embora ele não fizesse a menor idéia de a que distância. Mas, sentado nos degraus da cabana, a cabeça rodando, por causa da perda de sangue e da dor, ele entendeu que, se não fosse a algum lugar, podia morrer. E sem um barco não havia mais lugar nenhum para onde ir.

Quando Apolinário o encontrou, ele já estava se esforçando na direção do sol havia quase metade de um dia, forçando-se a prosseguir com a vontade de alguém que só quer sobreviver e dar um passo após o outro apoiando-se nas árvores e nas trepadeiras que antes o atrasaram.

Sua sede era tanta que às vezes o fazia esquecer a dor seca que latejava em suas costas. Seus lábios estavam secos, sua língua, inchada, e havia em seu peito e sua garganta um aperto que como que chiava. E no entanto, ele temia, embora muitas fontes brotassem do solo raso da floresta, que, se ajoelhasse para beber, poderia não ter forças para voltar a se levantar.

No inferno, que parecia ser sempre o mesmo, à frente, como tinha sido atrás, ele começou a contar árvores – para medir distância, tempo e, acima de tudo, para ajudá-lo a desviar o pensamento da sede. Até se deparar com uma fonte que brotava por entre as raízes de uma tarumeira, formando uma poça rasa, ele entendeu que precisava se agachar e beber. Mergulhando na água a mão em concha, sugou a água avidamente, respirando funda e lentamente enquanto bebia. E, então, a sede afrouxou e, seu corpo cansado do esforço, ele recuou e deitou-se, a cabeça apoiada sobre o braço dobrado – só por um momento. Mas esse momento se prolongou e, ali deitado, e amortecido pela dor e pela exaustão, ele adormeceu.

O perigo poderia ter sido um jaguar, uma manada de porcos selvagens atravessando ferozmente a floresta, mas em vez disso foi uma mosca que, farejando a inflamação do ferimento, pousou no rasgão de sua camisa e achou o caminho de que precisava. Perto do amanhecer ele foi despertado por um tipo de dor diferente, feito uma centena de agulhas finas picando-o, e ele entendeu que as larvas varejeiras estavam penetrando em suas costas.

Capítulo 81

— O imbecil, filho da mãe! — Só por um instante Tomazio conseguiu sentir-se de volta àquele tempo em que, quando menino, Rafa avançava cegamente para os apuros, naturalmente esperando que Tomazio o resgatasse, o acobertasse, e muitas vezes, inevitavelmente, ficasse com a culpa.

— Não era minha intenção fazer aquilo. As coisas simplesmente aconteceram – ele dizia, sorrindo inocente e apelativamente.

E agora, em vez de levantar acampamento e voltar antes da chuva – lá estavam eles, atônitos e incrédulos, imaginando o que fazer com Rafa.

— A bala o atravessou direitinho. – Apolinário, que era quase um especialista nessas coisas, tal como em desbravar caminhos e encontrar trilhas, lhes garantiu: – Ele vai sobreviver. Mas não está em condições de caminhar.

Mais tarde, quando Tomazio teve tempo para meditar, não conseguiu evitar a idéia de que Rafa era do tipo que as balas atravessavam e, sorrindo para si próprio com um toque de amargura, pensou ainda mais, essa a diferença entre ele e tio Juca. No momento, entretanto, após sua primeira reação, nada mais entrava na cabeça de Tomazio, a não ser a tarefa de Apolinário, com seus homens, levando cordas fortes e uma rede de dormir.

Mesmo com Apolinário para guiá-los, a expedição se processava com uma lentidão torturante, sendo eles obrigados a abrir com foices a maior parte do caminho, enquanto seguiam. No processo, a raiva inútil deu lugar à concentração para a conservação de energia e então, ao menos temporariamente, a uma compaixão que a tudo exauria.

– Imagine só! Encontrar você aqui! – Ele tentou sorrir animadoramente ao baixar os olhos sobre um rosto pálido de exaustão e de dor. Mas, então, vendo aqueles olhos, cheios de uma determinação feroz, ele próprio sentiu-se melhor e assentiu com a cabeça.
– Uma coisa de cada vez, Rafa, tudo bem?

Improvisando uma espécie de liteira, a partir de uma rede pendurada entre duas varas rijas e resistentes de piúva, os homens puseram Rafa nela e o carregaram, revezando-se em turnos, levando as varas nos ombros e roçando o matagal rasteiro pelo caminho. Era por volta do meio-dia quando chegaram a baixá-lo sobre a rede aberta e espalhada pelo chão, com o poncho dela enrolado num travesseiro que Jacyra fizera para ele.

Horas antes, no momento em que eles partiram, ela pôs-se a trabalhar, dando graças pela necessidade que a mantinha ocupada preparando, da melhor maneira possível, com o que tinha à mão.

Mandou que Brás armasse uma fogueira e mandasse aquele seu rapaz, Basílio, para arrancar um pouco de casca de um pé de paratudo na subida logo acima da baía. Recolhendo água, ela botou pedaços da casca para ferver a fim de preparar um chá curativo. Então ela procurou em seu estojo de apetrechos os poucos essenciais que sempre trazia – o mais essencial agora, suas preciosas pinças cirúrgicas, que ela também botou para ferver, e então chegou aquele momento terrível em que não havia nada a fazer, a não ser esperar.

Não conseguindo ficar quieta, ela caminhou ao longo da margem da baía, mal tomando consciência da paisagem que tanto a encantara na véspera, a mente absorta em pensamentos ora turbulentos e desconexos; ora como partes daquele quebra-cabeças que, finalmente, parecia se encaixar tragicamente. Como se, a partir do momento da morte de tio Juca, as coisas que ela, Tomazio e Rafa tinham feito e não tinham feito; que tinham dito e não dito os viessem levando inexoravelmente até este ponto. Como e por quê? Deixando-se cair sobre um tronco tombado, ela ficou sentada, tentando, o melhor que podia, se acalmar;

tomar pé da situação que era, a um só tempo, insanamente estranha e convincentemente real.

A distância, por trás do matagal ouviu vozes; os resmungos de homens cansados, uma palavra de cautela ou de estímulo, aqui e ali, na voz firme e imperiosa de Tomazio. Eles não podiam estar longe, e no entanto o último momento de espera pareceu de longe o mais longo até então:
– Rafa, meu pobre, pobre Rafa.
Estavam deitando-o no chão, sobre a rede e ela o segurava, apoiando-lhe a cabeça contra seu próprio peito, beijando-lhe o rosto e os cabelos como ela fazia quando ele se machucava, oh, tanto tempo atrás – feliz ao menos por ser ela que estava lá para cuidar dele.
Fraco demais para discutir e até falar, ele se entregou a ela – a boneca de trapo de Praga – ele diria mais tarde, sorrindo enquanto ela removia cuidadosamente os trapos imundos de sua camisa e passava-lhe álcool com uma esponja, o cheiro forte e purificante, bom mesmo quando ardia. E então ela tentava entontecê-lo com cachaça e fitando-o nos olhos.
– Não acho que esteja tão ruim. Na verdade aqueles pequenos filhos da mãe podem lhe ter feito algum bem, deixando-o em carne viva, sabe? – ela passou-lhe um lenço ensopado em cachaça. – Quer que Tomazio o segure?
– Que diabo, não! – De repente, reluziu o velho Rafa.
– Nesse caso, segure-se no poncho e morda o pano.
– Já fiz esse tipo de coisa com gente e com gado – ela disse a si mesma de antemão. – É só não pensar que se trata de meu irmão, a quem amo. – Mas não podia evitar pensá-lo.
E, baixando os olhos para fitá-lo, vendo-o impotente como nunca o vira antes, teve de fechar os olhos contra uma náusea e uma tontura que literalmente a fizeram balançar. Mas isso passou.
Porque tinha que passar.
– A gente se transforma num zumbi – ela diria mais tarde, maravilhada como que diante de um milagre. Naquele exato momento ela só sabia que, abrindo os olhos para ver aquele buraco

inchado, inflamado, ela pouco sentia, além do impulso de fazer o que tinha que ser feito.

Havia preparado uma solução de sua própria invenção, água oxigenada com apenas uma gota de mata-bicheira, que ela agora pingava cuidadosamente no buraco e, tal como fazia com o gado, esperou – o agora familiar cheiro sufocante de creolina enchendo suas narinas de modo alarmante conforme a água oxigenada fervilhava lá dentro.

Quando esse fervilhar cessou, "Deus me acuda", Jacyra ouviu sua própria prece enquanto apertava mais as pinças e, tateando cuidadosamente o caminho, começava a extrair as larvas mortas e agonizantes da caverna que elas próprias tinham aberto.

Tal como o gado, Rafa soltou um resmungo de vez em quando; um "uff" saudável e irreprimível, conforme as varejeiras iam sendo obrigadas a se soltar ou, inevitavelmente, as pinças beliscavam a carne viva. A dor transformava o que ele sentira até agora num mero eco. Mas uma combinação de fraqueza física e um instinto não diferente do instinto do gado o fez submeter-se, combatendo a afronta e o medo, agarrando-se ao poncho e sugando o trapo que Tomazio voltou a empapar e a espremer. Somente uma vez Rafa soltou um uivo fantasmagórico, quando a carne infestada de varejeiras cedeu.

Mas, por fim, o que tinha que ser feito estava feito, a última varejeira que podia, sozinha, manter uma ferida inflamada foi encontrada. Empapando algodão com infusão de paratudo, ela fez uma mecha com que esfregou e limpou e, com gaze, fez um cataplasma. E rasgando em tiras uma de suas próprias blusas, atou-o o melhor que pôde. E então, retirando-se para o abrigo das pateiras, ela vomitou no chão todo.

Rafa só se lembraria, com a lucidez intermitente que acompanha o fluir e o refluir da dor e da febre pelo corpo da pessoa, como foi que ele chegou um dia a estar mais uma vez em seu antigo quarto da Sede. Jacyra lembrava-se de tudo, em particular a aparentemente infinita cavalgada até a Baía das Antas, com Rafa pendendo, realmente feito uma boneca de trapo, pendurado nas costas sólidas de Tomazio.

Para evitar de ser inutilmente consumida por ansiedade e piedade pelos dois, ela forçou a mente a contar-lhe as histórias que tio Juca contava sobre soldados feridos na guerra do Paraguai; de homens como os primeiros Cabrera vagando por aquela vastidão, sem fazer a menor idéia de onde vinham ou para onde iam. Haviam conseguido, disse a si mesma. E se Rafa tinha chegado até esse ponto...

Uma grande diferença entre o passado e o presente era que, assim que alcançaram a baía, o Toyota estava lá, esperando por eles.

– Volte para o lugar de onde veio e fique lá! – Caracará rosnara antes de virar de costas para seu pistoleiro, Tenório.

– Providencie para que essa caminhonete esteja funcionando quando voltarmos – Jacyra ordenara a seu "retireiro", do alto de seu cavalo, quando partiram.

Impelido por um medo inato de que Caracará fosse inescapável, Tenório obedeceria à primeira ordem; e igualmente, como resultado natural, cumpriria uma boa vigília sobre a caminhonete. Uma vez que não podia usá-la pessoalmente, raciocinara, no mínimo o Toyota proporcionaria o meio mais rápido de se livrar de quem quer que fosse o primeiro a aparecer.

Quando chegaram cavalgando ao pátio, ele arregalou os olhos para Rafa como se fosse alguém que houvesse ressuscitado. Depois disso, fez o máximo que pôde para olhá-lo o mínimo possível, quando trouxe um esbodegado colchão de palha do rancho, preparando tudo para a viagem. Mas, conforme ajudaram a baixar Rafa naquele arremedo de cama, foi o braço de Tenório que ele agarrou e a que se segurou, só soltando-o quando conseguiu dizer, num sussurro áspero e zangado:

– Eu sei quem você é, Tenório.

CAPÍTULO 82

Na Sede, Dona Veridiana e seu Caco esperavam ansiosos, como faziam desde que o vaqueiro Floriano chegara a cavalo, seis dias antes, para informar que Tomazio tinha se embrenhado na Mata com a comitiva. Na caligrafia ampla e reta de Jacyra, um bilhete concluía, com otimismo: "Não levaremos mais do que uma semana. E quando voltarmos, esteja pronta para a comemoração com que a senhora sempre sonhou".

Quando passou o bilhete a seu Caco, um cauteloso sorriso de triunfo pairou sobre seus lábios, combinando com um outro, um tanto cheio de si, dele próprio.

— Eu não disse à senhora que era melhor deixar as coisas como estavam para ver como ficavam? Eu não disse que o curso do Tomazio chegaria até para onde estava indo?

— Portanto, suponho que é por isso que os dois estão acampando num inferno onde ninguém, além de um coureiro, iria? Ou um louco... — O olhar de triunfo completamente ensombrecido por lembranças, ela não conseguiu deixar de dizer a seu mais antigo confidente:

— O senhor pode me culpar por ainda ter medo?

— Ter medo não quer dizer que a senhora não tenha coragem — ele respondeu severamente. — Portanto, se existe uma coisa que a senhora pode fazer para se segurar...

— É fazer os preparativos para essa festa. É isso, seu Caco?

Tendo assim falado, naquela mesma manhã a matriarca ordenou a Aníbal que matasse um porco e um bezerro. E então, chamando metade das mulheres da Fazenda, ela começou o trabalho de supervisionar a fabricação da lingüiça, removendo os intestinos e virando-os de dentro para fora, elas os lavaram, rasparam e em seguida esfregaram com limão, até estarem branqueados e limpos. Em seguida os penduraram ao lado das tiras de carne, para secar. Enquanto revoadas de papagaios de penas verdes pairavam e se lançavam contra a jaula telhada onde a carne era curada, as mulheres trabalhavam com um cuidado meticuloso. Picando a carne de porco e de novilho em pedaços minúsculos e uniformes, acrescentavam a proporção exatamente certa de sal, alho, salsa, alecrim e pimenta preta e vermelha antes de umedecer tudo com suco de limão, trabalhando a mistura com as mãos.

Para aquelas mulheres de Contendas, essa atividade, tal como ir tratar de doenças e machucados, era uma distração de suas vidas laboriosas e solitárias. Enquanto trabalhavam, fofocavam e contavam histórias, especulando incessantemente quanto ao porquê de toda aquela lingüiça.

– A senhora vai dar uma festa? – elas se entreolhavam, plenamente conscientes de que toda aquela agitação começara depois que chegara a mensagem da Baía das Antas. E no entanto, conscientes também da expedição à Mata, elas ficavam imaginando morbidamente entre si se o mero ato de preparar tudo não poderia trazer uma onda de azar.

Sabendo, e meio que acreditando no que elas pensavam, Dona Veridiana deu de ombros, enigmaticamente.

– Há alguma coisa melhor a se fazer neste exato momento, do que encher lingüiça?

E enquanto pegava um funil feito com o canal estreito de uma folha de mamoeiro para embutir a carne em seu invólucro, ela pensou: "É bom que nenhuma de vocês saiba que tudo isso é para me impedir de enlouquecer".

Esgotando-se durante o dia, ela, ainda assim, temia o sono à noite. Pois dormir invariavelmente a levava de volta àquela noite de espera em que Ele não tinha voltado. E o seu próprio engasgo impotente, "uhm, o quê?" a despertaria enquanto o mensageiro, parado de pé à sua frente, dizia-lhe a única coisa que ela jamais temera de verdade.

E então o mensageiro de fato chegou, para dizer que ele estava vivo.

– O que é isso? O que está dizendo?

Era tudo uma confusão, enquanto, ainda despertando e enfiando-se num roupão ela desceu as escadas aos tropeços.

– Ele se feriu, caçando. Eles o estão trazendo.

– O que, eles... quem?

– Rafael, Dona Veridiana – disse seu Caco ternamente, quase como se falasse a uma criança. – Tomazio e Jacyra o estão trazendo.

– Rafael.

Mas claro. Lentamente, ela olhou para as mãos, velhas, encarquilhadas e cheias de veias – a contemplação delas trazendo-a de volta ao presente.

– Como é que eu não vi logo?

Quando, por fim, o trouxeram para dentro, ela baixou os olhos para aquela face, que podia ter sido a de Cândido Tavares, mas não era, e disse:

– Não outra vez, não deve acontecer outra vez.

– A senhora não precisa continuar a ter medo – disse seu Caco, examinando os ferimentos com o olhar experimentado de um homem de ervas e raízes e assentindo com a cabeça em sinal de aprovação –, a cura já começou.

– O que me preocupa neste exato momento – ele acrescentou, e voz mais baixa, para Jacyra – é a febre, o frio, seus pulmões.

Imediatamente, apoiando Rafa com a força impressionante de seu ser todo torto, ele forçou-o a beber um caldo de carne, para fortalecer-lhe o sangue, e uma infusão amarga de casca de jatobá para afrouxar o aperto em seu peito.

– Se isso não estiver melhor pela manhã – disse ele, olhando para o céu que ficava escuro –, seria melhor que Tomazio o levasse de avião para Sta. Inácia.

Foi então que Rafa realmente falou com eles pela primeira vez. Seus olhos desvairados e na defensiva, como os de um gato ferido, ele ergueu-se dolorosamente sobre um cotovelo e disse, com voz arrastada:

– Não vou a lugar nenhum, estão ouvindo?

Tudo que havia de familiar em seu olhar antes de ele desmaiar devido ao esforço dizia a Jacyra que ele teria igualmente lutado feito um felino, para impor sua vontade. Mas, como acabou acontecendo, ele não ia precisar nem tentar. Pois naquela noite os céus se abriram e a chuva desceu como só havia acontecido uma vez, na lembrança da matriarca.

Alguns pantaneiros dizem que é raro o homem que passa por duas enchentes em uma só vida; outros dizem que, se alguém não passou por isso, é que sua vida foi breve demais. Entre uma afirmativa e a outra, pode-se dizer com certeza que é só por sorte que mesmo os mais experientes estão preparados quando ocorre um momento desses.

Pois quem pode imaginar, quando os rios estão tão baixos, que eles possam encher tão depressa? Ou que, após uma seca que se prolongou durante meses já na estação chuvosa, as chuvas desceriam com tamanha intensidade?

Tudo indicava o contrário; os pássaros, que estavam atrasados em se recolher a seus ninhos, os jacarés com seus ovos na relva junto aos regatos, os peixes, mal começando a desova. Os homens que, ouvindo seus rádios, haviam calculado que, se somente agora havia começado a chover para valer na Serra de Maracaju, não precisariam tão cedo fazer o gado subir dos brejos...

Mais tarde, todos os especialistas estariam falando do comportamento radical do El Niño e das correntes redemoinhando no mar da Austrália. Mas nenhum deles teria dito no momento que o mormaço que deixara os pássaros agitados na Mata do Jaguar prenunciaria semelhante desastre.

Assim que chegaram à Baía das Antas, e sua carga lhe fora retirada das costas, apoiando-se, cheio de dor, no muro do rancho, Tomazio dizia a Bento:

— Mais uma chuva antes de retirarmos o gado para o campo não seria ruim, hem, Bento?

E Bento assentira com a cabeça, sorrindo com uma confiança que ele, até agora, não depositara em ninguém, a não ser em Juca Cabrera.

Mas então a tempestade chegou, no meio da noite, com trovões que sacudiam o madeirame dos telhados e novelos de raios emaranhados que rolavam ao longo dos ramos das árvores, e ventos que levantavam as telhas do teto, obrigando Fátima e as meninas a correr de lá para cá, com potes e panelas para recolher a água.

Em sua cama, acuado numa ilha em meio às goteiras, Rafa tremia e se sacudia em frêmitos de febre, enquanto Jacyra o cobria com cobertores e ponchos, e seu Caco o tratava com chás de raiz de carapia e de flores de caraguatá. E então, conforme a chuva se derramava à volta deles, Jacyra ficou sentada refrescando-lhe a testa com um pano úmido até que, gradualmente, sua fronte refrescou e ele dormiu.

Pela manhã, com a água da salina cobrindo a pista de pouso e nenhum sinal de abrandamento da chuva, Tomazio tinha em mente apenas uma missão – a de ir atrás do gado. Assim que a tempestade se dissipou, ele passou um rádio para Entre Rios, para ouvir a voz forte de Vasco, seu pai, garantindo-lhe que a própria comitiva deles estava se preparando para fazer o mesmo.

– Eu cuido das coisas aqui, e você cuida delas aí. Câmbio.

– Certo! É só para ver se o senhor pode me mandar a minha mula! Câmbio.

– Certo! Embora eu tenha a sensação de que vamos acabar os dois no mesmo barco. Hrarr-hrarr! Câmbio.

Riram, com a camaradagem dos guerreiros partindo para a batalha, seus corações pesados com desconfianças semelhantes, conforme conversavam pela última vez antes de sair para enfrentar a enchente...

Se não fosse por Rafa, Jacyra teria ido com Tomazio. Era parte do contrato verbal cheio de cláusulas cômico-sérias com respeito à divisão de responsabilidades que eles haviam elaborado durante noites olhando para as estrelas através das copas das árvores.

– Entre Rios é minha, Contendas é sua. Você dá ordens aqui, eu dou ordens lá, desde que façamos amor juntos.

Mas agora ambos concordavam em que, embora a febre houvesse cedido, havia outros machucados para os quais nem mesmo seu Caco tinha remédio. E assim, pela primeira vez em sua vida, Jacyra vivenciara aquilo a que Dona Veridiana se referia como "a espera".

Abraçando-a por um longo momento, como que a fim de se temperar para a jornada, Tomazio murmurou:

– Você estará comigo, do mesmo jeito. E eu estarei sonhando com aquela sua cama. Agora que a experimentei, é a única em que posso realmente dormir. Portanto, mantenha-a bem aquecida, está ouvindo?

E então, seu poncho cobrindo tudo, feito uma tenda, a chuva pingando de seu chapéu, ele montou na mula que Bento lhe havia trazido e foi embora.

Capítulo 83

Sob os cuidados de Jacyra e com os remédios de seu Caco, o corpo de Rafa recuperou-se rapidamente. Limpando-lhe as feridas, e mantendo-as abertas para que fossem cicatrizando de dentro para fora, ela o tratou com pomadas de paratudo e cataplasmas de piúva. Com os chás de seu Caco e xaropes de camburá e caraguatá e de brotos de manga ela o tratava até ele não ter mais febre, seu peito se soltar e seus pulmões ficarem limpos. Com os caldos de carne de Fátima, enriquecidos com salsa e alecrim, ela reforçou-lhe o apetite até que – finalmente – ele pôde comer arroz-de-carreteiro.

Isso foi fácil. Seu corpo forte tinha como que vontade própria. A outra doença é que era difícil, porque quando ele chorava, e a xingava, e gritava:

– Você não sabe, não faz idéia!

Era verdade. Ela não sabia o que fazer, exceto segurá-lo nos braços e massagear-lhe os ombros, a nuca e os pés para aliviar-lhe a "dor" com mãos pequenas e fortes que ela nunca soube que pudessem possuir tanta paciência. Não tendo o "remédio" certo, ela lhe disse, não havia nada mais que pudesse fazer. E, gritando e chamando-a de "praga de merda", ele deixou que ela lhe falasse, suas lágrimas se misturando até que, só Deus sabia como, sua angústia mútua cedeu, ao menos por algum tempo. E então ficaram conversando aos sussurros sobre coisas que não queriam que mais ninguém ouvisse.

Pouco a pouco, entre despertar suado de medo e caindo num esquecimento exausto – talvez porque, para deixar tudo bem claro em sua própria mente, ele precisasse dizer a alguém, e apesar de si mesmo, que sempre confiara nela – disse tudo a ela. A história inteira de política e suborno; a cocaína que vinha a custar mais do que uma campanha eleitoral, em chantagem e sofrimento, cujo pagamento final parecia não ter data. Uma história de vingança, Jacyra entendeu com uma clareza horrorizada, conforme ia ouvindo, que havia realmente começado quando a Viúva Inácia e seu "agente" Zé Valente, e que ainda tinha que terminar com o capanga do Rafa, Caracará.

– Então, você entende – disse Rafa, num sussurro cansado – como foi que as coisas fugiram do controle e...

Jacyra concluiu com o que ele não podia dizer.

– Como tio Juca pôde ter se envolvido nessa trama?

– Você pode entender como tudo o que eu queria era cair fora, começar de novo. O.K., pode me odiar. Você tem razão.

– Eu o quê? – Ela olhou para ele, ali deitado, esgotado, esmaciado – os olhos brilhando com sabe Deus que tipo de necessidade. – Ter razão não tem nada a ver com amor e ódio. Isso foi algo que descobri quando achei que você podia morrer. Mas você entende também, não entende, Rafa? Sobre o tio Juca, por que nenhum de nós pode desistir enquanto não souber da verdade? Por você próprio, por sua paz de espírito, você devia ser o primeiro...

Quer ele a tivesse ouvido ou não, Jacyra entendeu que não receberia resposta, porque Rafa não estava mais falando. Como uma criança que tivesse dito e ouvido mais do que podia enfrentar, ele virara o rosto sobre o travesseiro e fechara os olhos.

Naquele momento, vendo-o, foi ela que sentiu um ímpeto de culpa e ansiedade. Quando ele ainda estava tão fraco, como poderiam ter falado dessas coisas? – ela se perguntava. E no entanto, como poderiam falar sobre qualquer outra coisa, enquanto tudo não houvesse sido dito?

Então, foi por isso que, na noite seguinte, quando se sentou ao lado dele, esfregando as suas costas com álcool, ela disse:

– O que você quer, Rafa? Talvez se você ao menos pudesse me dizer o que...

– O que eu quero? – o modo como ele se virou na cama e ergueu-se apoiado nos cotovelos foi um sinal da vontade do antigo Rafa. – Que as pessoas reconheçam o meu valor, isso é muito?

— Mas, então, se você quer que as pessoas vejam o seu valor, faça alguma coisa que valha a pena! — ela não sabia de onde tinham vindo as palavras que não conseguira dizer antes, elas simplesmente vieram-lhe à boca. — Até a política pode valer a pena!

— Pelo amor de Deus, Praga, não há como enfiar isso na sua cabeça? Que assim que as pessoas descobrirem sobre aquele avião, eu estou ferrado?

— Então, o que você vai fazer? — ela estava feliz por estar zangada agora. — Seguir pelo resto da vida caçando e se escondendo? Em algum ponto, você vai ter que parar, e começar de novo, não vai? Você não é nenhum traficante, Rafa, negociando com a desgraça alheia. Você negociou com a sua própria desgraça, um dia. As pessoas podem perdoá-lo por isso.

— A questão é enfrentar a coisa. — Ela apoiou-se nele, ávida. — Quando eu estive no Rio, conheci pessoas que haviam sofrido tratamento. Foi terrível, mas elas estavam vivendo de novo. Valendo alguma coisa para si mesmas.

— Valendo alguma coisa para si mesmas — Rafa torceu a cara, defendendo-se, ironizando-a à sua antiga maneira.

— Tratamento! Você acha que eu ia me sujeitar a uma merda dessas? Vá embora e deixe-me em paz, pode ser?

E então ela foi. Sentindo-se zangada, inútil, e nem um pouco vindicativa, ela deixou para Fátima a tarefa de levar a refeição noturna dele; e para que seu Caco tratasse da cura, e este, notando o rosto corado e irado dela, não pôde deixar de observar:

— Acho que Rafa está melhorando.

— E eu estou ficando cheia — ela retorquiu — dele.

Uma vez que fechou a porta do velho quarto que vinha ocupando desde que eles voltaram, deu-se conta do quanto precisava ficar sozinha, nem que fosse ao menos para ficar deitada ouvindo a chuva martelar no telhado. Ouvir como se, fazendo isso, ela pudesse fazer a enchente cessar; ou, se não, pelo menos, fazê-la saber que ela estava desperta e vigilante. Pois estranhamente, agora, dormir parecia ser uma desistência; afastar-se de Tomazio que, agora, como não acontecia havia dias, ocupava todos os seus pensamentos.

Ela sabia que, com a ajuda dos homens e das mulas dele, bem como dos seus próprios, ele estava lutando para conseguir e conservar tanto gado quanto fosse possível adiante dos rios que enchiam. Que, se ao menos parasse de chover, pelo menos ali, nas terras altas, em poucos dias haveria algum lugar para onde ir.

Mas agora. Onde estavam eles? Onde estava ele? Em sua mente, sucediam-se as visões de cavalos nadando e homens com água até as cinturas, lutando contra correntes maciças e contra o súbito caos e torvelinho do gado enlouquecido. De homens empilhados num pequeno monte sem nada seco com que fazer um fogo; sem possibilidade de secar qualquer coisa que fosse.

Ali, deitada, sem ele, pela primeira vez, impotente para agir, ela experimentou a sensação que sua mãe e avó haviam experimentado – todas as mulheres que, um dia, tiveram que esperar sozinhas – conscientes, como estavam, da cruel indiferença da natureza, temendo o desconhecido. Naquele momento nada poderia ter importado tanto quanto a volta dele. Ela tinha a impressão de que seria capaz de dar tudo o que tivesse, caso eles voltassem. Simplesmente desistissem e voltassem. E no entanto, ela sabia que eles não iam voltar, não poderiam – a obstinação sendo, como era, essencial ao próprio modo de vida deles. E, estranhamente, esse conhecimento imutável tornou-se um consolo que finalmente conseguiu fazê-la dormir.

Capítulo 84

Durante todo esse ínterim, só meio consciente dos murmúrios e gritos ocasionais que vinham do antigo quarto de Rafa, Dona Veridiana ficava sentada na varanda durante o dia e deitada no quarto de cima, à noite, observando e ouvindo a chuva, e esperando. Observando para ver se Tomazio voltava, esperando que Cândido Tavares aparecesse de novo. Uma coisa estava ligada à outra e, conforme o sol ia e vinha – um brilho estranho e prateado no horizonte –, ela sentia-se, alternadamente, ficando mais jovem e mais velha.

Quando Jacyra vinha sentar-se ao lado dela por um momento, a matriarca dizia:

– Mandei limparem a casa e providenciei para que fizessem lingüiça. O resto, minha cara, temo que fique inteiramente em suas mãos. Só me restam forças para me reclinar e ficar de vigília.

– Você merece, Vó – Jacyra esperava parecer animada e estimulante –, fazer só isso.

Mas, em vez de responder, a matriarca resvalava para uma espécie de sonho, no qual Ele estava com ela, cavalgando às sombras esparsas do cerrado; ou sentado na varanda, as crianças brincando, correndo descalças pela areia sob as mangueiras enquanto eles assistiam ao lento desmaiar do dia. Um sonho que, com igual rapidez, tornou-se uma visão carregada de horror, levando-a a, de repente, sentar-se ereta e dizer:

– Foi aquele sujeito, o Abrantes, que baleou Rafa, não foi? – Não esperou resposta, mas continuou, como se estivesse falando consigo mesma: – Por causa de Zé Valente. Quem dera eu contasse com alguém que pudesse mandar atrás dele, para dar-lhe um tiro, no momento em que entendi quem ele era.

– Ah, não, Rafa estava certo. Eu devia ter nos livrado da Mata. Então, já estaria tudo pronto e acabado. Mas – ela voltou-se para, mais uma vez, incluir Jacyra em suas confidências – eu não podia, podia?

– Não, não podia – disse Jacyra, e viu-se pensando em como estava cansada de tudo o que soubera naqueles dias sobre vingança, intriga e o resto. Parecia fazer tanto tempo, embora apenas uns poucos dias houvessem se passado desde que ela e Tomazio estiveram na Mata, no meio da beleza e da paz. Autodefensivamente, era naquele paraíso, e não no inferno de Dona Veridiana, que ela estava pensando.

Apesar de tudo que havia acontecido, do quanto ela ansiava por voltar para lá. E enquanto ela ficou sentada em silêncio, pensando, de repente ela entendeu que voltaria no momento em que fosse capaz. Para restaurar a cabana, construir outras, colocar nelas pessoas que fossem curiosas e minuciosas o suficiente para realmente investigar os mistérios da Mata – os que realmente importavam.

– Não seria melhor – ela podia ter dito à avó – mesmo que a natureza humana não mudar?

Mas, com certeza, de nada adiantava discutir, quando ela se virou para encarar a matriarca, sentiu-se aliviada por não ter que dizer nada. Por ter expressado seu aborrecimento com uma conclusividade tão malévola, sua avó ficou novamente sentada em silêncio, os olhos distantes, tendo no rosto aquele ar curiosamente jovem enquanto procurava enxergar através da chuva que caía.

E então, tão repentinamente quanto havia começado, a chuva parou. Primeiro ela brilhou à luz do sol, lançando arco-íris através da terra infinitamente plana e, então, conforme a luz do sol desceu, batendo com toda a força de um verão tropical, nuvens do tipo cúmulos rolaram pelo céu, lançando sombras fugidias antes de se desfazerem, em um dourado pálido, num céu noturno límpido e reluzente de estrelas.

Por volta do crepúsculo do primeiro dia, as águas do campo já haviam começado a recuar. Havia pássaros à espreita por toda parte, enquanto jacarés ficavam deitados ao lado das trilhas do gado, alimentando-se dos peixes que fluíam com as águas enquanto elas tentavam encontrar seu nível correto nas baías.

Só a sensação da luz do sol nas costas, nas cabeças e nas mãos fazia tudo parecer possível. Rafa, de pé e à espreita tão impacientemente quanto os pássaros, comia bem e fartamente de um caribeu feito de carne-seca cozida com aipim, levando Fátima a erguer aos céus uma prece de gratidão; enquanto Dona Veridiana dizia, em seu coração, uma prece, porque talvez algum feitiço pudesse finalmente ter sido desmanchado. E porque, talvez, ele finalmente tivesse aprendido uma lição.

Com energia renovada, a matriarca levantou-se de sua cadeira a fim de andar para lá e para cá, dando ordens. Todas as persianas precisavam ser abertas ao sol, as cobertas penduradas ao ar livre, era preciso matar e temperar um cabrito para ser assado, a fim de comemorar o retorno da comitiva, por piores que fossem as notícias que ela trouxesse.

Jacyra, aquecida também pelo sol, fez tudo que pôde para participar da confiança da avó. Mas era difícil não ficar parando o tempo todo, para olhar através de um campo que parecia o Mar dos Xaraiés. Difícil não selar um cavalo e partir, consciente de que era inútil, não sabendo para onde ir, conforme – decepcionante e agourentamente o dia se desfazia na noite.

De todos, devido a sua inata veracidade, as palavras de seu Caco eram as mais reconfortantes:

– Que melhor razão, além de você, Tomazio poderia ter para cuidar de si próprio. Você é como um ímã, Jacy.

Do mesmo jeito, quando todos foram descansar, ela ficou contente, por algum tempo, por não ter mais necessidade de fingir. Dando graças por poder se permitir relaxar e ficar sentada na varanda, olhando para a escuridão. Isso até Rafa sair das sombras e parar diante dela.

– Quero que você me empreste um cavalo – disse ele, baixinho.

– Para ir aonde?

– Você sabe tão bem quanto eu que preciso voltar ao avião.

– Mas ainda não, com certeza. – Sabendo de sua contrariedade, apesar de um súbito frio interior, ela tentou parecer calma.

– Você não está pronto. Só porque parou de chover. Fique mais um pouco, recupere suas forças.

– Não tenho tempo, será que não entende?

– E eu não entendo? Tenório sabe que você está vivo, Rafa. – Nada poderia ter sido mais claro do que a imagem, quando ela disse: – Você acha que eu não consigo ver o Abrantes lá, esperando?

– Essa é a minha esperança – por um instante a velha bravata voltou à sua voz. – Torna tudo mais simples.

– Não seja tolo! – conforme ela jurara que não faria, virou-se mais uma vez defendendo uma causa. – Não vale a pena, nada vale. Olhe, você está mais seguro aqui do que em qualquer lugar, no momento. Essa gente não vai querer ter nada a ver com Contendas, agora, e muito menos com você. Melhor ficar aqui um pouco... até você poder enfrentar as coisas.

Em resposta, andando para lá e para cá, feito um animal enjaulado, ele disse:

– Se você não me der um cavalo, sabe que eu vou pegar um de qualquer maneira. Portanto, de que adianta?

Ela sabia como isso era verdade. Rafa, aquele moleque mimado do seu irmão, que sempre fora em frente e fizera o que queria, nada lhe importando... certo de que se sairia bem.

– Está falando sério, não está? – ela se levantou, pousou as mãos nos braços dele e o encarou. – Mas eu não me importo de pedir. Espere só um pouco mais. Pelo menos até você não precisar de alguém que o abrace quando você chorar.

Ao ouvir isso, ele tomou-a em seus braços e abraçou-a bem apertado e em seguida empurrou-a suavemente um pouco para trás, para olhá-la no rosto, com a ansiedade de alguém que acaba de descobrir alguma coisa de valor, só para ter que deixá-la.

– Eu estarei bem, acredite, porque quero estar. – E sua voz saiu engasgada quando ele disse: – Sinto muito, Praga. Está ouvindo?

Capítulo 85

Pela manhã, Fátima, tendo sido, como sempre, a primeira a se levantar, para acender o grande fogão a lenha, foi a única a vê-lo partir. Ela se lembraria sempre de como ele estava bonito, e elegante, como nos velhos tempos. Vê-lo assim enchera-lhe o coração de alegria, especialmente quando ele disse:

– Vou sentir falta do seu mingau de bocaiúva, Fátima. Foi isso que funcionou!

Ela achou estranho ele sair assim, dissolvendo-se na névoa, as botas rangendo no chão encharcado, enquanto ele seguia até os cercados, onde estavam os cavalos. Mas foi só quando ele não voltou para o desjejum que, tomada de um súbito pânico, ela correu ao encontro de Jacyra.

— Está tudo bem, tudo bem... — Jacyra passou o braço em torno de seu ombro sólido e roliço de trabalho, falando como se acreditasse no que dizia.

— Ele me disse que ia partir hoje de manhã. Ele vai estar bem. Ora, vamos.

Podia sentir nas costas o olhar não convencido de Fátima enquanto ela se forçava a ir direto para a mesa do café da manhã, onde sabia que ia encontrar os demais, esperando.

— Ele já foi, não foi? — disse Dona Veridiana, antes que ela conseguisse falar. E acrescentou com uma estranha convicção. — Eu sabia que era isso que ele ia fazer.

Com isso, a matriarca saiu da mesa e foi para a varanda, a fim de sentar-se na poltrona da qual ela mantivera vigília a vida inteira.

E lá ela ficou, sem falar com ninguém, recusando a comida que lhe era trazida — até o tereré. Parecendo uma peça de granito antigo, ela ficou sentada, concentrando toda sua energia em olhar fixamente para o céu.

— Deixem-na em paz — disse seu Caco. — É o melhor, pelo menos até a noite chegar.

E, sem precisar dizer "melhor o quê?", Jacyra fez como lhe mandaram, indo cuidar de seus assuntos, como se não tivesse ouvido as palavras da matriarca. Fingindo não saber que não era do tempo que as coisas dependiam agora.

Como que em reconhecimento às palavras de seu Caco, de que ela dera toda a sua própria energia à vigília da velha senhora, sentindo-se esgotada e inútil, conforme as horas iam se arrastando. Através do frescor da manhã, e do sufoco do meio-dia — conforme o medo e a desesperança iam crescendo, escarnecendo da força de vontade de todo mundo.

Durante todo esse tempo, a matriarca, ainda plantada em sua cadeira, revivia a história de Zé Valente e do poder de chantagem dele sobre sua mãe. Ano a ano ela recordou suas visitas arrogantes a Contendas, que haviam terminado na caçada final ao Jaguar, que, afinal de contas, não tinha sido final.

Será que alguma coisa um dia foi? Ou não era por nada que em todas as histórias que ela já tinha ouvido contar sobre o Pantanal, o final só chegara quando as contas estivessem corretamente acertadas?

Os olhos fixos, a boca estranhamente torta, era tão grande a sua concentração no destino de Rafael que, para seu Caco, o qual, do portal, mantinha sua própria vigília, era como se fosse ela que houvesse encontrado seu criador. Tanto que ele estava a ponto de avançar para ter certeza, quando a viu crispar as mãos sobre os braços da cadeira, inclinar-se para a frente e ficar prestando atenção.

Ambos ouviram imediatamente o inequívoco zumbido que, torturantemente parecia nunca se aproximar, até que, subitamente, ele quebrava o silêncio com um rugido baixo, dominador. E foi então, conforme o avião deu uma guinada para o norte, à brilhante luz do sol, que se refletia nas águas que fluíam a toda a volta, que Dona Veridiana quebrou seu silêncio auto-imposto, com um sussurro profundo e triunfal.

— As contas estão acertadas – disse ela. – Será feita a vontade de Deus.

E, reclinando-se em sua cadeira de balanço, ela exprimiu um suspiro copioso.

Capítulo 86

Tomazio jamais se esqueceria do som da subida da enchente. De inúmeras correntes submersas, fundidas numa força irreversível que causou nele um medo que, ele tinha certeza, nenhum homem honesto poderia negar. Antes de partir, ele entendera que só havia uma escolha, a da retirada. Deixar o gado que não pudesse ser recuperado; juntar o que pudesse, pouco a pouco, pelos corredores acima da Baía das Antas e seguir, com toda a rapidez possível em direção àquilo que era normalmente conhecido como segurança. E no entanto, lançando o olhar por sobre o campo submerso, ele ficou sentado em sua mula, prestando atenção ao ruído da água – sabendo, e no entanto incapaz de forçar-se a pensar no que fazer.

O que o moveu no final foi que havia igualmente Bento sentado, prestando atenção, esperando com todos os homens por trás dele – uma força oposta, desigual diante da enchente e, no entanto, impositiva o suficiente para romper sua inércia. Um que, nos dias vindouros, poria repetidas vezes sua lógica nativa em ação, mandando homens e cavalos arriscando-se em todas as direções.

De fato, durante aqueles dias o pensamento consistiria quase que inteiramente em não perder de vista os homens que, em grupos de três ou quatro, se espalhavam em busca de gado nos outeiros cobertos de árvores que se erguiam acima d'água. Trinta homens em lombos de mulas e montes de cachorros magriços, absurdamente valentes.

Descalços, as pernas e as coxas agarrando-se às peles de ovelha por baixo delas – os homens cavalgavam, sem selas, para dar espaço a uma ou outra criatura que se debatia – uma rês, um cachorro ou um homem que precisavam ser puxados para a garupa. De que valia puxar uma rês pelas orelhas, a fim de depositá-la no outeiro mais próximo, para um dúbio resgate dias depois, ninguém tinha tempo para calcular. Era algo que simplesmente fazia-se, jogando-se a pobre criatura atravessada sobre a pele de ovelha à sua frente, mantendo a cabeça acima d'água, mesmo quando a mula afundava mais, deixando o cavaleiro com água até o peito.

Para Tomazio, mesmo mais tarde, não haveria palavras para descrever a transformação daqueles homens que, em sua indiferença e intratabilidade cotidianas, o deixavam tão exasperado. Com que, ficando à toa, de mau humor, bufando e desaparecendo sem nenhum motivo, normalmente não se podia contar para uma jornada de trabalho.

Cujo único sonho era serem heróis e, quando a oportunidade chegava, tornavam-se heróis sem sequer se dar conta, salvando vidas sem pensar, esquecendo-se de quem era seu inimigo quando, puxando-o, de onde ele estava, agarrado ao rabo de seu cavalo, para não morrer. Sob a chuva fria e torrencial, freqüentemente passando horas com água até o peito, eles faziam o que tinha que ser feito; cavalgavam até chegar aonde tinham que ir. O único pecado imperdoável sendo o de desistir, virar o cavalo e voltar para casa.

Era por volta da metade do segundo dia quando, esquecendo por um momento o gado a seu encargo, Tomazio imaginava vagamente quanto tempo um corpo poderia permanecer molhado e vivo, quando uma sucuri atravessou-se no caminho principal e deixou tudo em volta fervilhando. Buscando um lugar para descansar, o velho e venerável réptil acabara de deslizar para a corrente quando ele e o gado convergiram. Tão assustada quanto as reses, meia tonelada de cobra gorda e musculosa, com dez metros de comprimento, ela se dobrou e mergulhou, para emergir entre uma novilha e sua mãe que, tomadas de terror e pânico, e enfurecidas ao mesmo tempo, tentaram um ataque flutuante.

Para escapar das sacudidas violentas da cobra aterrorizada – subindo uns sobre os outros, os mais fortes fazendo com que os mais fracos afundassem, o gado buscava chão firme em todas as direções. Perdidos no estrondo e no fervor, ficaram os mugidos calmantes do berrante do Brás, os cânticos entoados para acalmar a situação, ae-ooh, ooh, vira vaca, vira boi – aos vaqueiros que contornavam e cercavam. Para os homens não havia nada mais a fazer a não ser acalmar suas mulas e procurar eles próprios terreno elevado e lá esperar e ficar observando conforme o resultado de dois dias de esforço se afogava ou se dissolvia em meio às árvores.

– Virgem Maria! Filha da puta! Puta que a pariu! Um cântico composto de desespero e raiva meio crédulos zumbia e murmurava acima das águas turbulentas e então fixou-se numa espécie de respiração profunda, lenta e universal, conforme o conhecimento foi se impondo. Era simplesmente verdade. Não havia nada a não ser recomeçar tudo mais uma vez. E não pela primeira vez, nem pela última.

Mas, como todos os veteranos garantiam:
– Em algum momento, o sol tem que sair.
E assim foi, sua luminosidade orlando e abrindo as nuvens com promessa, por alguns dias, quando a comitiva, mais uma vez, con-

vergia em Baía das Antas. Tendo chegado à imperceptível divisão entre terras altas e baixas, eles haviam guiado o gado para o corredor que atravessava os pastos elevados onde encontrariam refúgio e relva, apascentando-se nas águas, conforme as chuvas nas serras diminuía e, gradualmente, a enchente baixava.

Seu serviço feito, pelo momento, finalmente chegou a hora de parar e descansar. E, todas as coisas sendo relativas, com que alegria eles acharam sua reserva de carne-seca e farinha de mandioca, onde a haviam deixado pendurada sob o teto do rancho. Nem nada poderia ter valido mais o esforço do que o uso da preciosa madeira seca, deixada sob o fogão pelo fugitivo Tenório, a fim de esquentarem água para o chimarrão.

Tomazio, cansado e cheio de dores, curtindo o sol em suas costas, estava tirando os arreios de sua mula, Firmeza, junto aos currais, quando viu o avião passar lá em cima. A princípio, não achou nada sobre aquilo. Mas, então, quando o viu passar baixo entre o brejo inundado e as árvores de tio Juca, ele entendeu que não havia erro. E sabendo de onde ele tinha vindo, teve uma sensação de pura alegria por Rafa estar vivo.

— É ele sim senhor – disse a Bento, quando recuperou o fôlego.

— Graças a Deus! – murmurou Bento em resposta. E então, conforme emoções e lembranças demais lutaram ao mesmo tempo dentro de seus seres exaustos, nenhum dos dois disse mais nada.

Foi só horas depois que – deitado numa rede seca pela primeira vez em dias – Tomazio viu-se bem acordado, enquanto, sinistramente, lembrava que o vôo de Rafa não mudava as circunstâncias que o haviam cansado. Se Abrantes havia desaparecido, a caçada continuaria de ambos os lados, mais penosa e perigosa do que nunca. Se, por outro lado, Rafa o encontrasse, haveria pouca dúvida de que as contas tinham sido acertadas, do jeito antigo e fora da lei. E, vendo como todo mundo havia sofrido, inclusive Rafa, Tomazio perguntou a si mesmo se aquilo não poderia ser o fim de tudo?

Sua alegria por Rafa ter escapado fora tão pura, lembrando-lhe como eram profundos os laços que os ligavam desde que cresceram juntos, sob a tutela de tio Juca. Por que não fechar os olhos e deixar por isso mesmo, mantendo a pureza e esquecendo o resto? Porque, a resposta recusava-se a não ser ouvida, o resto era o que importava. Era o que gradualmente fizera com que ele e Rafa se afastassem, conforme ele amadureceu e viu o descuido infantil de Rafa transformar-se em desrespeito por tio Juca, Jacyra e pelos seres humanos em geral. Sua real separação como amigos acontecera, sem dúvida, naquela noite no bar em que Tomazio golpeara o braço de Rafa para impedir uma matança insensata. Depois disso, ele não podia, de certa forma, pensar em mais nada para dizer a ele, não importa o que tenha havido antes. Era uma sensação que ele não podia evitar, que havia crescido com cada injustiça que Rafa fizera aos Tavares, ao tio Juca, a todos que, em algum momento, tentaram contar com ele. Até o último.

Ainda que quisesse, Tomazio sabia que nunca seria capaz de aceitar o descuido que, a essa altura ele tinha certeza, custara a vida de tio Juca. Portanto, apesar de sua alegria porque Rafa estava vivo, Tomazio só poderia esperar que pudesse nunca mais voltar a vê-lo.

Um sol causticante despertou-o de um sono profundo e revitalizante. Sua luz amarela penetrava a névoa que se erguia da floresta e das colinas de onde desciam torrentes d'água, levando-o a dizer a Bento, enquanto arreavam suas mulas pela primeira vez em dias:

– Pelo menos, deveríamos ter alguns dias...

Ao pular para cima da sela, entendeu que não precisava completar uma frase que Bento já havia concluído para ele. Tinha a ver com o eterno se. Neste caso, se a chuva não voltasse, no intenso calor do verão, os campos secariam o suficiente para que os homens voltassem a trabalhar o gado para valer. Conforme as águas fossem encontrando seu nível adequado, isso significaria voltar a trazer os animais, manada por manada atravessando-os para distribuí-los por seus pastos de verão. O que significaria, evidentemente, voltar a buscar o gado deixado para trás nos pequenos montes e outeiros; levar as vacas que tiveram cria para encontrar os novilhos que tinham sobrevivido. Pelo menos enquanto o sol permanecesse brilhando no céu.

Pois agora, pelo menos, ele os aquecia e tornava o cavalgar ligeiramente mais fácil do que chafurdar sobre o chão molhado e seguir a vau contra a corrente que recuava, e eles cobriram o último estirão que faltava para chegar em casa. Mais fácil, mas cansativamente lento, deformando o tempo de tal forma que tudo o que acontecera antes daquele dia parecia ter sido muito tempo atrás.

Meu Deus, tinham sido necessários cinco anos de "pioneirismo", plantando o campo com grama melhor para que ele pudesse sustentar 5 000 vacas, inverno e verão. E agora, tendo tido algum tempo para conceber o número de animais que nunca voltariam a encontrar, Tomazio calculou que seria cerca de metade de seus rebanhos. Um passo para a frente, dez passos para trás. A idéia tornou impossível para sua mente não ecoar vozes vindas de fora, seus colegas de faculdade nas montanhas de Minas Gerais sacudindo as cabeças, sem compreender:

— Por que o Pantanal, quando em praticamente qualquer outro lugar é mais fácil ganhar a vida?

Como é que se respondia, quando se sabia que era verdade? Em praticamente qualquer lugar além das Serras de Maracaju, onde o solo era profundo e vermelho. Onde nunca enchia e você podia se defender da seca com celeiros cheios de feno e valas cheias de selagem; contra a queda nos preços do gado, com campos de soja e trigo, pomares de frutas. Enquanto todas as vezes que se tentava fazer algo novo aqui era como cometer um crime perigoso.

Ele sabia. Mas todas as vezes que considerava a hipótese de vender tudo, trocar sua vida por alguma outra, seus pensamentos automaticamente voltavam ao que o cercava. Como se ele quisesse estar onde estava para ao menos conseguir pensar.

— Bento, alguma vez já pensou em ir embora?

— Para onde? Entre Rios? — Bento olhou-o de esguelha, desconfiadamente. — Eu? Pois não sei nem como cavalgar colina abaixo.

— Podia valer a pena tentar se afastar de coisas assim — fez um gesto com o queixo, apontando para a água para onde estavam a ponto de descer e que mais uma vez os deixaria encharcados.

— Isso faz parte — Tomazio viu o orgulho persistente no erguer de ombros de seu companheiro –, isso tudo faz parte.

— Ummm. — Conforme Firmeza avançava, fazendo-o romper a corrente com o peito, Tomazio ficou de olho no gado, sentindo a água limpa e ao mesmo tempo escura fluindo contra suas pernas, bebeu à vista de caités altos e de um verde claro erguendo-se acima do verde azul – absorvendo tudo, conforme pensava no que Bento dissera.

— Tudo faz parte — se ele lhe perguntasse, duvidava que Bento conseguisse explicar o que queria dizer e, no entanto, tinha certeza de que, instintivamente, o capataz sabia. Esse jovem com quem ele havia crescido e que agora era o capataz de Jacyra não estava ali por não saber como cavalgar colina abaixo. Isso ele podia aprender, quem não podia? Mas, poucos como eram, um homem capaz como ele arranjaria emprego em qualquer lugar. Era pelo menos isso que fazia parte, era o próprio Bento. Assim, tão simples. Era a diferença entre Bento e a maioria das pessoas; Rafa, por exemplo, que acima de tudo parecia não pertencer a lugar nenhum. Isso o fazia lamentar por Rafa, mesmo sentindo vontade de dizer a Bento que ele era um sujeito de sorte.

Mas, nesse exato momento, não tinha coragem, enquanto, Firmeza subindo da baía para terra firme, tirou-o igualmente de suas ponderações incomuns para trazê-lo de volta, com uma sacudida dolorosa à pergunta mais pertinente de todas:

— O que vou fazer agora? O que vamos fazer?

E então, tão abruptamente quanto, ele sentiu-se simplesmente cansado – esgotada a energia para agüentar o modo como suas pernas doíam e seus pés inchados se esfolavam dentro de suas botas, sua bunda na sela. Mal capaz de continuar a botar um depois do outro, ele duvidava que conseguisse manipular Firmeza, se precisasse, e esperava que ninguém notasse, enquanto ele segurava as rédeas bem frouxas, dando à mula mais liberdade.

Mais três horas, quatro? – Pense nela – disse a si mesmo –, lá, esperando, porque é onde ela quer estar.

Daí em diante, mais do que pensar, ele fantasiava. Sobre o modo como ela cavalgava adiante dele, ereta na sela, a cintura delgada. O corpo dela, liso feito mercúrio, enquanto ela atravessava a água, vindo na direção dele, um corpo leve e de músculos desenhados encostando, macios e frescos na pele dele. O som de sua voz, firme e impessoal quando dava uma ordem, cheio e grave quando ela cantava, aumentando, livre e agudo, na raiva e no riso.

Logo ela, estava esperando para viver com ele, ali, naquele lugar, todos os dias, todas as noites. Será que poderia haver alguma coisa tão sensacional? E pensar que poderia não ter acontecido.

Capítulo 87

Foi Dona Veridiana que, após quase um século prestando atenção, ouviu o trote distante das mulas, as vozes dos homens conversando na escuridão, para se manterem em movimento.

— Estão chegando – disse ela, com voz abafada, não querendo perder sequer um fragmento do som. – Seu Caco, o mata-bicho está pronto?

Seu Caco pulou de pé e, num instante, estava junto ao poço com as medidas e a garrafa.

Jacyra podia ter ido correndo até os currais ao lado de sua casinha onde, cansados, mas com cuidado, pensando nas mulas, os homens as desencilharam. Mas sabendo que as demais mulheres esperavam em seus ranchos atrás da salina, ela esperou também, na sombra da varanda, até que ela o viu, as pernas rigidamente arqueadas, atravessando a areia sob as mangueiras. E então ela correu para ele e pendurou-se nele com a ternura de uma mulher e a tenacidade de um tamanduá abraçando sua presa.

Há várias noites que, previdente, Dona Veridiana vinha mandando fazer a refeição preferida de Tomazio, de caribeu com couve e bananas passadas em farinha de mandioca e fritas.

E ele agora, sentado diante do prato, tentando manter-se acordado para comer, era ela quem estava mantendo viva a conversação e, como se a houvesse reservado para o momento certo – contou a história da outra grande enchente de sua vida.

— Nunca esquecerei, como não se deveria esquecer, a expressão no rosto d'Ele quando ele chegou. Entorpecido, exausto pelo que havia feito; arrasado pelo que não havia conseguido fazer. Nossos planos – de vender mil cabeças de gado, e começar a construir esta Sede – literalmente por água abaixo.

O mundo se acabara – eu pensei. Mas como estava errada – seus olhos se iluminaram, através da mesa, para Jacyra. – Não há nada como ter que começar de novo, isso enche você de raiva e determinação. Isso recompõe você como talvez nenhuma outra coisa possa. Portanto, dos anos em que ele esteve aqui, costumo achar que os mais difíceis foram os melhores.

Conforme ela falava, havia nela um fulgor que Jacyra tinha a impressão de nunca ter visto; que, de fato, luzia através da severidade enigmática da matriarca para descrever aquela pessoa calorosa e vulnerável que Jacyra havia apenas começado a conhecer. Foi uma imagem fugidia e, no entanto, inesquecível, que desapareceu quando ela se ergueu da mesa com súbita laboriosidade, que fez Jacyra correr para o seu lado.

— Bem, e tenho certeza de que estamos todos tão cansados esta noite como estávamos então. Eu, pelo menos, estou. É muita coisa passar por duas grandes enchentes, podem crer. – Como ela parecia frágil, quando voltou-se para Tomazio. – Mas eu não podia ir me deitar sem ver você, Tomazio, e lhe dizer como é bom que você tenha voltado. Tal como foi então, é isso o que mais importa.

— Jacyra. – Ela estendeu os braços e, quando Jacyra a abraçou, parecia que a figura que ela segurava era leve como um galho fino que, a qualquer momento, poderia, do mesmo jeito, por sua própria energia, envolver a ambas em chamas.

Naquela noite, as estrelas voltaram a sair, mas seu brilho foi escondido por uma lua cheia cuja influência sobre a terra era tal que tudo dentro de seu clarão era afetado. Conforme as marés recuavam, rios menores fluíam mais depressa para os rios maiores. Os menores de todos, os caminhos do gado, fluíam para as corixas e baías que lampejavam prateadas com saltos de peixes desovando; as salinas que brilhavam rubras com uma vida misteriosa e efêmera.

Por toda parte, conforme a natureza acertava suas contas, a morte começava a abrir caminho e a nutrir vida.

Nos céus, espíritos guerreiros se chocavam e explodiam em galáxias novas, e espíritos errantes e extenuados tomavam seus lugares entre as estrelas.

Sob os céus, na casinha pequenina que Jacyra escolhera como seus domínios, Tomazio dormiu antes que sua cabeça encostasse no travesseiro; só para ser atormentado por pesadelos de uma paisagem saturada com os corpos intumescidos de reses e ossos limpos por urubus e piranhas. "Mmnoo – mmnoo-mmnoo!", até Jacyra o acordar sacudindo-o.

E foi então que ela recebeu uma semente, infinitesimal em uma gênese incessante, cujo conhecimento, não obstante, poria ambos para sonhar – como acontecia com os que existiram antes – com tudo que dava à vida continuidade.

Conforme a semente se precipitava rumo à geração, Tomazio emitiu um gemido luxuriante e voltou a afundar, desta vez num esquecimento profundo e saneador do qual nem mesmo seus roncos de sacudir as paredes o despertariam, até que, mais uma vez, Jacyra o cutucou e disse:

– O sol já vai alto.

Totalmente desperto, e cheio de vida, ele gritou:

– Meu Deus, tenho que me botar em movimento. – Estendeu o braço para encontrá-la a seu lado como se de fato ela houvesse brotado de sua costela, disse baixinho, como que para não perturbar o milagre:

– Vem comigo?

Capítulo 88

Naquela mesma noite, quando foi se deitar no quarto de cima, Dona Veridiana, agitada por lembranças e sentindo-se inquieta e bem desperta, sentou-se com as costas reclinadas nos travesseiros olhando para o mundo enluarado lá fora pensando no rancho junto ao rio.

Estava escuro e, tendo feito tudo que havia para fazer, esperou por Ele na pequena varanda, perguntando-se por que ele ainda não teria vindo. Quanto mais ela tentava, menos ela conseguia evitar pensar no que poderia ter acontecido com Ele até que, finalmente, foi impossível não se levantar e sair procurando.

Como ela se sentia leve, como se o caminho lhe fugisse de sob os pés à medida que ela seguia para o lugar onde eles haviam se banhado na corixa. E lá ela o encontrou, saindo das águas, alto, jovem e empenado. Ele estendeu os braços e ela recuou, como sempre. Mas ele sacudira a cabeça e disse-lhe:

– Vem.

E então ela percebeu que também estava nua e, cobrindo sua nudez, sentiu a magnífica juventude e suavidade de sua própria pele.

– Vem – ele voltou a dizer. – Agora está tudo bem. – E seus corpos sem peso e sem cansaço, eles nadaram rumo à salina, ao Mar dos Xaraiés, sempre para a frente.

Em seu quarto, posicionado perto o suficiente para ouvir caso precisassem dele, vindo observando há dias o comportamento da matriarca, seu Caco não se surpreendeu ao ouvir murmúrios que não escutava desde que trouxera Dona Veridiana para viver de vez em Contendas. Nem o surpreendeu o fato de que as vozes fossem joviais como era da primeira vez em que ele veio para dar uma mãozinha, tantos anos atrás. Esforçando os ouvidos ao máximo, ele até achou, por um instante, que poderia distinguir as palavras.

Talvez isso fosse apenas uma idéia da sua natureza, afinal de contas, muito romântica. Não obstante, pela manhã, quando Fátima chegou correndo num estado de histeria, para dizer que algo terrível havia acontecido com Dona Veridiana, aquilo tudo já o havia preparado também para a cena que ele testemunharia quando ela abriu a porta do quarto da matriarca.

Ela estava lá, sentada, apoiada pelos travesseiros, as mãos ao lado do corpo, as palmas viradas para cima – e em seu rosto não apenas aquele ar tranqüilo daqueles cujas almas já se foram, mas um ar de curiosa jovialidade que o levou a dizer gentilmente a Fátima:

– Não está vendo? É que o Coronel veio buscá-la e ela também foi tomar seu lugar entre as estrelas.

Impressão e Acabamento
Com fotolitos fornecidos pelo Editor

EDITORA e GRÁFICA
VIDA & CONSCIÊNCIA

R. Santo Irineu, 170 • São Paulo • SP
✆ (11) 5549-8344 • FAX (11) 5571-9870
e-mail: gasparetto@snet.com.br
site: www.gasparetto.com.br